AF238248

Código Civil

COMITÉ CIENTÍFICO DE LA EDITORIAL TIRANT LO BLANCH

MARÍA JOSÉ AÑÓN ROIG
Catedrática de Filosofía del Derecho
de la Universidad de Valencia

ANA CAÑIZARES LASO
Catedrática de Derecho Civil
de la Universidad de Málaga

JORGE A. CERDIO HERRÁN
Catedrático de Teoría y Filosofía
de Derecho. Instituto Tecnológico
Autónomo de México

JOSÉ RAMÓN COSSÍO DÍAZ
Ministro de la Suprema Corte
de Justicia de México

EDUARDO FERRER MAC-GREGOR POISOT
Presidente de la Corte Interamericana
de Derechos Humanos.
Investigador del Instituto de
Investigaciones Jurídicas de la UNAM

OWEN FISS
Catedrático emérito de Teoría del Derecho de
la Universidad de Yale (EEUU)

JOSÉ ANTONIO GARCÍA-CRUCES GONZÁLEZ
Catedrático de Derecho
Mercantil de la UNED

LUIS LÓPEZ GUERRA
Catedrático de Derecho Constitucional
de la Universidad Carlos III de Madrid

ÁNGEL M. LÓPEZ Y LÓPEZ
Catedrático de Derecho Civil
de la Universidad de Sevilla

MARTA LORENTE SARIÑENA
Catedrática de Historia del Derecho
de la Universidad Autónoma de Madrid

JAVIER DE LUCAS MARTÍN
Catedrático de Filosofía del Derecho y
Filosofía Política de la Universidad de Valencia

VÍCTOR MORENO CATENA
Catedrático de Derecho Procesal
de la Universidad Carlos III de Madrid

FRANCISCO MUÑOZ CONDE
Catedrático de Derecho Penal
de la Universidad Pablo de Olavide de Sevilla

ANGELIKA NUSSBERGER
Jueza del Tribunal Europeo de Derechos
Humanos Catedrática de Derecho Internacional
de la Universidad de Colonia (Alemania)

HÉCTOR OLASOLO ALONSO
Catedrático de Derecho Internacional
de la Universidad del Rosario (Colombia) y
Presidente del Instituto Ibero-Americano
de La Haya (Holanda)

LUCIANO PAREJO ALFONSO
Catedrático de Derecho Administrativo
de la Universidad Carlos III de Madrid

TOMÁS SALA FRANCO
Catedrático de Derecho del Trabajo y de la
Seguridad Social de la Universidad de Valencia

IGNACIO SANCHO GARGALLO
Magistrado de la Sala Primera (Civil)
del Tribunal Supremo de España

TOMÁS S. VIVES ANTÓN
Catedrático de Derecho Penal
de la Universidad de Valencia

RUTH ZIMMERLING
Catedrática de Ciencia Política
de la Universidad de Mainz (Alemania)

Procedimiento de selección de originales, ver página web:

www.tirant.net/index.php/editorial/procedimiento-de-seleccion-de-originales

ACCESO GRATIS a la Lectura en la Nube

Para visualizar el libro electrónico en la nube de lectura envíe junto a su nombre y apellidos una fotografía del código de barras situado en la contraportada del libro y otra del ticket de compra a la dirección:

ebooktirant@tirant.com

En un máximo de 72 horas laborales le enviaremos el código de acceso con sus instrucciones.

La visualización del libro en **NUBE DE LECTURA** excluye los usos bibliotecarios y públicos que puedan poner el archivo electrónico a disposición de una comunidad de lectores. Se permite tan solo un uso individual y privado

Código Civil

MARCELA CASTRO DE CIFUENTES

*Profesora de Derecho Civil - Obligaciones en la Facultad de
Derecho de la Universidad de los Andes, Bogotá*

MANUEL E. CIFUENTES MUÑOZ

*Profesor de Derecho Romano en la Universidad de los Andes
y en la Universidad Javeriana, Bogotá*

tirant lo blanch
Bogotá D.C., 2019

Copyright ® 2019

Todos los derechos reservados. Ni la totalidad ni parte de este libro puede reproducirse o transmitirse por ningún procedimiento electrónico o mecánico, incluyendo fotocopia, grabación magnética, o cualquier almacenamiento de información y sistema de recuperación sin permiso escrito de los autores y del editor.

En caso de erratas y actualizaciones, la Editorial Tirant lo Blanch publicará la pertinente corrección en la página web www.tirant.com incorporada a la ficha del libro. En www.tirant.com dispondrá de un servicio con los textos legales básicos y sectoriales actualizados como complemento de su libro.

Los textos jurídicos que aparecen se ofrecen con una finalidad informativa o divulgativa. Tirant lo Blanch intentará cuidar por la actualidad, exactitud y veracidad de los mismos, si bien advierte que no son los textos oficiales y declina toda responsabilidad por los daños que puedan causarse debido a las inexactitudes o incorrecciones de los mismos.

Los únicos textos considerados legalmente válidos son los que aparecen en las publicaciones oficiales de los correspondientes organismos autonómicos o nacionales.

Asistentes de investigación:
Yinna Fernanda Figueredo Urrea
Luisa Ricaurte Espinosa
Santiago Valderrama Henao

© Marcela Castro de Cifuentes
Manuel E. Cifuentes Muñoz

© TIRANT LO BLANCH
EDITA: TIRANT LO BLANCH
Calle 69A No. 4-88, Bogotá D.C.
Telf.: 4660171
Email: tlb@tirant.com
www.tirant.com
Librería virtual: www.tirant.es
ISBN: 978-84-1313-390-4

Si tiene alguna queja o sugerencia, envíenos un mail a: *atencioncliente@tirant.com*. En caso de no ser atendida su sugerencia, por favor, lea en *www.tirant.net/index.php/ empresa/politicas-de-empresa* nuestro Procedimiento de quejas.

Responsabilidad Social Corporativa: http://www.tirant.net/Docs/RSCTirant.pdf

NOTA DE LOS COMPILADORES

En el presente Código Civil, se señala el estudio de exequibilidad que hace la Corte Constitucional —mediante sentencias de constitucionalidad— respecto del articulado del cuerpo normativo de la siguiente manera:

§ En una fuente de menor tamaño y color azul, se indica la sentencia de constitucionalidad relativa al caso. Si la sentencia resuelve que la disposición —sea artículo o expresión— es exequible, solamente hará constar tal circunstancia y el número de la sentencia. Si, por el contrario, la sentencia resuelve que la disposición es inexequible, se transcribirá la parte resolutiva en lo pertinente.

§ En cuanto a las sentencias inhibitorias, solamente se consignan en este Código aquellas que tengan su motivación en derogatorias tácitas o carencia actual de objeto. Se omiten las sentencias cuando el fundamento de la inhibición sea la ineptitud de la demanda, falta de argumentativa del demandante o cosa juzgada constitucional.

§ En algunos casos, cuando lo amerita el contexto, se han transcrito apartes relevantes del fallo.

§ Con letra *cursiva* se destaca que la Corte ha realizado un análisis del artículo en cuestión, independientemente de la decisión que se tome al respecto.

§ Mediante el empleo de paréntesis cuadrados «[]» se constata que el texto que se encierra en tales no hace parte del ordenamiento jurídico, por cuanto la Corte Constitucional lo declara inexequible. Si la norma es parcialmente inexequible, se mantiene en el articulado —realizada tal observación— para conservar su integridad orgánica

§ Los compiladores omiten análisis de constitucionalidad anteriores a la Constitución de 1991, por lo que las sentencias de la Sala Plena de la Corte Suprema de Justicia no han sido incluidas en el presente Código.

§   El asterisco encerrado entre paréntesis azul «$^{(*)}$», se usa para agregar una nota respecto de la norma o de una expresión empleada por el Código, relativa a su interpretación, vigencia y concordancia con otras normas.

§   Se señalan las modificaciones, subrogaciones y derogaciones entre paréntesis cuadrados después del número del artículo, en la misma fuente del texto original, pero en azul.

§   En el texto del Código se pueden encontrar paréntesis circulares «()». Dichos paréntesis no son adiciones de los compiladores, sino elementos que trae el cuerpo normativo en su versión oficial.

ÍNDICE

CÓDIGO CIVIL
SUPLEMENTO

ABREVIATURAS

C.A.D.H.:	Convención Americana de Derechos Humanos
C.C.:	Código Civil
C.Co.:	Código de Comercio
C.G.P.:	Código General del Proceso
C.I.A.:	Código de la Infancia y Adolescencia (L. 1098 de 2006)
C.P.:	Constitución Política
C.Pen.:	Código Penal
C.D.P.D.:	Convención sobre los Derechos de las personas con Discapacidad
C.S.T.:	Código Sustantivo del Trabajo.
Dec.:	Decreto.
Exeq.:	Exequible
Exeq. Cond:	Exequibilidad condicionada
Inc.:	Inciso
Inexeq.:	Inexequible
Inhib.:	Fallo inhibitorio
L.:	Ley (Ej: L. 57 de 1887)
L.E.:	Ley Estatutaria.
Lit.:	Literal
Ord.:	Ordinal

CÓDIGO CIVIL

TÍTULO PRELIMINAR

CAPÍTULO 1° Objeto y fuerza de este código

Artículo 1. El Código Civil comprende las disposiciones legales sustantivas que determinan especialmente los derechos de los particulares, por razón del estado de las personas, de sus bienes, obligaciones, contratos y acciones civiles.

Art. 1 L. 57 de 1887; Art. 35 C.R.P.M.; Art. 1 C.G.P.

Artículo 2. En el presente Código Civil de la Unión se reúnen las disposiciones de la naturaleza expresada en el artículo anterior, que son aplicables en los asuntos de la competencia del Gobierno general con arreglo a la Constitución, y en los civiles comunes de los habitantes de los Territorios que él administra.

Arts. 2 y 5 L. 57 de 1887.

Artículo 3. Considerado este Código en su conjunto y en cada uno de los títulos, capítulos y artículos de que se compone, forma la regla establecida por el legislador colombiano, a la cual es un deber de los particulares ajustarse en sus asuntos civiles, que es lo que constituye la Ley o el derecho civil nacional.

Arts. 4 y 6 C.P.; Arts. 1, 2 y 822 C.Co.

CAPÍTULO 2° De la Ley

Artículo 4. Ley es una declaración de la voluntad soberana manifestada en la forma prevenida en la Constitución nacional. El carácter general de la Ley es mandar, prohibir, permitir o castigar.

Arts. 4, 6, 114, 150, 151, 152 y 157 C.P.; Art. 11 L. 153 de 1887.

Artículo 5. Pero no es necesario que la Ley que manda, prohíbe o permita, contenga o exprese en sí misma la pena o castigo en que se incurre por su violación. El Código Penal es el que define los delitos y les señala penas[*].

Arts. 4, 6, 11, 12, 22A, 29, 28, 31, 34, 42, 44, 80, 180 (Nral. 8), 189 (Nrals. 21, 22, 24 y 26) C.P.; Arts. 1, 3, 4 y 6 C.Pen.; Arts. 1, 11, 12, 13, 16, 17, 25, 172-197 y 198 C.N.P.C.

(*) El repertorio de estatutos legales que contienen disposiciones de naturaleza punitiva o que con el objeto de velar por la cumplida observancia de la ley disponen de un régimen sancionatorio no se agota en las disposiciones antes citadas. Se han privilegiado en esta concordancia, las normas constitucionales, penales y policivas de alcance más general que orientan la materia.

Artículo 6. La sanción legal no es sólo la pena sino también la recompensa: es el bien o el mal que se deriva como consecuencia del cumplimiento de sus mandatos o de la trasgresión de sus prohibiciones.

En materia civil son nulos los actos ejecutados contra expresa prohibición de la Ley, si en ella misma no se dispone otra cosa. Esta nulidad, así como la validez y firmeza de los que se arreglan a la Ley, constituyen suficientes penas y recompensas, aparte de las que se estipulan en los contratos.

Arts. 1740-1756 C.C.; Arts. 897-904 C.Co.; Art. 2 L. 50 de 1936; Arts. 48-50 L. 1306 de 2009.

Artículo 7. La sanción constitucional que el poder ejecutivo de la Unión da a los proyectos acordados por el Congreso, para elevarlos a la categoría de leyes, es cosa distinta de la sanción legal de que habla el artículo anterior.

Arts. 157, 165, 167, 168, 189 (Nral. 9), 200 y 241 (Nral. 8) C.P.; Art. 2 L. 57 de 1887; Arts. 52 y 53 C.R.P.M.; Arts. 196-201 L. 5 de 1992.

Artículo 8. La costumbre en ningún caso tiene fuerza contra la Ley. No podrá alegarse el desuso para su inobservancia, ni práctica alguna, por inveterada y general que sea.

Arts. 3 y 330 C.P.; Art. 13 L. 153 de 1887; Arts. 1246, 1256, 1621, 1879, 1998, 2002, 2009, 2012, 2044 y 2054 C.C.; Arts. 3-7 C.Co.; Art. 179 C.G.P.

(*) Ver, C-224 de 1994; C-486 de 1996.

Artículo 9. La ignorancia de las leyes no sirve de excusa.

Exeq. C-651 de 1997: «*Declarar EXEQUIBLE el artículo 9 del Código Civil*». Art. 56 C.R.P.M.

Artículo 10. [Derogado]

Art. 45 L. 57 de 1887: «Deróganse los artículos 10, (...) del Código; (...) todos del Código de que se trata».

Ver, Art. 5 L. 57 de 1887.

CAPÍTULO 3° Efectos de la Ley

Artículo 11. [Subrogado] [*La Ley es obligatoria y surte sus efectos desde el día en que ella misma se designa, y en todo caso después de su promulgación]*[*].

Arts. 52-56 C.R.P.M.

[*] En sentencia T-050 de 2004 la Corte Constitucional confirma la subrogación: «*Respecto de la vigencia de las leyes, la aplicación de la ley en el tiempo se encontraba regulada en los artículos 11 y 12 del Código Civil. Sin embargo, éstos fueron subrogados por los artículos 52 a 56 del Código de Régimen Político y Municipal*».

Artículo 12. [Subrogado] [*La promulgación de la Ley se hará insertándola en el «Diario Oficial», y enviándola en esta forma a los estados y a los Territorios. // En la capital de la Unión se entenderá promulgada el día mismo de la inserción de la Ley en el periódico oficial: y los Estados y en los Territorios, tres días en la capital y quince en los distritos y poblaciones de que se compongan, después del recibo de dicho periódico por el Presidente o Gobernador del Estado, o por el Prefecto del Territorio respectivo; a cuyo efecto estos funcionarios harán llevar por su Secretario un Registro especial en que se anote el día del recibo de cada número del «Diario Oficial», dando aviso de ello por el inmediato correo a la Secretaría de lo Interior y relaciones Exteriores]*[*].

Arts. 52-56 C.R.P.M.

[*] En sentencia T-050 de 2004 la Corte Constitucional confirma la subrogación: «*Respecto de la vigencia de las leyes, la aplicación de la ley en el tiempo se encontraba regulada en los artículos 11 y 12 del Código Civil. Sin embargo, éstos fueron subrogados por los artículos 52 a 56 del Código de Régimen Político y Municipal*».

Artículo 13. [Derogado. Art. 49 L. 153 de 1887]

Artículo 14. Las Leyes que se limitan a declarar el sentido de otras Leyes, se entenderán incorporadas en estas; pero no afectarán en manera alguna los efectos de las sentencias ejecutoriadas en el tiempo intermedio.

Art. 58 C.R.P.M.

Artículo 15. Podrán renunciarse los derechos conferidos por las leyes, con tal que solo miren al interés individual del renunciante, y que no esté prohibida la renuncia.

Arts. 58, 61, 150 (Nral. 34), 329, 55 (T) C.P.; Arts. 6, 198, 424, 426, 1522, 1526, 1604, 1673, 1775, 1837, 1838, 1840, 1841, 1867 y 1950 C.C.

Artículo 16. No podrán derogarse por convenios particulares las Leyes en cuya observancia están interesados el orden y las buenas costumbres.

Art. 95 C.P.; Art. 18 L. 153 de 1887; Arts. 6; 937; 1518; 1524; 1532 y 1773 C.C.

Artículo 17. Las sentencias judiciales no tienen fuerza obligatoria, sino respecto de las causas en que fueron pronunciadas. Es, por tanto, prohibido a los jueces proveer en los negocios de su competencia por vía de disposición general o reglamentaria.

Exeq. Cond. C-461 de 2013: «*Declarar EXEQUIBLE por los cargos anali-zados el artículo 17 del Código Civil, bajo el entendido de que no impide la existencia de efectos erga omnes y extensivos en las sentencias que deciden las acciones constitucionales*».
Arts. 230, 241 y 243 C.P.; Arts. 25, 26, 401, 406, 765 y 2534 C.C.

Artículo 18. La Ley es obligatoria tanto a los nacionales como a los extranjeros residentes en Colombia.

Arts. 4, 95 y 100 C.P.

Artículo 19. Los colombianos residentes o domiciliados en país extranjero permanecerán sujetos a las disposiciones de este Código y demás Leyes nacionales que reglan los derechos y obligaciones civiles:

1.º En lo relativo al estado de las personas y su capacidad para efectuar ciertos actos que hayan de tener efecto en alguno de los Territorios administrados por el gobierno general, o en asuntos de la competencia de la Unión;

2.º En las obligaciones y derechos que nacen de las relaciones de familia; pero sólo respecto de sus cónyuges y parientes en los casos indicados en el inciso anterior.

Art. 42 C.P.; Art. 2 L. 57 de 1887.; L. 33 de 1992;

(*) Ver, sentencias C-276 de 1993 y 821 de 2012 de la Corte Constitucional relacionadas con la L. 33 de 1992 (*Por medio de la cual se aprueba el «Tratado de Derecho Civil Internacional y el Tratado de Derecho Comercial Internacional», firmados en Montevideo el 12 de febrero de 1989*).

Artículo 20. Los bienes situados en los territorios, y aquellos que se encuentren en los Estados, en cuya propiedad tenga interés o derecho la Nación, están sujetos a las disposiciones de este Código, aun cuando sus dueños sean extranjeros y residan fuera de Colombia.

Esta disposición se entenderá sin perjuicio de las estipulaciones contenidas en los contratos celebrados válidamente en país extraño.

Pero los efectos de dichos contratos, para cumplirse en algún territorio, o en los casos que afecten a los derechos e intereses de la Nación, se arreglarán a este Código y demás Leyes civiles de la Unión.

Art. 1012 C.C.; Art. 2 L. 57 de 1887.

Artículo 21. La forma de los instrumentos públicos se determina por la Ley del país en que hayan sido otorgados. Su autenticidad se probará según las reglas establecidas en el Código Judicial de la Unión.

La forma se refiere a las solemnidades externas, a la autenticidad, al hecho de haber sido realmente otorgados y autorizados por las personas y de la manera que en tales instrumentos se exprese.

Arts. 1084-1086 C.C.; Art. 2 L. 57 de 1887; Art. 252 C.R.P.M.; Arts. 243-277 C.G.P.

Artículo 22. En los casos en que los códigos o las leyes de la Unión exigiesen instrumentos públicos para pruebas que han de rendirse y producir efecto en asuntos de la competencia de la Unión, no valdrán las escrituras privadas, cualquiera que sea la fuerza de éstas en el país en que hubieren sido otorgadas.

Art. 1760 C.C.; Art. 256 C.G.P.; Art. 2 L. 57 de 1887; L. 33 de 1992.

Artículo 23. El estado civil adquirido conforme a la Ley vigente a la fecha de su constitución subsistirá, aunque esa ley pierda después su fuerza.

Arts. 19 y 20 L. 153 de 1887.

Artículo 24. [Derogado. Art. 45 L. 57 de 1887].

CAPÍTULO 4° Interpretación de la Ley

Artículo 25. *La interpretación que se hace [con autoridad] para fijar el sentido de una Ley oscura, de una manera general, [solo] corresponde al legislador.*

Exeq. Condicionada: C-820 de 2006: *«Declarar EXEQUIBLE el artículo 25 del Código Civil, por los cargos formulados en la demanda (...) La exequibilidad se condiciona en el sentido de entender que la interpretación constitucional que de la ley oscura hace la Corte Constitucional, tiene carácter obligatorio y general».*

Inexeq. Parcial. C-820 de 2006: *«Declarar EXEQUIBLE el artículo 25 del Código Civil, (...) salvo las expresiones "sólo" y "con autoridad", que se declaran INEXEQUIBLES».*

Art. 150-1 C.P.; Art. 48 L. 270 de 1996; Art. 17 C.C.; Art. 10 L. 153 de 1887; Art. 4 L. 169 de 1896.

Artículo 26. Los Jueces y los funcionarios públicos, en la aplicación de las leyes a los casos particulares y en los negocios administrativos, las interpretan por vía de doctrina, en busca de su verdadero sentido, así como los particulares emplean su propio criterio para acomodar las determinaciones generales de la ley a sus hechos e intereses peculiares.

Las reglas que se fijan en los artículos siguientes deben servir para la interpretación por vía de doctrina.

Arts. 1, 2, 6, 29, 83, 95, 209 y 230 C.P.; Art. 17 C.C.

Artículo 27. *Cuando el sentido de la ley sea claro, no se desatenderá su tenor literal a pretexto de consultar su espíritu.*

Pero bien se puede, para interpretar una expresión oscura de la ley, recurrir a su intención o espíritu, claramente manifestados en ella misma o en la historia fidedigna de su establecimiento.

Exeq. C-054 de 2016: *«La regla de derecho de interpretación gramatical, adecuadamente comprendida, es exequible, pues en todo caso opera como una variable dependiente de la compatibilidad entre la Carta Política y los resultados del proceso interpretativo. Como resultado de estos argumentos, la Sala declarará la exequibilidad de la norma demandada. (...) En mérito de lo expuesto, (...) RESUELVE: (...) Declarar EXEQUIBLE la expresión "Cuando el sentido de la ley sea claro, no se desatenderá su tenor literal a pretexto de consultar su espíritu", contenida en el artículo 27 del Código Civil».*

Art. 17 C.C. L. 5 de 1992.

Artículo 28. Las palabras de la ley se entenderán en su sentido natural y obvio, según el uso general de las mismas palabras; pero cuando el legislador las haya definido expresamente para ciertas materias, se les dará en éstas su significado legal.

Arts. 25 y 33 C.C.; Arts. 5, 822 y 823 C.Co.

Artículo 29. Las palabras técnicas de toda ciencia o arte se tomarán en el sentido que les den los que profesan la misma ciencia o arte; a menos que aparezca claramente que se ha tomado en sentido diverso.

Arts. 5, 822 y 823 C.Co.

Artículo 30. El contexto de la ley servirá para ilustrar el sentido de cada una de sus partes, de manera que haya entre todas ellas la debida correspondencia y armonía.

Los pasajes oscuros de una ley pueden ser ilustrados por medio de otras leyes, particularmente si versan sobre el mismo asunto.

(*) La conformación del ordenamiento legal colombiano como sistema, a la base del método de interpretación previsto, encuentra fundamento en el preámbulo y varias normas de la Constitución, entre otras, los artículos 1, 2, 4, 6, 209, 230 y 246 C.P.

Artículo 31. Lo favorable u odioso de una disposición no se tomará en cuenta para ampliar o restringir su interpretación. La extensión que deba darse a toda ley se determinará por su genuino sentido, y según las reglas de interpretación precedentes.

Arts. 1, 2, 4, 6, 29, 83, 95, 209 y 230 C.P.; Arts. 25-30 C.C.

Artículo 32. En los casos a que no pudieren aplicarse las reglas de interpretación anteriores, se interpretarán los pasajes oscuros o contradictorios del modo que más conforme parezca al espíritu general de la legislación y a la equidad natural.

Art. 230 C.P. Arts. 5 y 48 L. 153 de 1887; Art. 12 C.G.P.

CAPÍTULO 5° Definiciones de varias palabras de uso frecuente en las leyes

Artículo 33. *La palabra [hombre], persona, [niño, adulto y otras semejantes que] en su sentido general se aplicará a individuos de la especie humana, sin distinción de sexo, [se entenderán que comprenden ambos sexos en las disposiciones de las leyes, a menos que por la naturaleza de la disposición o el contexto se limiten manifiestamente a uno solo].*

[Por el contrario, las palabras mujer, niña, viuda y otras semejantes, que designan el sexo femenino, no se aplicaran a otro sexo, a menos que expresamente las extienda la ley a él].

Inexeq. Parcial. C-804 de 2006: «*Los contenidos de las definiciones legales inciden en la manera como se perpetúan medidas, actuaciones y en general políticas discriminatorias frente a las mujeres, de modo que aquellas definiciones tendientes a reproducir contenidos sexistas significan una vulneración de (...) preceptos constitucionales dirigidos a reconocer la dignidad de las mujeres como personas autónomas y libres merecedoras de la misma consideración y respeto que merecen los varones y constituyen, de la misma forma, una violación de los Pactos y Convenios Internacionales aprobados y ratificados por Colombia. (...) si bien la definición prevista en el artículo 33 del Código Civil desconoce preceptos constitucionales y por esa razón será declarada inexequible, eso no significa que todas las expresiones contenidas en la legislación vigente que tengan una connotación de género devengan inconstitucionales. (...) incluso aquellas que tienen una connotación discriminadora (...) sólo en caso excepcional deberán ser expulsadas del ordenamiento jurídico. Cobra aquí pleno sentido el principio de conservación del derecho, y en consecuencia tales expresiones deben ser interpretadas de conformidad con el orden axiológico constitucional... (...) En mérito de lo expuesto, la Corte Constitucional, (...) RESUELVE (...) Declarar la INEXEQUIBILIDAD del artículo 33 del Código Civil salvo el siguiente aparte que se declara EXEQUIBLE: "la palabra persona en su sentido general se aplicará a individuos de la especie humana sin distinción de sexo"*».

Artículo 34. Llámase infante o niño, todo el que no ha cumplido siete años; impúber, el *[varón]* que no ha cumplido catorce años (*y la mujer que no ha cumplido doce**); adulto, el que ha dejado de ser impúber; mayor de edad, o simplemente mayor, el que ha cumplido dieciocho años, y menor de edad, o simplemente menor, el que no ha llegado a cumplirlos.

Las expresiones mayores de edad o mayor, empleadas en las leyes comprenden a los menores que han obtenido habilitación de edad[(*)], en todas las cosas y casos en que las leyes no hayan exceptuado expresamente a estos.

Inexeq. Parcial. C-534 de 2005: «...no encuentra esta Sala que la distinción persiga un fin concreto, pues (...) no existe una relación necesaria entre las diferencias en el desarrollo físico-sexual y la presunción de capacidades reflexivas para negociar. Por el contrario, tal como se estructura la legislación civil y comercial, dichas diferencias aparecen como razones para sustentar la adjudicación de protección jurídica de forma disímil, lo cual no resulta acorde con nuestro orden constitucional. (...) en una interpretación sistemática de la legislación civil y comercial, lo que se decidirá sobre el artículo 34 en relación con la incapacidad y la nulidad, determinará la identificación que en su contenido se haga de las expresiones que referencien incapacidad, nulidad o alguna otra noción derivada. (...) En mérito de lo expuesto, la Corte Constitucional (...) RESUELVE (...) Primero. -Declarar INEXEQUIBLES la expresión "varón" y la expresion "y la mujer que no ha cumplido doce", contenidas en el artículo 34 del Código Civil, quedando la redacción de la norma de la siguiente manera: // ARTICULO 34. Llámase infante o niño, todo el que no ha cumplido siete años; impúber, el que no ha cumplido catorce años; adulto, el que ha dejado de ser impúber; mayor de edad, o simplemente mayor, el que ha cumplido (veintiún) años, y menor de edad, o simplemente menor, el que no ha llegado a cumplirlos. (...)»

[*] La habilitación de edad ha desaparecido del ordenamiento a partir de la fijación en 18 años de la mayoría de edad por la ley 27 de 1977.
Art. 119 L. 1306 de 2009; Art. 3 L. 1098 de 2003

Artículo 35. Parentesco de consanguinidad es la relación o conexión que existe entre las personas que descienden de un mismo tronco o raíz, o que están unidas por los vínculos de la sangre.

Arts. 36-38 y 40-46 C.C.

Artículo 36. El parentesco de consanguinidad es legítimo o ilegítimo.

Arts. 38, 47, 49, 53, 61 y 213 C.C.; Art. 1, L. 29 de 1982; Art. 1 L. 1060 de 2006.

[*] En sentencia C-595 de 1996, que se ocupó de estudiar la constitucionalidad de los artículos 38 a 48 C.C. la Corte expresó: «...*el calificativo de ilegítimo dado a un parentesco no tiene ninguna finalidad, pues sólo la tendría si implicara una diferencia en los derechos».* Por su parte, la misma Corporación en sentencia C-1024 de 2004, en línea con la sentencia C-105 de 1994 afirmó que *«son inconstitucionales aquellas regulaciones que establecen discriminaciones entre las personas por su origen familiar».*

Artículo 37. Los grados de consanguinidad entre dos personas se cuentan por el número de generaciones. Así, el nieto está en segundo grado de consanguinidad con el abuelo, y dos primos hermanos en cuarto grado de consanguinidad entre sí.

Art. 47 C.C.

Artículo 38. *Parentesco legítimo de consanguinidad* es aquél en que todas las generaciones de que resulta, han sido autorizadas por la Ley; como el que existe entre dos primos hermanos, hijos legítimos de dos hermanos, que han sido también hijos legítimos del abuelo común.

Exeq. C-595 de 1996: «*PRIMERO: Decláranse EXEQUIBLES los artículos 38 y 47 del Código Civil*».

Artículo 39. [*La consanguinidad ilegítima es aquella en que una o mas de las generaciones de que resulta, no han sido autorizadas por la Ley; como entre dos primos hermanos hijos legítimos de dos hermanos, uno de los cuales ha sido hijo ilegítimo del abuelo común*].

Inexeq. C-595 de 1996: «*Segundo: Decláranse INEXEQUIBLES los artículos 39 y 48 del Código Civil*». El texto entre paréntesis cuadrados no hace parte ya del ordenamiento.

Artículo 40. La legitimidad conferida a los hijos por matrimonio posterior de los padres, produce los mismos efectos civiles que la legitimidad nativa. Así, dos primos hermanos, hijos legítimos de dos hermanos que fueron legitimados por el matrimonio de sus padres, se hallan entre sí en el cuarto grado de consanguinidad transversal legítima.

Arts. 213, 214, 216, 218, 220, 222, 223, 224 y 245 C.C.; Art. 1 L. 1060 de 2006.

Artículo 41. En el parentesco de consanguinidad hay líneas y grados. Por línea se entiende la serie y orden de las personas que descienden de una raíz o tronco común.

Art. 47 C.C.

Artículo 42. La línea se divide en directa o recta y en colateral, transversal u oblicua, y la recta se subdivide en descendiente y ascendiente.

Línea recta o directa es la que forman las personas que descienden unas de otras, o que solo comprende personas generantes y personas engendradas.

Art. 47 C.C.

Artículo 43. Cuando en la línea recta se cuenta bajando del tronco a los otros miembros, se llama descendiente, por ejemplo: padre, hijo, nieto, biznieto, tataranieto, etc; y cuando se cuenta subiendo de uno de los miembros al tronco, se llama ascendiente, por ejemplo: hijo, padre, abuelo, bisabuelo, tatarabuelo, etc.

Artículo 44. Línea colateral, transversal u oblicua, es la que forman las personas que aunque no procedan las unas de las otras, si descienden de un tronco común, por ejemplo: hermano y hermana, hijos del mismo padre o madre; sobrino y tío que, proceden del mismo tronco, el abuelo.

Artículo 45. Por línea paterna se entiende la que abraza los parientes por parte de padre; y por línea materna la que comprende los parientes por parte de madre.

Artículo 46. En la línea transversal se cuentan los grados por el número de generaciones desde el uno de los parientes hasta la raíz común, y desde este hasta el otro pariente. Así, dos hermanos están en segundo grado; el tío y el sobrino en tercero, etc.

Artículo 47. *Afinidad legítima es la que existe entre una persona que está (o ha estado casada)*[*] *y los consanguíneos legítimos de su marido o mujer. La línea o grado de afinidad legítima de una persona con un consanguíneo de su marido o mujer, se califica por la línea o grado de consanguinidad legítima, en la línea transversal, con los hermanos legítimos de su mujer.*

Exeq. C-595 de 1996: «PRIMERO: *Declárense EXEQUIBLES los artículos 38 y 47 del Código Civil*».

[*] Inhib. C-125 de 2013. La demanda se enderezaba a que se excluyera de la definición de la afinidad legítima a los consanguíneos de los ex cónyuges, al estimarse como desproporcionada la permanencia de la relación afinidad después de la terminación del vínculo matrimonial, por tener una repercusión directa en el acceso a la administración pública y contratación estatal, pero debido a que

juntamente con el artículo 47 C.C., no se identificaron ni se demandaron las disposiciones restrictivas pertinentes, la Corte se inhibió de conocer del fondo del cargo, al no poder llenar de oficio dicho vacío.
Arts. 35, 37, 41, 42, 49, 213 C.C.; Art. 1 L. 1060/03.

Artículo 48. [*Es afinidad ilegítima la que existe entre una de las personas que no han contraído matrimonio y se han conocido carnalmente, y los consanguíneos legítimos o ilegítimos de la otra, o entre una de dos personas que están o han estado casadas y los consanguíneos ilegítimos de la otra*].

Inexeq. C-595 de 1996: «*Segundo: Decláranse INEXEQUIBLES los artículos 39 y 48 del Código Civil*». El texto entre paréntesis cuadrados no hace parte ya del ordenamiento.

Artículo 49. En la afinidad *ilegítima*[*] se califican las líneas y grados de la misma manera que en la afinidad legítima.

[*] Art. 1 L. 29 de 1982. «*Los hijos son legítimos, extramatrimoniales y adoptivos y tendrán iguales derechos y obligaciones*». El término *ilegítimo* debe leerse como «extramatrimonial».
Art. 47 C.C.; Art. 1 L. 29 de 1982; Art. 1 L. 1060 de 2006.

Artículo 50. [Derogado, L. 5 de 1975] *Parentesco civil es el que resulta de la adopción, mediante la cual la Ley estima que el adoptante, su mujer y el adoptivo se encuentran entre sí, respectivamente, en las relaciones de padre, de madre, de hijo. Este parentesco no pasa de las respectivas personas.*

Inhib. C-366 de 2016: «...*el artículo 50 del Código Civil ha sido derogado orgánicamente por normas posteriores, tales como, la Ley 5 de 1975, el Código del Menor y el Código de la Infancia y la Adolescencia (...) RESUELVE (...) INHIBIRSE de proferir un pronunciamiento de fondo respecto del artículo 50 del Código Civil, por cuanto dicha disposición fue derogada orgánicamente por el Código de la Infancia y la Adolescencia, configurándose la carencia actual de objeto*».

Artículo 51. [Sustituido. Art. 6º L. 57 de 1887 - Derogado. Art. 31. Ley 1 de 1976]

Artículo 52. [Derogado. Art. 30 L. 45 de 1936]
El hijo nacido de padres que al tiempo de la concepción no estaban casados entre sí, es hijo natural[*], cuando ha sido reconocido o declarado tal con arreglo a lo dispuesto en la presente Ley. También se tendrá

esta calidad[*] respecto de la madre soltera o viuda por el solo hecho del nacimiento.

[*] Art. 1 L. 29 de 1982. «*Los hijos son legítimos, extramatrimoniales y adop-tivos y tendrán iguales derechos y obligaciones*». El término *hijo natural* debe leerse como «extramatrimonial».

Artículo 53. Las denominaciones de legítimos, *ilegítimos* y *naturales*[*] que se dan a los hijos se aplican correlativamente a sus padres.

[*] Art. 1 L. 29 de 1982.

Artículo 54. Los hermanos pueden serlo por parte de padre y de madre, y se llaman entonces hermanos carnales; o solo por parte de padre, y se llaman entonces hermanos paternos; o solo por parte de madre, y se llaman entonces hermanos maternos o uterinos.

Artículo 55. Son entre si hermanos naturales los *hijos naturales*[*] de un mismo padre o madre, y tendrán igual relación los hijos legítimos con los *na-turales*[*] del mismo padre o madre.

[*] Art. 1 L. 29 de 1982.
Art. 42 C.P.; Art. 1 L. 29 de 1982.

Artículo 56. [Derogado. Art. 30 L. 45 de 1936]

Artículo 57. [Derogado. Art. 30 L. 45 de 1936]

Artículo 58. [Derogado. Art. 30 L. 45 de 1936]

Artículo 59. [Derogado. Art. 30 L. 45 de 1936]

Artículo 60. [Derogado. Art. 45 L. 57 de 1887]

Artículo 61. En los casos en que la Ley dispone que se oiga a los parientes de una persona, se entenderá que debe oírse a las personas que van a expre-sarse y en el orden que sigue:

1.º Los descendientes [*legítimos*];

2.º Los ascendientes [*legítimos*], a falta de descendientes [*legítimos*];

3.º El padre y la madre naturales que hayan reconocido voluntaria-mente al hijo, o éste a falta de descendientes o ascendientes [*legítimos*];

4.º El padre y la madre adoptantes, o el hijo adoptivo, a falta de parientes de los números 1º, 2º y 3º.

5.º Los colaterales legítimos hasta el sexto grado, a falta de parientes de los números 1º, 2º, 3º y 4º.

6.º Los hermanos naturales, a falta de los parientes expresados en los números anteriores;

7.º Los afines *legítimos* que se hallen dentro del segundo grado, a falta de los consanguíneos anteriormente expresados.

Si la persona fuere casada, se oirá también en cualquiera de los casos de este Artículo, a su cónyuge; y si alguno o algunos de los que deben oírse, no fueren mayores de edad o estuvieren sujetos a potestad ajena, se oirá en su representación a los respectivos guardadores, o a las personas bajo cuyo poder y dependencia estén constituidos.

Inexeq. C-105 de 1994: *«Decláranse INEXEQUIBLES las siguientes palabras, contenidas en los artículos del Código Civil que se determinan a continuación: a) En el artículo 61, la palabra legítimos, que aparece en los ordinales 1o., 2o. y 3o. (...)»* El texto entre paréntesis cuadrados no hace parte ya del ordenamiento.

Arts. 213, 255, 311, 342, 441, 442, 453, 457, 462, 470, 526 y 630 C.C.; Arts. 56 y 61 L. 1098 de 2006; Art. 1 L. 1060 de 2006.

Artículo 62. [Modificado. Art. 1 Dec. 2820 de 1974] El artículo 62 del Código Civil quedará así:

Las personas incapaces de celebrar negocios serán representadas:

1. [Modificado. Art. 1 Dec. 772 de 1975] Por los padres, quienes ejercerán conjuntamente la patria potestad sobre sus hijos menores de 21 años[*].

Si falta uno de los padres, la representación legal será ejercida por el otro.

[*Cuando se trate de hijos extramatrimoniales*], no tiene la patria potestad, ni puede ser nombrado guardador, el padre o la madre declarado tal en juicio contradictorio. Igualmente, podrá el juez, con conocimiento de causa y a petición de parte, conferir la patria potestad exclusivamente a uno de los padres, o poner bajo guarda al hijo, si lo considera más conveniente a los intereses de éste. La guarda pondrá fin a la patria potestad en los casos que el artículo 315 contempla como causales de emancipación judicial: en los demás casos la suspenderá.

2. Por el tutor o curador que ejerciere la guarda sobre menores de 21[*] años no sometidos a patria potestad y sobre los dementes[**], disipadores y *sordomudos* que no pudieren darse a entender [*por escrito*].

> Inexeq. C-145 de 2010: «*Declarar INEXEQUIBLE la expresión: "Cuando se trate de hijos extramatrimoniales", contenida en el inciso segundo del numeral 1° del artículo 62 del Código Civil*». El texto entre paréntesis cuadrados no hace parte ya del ordenamiento.
>
> Inexeq. C-983 de 2002: «*Declarar EXEQUIBLE la palabra "sordomudo" contenida en los artículos 62, (...) del Código Civil, e INEXEQUIBLE la expresión "por escrito" contenida en los artículos 62, 432, 560 y 1504 del mismo Código*».
>
> [*] Art. 2 L. 27 de 1977. Se fijó la mayoría de edad en 18 años.
>
> [**] Par. Art. 2 L. 1306 de 2009: «*El término "demente" que aparece actualmente en las demás leyes, se entenderá sustituido por "persona con discapacidad mental" y en la valoración de sus actos se aplicará lo dispuesto por la presente ley en lo pertinente*».
>
> Arts. 315, 1504, 1505, 1637 C.C.; Art. 82 L. 1098 de 2006; Art. 2 L. 27 de 1977.

Artículo 63. La Ley distingue tres especies de culpa y descuido.

Culpa grave, negligencia grave, culpa lata, es la que consiste en no manejar los negocios ajenos con aquel cuidado que aun las personas negligentes o de poca prudencia suelen emplear en sus negocios propios. Esta culpa en materias civiles equivale al dolo.

Culpa leve, descuido leve, descuido ligero, es la falta de aquella diligencia y cuidado que los hombres emplean ordinariamente en sus negocios propios. Culpa o descuido, sin otra calificación, significa culpa o descuido leve. Esta especie de culpa se opone a la diligencia o cuidado ordinario o mediano.

El que debe administrar un negocio como un buen padre de familia, es responsable de esta especie de culpa.

Culpa o descuido levísimo es la falta de aquella esmerada diligencia que un hombre juicioso emplea en la administración de sus negocios importantes. Esta especie de culpa se opone a la suma diligencia o cuidado.

El dolo consiste en la intención positiva de inferir injuria a la persona o propiedad de otro.

Arts. 64, 1604 y 1730 C.C.; Art. 1 L. 95 de 1890.

Artículo 64. [Modificado. Art. 1 L. 95 de 1890] Se llama fuerza mayor o caso fortuito el imprevisto o que no es posible resistir, como un naufragio, un terremoto, el apresamiento de enemigos, los autos[*] de autoridad ejercidos por un funcionario público, etc.

[*] Por «autos» debe entenderse «actos».
Art. 63 y 1604 C.C.

Artículo 65. Caución significa generalmente cualquiera obligación que se contrae para la seguridad de otra obligación propia o ajena. Son especies de caución la fianza, la hipoteca y la prenda.

Arts. 2361, 2432 y 2409 C.C.; Art. 3 L. 1076 de 2013.

Artículo 66. Se dice presumirse el hecho que se deduce de ciertos antecedentes o circunstancias conocidas.

Si estos antecedentes o circunstancias que dan motivo a la presunción son determinados por la Ley, la presunción se llama legal.

Se permitirá probar la no existencia del hecho que legalmente se presume, aunque sean ciertos los antecedentes o circunstancias de que lo infiere la Ley, a menos que la Ley misma rechace expresamente esta prueba, supuestos los antecedentes o circunstancias.

Si una cosa, según la expresión de la Ley, se presume de derecho, se entiende que es inadmisible la prueba contraria, supuestos los antecedentes o circunstancias.

Arts. 79, 80, 82, 92, 95, 96, 97, 214, 768 y 1682 C.C.

Artículo 67. [Modificado. Art. 59 L. 4 de 1913] Todos los plazos de días, meses o años de que se haga mención legal, se entenderá que terminan a la media noche del último día del plazo. Por año y por mes se entienden los del calendario común, por día el espacio de veinticuatro horas; pero en la ejecución de las penas se estará a lo que disponga la ley penal.

El primero y último día de un plazo de meses o años deberán tener un mismo número en los respectivos meses. El plazo de un mes podrá ser, por consiguiente, de 28, 29, 30 ó 31 días, y el plazo de un año de 365 ó 366 días, según los casos.

Si el mes en que ha de principiar un plazo de meses o años constare de más días que el mes en que ha de terminar el plazo, y si el plazo corriere desde alguno de los días en que el primero de dichos meses excede al segundo, el último día del plazo será el último día de este segundo mes.

Se aplicarán estas reglas a las prescripciones, a las calificaciones de edad, y en general a cualesquiera plazos o términos prescritos en las leyes o en los actos de las autoridades nacionales, salvo que en las mismas leyes o actos se disponga expresamente otra cosa.

Arts. 68, 70, 1138. 1551 y 1555 C.C.; Art. 829 C. Co.

Artículo 68. [Subrogado. Art. 60 L. 4 de 1913] Cuando se dice que un acto debe ejecutarse en o dentro de cierto plazo, se entenderá que vale si se ejecuta antes de la media noche en que termina el último día del plazo. Cuando se exige que haya transcurrido un espacio de tiempo para que nazcan o expiren ciertos derechos, se entenderá que estos derechos nacen o expiran a la media noche del día en que termine el respectivo espacio de tiempo.

Si la computación se hace por horas, la expresión dentro de tantas horas, u otra semejante, designa un tiempo que se extiende hasta el último minuto de la última hora inclusive; y la expresión después de tantas horas, u otra semejante, designa un tiempo que principia en el primer minuto de la hora que sigue a la última del plazo.

[Subrogado. Art. 61 L. 4 de 1913] Cuando se dice que una cosa debe observarse desde tal día, se entiende que ha de observarse desde el momento siguiente a la media noche del día anterior; y cuando se dice que debe observarse hasta tal día, se entiende que ha de observarse hasta la media noche del dicho día.

Art. 829 C. Co.

Artículo 69. Las medidas de extensión, peso, las pesas y las monedas de que se haga mención en las leyes, en los decretos del poder ejecutivo y en las sentencias de la Corte Suprema y de los juzgados nacionales, se entenderán siempre según las definiciones del Código Administrativo y el fiscal de la unión.

Dec. 1074 de 2015 y Dec. 1595 de 2015.

Artículo 70. En los plazos de días que se señalen en las leyes y actos oficiales, se entienden suprimidos los feriados y de vacantes, a menos de expresarse lo contrario. Los de meses y años se computan según el calendario; pero si el último día fuere feriado o de vacante, se extenderá el plazo hasta el primer día hábil.

Arts. 68, 1138, 1551 y 1555 C.C.; Arts. 117 y 118 C.G.P; Art. 1 L. 51 de 1983; Art. 829 C.Co.

CAPÍTULO 6° Derogación de las leyes

Artículo 71. *La derogación de las leyes podrá ser expresa o tácita.*

Es expresa, cuando la nueva ley dice expresamente que deroga la antigua.

Es tácita, cuando la nueva ley contiene disposiciones que no pueden conciliarse con las de la ley anterior.

La derogación de una ley puede ser total o parcial.

Exeq. C-159 de 2004.
Arts. 3 y 14 L. 153 de 1887.

Artículo 72. *La derogación tácita deja vigente en las leyes anteriores, aunque versen sobre la misma materia, todo aquello que no pugna con las disposiciones de la nueva ley.*

Exeq. C-159 de 2004.
Arts. 3 y 14 L. 153 de 1887.

LIBRO PRIMERO
DE LAS PERSONAS

TÍTULO 1° De las personas en cuanto a su nacionalidad y domicilio

CAPÍTULO 1° División de las personas

Artículo 73. Las personas son naturales o jurídicas.

De la personalidad jurídica y de las reglas especiales relativas a ella se trata en el título final de este libro.

Arts. 5, 13 y 14 C.P. Art. 633 C.C.

Artículo 74. Son personas todos los individuos de la especie humana, cualquiera que sea su edad, sexo, estirpe o condición.

Arts. 1, 2, 5, 13, 14 y 42 (Inc. final) C.P.

Artículo 75. Las personas se dividen, además, en domiciliadas y transeúntes.

Arts. 127 y 1068 C.C.

CAPÍTULO 2° Del domicilio en cuanto depende de la residencia y del ánimo de permanecer en ella

Artículo 76. El domicilio consiste en la residencia acompañada, real o presuntivamente del ánimo de permanecer en ella.

Arts. 14, 28 y 32 C.P.; Arts. 19, 96, 97, 127, 147, 163, 164, 180, 396, 397, 1012, 1065, 1073, 1080, 1081, 1085, 1086, 1094, 1095, 1096, 1113, 1297, 1646, 1647, 2376 y 2385 C.C.; Art. 37 L. 57 de 1887; Arts. 28, 58, 78, 82, 96, 101, 212, 221, 357, 390, 467, 488, 490, 529, 533, 534, 534, 539, 583 y 620 C.G.P.; Arts. 29, 32, 33, 34, 105, 110, 111, 112, 117, 124, 152, 158, 164, 165, 174, 221, 227, 228, 232, 233, 247, 249, 263, 337, 343, 361, 378, 401, 422, 424, 469, 472, 479, 484, 488, 509, 543, 587, 616, 677, 683, 684, 701, 754, 768, 776, 873, 876, 923, 956, 970, 1067, 1209, 1241, 1345, 1346, 1571, 1586, 1601, 1637 y 1864 C.Co. Arts. 12, 61, 62, 104 y 107 L. 1563 de 2012; Art. 25 Dec. 1260 de 1970; Art. 9, 10, 21, 53, 123, 203, 204, 208, 241, 245, 261, 265, 283, 287, 298, 314, 321, 322, 324, 389, 405, 406, 412, 450, 523, 524, 530, 539, 569, 572, 576, 592 y 608 E.T.; Art. 82 C. Pol.

Artículo 77. El domicilio civil es relativo a una parte determinada de un lugar de la Unión o de un territorio.

Art. 2 L. 57 de 1887.

Artículo 78. El lugar donde un individuo está de asiento, o donde ejerce habitualmente su profesión u oficio, determina su domicilio civil o vecindad.

Art. 1012 C.C.

Artículo 79. No se presume el ánimo de permanecer, ni se adquiere consiguientemente domicilio civil en un lugar, por el solo hecho de habitar un individuo por algún tiempo casa propia o ajena en él, si tiene en otra parte su hogar doméstico, o por otras circunstancias aparece que la residencia es accidental, como la del viajero, o la del que ejerce una comisión temporal, o la del que se ocupa en algún tráfico ambulante.

Art. 66 C.C.

Artículo 80. Al contrario, se presume desde luego el ánimo de permanecer y avecindarse en un lugar, por el hecho de abrir en él tienda, botica, fábrica, taller, posada, escuela y otro establecimiento durable, para administrarlo en persona; por el hecho de aceptar en dicho lugar un empleo fijo de lo que regularmente se confieren por largo tiempo; y por otras circunstancias análogas.

Art. 66 C.C.

Artículo 81. El domicilio civil no se muda por el hecho de residir el individuo largo tiempo en otra parte, voluntaria o forzadamente, conservando su familia y el asiento principal de sus negocios en el domicilio anterior.

Así, confinado por decreto judicial a un paraje determinado, [*o desterrado de la misma manera fuera del territorio nacional*], retendrá el domicilio anterior mientras conserve en él su familia y el principal asiento de sus negocios.

Derogatoria parcial. C-631 de 2014: «al haber una abierta, objetiva y evidente incompatibilidad entre la expresión demandada y la prohibición del artículo 34 de la Constitución, este tribunal encuentra que se configura el fenómeno de la derogatoria tácita y que, por lo mismo, dicha expresión no está vigente. (...) RESUELVE (...) Segundo.- Declararse INHIBIDA para decidir en relación con la expresión "o desterrado de la misma manera fuera del territorio nacional", en virtud de su derogatoria por la Constitución de 1991». (Se destaca)

Artículo 82. Presúmese también el domicilio, de la manifestación que se haga ante el respectivo prefecto o corregidor, del ánimo de avecindarse en un determinado distrito.

Art. 37 L. 57 de 1887; Art. 25 Dec. 1260 de 1970.

Artículo 83. Cuando ocurran en varias secciones territoriales, con respecto a un mismo individuo, circunstancias constitutivas de domicilio civil, se entenderá que en todas ellas lo tiene; pero si se trata de cosas que dicen relación especial a una de dichas secciones exclusivamente, ella sola será para tales casos el domicilio civil del individuo.

Artículo 84. La mera residencia hará las veces de domicilio civil respecto de las personas que no tuvieren domicilio civil en otra parte.

Artículo 85. Se podrá en un contrato establecer, de común acuerdo, un domicilio civil especial para los actos judiciales o extrajudiciales a que diere lugar el mismo contrato.

Arts. 1645-1647; Arts. 28 C.G.P.

Artículo 86. El domicilio de los establecimientos, corporaciones y asociaciones reconocidas por la ley, es el lugar donde está situada su administración o dirección, salvo lo que dispusieren sus estatutos o leyes especiales.

Art. 82 C.G.P.

CAPÍTULO 3° Del domicilio en cuanto depende de la condición o estado civil de la persona

Artículo 87. [Derogado. Art. 70 Dec. 2820 de 1974].

Artículo 88. El que vive bajo patria potestad sigue el [*domicilio paterno*], y el que se halla bajo tutela o curaduría, el de su tutor o curador.

Subrogado Dec. 2820 de 1974 que definió el carácter conjunto de la patria potestad y la igualdad de derechos de la mujer en el ámbito familiar.
Art. 24 Dec. 2820 de 1974; Art. 288 C.C.

Artículo 89. [*El domicilio de una persona será también el de sus criados y dependientes que residan en la misma casa que ella; sin perjuicio de lo dispuesto en los dos artículos precedentes*].

Inexeq. C-379 de 1998: «*Declárase INEXEQUIBLE el artículo 89 del Código Civil*»

TÍTULO 2° Del principio y fin de la existencia de las personas

CAPÍTULO 1° Del principio de la existencia de las personas

Artículo 90. *La existencia legal de toda persona principia al nacer, esto es, al separarse completamente de su madre.*

La criatura que muere en el vientre materno, o que perece antes de estar completamente separada de su madre, o que no haya sobrevivido a la separación un momento siquiera, se reputará no haber existido jamás.

Exeq. C-591 de 1995: «*A juicio de la Corte, la Constitución no establece que la existencia legal de la persona principie en el momento de la concepción (...) Por lo expuesto, la Corte Constitucional, (...) RESUELVE: // Declárense EXE-QUIBLES los artículos 90, 91 y 93 del Código Civil*».
Exeq. C-327 de 2016: «*La determinación de la existencia legal de la persona desde el nacimiento no viola el deber de protección de la vida desde la concep-ción, establecido en el artículo 4.1 de la Convención Americana, ya que la vida como valor es un bien constitucionalmente relevante, pero no tiene el mismo grado de protección que el derecho a la vida. (...) En mérito de lo expuesto, (...) RESUELVE: // Declarar EXEQUIBLE la expresión "principia al nacer" contenida en el artículo 90 del Código Civil, por el cargo analizado en esta providencia*».
Arts. 66 y 1019 CC.

Artículo 91. La ley protege la vida del que está por nacer. El juez, en consecuencia, tomará, a petición de cualquiera persona, o de oficio, las providencias que le parezcan convenientes para proteger la existencia del no nacido, siempre que crea que de algún modo peligra.

Exeq. C-591 de 1995. Ver notas al Art. 90.
CADH o Pacto de San José (Art. 4-1 L. 16 de 1972); Arts. 93, 232 y 233 C.C.; Art. 17 C.I.A. (L. 1098 de 2006); Arts. 118, 122, 123, 125 y 126 C.Pen.

Artículo 92. De la época del nacimiento se colige la de la concepción, según la regla siguiente:

Se presume [*de derecho*] que la concepción ha precedido al nacimiento no menos que ciento ochenta días cabales, y no más que trescientos, contados hacia atrás, desde la media noche en que principie el día del nacimiento.

Inexeq. C-04 de 1998: «...la ciencia médica ha llegado a establecer sin lugar a dudas la posibilidad de nacimientos de seres humanos que sean el resultado de gestaciones de duración inferior a 180 días o superior a 300 días. (...) ¿Qué ocurre cuando a un ser humano (...) como resultado de una gestación inferior a 180 días, o superior a 300 días, se le aplica la presunción de derecho del artículo 92? Sencillamente, se le impide demostrar ante la justicia su condición de hijo de una determinada persona, o se permite que se desconozca su condición de hijo legítimo si ha nacido durante el matrimonio. (...) Por todo lo expuesto, se declarará la inexequibilidad de la expresión "de derecho" contenida en el artículo 92 del Código Civil, y, en consecuencia, la presunción establecida en esta norma será simplemente legal, que admite prueba en contrario. (...) RE- SUELVE: (...) Primero.- Declárase INEXEQUIBLE la expresión "de derecho" contenida en el inciso segundo del artículo 92 del Código Civil».
Arts. 66, 214, 220, 234 y 237 C.C.; Art. 8 L. 75 de 1968.

Artículo 93. Los derechos que se deferirían a la criatura que está en el vientre materno, si hubiese nacido y viviese, estarán suspensos hasta que el nacimiento se efectúe. Y si el nacimiento constituye un principio de existencia, entrará el recién nacido en el goce de dichos derechos, como si hubiese existido al tiempo en que se defirieron. En el caso del Inciso del artículo 90 pasarán estos derechos a otras personas, como si la criatura no hubiese jamás existido.

Exeq. C-591 de 1995. Ver Art. 90.
Art. 90 y 1019 C.C.

CAPÍTULO 2° Del fin de la existencia de las personas

Artículo 94. La existencia de las personas termina con la muerte[*].

[*] El texto original disponía «la persona termina en la muerte natural». El artículo 45 de la L. 57 de 1887 derogó el artículo, no obstante, dentro de las modificaciones al Código Civil, el artículo 9° de dicha ley introdujo el actual texto que naturalmente llena el vacío de la norma derogada y se interpreta como una sustitución.
Art. 2 Dec. 1546 de 1998 modificado por D. 2493 de 2004; Título IX. L. 9 de 1979; L. 73 de 1998; L. 919 de 2004; L. 1805 de 2016.

Artículo 95. Si por haber perecido dos o más personas en un mismo acontecimiento, como en un naufragio, incendio, ruina o batalla, o por otra causa cualquiera, no pudiere saberse el orden en que han ocurrido sus fallecimientos, se procederá en todos casos como si dichas personas hubiesen perecido en un mismo momento y ninguna de ellas hubiese sobrevivido a las otras.

Art. 1015 C.C.

CAPÍTULO 3° De la presunción de muerte por desaparecimiento

Artículo 96. Cuando una persona desaparezca del lugar de su domicilio, ignorándose su paradero, se mirará el desaparecimiento como mera ausencia, y la representarán y cuidarán de sus intereses sus apoderados o representantes legales.

Arts. 583 y 485 C.G.P.; Arts. 114-115 L. 1306 de 2009; L. 1531 de 2012.

Artículo 97. Si pasaren dos años sin haberse tenido noticias del ausente, se presumirá haber muerto éste, si además se llenan las condiciones siguientes:

1. La presunción de muerte debe declararse por el juez del último domicilio que el desaparecido haya tenido en el territorio de la Nación, justificándose previamente que se ignora el paradero del desaparecido, que se han hecho las posibles diligencias para averiguarlo, y que desde la fecha de las últimas noticias que se tuvieron de su existencia, han transcurrido, a lo menos, dos años.

2. La declaratoria de que habla el artículo anterior no podrá hacerse sin que preceda la citación del desaparecido, por medio de edictos, publicados en el periódico oficial de la Nación, tres veces por lo menos, debiendo correr más de cuatro meses entre cada dos citaciones.

3. La declaración podrá ser provocada por cualquiera persona que tenga interés en ella; pero no podrá hacerse sino después que hayan transcurrido cuatro meses, a lo menos, desde la última citación.

4. Será oído, para proceder a la declaración y en todos los trámites judiciales posteriores, el defensor que se nombrará al ausente desde que se provoque tal declaración; y el juez, a petición del defensor, o de cualquiera persona que tenga interés en ello, o de oficio, podrá exigir, además de las pruebas que se le presentaren del desaparecimiento, si no las estimare satisfactorias, las otras que según las circunstancias convengan.

5. Todas las sentencias, tanto definitivas como interlocutorias, se publicarán en el periódico oficial.

6. El juez fijará como día presuntivo de la muerte el último del primer bienio, contado desde la fecha de las últimas noticias; y transcurridos dos años más desde la misma fecha, concederá la posesión provisoria de los bienes del desaparecido.

7. Con todo, si después que una persona recibió una herida grave en la guerra, o naufragó la embarcación en que navegaba, o le sobrevino otro peligro semejante, no se ha sabido más de ella, y han transcurrido desde entonces cuatro años y practicándose la justificación y citaciones prevenidas en los números precedentes, fijará el juez como día presuntivo de la muerte el de la acción de guerra, naufragio o peligro; o no siendo determinado ese día, adoptará un término medio entre el principio y el fin de la época en que pudo ocurrir el suceso; y concederá inmediatamente la posesión definitiva de los bienes del desaparecido.

Art. 314, 100, 107-109 y 152 C.C.; Arts. 584 y 485 C.G.P.

Artículos 98 y 99. [Derogados. Art. 698 C.P.C.].

Artículo 100. Se entienden por herederos presuntivos del desaparecido los testamentarios o legítimos que lo eran a la fecha de la muerte presunta.

El patrimonio en que se presume que suceden, comprenderá los bienes, derechos y acciones del desaparecido, cuales eran a la fecha de la muerte presunta.

Arts. 152 y 1040 C.C.

Artículos 101 a 106. [Derogados. Art. 698 C.P.C.].

Artículo 107. El que reclama un derecho para cuya existencia se suponga que el desaparecido ha muerto en la fecha de la muerte presunta, no estará obligado a probar que el desaparecido ha muerto verdaderamente en esa fecha; y mientras no se presente prueba en contrario, podrá usar de su derecho en los términos de los artículos precedentes.

Y, por el contrario, todo el que reclama un derecho para cuya existencia se requiera que el desaparecido haya muerto, antes o después de esa fecha, estará obligado a probarlo; y sin esa prueba no podrá impedir que el derecho reclamado pase a otros, ni exigirles responsabilidad alguna.

Art. 167 C.G.P.

Artículo 108. El decreto de posesión definitiva podrá rescindirse a favor del desaparecido si reapareciere, o de sus legitimarios habidos durante el desaparecimiento, o de su cónyuge, por matrimonio contraído en la misma época.

Art. 584 C.G.P.; Par. Art. 7 L. 1532 de 2012.

Artículo 109. En la rescisión del decreto de posesión definitiva se observarán las reglas que siguen:

1. El desaparecido podrá pedir la rescisión en cualquier tiempo que se presente, o que haga constar su existencia.

2. Las demás personas no podrán pedirla sino dentro de los respectivos plazos de prescripción contados desde la fecha de la verdadera muerte.

3. Este beneficio aprovechará solamente a las personas que por sentencia judicial lo obtuvieren.

4. En virtud de este beneficio se recobrarán los bienes en el estado en que se hallaren, subsistiendo las enajenaciones, las hipotecas y demás derechos reales, constituidos legalmente en ellos.

5. Para toda restitución serán considerados los demandados como poseedores de buena fe, a menos de prueba contraria.

6. El haber sabido y ocultado la verdadera muerte del desaparecido, o su existencia, constituye mala fe.

Art. 769 C.C.; Art. 584 C.G.P.

TÍTULO 3° De los esponsales

Artículo 110. Los esponsales o desposorios, o sea la promesa de matrimonio mutuamente aceptada, es un hecho privado que las leyes someten enteramente al honor y conciencia del individuo, y que no produce obligación alguna ante la ley civil.

No se podrá alegar esta promesa ni para pedir que se lleve a efecto el matrimonio, ni para demandar indemnización de perjuicios.

Arts. 1527 y 2314 C.C.

Artículo 111. Tampoco podrá pedirse la multa que por parte de uno de los esposos se hubiere estipulado a favor del otro para el caso de no cumplirse lo prometido.

Pero si hubiere pagado la multa, no podrá pedirse su devolución.

Arts. 1527 y 2314 C.C.

Artículo 112. Lo dicho no se opone a que se demande la restitución de las cosas donadas y entregadas bajo la condición de un matrimonio que no se ha efectuado.

Arts. 150, 1842-1848 C.C.; Art. 22 Nral. 15 C.G.P.

TÍTULO 4° Del matrimonio

Artículo 113. El matrimonio es un contrato solemne por el cual *un hombre y una mujer* se unen con el fin de vivir juntos, *de procrear* y de auxiliarse mutuamente.

Exeq. C-577 de 2011: *«...si, dentro de la variedad de familias constitucionalmente protegidas, la Carta brinda una especial protección a la surgida del matrimonio celebrado entre heterosexuales, ello no significa desprotección del resto de familias que también son institución básica y núcleo fundamental de la sociedad, ni la existencia de un propósito discriminador. (...) ...no es cierto que el artículo 113 del Código Civil esté afectado por una omisión legislativa de carácter relativo, pues se limita a regular el matrimonio entre heterosexuales de un modo compatible con la Carta que, conforme se ha indicado, cuenta con expresa previsión en el artículo 42 superior, lo que no se opone a que el legislador defina los caracteres y alcances de una institución que, brindándole a las parejas homosexuales la alternativa de formalizar su unión, torne posible superar el déficit de protección anotado que no tiene su origen en la expresión acusada del artículo 113 de la codificación civil. (...) En mérito de lo expuesto, la Corte Constitucional... (...) RESUELVE: (...) PRIMERO.- Declarar EXEQUIBLE, por los cargos analizados en esta sentencia, la expresión "un hombre y una mujer", contenida en el artículo 113 del Código Civil. (...) CUARTO.- EXHORTAR al Congreso de la República para que antes del 20 de junio de 2013 legisle, de manera sistemática y organizada, sobre los derechos de las parejas del mismo sexo con la finalidad de eliminar el déficit de protección que, según los términos de esta sentencia, afecta a las mencionadas parejas. (...) QUINTO.- Si el 20 de junio de 2013 el Congreso de la República no ha expedido la legislación correspondiente, las parejas del mismo sexo podrán acudir ante notario o juez competente a formalizar y solemnizar su vínculo contractual».*

Efectos derivados de la sentencia C-577 de 2011 previstos en la sentencia SU-214 de 2016: «*En el caso concreto de los Jueces Civiles que, con posterioridad al 20 de junio de 2013, celebraron matrimonios civiles entre parejas del mismo sexo, fundándose en una aplicación analógica del ordenamiento legal vigente y el respeto a la dignidad humana, la Corte considera que actuaron conforme a la Constitución y en el ámbito de su autonomía judicial. // La Sala Plena estima que celebrar un contrato civil de matrimonio entre parejas del mismo sexo es una manera legítima y válida de materializar los principios y valores constitucionales y una forma de asegurar el goce efectivo del derecho a la dignidad humana y a conformar una familia, sin importar cuál sea su orientación sexual o identidad de género. (...) esta Corporación advierte a las autoridades judiciales, a los Notarios Públicos y a los Registradores del Estado Civil del país, y a los servidores públicos que llegaren a hacer sus veces, que el fallo de unificación tiene carácter vinculante, con efectos inter pares, en los términos de la parte motiva de la providencia. (...) En mérito de lo expuesto... (...) RESUELVE: (...) OCTAVO. EXTENDER, con efectos inter pares, la presente sentencia de unificación, a todas las parejas del mismo sexo que, con posterioridad al veinte (20) de junio de 2013: (i) hayan acudido ante los jueces o notarios del país y se les haya negado la celebración de un matrimonio civil, debido a su orientación sexual; (ii) hayan celebrado un contrato para formalizar y solemnizar su vínculo, sin la denominación ni los efectos jurídicos de un matrimonio civil; (iii) habiendo celebrado un matrimonio civil, la Registraduría Nacional del Estado Civil se haya negado a inscribirlo y; (iv) en adelante, formalicen y solemnicen su vínculo mediante matrimonio civil, bien ante Jueces Civiles Municipales, ora ante Notarios Públicos, o ante los servidores públicos que llegaren a hacer sus veces. // NOVENO. DECLARAR que los matrimonios civiles celebrados entre parejas del mismo sexo, con posterioridad al veinte (20) de junio de 2013, gozan de plena validez jurídica. // DÉCIMO. DECLARAR que los Jueces de la República, que hasta la fecha de esta providencia han celebrado matrimonios civiles entre parejas del mismo sexo en Colombia, actuaron en los precisos términos de la Carta Política y en aplicación del principio constitucional de la autonomía judicial, de conformidad con la parte motiva de esta sentencia. // DÉCIMO PRIMERO. ADVERTIR a las autoridades judiciales, a los Notarios Públicos, a los Registradores del Estado Civil del país, y a los servidores públicos que llegaren a hacer sus veces, que el presente fallo de unificación tiene carácter vinculante, con efectos inter pares, en los términos de la parte motiva de esta providencia. // DÉCIMO SEGUNDO. ORDENAR a la Sala Administrativa del Consejo Superior de la Judicatura, a la Superintendencia de Notariado y Registro y a la Registraduría Nacional del Estado Civil, que adopten medidas de difusión entre los Jueces, Notarios Públicos y Registradores del Estado Civil del país, el contenido del presente fallo, con el propósito de superar el déficit de protección señalado en la Sentencia C-577 de 2011, proferida por la Corte Constitucional*».

Exeq. Sentencia C-358 de 2016: «*La definición actual del matrimonio (contemplada en el artículo 113 del Código Civil) no debía cumplir las exigencias de procedimiento legislativo propio de las leyes estatutarias, por cuanto se trata de una ley que fue expedida un siglo antes de entrar en vigencia la Constitución del 1991... (...) RESUELVE (...) Declarar EXEQUIBLE, por los cargos analizados en la presente sentencia, el artículo 113 del Código Civil e INHIBIRSE de emitir un pronunciamiento de fondo en relación con los artículos...*»

Inhib. En la sentencia C-577 de 2011 la Corte Constitucional se declaró inhibida respecto del cargo relativo a la inclusión de la procreación como uno de los fines del matrimonio por defectos en la carga argumentativa. Lo mismo hizo en la sentencia C-886 de 2010 que la antecedió, en el que la inhibición se extendió a la expresión «*un hombre y una mujer*».

Arts. 5 y 42 C.P.; Arts. 1494 y 1500 C.C.; Art. 23 C.D.P.D. (L. 1346 de 2009).

Artículo 114. Puede contraerse el matrimonio no sólo estando presentes ambos contrayentes, sino también por apoderado especial constituido ante notario público por el contrayente que se encuentre ausente, debiéndose mencionar en el poder el nombre del varón o la mujer con quien ha de celebrarse el matrimonio. El poder es revocable, pero la revocación no surtirá efecto si no es notificada al otro contrayente antes de celebrar el matrimonio[*].

[*] El texto original fue derogado por el artículo 45 de la L. 57 de 1887, no obstante, dentro de las modificaciones al Código Civil, el artículo 11 de dicha ley introdujo un nuevo texto que naturalmente llena el vacío de la norma derogada y se interpreta como una sustitución, el que a su vez fue modificado por el artículo 1 de la ley 57 de 1990 en los términos en que se ha transcrito.

Art. 2142 y 2189 C.C.

Artículo 115. El contrato de matrimonio se constituye y perfecciona por el libre y mutuo consentimiento de los contrayentes, expresado ante el funcionario competente, en la forma y con las solemnidades y requisitos establecidos en este código, y no producirá efectos civiles y políticos, si en su celebración se contraviniere a tales formas, solemnidades y requisitos.

[Adicionados. Art. 1° L. 25 de 1992] Tendrán plenos efectos jurídicos los matrimonios celebrados conforme a los cánones o reglas de cualquier confesión religiosa o iglesia que haya suscrito para ello concordato o tratado de derecho internacional o convenio de derecho público interno con el Estado colombiano.

Los acuerdos de que trata el Inciso anterior sólo podrán celebrarse con las confesiones religiosas e iglesias que tengan personería jurídica, se inscriban en el registro de entidades religiosas del Ministerio de Gobierno, acrediten poseer disposiciones sobre el régimen matrimonial que no sean contrarias a la Constitución y garanticen la seriedad y continuidad de su organización religiosa.

En tales instrumentos se garantizará el pleno respeto de los derechos constitucionales fundamentales.

Art. 42 C.P.; Art. 1500 C.C.; Art. VII Concordato de 1973 (L. 20 de 1974); Art. 13 L. 25 de 1992; Art. 6 L.E. 133 de 1994.

(*) Ver Sentencias C-027 de 1993 y C-088 de 1994.

Artículo 116. [Modificado. Art. 2 Dec. 2820 de 1974] Las personas mayores de 18 años pueden contraer matrimonio libremente.

Arts. 15, 16 y 42 C.P.

Artículo 117. *Los menores de la edad expresada no pueden contraer matrimonio sin el permiso expreso, por escrito, de sus padres legítimos o naturales. Si alguno de ellos hubiere muerto, o se hallare impedido para conceder este permiso, bastará el consentimiento del otro.*

En los mismos términos de este artículo, se necesita del consentimiento del padre y de la madre adoptantes para el matrimonio.

[Modificado. Art. 70 Dec. 2820 de 1974] (*)

Exeq. C-344 de 1993: «La autoridad, (...) no ha desaparecido en la familia. Otra cosa es que deba ser una autoridad racional, que es la que se ejerce en bien de quien la soporta. En este caso, en bien del hijo menor de edad, (...) Debe, si, dejarse en claro que el permiso previsto en el artículo 117 del Código Civil, es más una manifestación de la autoridad de los padres, a la cual se refieren los artículos 250 y concordantes del Código Civil, que de la patria potestad, pues ésta es, en principio, una institución de carácter económico. (...) En mérito de lo expuesto, la Corte Constitucional, (...) RESUELVE: //1o. Declarar exequibles los artículos 117 y 124, y el ordinal 4o. del artículo 1266 el Código Civil».

Derogatoria parcial: C-348 de 2017. La Corte se inhibió de fallar de fondo, por carencia actual del objeto, respecto de la demanda del colofón del segundo inciso que señalaba: «del hijo adoptivo, menor de veintiún años, o de la hija adoptiva, menor de diez y ocho», al haber sido dicho aparte objeto de derogatoria tácita derivada de la aplicación del Dec. 2820 de 1974 y de la L. 27 de 1977. Similar observación se hace en sentencia C-344 de 1993.

(*) Suprimió el colofón del inciso: «y estando discordes, prevalecerá en todo caso la voluntad del padre». Así lo advierte la sentencia C-344 de 1993.

Arts. 15, 16, 42, 44 y 45 C.P.; Arts. 34, 118-125, 129, 140, 264, 310, 314 y, 1777 C.C.; Arts. 7, 8, 9, 14, 22, 33, 37 y 39 C.I.A.; L. 27 de 1977.

Artículo 118. Se entenderá faltar el padre o la madre u otro ascendiente, no sólo por haber fallecido sino por estar [*demente*]^(*) o fatuo; o por hallarse ausente del territorio nacional, y no esperarse su pronto regreso; o por ignorarse el lugar de su residencia.

> ^(*) Art. 2 L. 1306 de 2009: «*El término "demente" que aparece actualmente en las demás leyes, se entenderá sustituido por "persona con discapacidad mental" y en la valoración de sus actos se aplicará lo dispuesto por la presente ley en lo pertinente*».

Artículo 119. [Modificado. Art. 3 Dec. 2820 de 1974] Se entenderá faltar así mismo aquel de los padres que haya sido privado de la patria potestad.

Arts. 288, 310, 311 y 315 C.C.; Art. 395 C.G.P.

Artículo 120. A falta de dichos padre, madre o ascendientes, será necesario al que no haya cumplido la edad, el consentimiento de su curador general, o en su defecto, el de un curador especial.

Arts. 42, 44 y 45 C.P.; Art. 54 L. 1306 de 2009.

Artículo 121. De las personas a quienes según este código debe pedirse permiso para contraer matrimonio, sólo el curador que niega su consentimiento está obligado a expresar la causa.

Arts. 15, 16, 42, 44 y 45 C.P.; Art. 54 L. 1306 de 2009.

Artículo 122. Las razones que justifican el disenso del curador no podrán ser otras que estas:

1. La existencia de cualquier impedimento legal.

2. El no haberse practicado alguna de las diligencias prescritas en el título 8º, de las segundas nupcias, en su caso.

3. Grave peligro para la salud del menor a quien se niega la licencia, o de la prole.

4. Vida licenciosa, pasión inmoderada al juego, embriaguez habitual de la persona con quien el menor desea casarse.

5. Estar sufriendo esa persona la pena de reclusión.

6. No tener ninguno de los esposos, medios actuales para el competente desempeño de las obligaciones del matrimonio.

Arts. 15, 16, 42, 44 y 45 C.P.; Arts. 9, 15, 18, 20, 26, 27, 33, 33, 36 y 37 C.I.A. (L. 1098 de 2006); Art. 54 L. 1306 de 2009.

Artículo 123. No podrá procederse a la celebración del matrimonio sin el asenso de la persona o personas cuyo consentimiento sea necesario, según los artículos precedentes, o sin que conste que el respectivo contrayente puede casarse libremente.

Arts. 115, 116, 117 y 120 C.C.

Artículo 124. *El que no habiendo cumplido la edad, se casare sin el consentimiento de un ascendiente, estando obligado a obtenerlo, podrá ser desheredado no sólo por aquel o aquellos cuyo consentimiento le fue necesario, sino por todos los otros ascendientes. [Si alguno de éstos muriere sin hacer testamento, no tendrá el descendiente más que la mitad de la porción de bienes que le hubiera correspondido en la sucesión del difunto][*]*.

[*] Inexeq. C-552 de 2014: «RESUELVE: // Declarar INEXEQUIBLE la expresión "Si alguno de estos muriere sin hacer testamento, no tendrá el descendiente más que la mitad de la porción de bienes que le hubiere correspondido en la sucesión del difunto", contenida en el artículo 124 del Código Civil, por los cargos analizados en esta sentencia».

Exeq. C-344 de 1993: «La facultad que el artículo 124 del Código Civil (...) tiene una clara justificación. (...) ... cabe suponer que si en el proceso en que se debe comprobar la ausencia del permiso, el demandado alega y demuestra justos motivos para su proceder, la sentencia habrá de concluir dándole la razón, y se hará imposible el desheredamiento. Sostener lo contrario equivaldría a darle a la autoridad de los padres un alcance irracional, que le negaría su fundamento: el ejercerse en favor de los hijos... (...) De otra parte, la ley (...) deja a salvo el derecho de herencia de los descendientes de quien se casa sin permiso de un ascendiente habiendo debido obtenerlo. (...) ... hay que tener en cuenta que el desheredamiento, (...) no deja en la indigencia a la persona que lo sufre (...) expresamente aclara el inciso segundo del artículo 125 del Código Civil que "el matrimonio contraído sin el necesario consentimiento de la persona de quien hay obligación de obtenerlo, no priva del derecho de alimentos". (...) En mérito de lo expuesto, la Corte Constitucional, (...) RESUELVE: //1o. Declarar exequibles los artículos 117 y 124, y el ordinal 4o. del artículo 1266 del Código Civil».

Arts. 15, 16, 42, 44 y 45 C.P.; Arts. 411, 1266-1269 C.C; Arts. 9, 114, 15, 26, 33, 36 y 37 C.I.A. (L. 1098 de 2006).

Artículo 125. El ascendiente, sin cuyo necesario consentimiento se hubiere casado el descendiente, podrá revocar por esta causa las donaciones que antes del matrimonio le haya hecho.

El matrimonio contraído sin el necesario consentimiento de la persona de quien hay obligación de obtenerlo, no priva del derecho de alimentos.

Exeq. C-1264 de 2000: «...la disposición en estudio no confiere a los ascendientes facultades desproporcionadas o irracionales respecto de la persona del menor y su libertad de autodeterminación, porque ―como quedó dicho― los ascendientes no pueden revocar las decisiones a su arbitrio sino que deberán probar su bondad, justificación que además deberá coincidir con los principios constitucionales que obligan a los padres, y a quienes en su transcendental misión los sustituyen, a obrar conforme al principio de la dignidad humana ―Art. 2 C.P.― respetando los derechos inalienables del menor ―Art. 5 C.P.―, y su derecho a autodeterminarse conforme a sus convicciones ―Arts. 16 y 18 C.P.― buscando que las decisiones de los progenitores lo beneficien, en primer término, ―Art. 13 C.P.― preservando la unidad, armonía y respeto de la familia, que el menor, no obstante su minoría de edad, resolvió conformar ―Art. 42 C.P.―. (...) En mérito de lo expuesto, la Corte Constitucional... (...) RESUELVE: Declarar EXEQUIBLE el inciso primero del artículo 125 del Código Civil en relación con los cargos formulados».

Arts. 15, 16, 42, 44 y 45 C.P.; Arts. 9, 114, 15, 26, 33, 36 y 37 C.I.A. (L. 1098 de 2006).

Artículo 126. [Derogado. Art. 626 C.G.P.]

Artículo 127. No podrán ser testigos para presenciar y autorizar un matrimonio:

    1. [Derogado y modificado. Arts. 4 y 6 L. 8 de 1922][*]

    2. Los menores de dieciocho años.

    3. Los que se hallaren en interdicción por causa de demencia.

    4. Todos los que actualmente se hallaren privados de la razón.

    5. [*Los ciegos*][**]

    6. [*Los sordos*][**]

    7. [*Los mudos*][**]

    8. [*Los condenados a la pena de reclusión por más de cuatro años*][***], y en general los que por Sentencia ejecutoriada estuvieren inhabilitados para ser testigos.

    9. *Los extranjeros no domiciliados en la república*[***].

    10. Las personas que no entiendan el idioma de los contrayentes.

(*) L. 8 de 1922. «*Artículo 4°. Con los mismos requisitos y excepciones que los hombres, las mujeres pueden ser testigos en todos los actos de la vida civil. (...) Artículo 6°. En los términos anteriores queda modificado y adicionado el Código Civil*».

(**) Inexeq. C-401 de 1999: «*(...) con la norma acusada parcialmente el legislador está desconociendo los artículos 13 y 83 superiores, toda vez que en forma arbitraria, injusta, desproporcionada y caprichosa discriminan a las personas que carecen de un órgano como la vista, el oído o son mudas, sin justificación racional, (...) R E S U E L V E: Declarar INEXEQUIBLES los numerales 5, 6 y 7 del artículo 127 del Código Civil Colombiano*».

(***) Inex. C-725 de 2015: «*(...) se impone una sanción permanente a quienes se encuentren en esta situación, tachándolos de manera indefinida, contraviniendo la finalidad resocializadora de la pena, (...) no encuentra la Sala que la medida examinada sea efectivamente conducente a la finalidad de la misma, orientada a garantizar la idoneidad de los testigos de matrimonio, porque sacrifica garantías constitucionales fundamentales de manera irrazonable. (...) RESUELVE Primero.- Declarar INEXEQUIBLE la expresión "Los condenados a la pena de reclusión por más de cuatro años" contenida en el numeral 8 del artículo 127 del Código Civil*».

(****) Exeq. C-725 de 2015: «*(...) RESUELVE (...) Segundo.- Declarar EXEQUIBLE por los cargos examinados el numeral 9 del artículo 127 del Código Civil*».

Art. 135 C.C.

Artículo 128. [Derogado. Art. 626 C.G.P.]

Artículo 129. El juez procederá inmediatamente, de oficio, a practicar todas las diligencias necesarias para obtener el permiso de que trata el artículo 117 de este código, si fuere el caso.

[Inc. Derogado. Art. 626 del C.G.P]

Art. 117 C.C.

Artículo 130. [Derogado. Art. 626 C.G.P.]

Artículo 131. Si los contrayentes son vecinos de distintos distritos parroquiales, o si alguno de ellos no tiene seis meses de residencia en el distrito en que se halla, el juez de la vecindad [*de la mujer*] requerirá al juez de la vecindad [*del varón*](*) [*para que fije el edicto de que habla el artículo anterior, y concluido el término, se le envíe con nota de haber permanecido fijado quince* *días seguidos. Hasta que esto no se haya verificado, no se procederá a practicar ninguna de las diligencias ulteriores*].

Inexeq. C-112 de 2000: La sentencia decretó la inexequibilidad de los vocablos mujer y varón del artículo 131 C.C. para que el texto aludiera simplemente al juez de la vecindad de aquel contrayente, cuyo domicilio fue escogido por los futuros cónyuges como lugar para celebrar el matrimonio y al juez de la vecindad del otro contrayente. En la actualidad, el Art. 17 C.G.P. se limita a señalar que los jueces municipales conocen en única instancia: «*3. De la celebración del matrimonio civil, sin perjuicio de la competencia atribuida a los notarios*» y su artículo 626 derogó el artículo el artículo 130 relativo al edicto, que constituye el sustrato del trámite, por lo que se estima el artículo 131 derogado por consecuencia.

Artículo 132. Si hubiere oposición, y la causa de ésta fuere capaz de impedir la celebración del matrimonio, el juez dispondrá que en el término siguiente, de ocho días, los interesados presenten las pruebas de la oposición; concluidos los cuales, señalará día para la celebración del juicio, y citadas las partes, se resolverá la oposición dentro de tres días después de haberse practicado esta diligencia.

Arts. 117, 122 y 140 C.C.; Art. 8 Dec. 2668 de 1988.

Artículo 133. [Derogado Art. 626 C.G.P.]

Artículo 134. [*Practicadas las diligencias indicadas en el artículo 130*] Y si no se hiciere oposición, o si haciéndose se declara infundada, se procederá a señalar día y hora para la celebración del matrimonio, que será dentro de los ocho días siguientes; esta resolución se hará saber inmediatamente a los interesados.

Derogado. Art. 626 C.G.P.

Artículo 135. El matrimonio se celebrará presentándose los contrayentes en el despacho del juez, ante éste, su secretario y dos testigos. El juez explorará de los esposos si de su libre y espontánea voluntad se unen en matrimonio; les hará conocer la naturaleza del contrato y los deberes recíprocos que van a contraer, instruyéndolos al efecto en las disposiciones de los artículos 152, 153, 176 y siguientes de este código. En seguida se extenderá un acta de todo lo ocurrido, que firmarán los contrayentes, los testigos, el juez y su secretario, con lo cual se declara perfeccionado el matrimonio.

Arts. 152, 153, 176 y ss. C.C.

Artículo 136. Cuando alguno de los contrayentes o ambos estuvieren en inminente peligro de muerte, [y *no hubiere por esto tiempo de practicar las diligencias de que habla el artículo 130,*[*]] podrá procederse a la celebración del matrimonio [*sin tales formalidades*[*]], siempre que los contrayentes justifiquen que no se hallan en ninguno de los casos del artículo 140. *Pero si pasados cuarenta días, no hubiere acontecido la muerte que se temía, el matrimonio no surtirá efectos, si no se revalida observándose las formalidades legales*[**].

[*] Apartes derogados expresamente. Art. 626 C.G.P.

[**] Exeq. C-448 de 2015: «...*resulta razonable que se exija a quienes otorgan su consentimiento al borde de la muerte, la revalidación de su consentimiento (...) ...cuando no se revalida transcurridos cuarenta días desde su celebración sin que haya ocurrido la muerte de uno o ambos cónyuges, (...) conlleva a la ineficacia de pleno derecho del mismo, por ende a la no producción de efectos civiles. (...) No desconoce el derecho a la igualdad el que el Legislador exija únicamente a quienes se casan in extremis la revalidación del matrimonio. (...) DECISIÓN (...) Declarar EXEQUIBLE la expresión "Pero si pasados cuarenta días no hubiere acontecido la muerte que se temía, el matrimonio no surtirá efectos, si no se revalida observándose las formalidades legales", contenida en el artículo 136 del Código Civil*».

Artículo 137. El acta contendrá, además, el lugar, día mes y año de la celebración del matrimonio, los nombres y apellidos de los casados, los del juez, testigos y secretario. Registrada esta acta, se enviará inmediatamente al notario respectivo para que la protocolice y compulse una copia a los interesados. Por estos actos no se cobrarán derechos.

Art. 5 Dec. 1260 de 1970.

Artículo 138. El consentimiento de los esposos debe pronunciarse en voz perceptible, sin equivocación, y por las mismas partes, o manifestarse por señales que no dejen duda.

Artículo 139. [Derogado, Art. 45 L. 57 de 1887].

TÍTULO 5° De la nulidad del matrimonio y sus efectos

Artículo 140. El matrimonio es nulo y sin efecto en los casos siguientes:

1. Cuando ha habido error acerca de las personas de ambos contrayentes o de la de uno de ellos.

2. Cuando se ha contraído entre [*un varón menor de catorce años, y una mujer menor*] [*de doce*], o cuando cualquiera de los dos sea respectivamente menor de aquella edad.

3. Cuando para celebrarlo haya faltado el consentimiento de alguno de los contrayentes o de ambos. La ley presume falta de consentimiento [*en los furiosos locos, mientras permanecieren en la locura, y en los mentecatos*] a quienes se haya impuesto interdicción judicial para el manejo de sus bienes. Pero los sordomudos, si pueden expresar con claridad su consentimiento por signos manifiestos, contraerán válidamente matrimonio.

4. [*Cuando no se ha celebrado ante el juez y los testigos competentes*].

5. Cuando se ha contraído por fuerza o miedo que sean suficientes para obligar a alguno a obrar sin libertad; bien sea que la fuerza se cause por el que quiere contraer matrimonio o por otra persona. [*La fuerza o miedo no será causa de nulidad del matrimonio, si después de disipada la fuerza, se ratifica el matrimonio con palabras expresas, o por la sola cohabitación de los consortes*].

6. [*Cuando no ha habido libertad en el consentimiento de la mujer, por haber sido ésta robada violentamente, a menos que consienta en él, estando fuera del poder del raptor*].

7. [*Cuando se ha celebrado entre la mujer adúltera y su cómplice, siempre que antes de efectuarse el matrimonio se hubiese declarado en juicio probado el adulterio*].

8. [*Cuando uno de los contrayentes ha matado o hecho matar al cónyuge con quien estaba unido en un matrimonio anterior*].

9. Cuando los contrayentes están en la misma línea de ascendientes y descendientes, o son hermanos.

10. [*Cuando se ha contraído por personas que están entre sí en el primer grado de la línea recta de afinidad legítima*].

11. Cuando se ha contraído entre el padre adoptante y la hija adoptiva, o entre el hijo adoptivo y la madre adoptante, o la mujer que fue esposa del adoptante.

12. Cuando respecto del hombre o de la mujer, o de ambos estuviere subsistente el vínculo de un matrimonio anterior.

13. [Derogado. Art. 45 L. 57 de 1887]

14. [Derogado. Art. 45 L. 57 de 1887]

(*) El texto original de los numerales 4 y 10 fue derogado expresamente por el artículo 45 L. 57 de 1887. De manera paralela, el artículo 13 de esta misma ley, actualmente vigente, modificó el código en la materia objeto de dichos numerales, por lo que se asumen los textos de las causales del artículo 13, transcritas entre corchetes planos, como sustitutivos de las disposiciones derogadas.

Numeral 2. Inexq. y Exeq. Cond. C-507 de 2004: «...*se declarará inexequible la expresión "de doce" contenida en el texto del artículo 142, numeral 2, del Código Civil, mediante la cual se introduce la diferencia de trato entre hombres y mujeres en razón a la edad mínima para casarse, que desconoce la igualdad de protección, garantizada especialmente a niñas y mujeres adolescentes. El resto del aparte de la norma que fue objeto de la demanda (un varón menor de catorce años, y una mujer menor) será declarado exequible, en el entendido de que la edad para la mujer es también de catorce años. (...) RESUELVE (...) Segundo.- Declarar inexequibles las expresiones "de doce" contenidas en el numeral 2 del artículo 140 del Código Civil. (...) Tercero.- Declarar exequibles las expresiones "un varón menor de catorce años y una mujer menor" contenidas en el numeral 2 del artículo 140 del Código Civil, siempre y cuando se entienda que la edad para la mujer es también de catorce años*».

Numeral 3. Inexeq. parcial. C-478 de 2003: «*Si bien la finalidad que persigue la norma se ajusta a la Constitución, es evidente que los términos empleados por el legislador de la época para referirse al caso en que se presume la falta de consentimiento para contraer matrimonio de quien es incapaz en razón a su condición mental, son contrarios a la dignidad humana y por ende discriminatorios. (...) resultando necesario en este caso su integración normativa a fin de poderlas retirar del ordenamiento jurídico, permitiendo a su vez, que el contenido normativo que si resulta constitucional no pierda sentido y armonice con el sistema jurídico del que forma parte. (...) RESUELVE // PRIMERO. Declarar INEXEQUIBLES las expresiones "...los furiosos locos, mientras permanecieren en la locura, y en los mentecatos a..." contenida en el numeral tercero del artículo 140 del Código Civil*».

Numeral 5. Exeq. Cond. C-533 de 2000: «*En relación con la convalidación tácita que se produce por la cohabitación de los consortes, la Corte estima que ella también es válida como mecanismo para convalidar el consentimiento viciado, siempre y cuando se produzca en estado de plena libertad física y sicológica. (...) RESUELVE. (...) Primero: Declarar EXEQUIBLES la expresión "La fuerza o miedo no será causa de nulidad del matrimonio, si después de disipada la fuerza, se ratifica el matrimonio con palabras expresas, o por la sola cohabitación de los consorte", contenida en el numeral 5° del artículo 140 del Código Civil, y el segundo inciso del artículo 145 del mismo Código, bajo el entendido de que la cohabitación a que se refieren sea en todo caso voluntaria y libre, y dejando a salvo el derecho de demostrar, en todo tiempo, que ella no tuvo por objeto convalidar el matrimonio*».

Numeral 6. Exeq. Cond. C-007 de 2001: «*La norma acusada le concede efectos jurídicos al robo violento de la mujer. (…) el uso del lenguaje en la disposición acusada no es un asunto irrelevante, puesto que cosifica a la cónyuge y le da un trato jurídico contrario a la dignidad humana. (…) …otra acepción del término robar que el lenguaje común permite se refiere a "raptar" (…) este significado del verbo robar no cosifica a la mujer ni otorga un trato contrario a la Constitución. (…) …por el momento cultural en el que se redactó la reglamentación privada, es razonable suponer que el rapto para fines matrimoniales, como especial forma de violencia, sólo era concebible sobre la mujer. (…) En este contexto, la Corte concluye que el vacío legal que niega al hombre la posibilidad de convalidar el vicio del consentimiento derivado del secuestro, es discriminatorio y, por ende, inconstitucional. (…) Ahora bien, si la Corte retira del ordenamiento jurídico la expresión "de la mujer", la disposición quedaría sin el sujeto titular del derecho a pedir la nulidad del matrimonio o de convalidar el vicio del consentimiento. Por ello, esta Sala considera que debe proferir un fallo de constitucionalidad condicionada (…) RESUELVE: (…) Segundo. Declarar EXEQUIBLE el numeral 6° del artículo 140 del Código Civil, siempre y cuando el término "robada violentamente" se entienda como sean raptados y, en el entendido de que, en virtud del principio de igualdad de sexos, la causal de nulidad del matrimonio y la convalidación de la misma, puede invocarse por cualquiera de los contrayentes*».

Numeral 7. Inexeq. C-082 de 1999: «*…la distinción que introduce el numeral 7 del artículo 140 del Código Civil, lejos de perseguir una finalidad aceptada constitucionalmente, perpetúa la histórica discriminación que ha sufrido la mujer, al reproducir un esquema patriarcal en el que el hombre debía gozar de mayores prerrogativas y reconocimiento. Ello es evidente si se tiene en cuenta lo que la norma implícitamente prescribe: la mujer adúltera debe ser "sancionada" si se casa con su "cómplice"; el hombre, por el contrario, no tiene límite a su voluntad y a su sexualidad. (…) …no cabe duda de que la disposición acusada establece una injerencia indebida en el ámbito de la libertad individual. Tal vez cuando el adulterio era penalizado, se podía concebir que, en función del delito, se limitara el libre desarrollo de la personalidad; sin embargo, hoy en día, a la luz de la Carta de 1991, no es razonable desestimar u obstaculizar la decisión del sujeto respecto a su unión marital y mucho menos hacerlo en razón del sexo al que pertenece. (…) RESUELVE (…) Declarar INEXEQUIBLE el numeral 7 del artículo 140 del Código Civil*».

Numeral 8. Exeq. Cond. C-271 de 2003: «*…las medidas sancionatorias que sobre una misma conducta deben adoptar diferentes autoridades no desconocen la Constitución, en particular el principio de non bis in ídem, en cuanto responden a la necesidad de proteger distintos bienes jurídicos (…) No obstante lo anterior, es evidente que una interpretación literal del contenido normativo acusado puede entrar en contradicción con algunas otras garantías del debido*

proceso como la presunción de inocencia y la prohibición de sanciones perpe-
tuas y, por esa misma vía, afectar también el principio de la dignidad humana y
los derechos de igualdad material, libre desarrollo de la personalidad, intimidad
y honra; derechos que, por además, radican tanto en cabeza del conyugicida
como de su nueva consorte. En efecto, teniendo en cuenta que de manera gene-
ral la norma se limita a prohibir el matrimonio de quien mata o hace matar a su
cónyuge, sin hacer precisión sobre el alcance de la medida, una interpretación
restrictiva de la misma puede llevar a considerar que se trata de una sanción ci-
vil imprescriptible, que se aplica por la sola sindicación de haberse cometido el
delito, que opera cualquiera que haya sido la forma de culpabilidad —dolo cul-
pa o preterintención— y que se hace exigible sin consideración al móvil que de-
terminó la consumación del hecho punible. (...) RESUELVE: // Declarar EXE-
QUIBLE el numeral 8 del artículo 140 del Código Civil, condicionado a que
se entienda que la nulidad del matrimonio civil por conyugicidio se configura
cuando ambos contrayentes han participado en el homicidio y se ha establecido
su responsabilidad por homicidio doloso mediante sentencia condenatoria eje-
cutoriada; o también, cuando habiendo participado solamente un contrayente,
el cónyuge inocente proceda a alegar la causal de nulidad dentro de los tres
meses siguientes al momento en que tuvo conocimiento de la condena».
Arts. 37, 41, 42, 43, 44, 66, 117, 136, 142, 143, 144, 145, 146, 152, 1502,
1504, 1508, 1512-1516 y 1820 C.C.; Arts. 13, 14 y 15 L. 57 de 1887; D. 2820
de 1974; Arts. 168, 182 y 188 C.Pen. (L. 599 de 2000); Arts. 387 y 389 C.G.P.

Artículo 141. [*No habrá lugar a las disposiciones de los incisos 13 y 14 del artículo anterior, si el matrimonio es autorizado por el ascendiente o ascendientes cuyo consentimiento fuere necesario para contraerlo*][*].

[*] El artículo 45 de la L. 57 de 1887 dispuso la derogatoria de los «*números (...) 13 y 14 del artículo 140, el inciso que sigue al marcado con el número 14, en el mismo artículo 140...*» No obstante, las limitaciones respecto del matrimonio de una menor con su tutor o curador, o los descendientes del tutor o curador objeto de los numerales derogados, fue reformulada por el artículo 14 de la misma L. 57 de 1887, ley que no incluyó el artículo 141 dentro del listado de sus derogatorias, por lo que, a la luz del criterio del efecto útil, esta disposición debe entenderse referida al artículo 14 de la L. 57 de 1887.

Artículo 142. La nulidad a que se contrae el número 1 del artículo 140 no podrá alegarse sino por el contrayente que haya padecido el error.

No habrá lugar a la nulidad del matrimonio por error, si el que lo ha padecido hubiere continuado en la cohabitación después de haber conocido el error.

Arts. 140-1 y 1512 C.C.

Artículo 143. La nulidad a que se contrae el número 2 del mismo artículo 140, puede ser intentada por el padre o tutor del menor o menores; o por éstos con asistencia de un curador para la litis; mas si se intenta cuando hayan pasado tres meses después de haber llegado los menores a la pubertad, [*o cuando la mujer, aunque sea impúber, haya concebido*], no habrá lugar a la nulidad del matrimonio.

Inexeq. C-008 de 2010: «*...encuentra la Corte que impedir la solicitud de nulidad del matrimonio entre impúberes que han concebido así como del contraído con una mujer impúber que ha quedado en estado de gravidez, significa desconocer que al tenor del artículo 42 superior el matrimonio supone la voluntad y el deseo libre de restricciones de permanecer juntas las personas, algo de lo que se ven privados las niñas y niños impúberes con tal prohibición sin que —como se ha mostrado— exista un motivo constitucionalmente imperioso que lo justifique. (...) RESUELVE: // Primero.- Declarar la INEXEQUIBILIDAD de la expresión "o cuando la mujer aunque impúber haya concebido" contenida en el artículo 143 del Código Civil*».

Inhib. C-534 de 2005: Se acusaron de inconstitucionales las expresiones «*después de haber llegado los menores a la pubertad*» y la palabra «*impúber*» ubicada al final del artículo 143. La Corte se inhibió de pronunciarse de fondo respecto de la glosa común formulada contra todas las disposiciones demandadas, salvo en el caso del artículo 34 C.C. que era el que contenía la definición diferenciada, en función del sexo, del término impúber, y que, por tanto, era la fuente de la inconstitucionalidad advertida que irradiaba los artículos restantes. En la medida en que no se formularon cargos autónomos o específicos distintos al vicio originado en dicha definición, dispuesto por la Corte el ajuste a la Constitución del artículo 34, por sustracción de materia no persistía objeto de análisis respecto de las demás disposiciones demandadas.

Arts. 5, 15, 16, 42, 44, 45 C.P.; 34, 140-2 C.C.; Art. 17-3 C.G.P.; C.I.A.; L. 1306 de 2009.

Artículo 144. La nulidad a que se contraen los números 3 y 4, no podrá alegarse sino por los contrayentes o por sus padres o guardadores.

Arts. 5, 15, 16 y 42 C.P.; Arts. 127, 140-3, y 140-4 C.C.; Art. 17-3 C.G.P.; L. 1306 de 2009; C.D.P.D. (L. 1346 de 2009); L.E. 1618 de 2013.

Artículo 145. *Las nulidades a que se contraen los números 5 y 6 no podrán declararse sino a petición de la persona a quien se hubiere inferido la fuerza, causado el miedo u obligado a consentir.*

No habrá lugar a la nulidad por las causas expresadas en dichos incisos, si después de que los cónyuges quedaron en libertad, han vivido juntos por el espacio de tres meses, sin reclamar.[*]

Exeq. C-533 de 2000: «*...se explica por el hecho de tratarse de una nulidad relativa o subsanable, las cuales, como es sabido, no pueden ser declaradas de oficio por el juez y en relación con ellas la legitimación activa en la causa para lograr su declaración, se circunscribe a la persona que se ha visto afectada. // En relación con el matrimonio afectado de nulidad por vicio de fuerza en el consentimiento, la Corte encuentra que esta restricción no sólo no desconoce la Carta sino que antes bien la desarrolla adecuadamente en cuanto significa una mejor garantía de autonomía en cabeza de los cónyuges. (...) R E S U E L V E (...) Segundo: Declarar EXEQUIBLE el primer inciso del artículo 145 del Código Civil*».

[*] Exeq. Cond. Ver nota a numeral 5, Art. 140 C.C.
Arts. 138, 140-1, 1508, 1513, 1514, 1515, 1516, 1740, 1741 C.C.; Arts. 168, 182 y 188 C.Pen. (L. 599 de 2000).

Artículo 146. El Estado reconoce la competencia propia de las autoridades religiosas para decidir mediante Sentencia u otra providencia, de acuerdo con sus cánones y reglas, las controversias relativas a la nulidad de los matrimonios celebrados por la respectiva religión[*].

[*] El artículo 45 de la L. 57 de 1887 derogó el texto original, pero en su artículo 15 introdujo una modificación o adición al código civil sobre la misma materia. El artículo 3 de la L. 25 de 1992, introdujo el texto actual.
Art. 42 C.P.; Art. 13 L.E. 133 de 1994; Art. VIII Concordato de 1973 (L. 20 de 1974); Art. 13 L. 25 de 1992.
Ver Sentencias C-027 de 1993, C-456 de 1993, C-088 de 1994 y C-074 de 2004.

Artículo 147. Las providencias de nulidad matrimonial proferidas por las autoridades de la respectiva religión, una vez ejecutoriadas, deberán comunicarse al juez de familia o promiscuo de familia del domicilio de los cónyuges, quien decretará su ejecución en cuanto a los efectos civiles y ordenará la inscripción en el registro civil.

La nulidad del vínculo del matrimonio religioso surtirá efectos civiles a partir de la firmeza de la providencia del juez competente que ordene su ejecución[*].

(*) El artículo 45 de la L. 57 de 1887 derogó el texto original, pero en su artículo 15 introdujo una modificación o adición al Código Civil sobre la misma materia. El artículo 4 de la L. 25 de 1992, introdujo el texto actual.
Art. 42 C.P.; Art. 13 L.E. 133 de 1994; Art. VIII Concordato de 1973 (L. 20 de 1974); Art. 13 L. 25 de 1992; ver C-027 de 1993, C-456 de 1993, C-088 de 1994 y C-074 de 2004.

Artículo 148. Anulado un matrimonio, cesan desde el mismo día entre los consortes separados, todos los derechos y obligaciones recíprocas que resultan del contrato del matrimonio; pero si hubo mala fe en alguno de los contrayentes, tendrá éste obligación a indemnizar al otro todos los perjuicios que le haya ocasionado, estimados con juramento.

Art. 1846 C.C.

Artículo 149. *Los hijos procreados en un matrimonio que se declara nulo, son legítimos, quedan bajo la potestad [del padre] y serán alimentados y educados a expensas de él y de la madre, a cuyo efecto contribuirán con la porción determinada de sus bienes que designe el juez; [pero si el matrimonio se anuló por culpa de uno de los cónyuges, serán de cargo de éste los gastos de alimentos y educación de los hijos, si tuviere medios para ello, y de no, serán del que los tenga].*

Subrogatoria parcial. Conforme al actual texto de los Arts. 62 y 288 C.C. la patria potestad es ejercida conjuntamente por el padre y la madre.
Inexeq. Parcial. C-727 de 2015: «...*el aparte acusado efectivamente desconoce la Constitución pues al confundir los efectos de la disolución del vínculo matrimonial como consecuencia de la nulidad, con los deberes paterno-filiales, pone en el mismo plano situaciones muy distintas y por esta vía desconoce la imposibilidad de renunciar a las obligaciones que le asisten a los padres frente a sus hijos, independientemente del vínculo que una a la pareja. (...) DECISIÓN (...) Primero.- Declarar INEXEQUIBLE la expresión "pero si el matrimonio se anuló por culpa de uno de los cónyuges, serán de cargo de este los gastos de alimentos y educación de los hijos, si tuviere medios para ello, y de no, serán del que los tenga" contenida en el artículo 149 del Código Civil*».
Arts. 63, 213, 253, 257 y 258 C.C.; Art. 389 C.G.P.

Artículo 150. Las donaciones y promesas que, por causa de matrimonio, se hayan hecho por el otro cónyuge que casó de buena fe, subsistirán, no obstante la declaración de la nulidad del matrimonio.

Art. 1846 C.C.

Artículo 151. [Derogado. Art. 626 C.G.P.]

TÍTULO 6° De la disolución del matrimonio

Artículo 152. [Modificado. Art. 5 L. 25 de 1993] El matrimonio civil se disuelve por la muerte real o presunta de uno de los cónyuges o por divorcio judicialmente decretado.

Los efectos civiles de todo matrimonio religioso cesarán por divorcio decretado por el juez de familia o promiscuo de familia.

En materia del vínculo de los matrimonios religiosos regirán los cánones y normas del correspondiente ordenamiento religioso.

Exeq. C-456 de 1993: «RESUELVE (...) PRIMERO: Declarar exequibles los artículos 5o., 7o., 8o., 11o. y 12o. de la Ley 25 de 1992, en todas sus partes». Art. 42 C.P.; Art. 13 L.E. 133 de 1994; Art. VIII Conc. 1973 (L 20 de 1974); Art. 13 L 25 de 1992; Arts. 21, 22, 28, 388, 389, 577 y 598 C.G.P. Ver Sentencias C-027 de 1993, C-456 de 1993, C-088 de 1994 y C-074 de 2004.

TÍTULO 7°Del divorcio y la separación de cuerpos, sus causas y efectos[*]

[*] Rúbrica del título, modificada por el Art. 2 L. 1 de 1976

Artículo 153. [Derogado. Art. 3 L. 1 de 1976]

Artículo 154. Son causales de divorcio:

1. [*Las relaciones sexuales extramatrimoniales de uno de los cónyuges*], [*salvo que el demandante las haya consentido, facilitado o perdonado*].

2. El grave e injustificado incumplimiento por parte de alguno de los cónyuges de los deberes que la ley les impone como tales y como padres.

3. Los ultrajes, el trato cruel y los maltratamientos de obra.

4. La embriaguez habitual de uno de los cónyuges.

5. El uso habitual de sustancias alucinógenas o estupefacientes, salvo prescripción médica.

6. [Toda enfermedad o anormalidad grave e incurable, física o síquica, de uno de los cónyuges, que ponga en peligro la salud mental o física del otro cónyuge e imposibilite la comunidad matrimonial].

7. Toda conducta de uno de los cónyuges tendientes a corromper o pervertir al otro, a un descendiente, o a personas que estén a su cuidado y convivan bajo el mismo techo.

8. La separación de cuerpos, judicial [*o de hecho*], [*que haya perdurado por más de dos (2) años*].

9. El consentimiento de ambos cónyuges manifestado ante juez competente y reconocido por éste mediante sentencia.

[*] El texto original que había sido objeto de reforma por la ley 1 de 1976, corresponde al introducido por el Art. 6 L. 25 de 1992.

Numeral 1. Inexeq. Parcial. C-660 de 2000: «...*la norma parcialmente demandada, es inconstitucional porque ante la realidad de la ruptura conyugal, el Legislador no puede imponer la indisolubilidad del vínculo matrimonial tal como se ha analizado (C.P., arts. 1°, 2°, 5° y 42, en consonancia con los artículos 93 y 94 ibídem), ni inmiscuirse en el fuero íntimo de los miembros de una pareja a través de la valoración de los mecanismos que sus integrantes elijan conjunta o individualmente para la realización del amor conyugal, así ésta no se consiga (C.P., arts. 15, 16 y 18). Y, además, como de conformidad con los presupuestos constitucionales el Legislador no puede negar a los cónyuges, ante una situación de fracaso, la reestabilización de sus vidas en todos los órdenes (C.P., arts. 1°, 2°, 5° y 42), la expresión demandada es inconstitucional y así deberá declararse.* (...) DECISIÓN (...) Declarar INEXEQUIBLE la expresión "*salvo que el demandante las haya consentido facilitado o perdonado*" que hace parte del numeral 1° del artículo 6° de la ley 25 de 1992 modificatorio del numeral 1° del artículo 154 del Código Civil».

Numeral 1. Exeq. C-821 de 2005: «... *la unión que emana del consentimiento otorgado por ambos cónyuges con el acto del matrimonio, hace surgir respecto de ellos una serie de obligaciones que les son exigibles, resultando como una de las más relevantes la de fidelidad mutua* (...) *en cuanto busca preservar el vínculo de mutua consideración, aprecio y confianza indispensable en la vida matrimonial.* (...) *...lo que descarta de plano que a través de la ley se pueda patrocinar la continuación de la relación matrimonial, restringiendo irrazonablemente los derechos del cónyuge ofendido, materializados en la posibilidad de solicitar la disolución del matrimonio.* (...) RESUELVE. (...) *Declarar EXEQUIBLE el numeral 1° del artículo 6° de la Ley 25 de 1992, modificatorio del numeral 1° del artículo 154 del Código Civil, el cual consagra como una de las causales de divorcio "[l]as relaciones sexuales extramatrimoniales de uno de los cónyuges".*

Numeral 6. Exeq. Cond. C-246 de 2002: *Las obligaciones de cada uno de los cónyuges hacia el otro no son ilimitadas.* (...) *Mediante el artículo 6 de la Ley 25 de 1992 el legislador armoniza entre los deberes conyugales y los derechos de los cónyuges ante una situación extrema...* (...) *dentro del ámbito normativo de la causal demandada, es necesario establecer si los efectos jurídicos que de ella se desprenden, particularmente la extinción de la obligación conyugal de socorro y ayuda, pueden conducir a la vulneración de los derechos del cónyuge gravemente enfermo o discapacitado.* (...) *La regulación de los alimentos debidos al cónyuge no se refiere a la causal analizada. (...) Se tiene, pues, que, en virtud de ese vacío y a diferencia de lo que sucede cuando hay un cónyuge culpable, la obligación de socorro y ayuda termina abruptamente como consecuencia del divorcio. Y ello ocurre precisa y sorprendentemente cuando la necesidad de cuidado del cónyuge enfermo o discapacitado aumenta para respetar su dignidad y preservar su autonomía reducida por sus propias circunstancias, sin que, por otra parte, exista normatividad relativa a la seguridad social que regule la materia. (...) No obstante, en las normas vigentes sobre alimentos se encuentran criterios pertinentes que pueden ser aplicados por analogía por el juez competente en cada caso. (...) Primero, el criterio de necesidad. (...) Segundo, el criterio de capacidad. (...) Tercero, el criterio de permanencia. (...) RESUELVE (...) Declarar EXEQUIBLE, por el cargo analizado, el numeral 6 del artículo 6 de la Ley 25 de 1992 en el entendido que el cónyuge divorciado que tenga enfermedad o anormalidad grave e incurable, física o psíquica, que carezca de medios para subsistir autónoma y dignamente, tiene derecho a que el otro cónyuge le suministre los alimentos respectivos, de conformidad con los criterios expuestos en el apartado 7 de esta sentencia».*

Numeral 8. Exeq. C-149 de 2000: «*... si la causa de divorcio tiene consecuencias patrimoniales, vinculadas con la culpabilidad de las partes, así el demandante opte por invocar una causal objetiva para acceder a la disolución del vínculo, el consorte demandado está en su derecho al exigir que se evalúe la responsabilidad del demandante en la interrupción de la vida en común. (...) Tampoco procede la sentencia condicionada invocada por el actor, por cuanto la Corte considera que la expresión (...) permite al demandante invocar el divorcio sin demostrar la culpa del otro ni su inocencia, con miras a mantener en la intimidad las causas de la ruptura y conservar ante los hijos la imagen de los padres...*» (...) RESUELVE: // Declarar EXEQUIBLE la expresión «o de hecho» contenida en el numeral 8° del artículo 6° de la Ley 25 de 1992 que reformó el artículo 154 del Código Civil.

Numeral 8. Exeq. C-746 de 2011: «*...la limitación transitoria o temporal impuesta por la disposición acusada al derecho al libre desarrollo de la personalidad, no es una medida que vacíe o anule la dignidad o el derecho del cónyuge a optar por un nuevo estado civil como proyecto de vida, ni representa una restricción desproporcionada de su autonomía para elegir libre y responsablemente el estado civil que le plazca u optar por la conformación de una nueva relación sentimental y una nueva familia. (...) RESUELVE (...) Primero: Declarar EXEQUIBLE el aparte acusado del numeral 8 del artículo 154 del Código Civil, por el cargo analizado*».

Arts. 5, 15, 16 y 42 C.P.; Arts. 156, 162 y 165 C.C.; C.Pen.; Convención Interamericana Para Prevenir, Sancionar y Erradicar la Violencia contra la Mujer - Convención de Belén do Pará (L. 248 de 1997); L. 1257 de 2008.

Artículo 155. [Derogado Art. 15 L. 25 de 1992]

Artículo 156. [Modificado Art. 10 L. 25 de 1992] El divorcio sólo podrá ser demandado [*por el cónyuge que no haya dado lugar a los hechos que lo motivan*] y dentro del término de un año, contado desde cuando tuvo conocimiento de ellos respecto de las causales 1a. y 7a. o desde cuando se sucedieron, respecto a las causales 2a., 3a., 4a. y 5a. en todo caso las causales 1a. y 7a. Sólo podrán alegarse dentro de los dos años siguientes a su ocurrencia.

Inexeq. parcial e inexeq. cond.: «(...) Para garantizar que las sanciones ligadas al divorcio basado en causales subjetivas no se tornen imprescriptibles, es preciso adoptar una decisión de exequibilidad condicionada de la frase "y dentro del término de un año, contado desde cuando tuvo conocimiento de ellos respecto de las causales 1ª y 7ª o desde cuando se sucedieron, respecto a las causales 2ª, 3ª, 4ª y 5ª", en el sentido de que el términos previsto en la disposición solamente operan para reclamar la aplicación de las sanciones, no para solicitar el divorcio. (...) De otro lado, la frase "en todo caso las causales 1ª y 7ª sólo podrán alegarse dentro de los dos años siguiente a su ocurrencia" no debe mantenerse en el ordenamiento, pues limita aún más los derechos de los cónyuges inocentes, pues no tiene en cuenta cuándo éstos tuvieron conocimiento de las causales, con desconocimiento de las complejidades de la vida matrimonial. (...) RESUELVE (...) PRIMERO: Declarar INEXEQUIBLE la frase "en todo caso las causales 1ª y 7ª sólo podrán alegarse dentro de los dos años siguiente a su ocurrencia" contenida en el artículo 10 de la Ley 25 de 1992. (...) SEGUNDO: Declarar EXEQUIBLE la frase "y dentro del término de un año, contado desde cuando tuvo conocimiento de ellos respecto de las causales 1ª y 7ª o desde cuando se sucedieron, respecto a las causales 2ª, 3ª, 4ª y 5ª" contenida en el artículo 10 de la Ley 25 de 1992, bajo el entendido que los términos de caducidad que la disposición prevé solamente restringe en el tiempo la posibilidad de solicitar las sanciones ligadas a la figura del divorcio basado en causales subjetivas».

Exeq. C-349 de 2017: «...El segmento demandado no resulta violatorio del derecho al libre desarrollo de la personalidad, debido a que, una vez los contrayentes aceptan el contrato de matrimonio, al que concurren de forma voluntaria, aceptan también las cláusulas de las que se derivan restricciones para su autonomía, y ello incluye las relativas a los mecanismos que existen para disolverlo. (...) ... si los cónyuges no desean continuar con el vínculo matrimonial, cuentan con posibilidades jurídicas para disolverlo como el mutuo acuerdo, o la posibilidad que ambos cónyuges tienen de acudir a la separación de cuerpos para luego de transcurridos dos años, proceder a solicitar el divorcio (...) RESUELVE (...) Declarar EXEQUIBLES las expresiones "sólo" y "por el cónyuge que no haya dado lugar a los hechos que lo motivan", contenidas en el artículo 156 del Código Civil, por el cargo analizado en la parte motiva de este proveído».

Artículo 157. [Derogado. Art. 626 C.G.P.]

Artículo 158. [Derogado. Art. 626 C.G.P.]

Artículo 159. [Derogado. Art. 626 C.G.P.]

Artículo 160. [Subrogado. Art. 11 L. 25 de 1992]. Ejecutoriada la sentencia que decreta el divorcio, queda disuelto el vínculo en el matrimonio civil y cesan los efectos civiles del matrimonio religioso. Asimismo, se disuelve la sociedad conyugal, pero subsisten los deberes y derechos de las partes respecto de los hijos comunes y, según el caso, los derechos y deberes alimentarios de los cónyuges entre sí.

Exeq.: C-546 de 1993.
Arts. 411 y ss, 1820 y ss. C.C.

Artículo 161. [Modificado. Art. 11 L. 1 de 1976]. Sin perjuicio de lo que disponga el juez en la sentencia, respecto de la custodia y ejercicio de la patria potestad, los efectos del divorcio en cuanto a los hijos comunes de los divorciados se reglarán por las disposiciones contenidas en los títulos XII y XIV del libro I del Código Civil.

Arts. 250 y ss, y, 288 y ss. C.C.

Artículo 162. [Modificado. Art. 12 L. 1 de 1976] En los casos de las causales 1ª, 2ª, 3ª, 4ª, 5ª y 7ª del artículo 154 de este código, el cónyuge inocente podrá revocar las donaciones que por causa de matrimonio hubiere hecho al cónyuge culpable, sin que éste pueda invocar derechos o concesiones estipulados exclusivamente en su favor en capitulaciones matrimoniales.

Parágrafo. Ninguno de los divorciados tendrá derecho a invocar la calidad de cónyuge sobreviviente para heredar abintestato en la sucesión del otro, ni a reclamar porción conyugal.

Arts. 150, 1230, 1231 y 1846 C.C.

Artículo 163. [Modificado. Art. 13 L. 1 de 1976] El divorcio del matrimonio civil celebrado en el extranjero se regirá por la ley del domicilio conyugal.

Para estos efectos, entiéndese por domicilio conyugal el lugar donde los cónyuges viven de consuno y, en su defecto, se reputa como tal el del cónyuge demandado.

Arts. 13, 14, 42 y 43 C.P.; Arts. 19, 76 y ss. y, 179 C.C.; Arts. 11-13, 42 y 62 del Tratado de Derecho Civil Internacional y el Tratado de Derecho Comercial Internacional de Montevideo de 1889 (L. 33 de 1992); Arts. 1, 9, 15 y 16 de la Convención Sobre Eliminación de Todas las Formas de Discriminación Contra la Mujer (L. 51 de 1981).

Artículo 164. [Modificado. Art. 14 L. 1 de 1976] El divorcio decretado en el exterior, respecto del matrimonio civil celebrado en Colombia, se regirá por la ley del domicilio conyugal y no producirá los efectos de disolución, sino a condición de que la causal respectiva sea admitida por la ley colombiana y de que el demandado haya sido notificado personalmente o emplazado según la ley de su domicilio. Con todo, cumpliendo los requisitos de notificación y emplazamiento, podrá surtir los efectos de la separación de cuerpos.

Arts. 13, 14, 42 y 43 C.P.; Arts. 19, 76 y ss. y, 179 C.C.; Arts. 11-13, 42 y 62 del Tratado de Derecho Civil Internacional y el Tratado de Derecho Comercial Internacional de Montevideo de 1889 (L. 33 de 1992); Arts. 1, 9, 15 y 16 de la Convención Sobre Eliminación de Todas las Formas de Discriminación Contra la Mujer (L. 51 de 1981).

Artículo 165. [Modificado. Art. 15 L. 1 de 1976] Hay lugar a la separación de cuerpos en los siguientes casos:

1. En los contemplados en el artículo 154 de este código.

2. Por mutuo consentimiento de los cónyuges, manifestado ante el juez competente.

Art. 47 L. 23 de 1991.

Artículo 166. [Modificado. Art. 16 L. 1 de 1976] El juez para decretar la separación de cuerpos no estará sujeto a las restricciones del artículo 155 de este código. Los cónyuges al expresar su mutuo consentimiento en la separación indicarán el estado en que queda la sociedad conyugal y si la separación es indefinida o temporal y en este caso la duración de la misma, que no puede exceder de un año. Expirado el término de la separación temporal se presumirá que ha habido reconciliación, pero los casados podrán declarar ante el juez que la tornan definitiva o que amplían su vigencia.

Para que la separación de cuerpos pueda ser decretada por mutuo consenso de los cónyuges, es necesario que éstos la soliciten por escrito al juez competente, determinando en la demanda la manera como atenderán en adelante el cuidado personal de los hijos comunes, la proporción en que contribuirán a los gastos de crianza, educación y establecimiento de los hijos y, si fuere el caso, al sostenimiento de cada cónyuge. En cuanto a los gastos de crianza, educación y establecimiento de los hijos comunes, responderán solidariamente ante terceros, y entre sí en la forma acordada por ellos.

El juez podrá objetar el acuerdo de los cónyuges en interés de los hijos, previo concepto del Ministerio Público.

Art. 256 y ss., 411 y ss. C.C.; Arts. 14, 15, 17, 20, 22, 23 y 39 C.I.A.; Art. 40 L. 640 de 2001.

Artículo 167. [Modificado. Art. 17 L. 1 de 1976] La separación de cuerpos no disuelve el matrimonio, pero suspende la vida común de los casados.

La separación de cuerpos disuelve la sociedad conyugal, salvo que, fundándose en el mutuo consentimiento de los cónyuges y siendo temporal, ellos manifiesten su deseo de mantenerla vigente.

Artículo 168. [Modificado. Art. 18 L. 1 de 1976] Son aplicables a la separación de cuerpos las normas que regulan el divorcio en cuanto no fueren incompatibles con ella.

TÍTULO 8° De las segundas nupcias

Artículo 169. [Modificado. Art. 5 Dec. 2820 de 1974] La persona que teniendo hijos [*de precedente matrimonio*] bajo su patria potestad, o bajo su tutela o curatela, quisiere [*volver a*] casarse, deberá proceder al inventario solemne de los bienes que esté administrando.

Para la confección de este inventario se dará a dichos hijos un curador especial.

Inexeq. Parcial: C-289 de 2000: «...*la Constitución aun cuando distingue no discrimina entre las diferentes clases de familia; todas ellas son objeto de idéntica protección jurídica sin que interese, por consiguiente, que la familia se encuentre constituida por vínculos jurídicos, esto es, por la decisión libre de un hombre y una mujer de contraer matrimonio, o por vínculos naturales, es decir, por la voluntad responsable de conformarla. (...) examinado objetiva-*

mente el contenido de las referidas normas la Sala aprecia la existencia de una desigualdad manifiesta, en la medida en que otorga una protección especial al patrimonio de los hijos habidos en una relación matrimonial, y en cambio se omite dispensar la misma protección al patrimonio de los hijos originados en una unión libre no permanente, o permanente (...) RESUELVE: (...) Declarar INEXEQUIBLES las expresiones "de precedente matrimonio" y "volver a" del art. 169, y "de precedente matrimonio" del art. 171 del Código Civil. En consecuencia, conforme a lo dispuesto en los arts. 13 y 42 de la Constitución el vocablo "casarse" y la expresión "contraer nuevas nupcias", contenidos en dichas normas, deben ser entendidos, bajo el supuesto de que la misma obligación que se establece para la persona que habiendo estado ligada por matrimonio anterior quisiere volver a casarse, se predica también respecto de quien resuelve conformar una unión libre de manera estable, con el propósito responsable de formar una familia, a efecto de asegurar la protección del patrimonio de los hijos habidos en ella».

Exeq. C-812 de 2001. Ver nota en Art. 170.

Arts. 5, 42, 44 y 45 C.P.; Art. 297 C.C.; Art. 37 L. 962 de 2005; Art. 7 D. 2827 de 2006; Art. 20 C.I.A.

Artículo 170. [Modificado. Art. 6 Dec. 2820 de 1974] *Habrá lugar al nombramiento de curador aunque los hijos no tengan bienes propios de ninguna clase en poder del padre o de la madre. Cuando así fuere, deberá el curador testificarlo.*

Exeq. C-812 de 2001. *«...las normas acusadas en forma alguna contemplan una presunción de mala fe. (...) ...la Corte considera que la imposición de cargas a las personas con miras a proteger a sus hijos no constituyen violaciones a la dignidad humana (...) Simplemente se trata de contar con un tercero imparcial cuya función es salvaguardar los derechos patrimoniales de los niños. (...) RESUELVE (...) Primero.- Estarse a lo resuelto en la sentencia C-289 de 2000, en donde se declaró inexequible la expresión de precedente matrimonio contenida tanto en el inciso primero del artículo 169 como en el inciso primero del artículo 171 del Código Civil (...) Tercero.- Declarar exequibles, por los cargos analizados, los artículos 169 y 170 del Código Civil así como el inciso segundo del artículo tercero del Decreto Ley 2668 de 1998, con excepción de lo resuelto en los dos numerales anteriores (...) una norma que exige que se nombre un curador para hacer un inventario solemne de los bienes que esté administrando la persona que, teniendo hijos bajo su patria potestad, quiera casarse o conformar unión libre no viola el derecho a la dignidad humana y el principio de buena fe. De la misma forma, tampoco desconoce dichas garantías una disposición que señala que el curador se deberá nombrar, incluso si los hijos carecen de cualquier bien de su propiedad, en cuyo caso aquél lo deberá testificar».*

Arts. 5, 42, 44 y 45 C.P.; Art. 297 C.C.; Art. 37 L. 962 de 2005; Art. 7 Dec. 2827 de 2006; Art. 20 C.I.A.

Artículo 171. [Modificado. Art. 7 Dec. 2820 de 1974] El juez se abstendrá de autorizar el matrimonio hasta cuando la persona que pretenda contraer nuevas nupcias le presente copia auténtica de la providencia por la cual se designó curador a los hijos, del auto que le discernió el cargo y del inventario de los bienes de los menores. No se requerirá de lo anterior si se prueba sumariamente que dicha persona no tiene hijos [de precedente matrimonio], o que éstos son capaces.

La violación de lo dispuesto en este artículo ocasionará la pérdida del usufructo legal de los bienes de los hijos y multa de $ 10.000 al funcionario. Dicha multa se decretará a petición de cualquier persona, del Ministerio Público, del defensor de menores o de la familia, con destino al Instituto Colombiano de Bienestar Familiar.

Inexeq. parcial. C-289 de 2000: «Declarar INEXEQUIBLES las expresiones (...) "de precedente matrimonio" del art. 171 del Código Civil...». Ver nota en Art. 169.
Arts. 5, 42, 44 y 45 C.P.; Arts. 291-297 C.C.; Art. 37 L. 962 de 2005; Art. 7 D. 2827 de 2006; Art. 20 C.I.A.

Artículo 172. [Modificado. Art. 8 Dec. 2820 de 1974] La persona que hubiere administrado con culpa grave o dolo, los bienes del hijo, perderá el usufructo legal y el derecho a sucederle como legitimario o como heredero abintestato.

Arts. 63, 291-297, 1027 y 1240 C.C.; Art. 20 C.I.A.

Artículo 173. [Cuando un matrimonio haya sido disuelto o declarado nulo, la mujer que está embarazada no podrá pasar a otras nupcias antes del parto, o (no habiendo señales de preñez), antes de cumplirse los doscientos setenta días subsiguientes a la disolución o declaración de nulidad.

Pero se podrán rebajar de este plazo todos los días que hayan precedido inmediatamente a dicha disolución o declaración, y en los cuales haya sido absolutamente imposible el acceso del marido a la mujer].

[*] Inexeq. C-1440 de 2000: «El tratamiento que el artículo 173 da a la mujer cuyo vínculo matrimonial se ha extinguido en razón de muerte del cónyuge o de la declaración de su nulidad, persigue una finalidad que en su momento

pudo estimarse válida, en cuanto constituía una solución razonable ideada por el legislador para resolver la incertidumbre acerca de la paternidad de un hijo, que no conducía bajo el régimen constitucional anterior a descubrir una real o posible violación de los derechos de la mujer. // Sin embargo, con los avances de la ciencia y la tecnología es posible llegar, no sólo a la exclusión de la paternidad, sino inclusive, a la atribución de ella, (...) con un alto margen de probabilidades, que asegura la confiabilidad y la seguridad de los resultados de las pruebas biológicas. (...) Las normas acusadas contienen una preceptiva que afecta el espacio de libertad de la mujer para buscar una nueva opción de vida, ante la posibilidad de contraer nuevas nupcias; que la coloca dentro de una situación de sospecha sobre su comportamiento sexual, que desde luego afecta su dignidad, y que limita injustificadamente su derecho al libre desarrollo de la personalidad. (...) Encuentra la Corte, en consecuencia, que los artículos 173 y 174 del Código Civil, en cuanto condiciona las segundas nupcias de la mujer en ellos previstas, violan sus derechos a la libertad, a la honra y al libre desarrollo de la personalidad. (...) RESUELVE: (...) Declarar INEXEQUIBLES los artículos 173 y 174 del Código Civil».

Artículo 174. [*La autoridad civil no permitirá el matrimonio de la mujer sin que por parte de esa se justifique no estar comprendida en el impedimento del artículo precedente*].

Inexeq. C-1440 de 2000. Ver nota del artículo 173.

Artículo 175. [Derogado. Art. 70 Dec. 2820 de 1974].

TÍTULO 9° Obligaciones y derechos entre los cónyuges

CAPÍTULO 1° Reglas generales

Artículo 176. [Modificado. Art. 9 Dec. 2820 de 1974] Los cónyuges están obligados a guardarse fe, a socorrerse y ayudarse mutuamente, en todas las circunstancias de la vida.

Arts. 5 y 42 C.P.; Art. 113, 135 C.C.

Artículo 177. [Modificado. Art. 10 Dec. 2820 de 1974] El marido y la mujer tienen conjuntamente la dirección del hogar. Dicha dirección estará a cargo de uno de los cónyuges cuando el otro no la pueda ejercer o falte. En caso de desacuerdo se recurrirá al juez o al funcionario que la ley designe.

Arts. 5, 42 y 43 C.P.; L. 258 de 1996.

Artículo 178. [Modificado. Art. 11 Dec. 2820 de 1974] Salvo causa justificada, los cónyuges tienen la obligación de vivir juntos y cada uno de ellos tiene derecho a ser recibido en la casa del otro.

Arts. 5, 15, 16, 42 y 95 C.P.; Art. 113 y 135 C.C.

Artículo 179. [Modificado. Art. 12 Dec. 2820 de 1974] El marido y la mujer fijarán la residencia del hogar. En caso de ausencia, incapacidad o privación de la libertad de uno de ellos, la fijará el otro. Si hubiere desacuerdo corresponderá al juez fijar la residencia teniendo en cuenta el interés de la familia.

Los cónyuges deberán subvenir a las ordinarias necesidades domésticas, en proporción a sus facultades.

Arts. 19, 76 y ss., 411, 419 y 1796 C.C.

Artículo 180. [Modificado. Art. 13 Dec. 2820 de 1974] Por el hecho del matrimonio se contrae sociedad de bienes entre los cónyuges, según las reglas del título 22, libro IV, del Código Civil.

Los que se hayan casado en país extranjero y se domiciliaren en Colombia, se presumirán separados de bienes, a menos que de conformidad a las leyes bajo cuyo imperio se casaron se hallen sometidos a un régimen patrimonial diferente.

Exeq. C-395 de 2002: «(...) *En el campo del Derecho Internacional Privado rige el principio de la aplicación de la ley personal a los nacionales de un Estado, con un doble contenido: i) positivo, según el cual al estado civil y a la capacidad de una persona natural nacional de un Estado se le aplican las leyes de ese Estado; ii) negativo, según el cual al estado civil y a la capacidad de una persona natural que no es nacional de un Estado no se le puede aplicar la ley de ese Estado. (...) En esta forma se puede determinar que la disposición demandada no establece distinción entre nacionales colombianos, sometidos todos al régimen de sociedad conyugal, sino entre ellos y los extranjeros, por quedar éstos sometidos al régimen de separación de bienes, con la posibilidad de aplicación de otro en su lugar, si se aporta la prueba respectiva. En consecuencia, no se vulnera el principio de igualdad entre los nacionales colombianos, ni la protección integral de la familia o el derecho de propiedad de los mismos. Por esa misma razón el supuesto de que parte la demandante es equivocado. (...) Por otra parte, (...) dicha presunción se puede desvirtuar mediante la prueba de cualquiera otro régimen vigente en el país de la celebración del matrimonio, aplicando así un criterio territorial, en lugar del personal aplicado a los matrimonios de nacionales colombianos, esto es, aplicando concretamente el principio lex loci contractus, (...) RESUELVE (...) Declarar exequible el inciso*

2° del artículo 180 del Código Civil, modificado por el artículo 13 del Decreto ley 2820 de 1974, únicamente por los cargos analizados».
Arts. 19, 66, 1774, 1781 y ss.; L. 28 de 1932.

Artículo 181. [Derogado. Art. 9 y subrogado Art. 5° L. 28 de 1932]. La mujer casada, mayor de edad, como tal, puede comparecer libremente en juicio, y para la administración y disposición de sus bienes no necesita autorización marital ni licencia del Juez, ni tampoco el marido será su representante legal.

Artículos 182-193 [Derogados. Art. 9 L. 28 de 1932]

Artículo 194. Las reglas de los artículos precedentes sufren excepciones o modificaciones por las causas siguientes:
1°. El ejercitar la mujer una profesión, industria u oficio.
2°. La separación de bienes.

CAPÍTULO 2° Excepciones relativas a la profesión u oficio de la mujer

Artículo 195. [Derogado. Art. 9 L. 28 de 1932]

Artículo 196. [Derogado. Art. 1 L. 28 de 1932]

CAPÍTULO 3° Excepciones relativas a la simple separación de bienes

Artículo 197. Simple separación de bienes es la que se efectúa sin divorcio, en virtud de decreto judicial o por disposición de la ley.
Art. 1, L. 28 de 1932; Art. 40-7, L. 640 de 2001; Arts. 17, 20, 21, 22, 28, 598 y 617 C.G.P.

Artículo 198. [Modificado. Art. 19 L. 1 de 1976] Ninguno de los cónyuges podrá renunciar en las capitulaciones matrimoniales la facultad de pedir separación de bienes.
Son causales de separación de bienes, respecto a cualquiera de los cónyuges:
1ª. Las que autorizan el divorcio o la simple separación de cuerpos;
2ª. La disipación y el juego habitual.

3ª. La administración fraudulenta o notoriamente descuidada de su patrimonio, en forma que menoscabe gravemente los intereses del otro en la sociedad conyugal.

También es causal de separación de bienes, el mutuo consenso de los cónyuges.

Arts. 15 y 1771 C.C.

Artículo 199. [Modificado. Art. 20 L. 1 de 1976] Para que el cónyuge incapaz pueda pedir la separación de bienes, deberá designársele un curador especial.

Artículo 200. [Modificado. Art. 21 L. 1 de 1976] Cualquiera de los cónyuges podrá demandar la separación de bienes en los siguientes casos:

1. Por las mismas causas que autorizan la separación de cuerpos.

2. Por haber incurrido el otro cónyuge en cesación de pagos, quiebra, oferta de cesión de bienes, insolvencia o concurso de acreedores, disipación o juego habitual, administración fraudulenta o notoriamente descuidada de su patrimonio en forma que menoscabe gravemente los intereses del demandante en la sociedad conyugal.

Arts. 165 y 1818 C.C.

Artículo 201. Demandada la separación de bienes, podrá el juez, a petición de la mujer, tomar las providencias que estime conducentes a la seguridad de los intereses de ésta, mientras dure el juicio.

Art. 598 C.G.P.

Artículo 202. [Derogado. Art. 626 C.G.P.].

Artículo 203. [Modificado. Art. 16 Dec. 2820 de 1974] Ejecutoriada la sentencia que decreta la separación de bienes, ninguno de los cónyuges tendrá desde entonces parte alguna en los gananciales que resulten de la administración del otro.

Artículo 204. [Derogado. Arts. 5 y 9 L. 28 de 1932]

Artículo 205. En el estado de separación, ambos cónyuges deben proveer a las necesidades de la familia común a proporción de sus facultades. El juez, en caso necesario, reglará la contribución.

Arts. 161, 257 y 258 C.C.; Arts. 17, 20, 24, 27, 28, 29, 30 y 39 C.I.A.

Artículo 206. Los acreedores de la mujer separada de bienes por actos o contratos que legítimamente han podido celebrarse por ella, tendrán acción sobre los bienes de la mujer.

El marido no será responsable con sus bienes, sino cuando hubiere accedido como fiador, o de otro modo, a las obligaciones contraídas por la mujer.

Será así mismo responsable, a prorrata del beneficio que hubiese reportado de las obligaciones contraídas por la mujer; comprendiendo en este beneficio el de la familia común, en la parte en que de derecho haya él debido proveer a las necesidades de ésta.

[Inc. Derogado. Art. 9 L. 28 de 1932].

Artículo 207. Si la mujer separada de bienes confiere al marido la administración de alguna parte de los suyos, será obligado el marido a la mujer como simple mandatario.

Artículo 208. [Derogado. Art. 9 L. 28 de 1932]

Artículos 209-212. [Derogados. Art. 9 L. 28 de 1932].

TÍTULO 10º De los hijos legítimos concebidos en matrimonio

CAPÍTULO 1º Reglas generales

Artículo 213. [Modificado por Art. 1 L. 1060 de 2006] El hijo concebido durante el matrimonio o durante la unión marital de hecho tiene por padres a los cónyuges o compañeros permanentes, salvo que se pruebe lo contrario en un proceso de investigación o de impugnación de paternidad.

Arts. 42, Arts. 52, 53, 113, 149, 236-239, 246, 250 C.C.; Art. 1 L. 54 de 1990.

Artículo 214. [Modificado por Art. 2 L. 1060 de 2006] El hijo que nace después de expirados los ciento ochenta días subsiguientes al matrimonio o a la *declaración* de la unión marital de hecho, se reputa concebido en el vínculo y tiene por padres a los cónyuges o a los compañeros permanentes, excepto en los siguientes casos:

1. Cuando el Cónyuge o el compañero permanente demuestre por cualquier medio que él no es el padre.

2. Cuando en proceso de impugnación de la paternidad *mediante prueba científica* se desvirtúe esta presunción, en atención a lo consagrado en la Ley 721 de 2001.

El marido, con todo, podrá no reconocer al hijo como suyo, si prueba que durante todo el tiempo en que, según el artículo 92, pudiera presumirse la concepción, estuvo en absoluta imposibilidad física de tener acceso a la mujer.

Exeq. Cond. C-131 de 2018: «...*la Corte encuentra que no es constitucionalmente válido establecer el requisito de la declaración de la unión marital de hecho para que, a partir de ese momento opere la presunción de paternidad, pues ello vulnera el artículo 13 Superior, al establecer un régimen de filiación más gravoso para los hijos nacidos durante dicha unión. (...) RESUELVE: (...) DECLARAR EXEQUIBLE el inciso primero del artículo 2° de la Ley 1060 de 2006, EN EL ENTENDIDO que para el caso de los hijos nacidos durante la unión marital de hecho, la contabilización del término de ciento ochenta días se empezará a contar desde cuando se acredite el inicio de la convivencia entre los padres*».

Exeq. C-122 de 2008: «...*la norma acusada no se exige que el juez se atenga únicamente a lo probado de manera científica. La remisión a la Ley 721 de 2001 ha de entenderse al texto de la misma, interpretado en los términos fijados por la Corte Constitucional en las sentencias respectivas, en especial en la sentencia C-476 de 2005. (...) RESUELVE (...) Declarar la EXEQUIBILIDAD de la expresión "mediante prueba científica", contenida en el numeral 2 del artículo 2 de la Ley 1060 de 2006, por los cargos analizados*».

Exeq. C-004 de 1998. En relación con el actual tercer inciso se negó a declarar la inconstitucionalidad, pues en «*en esta norma todo se reduce a un problema probatorio*», referido a partir de la sentencia a la «*presunción simplemente legal del artículo 92 del Código Civil*».

Arts. 92 y 230 C.C.; Art. 386 C.G.P.

Artículo 215. [Derogado. Art. 3 L. 1060 de 2006].

Artículo 216. [Modificado. Art. 4 L. 1060 de 2006] Podrán impugnar la paternidad del hijo nacido durante el matrimonio o en vigencia de la unión marital de hecho, el cónyuge o compañero permanente y la madre, dentro de los ciento (*sic*) (140) días siguientes a aquel en que tuvieron conocimiento de que no es el padre o madre biológico.

Arts. 335-337 C.C.; Art. 386 C.G.P.

Artículo 217. El hijo podrá impugnar la paternidad o la maternidad en cualquier tiempo. También podrá solicitarla el padre, la madre o quien acredite sumariamente ser el presunto padre o madre biológico.

La residencia del marido en el lugar del nacimiento del hijo hará presumir que lo supo inmediatamente, a menos de probarse que por parte de la mujer ha habido ocultación del parto.

Parágrafo. Las personas que soliciten la prueba científica lo harán por una sola vez y a costa del interesado; a menos que no cuenten con los recursos necesarios para solicitarla, podrán hacerlo siempre y cuando demuestren ante I.C.B.F. que no tienen los medios, para lo cual gozarán del beneficio de amparo de pobreza consagrado en la Ley 721 de 2001.

[*] El texto actual corresponde a la modificación introducida por el Art. 5 de la L. 1060 de 2006. El artículo 14 de aquella ley dispuso un parágrafo transitorio del siguiente tenor: «*Dentro de los 180 días siguientes a la entrada en vigencia de la presente ley, las personas que hayan impugnado la paternidad o la maternidad y esta haya sido decidida adversamente por efectos de encontrarse caducada la acción, podrán interponerla nuevamente y por una sola vez, con sujeción a lo previsto en los incisos 2 y 3 del artículo 5o de la presente ley*».

Así mismo, incorpora la supresión de la proposición normativa del primer inciso: «En el respectivo proceso el juez establecerá el valor probatorio de la prueba científica u otras si así lo considera», según lo ordenado por el lit. c) del Art. 626 C.G.P.

Inhib. C-405 de 2009: «*En el presente caso, el actor considera que la presunción de que trata el inciso segundo del artículo 217 del Código Civil contrae una omisión legislativa relativa, puesto que restringe la aplicación de la presunción al cónyuge, con exclusión del compañero permanente, que a juicio de la Sala, aunque la interpretación que presenta el actor resulta razonable desde una comprensión exegética, analizada la disposición desde una perspectiva sistemática e histórica, se concluye que la regla de derecho en que se sustenta el reproche de constitucionalidad es inexistente y, en consecuencia, el cargo planteado incumple el requisito de certeza*».

Art. 386 C.G.P.

Artículo 218. [Modificado. Art. 6 L. 1060 de 2006] El juez competente que adelante el proceso de reclamación o impugnación de la paternidad o maternidad, de oficio o a petición de parte, vinculará al proceso, siempre que fuere posible, al presunto padre biológico o la presunta madre biológica, con el fin de ser declarado en la misma actuación procesal la paternidad o la maternidad, en aras de proteger los derechos del menor, en especial el de tener una verdadera identidad y un nombre.

Art. 14, 42, 44 y 45 C.P.; Art. 386 C.G.P.

Artículo 219. [Modificado. Art. 7 L. 1060 de 2006] Los herederos podrán impugnar la paternidad o la maternidad desde el momento en que conocieron del fallecimiento del padre o la madre o con posterioridad a esta; o desde el momento en que conocieron del nacimiento del hijo, de lo contrario el término para impugnar será de 140 días. Pero cesará este derecho si el padre o la madre hubieren reconocido expresamente al hijo como suyo en su testamento o en otro instrumento público.

Si los interesados hubieren entrado en posesión efectiva de los bienes sin contradicción del pretendido hijo, podrán oponerle la excepción en cualquier tiempo que él o sus herederos le disputaren sus derechos.

Art. 337 C.C.; Art. 386 C.G.P.

Artículo 220. A petición de cualquiera persona que tenga interés actual en ello, declarará el juez *la ilegitimidad* del hijo nacido después de expirados los trescientos días subsiguientes a la disolución del matrimonio.

Si el marido estuvo en absoluta imposibilidad física de tener acceso a la mujer desde antes de la disolución del matrimonio, se contarán los trescientos días desde la fecha en que empezó esta imposibilidad.

Lo dicho acerca de la disolución se aplica al caso de la separación de los cónyuges por declaración de nulidad del matrimonio.

Exeq. C-004 de 1998. Como consecuencia de declarar la inexequibilidad de la calificación de la presunción a la base de este artículo, contenida en otra disposición demandada, como de derecho, la Corte declaró la constitucionalidad del artículo 220. no obstante, anotó que «hoy día no se puede hablar de "ilegitimidad"».

Art. 337 C.C.; Art. 386 C.G.P.

Artículo 221. [Derogado. Art. 14 L. 1060 de 2006].

Artículo 222. [Modificado. Art. 8 L. 1060 de 2006] Los ascendientes del padre o la madre tendrán derecho para impugnar la paternidad o la maternidad, aunque no tengan parte alguna en la sucesión de sus hijos, pero únicamente podrán intentar la acción con posterioridad a la muerte de estos y a más tardar dentro de los 140 días al conocimiento de la muerte.

Art. 337 C.C.; Art. 386 C.G.P.

Artículo 223. [Modificado. Art. 9 L. 1060 de 2006] Una vez impugnada la filiación del hijo, si este fuere menor de edad, el juez nombrará curador al que lo necesitare para que le defienda en el proceso.

Art. 55 C.G.P.

Artículo 224. [Modificado. Art. 10 L. 1060 de 2006] Durante el juicio de impugnación de la paternidad o la maternidad se presumirá la paternidad del hijo, pero cuando exista sentencia en firme el actor tendrá derecho a que se le indemnice por los todos los perjuicios causados.

CAPÍTULO 2º Reglas especiales para los casos de divorcio y nulidad del matrimonio

Artículos 225-230 [Derogados. Art. 626 L. 1060 de 2006].

Artículo 231 [Derogado. Art. 70 Dec. 2820 de 1974].

CAPÍTULO 3º Reglas relativas al hijo póstumo

Artículo 232. Muerto el marido, la mujer que se creyere embarazada podrá denunciarlo a los que, no existiendo el póstumo, serían llamados a suceder al difunto.

La denunciación deberá hacerse dentro de los treinta días subsiguientes a su conocimiento de la muerte del marido, pero podrá justificarse o disculparse el retardo, como en el caso del artículo 225, Inciso 3º.

Los interesados tendrán los derechos que por los artículos anteriores se conceden al marido en el caso de la mujer recién divorciada, pero sujetos a las mismas restricciones y cargas.

Art. 386 C.G.P.

Artículo 233. La madre tendrá derecho para que de los bienes que han de corresponder al póstumo, si nace vivo y en el tiempo debido, se le asigne lo necesario para su subsistencia y para el parto; y aunque el hijo no nazca vivo, o resulte no haber habido preñez, no será obligada a restituir lo que se le hubiere asignado; a menos de probarse que ha procedido de mala fe, pretendiéndose embarazada, o que el hijo es ilegítimo.

Art. 42, 43, 44 y 83 C.P.; Arts. 411, 413, 417 y 418 C.C.

CAPÍTULO 4° Reglas relativas al caso de pasar la mujer a otras nupcias

Artículo 234. Cuando por haber pasado la madre a otras nupcias se dudare a cuál de los dos matrimonios pertenece un hijo, y se invocare una decisión judicial, el juez decidirá tomando en consideración las circunstancias y oyendo además el dictamen de facultativos, si lo creyere conveniente.

Art. 386 C.G.P.

Artículo 235. [*Serán obligados solidariamente a la indemnización de todos los perjuicios y costas ocasionados a terceros por la incertidumbre de la paternidad, la mujer que antes del tiempo debido hubiere pasado a otras nupcias y su nuevo marido*].

Se estima que al haber sido expulsados del ordenamiento, en virtud de sentencia C-1440 de 2000, por inexequibles, los artículos 173 y 174 C.C., que imponían una restricción temporal a la mujer para contraer nuevas nupcias, la inexequibilidad de las mencionadas disposiciones, dejan sin vigor por consecuencia el artículo 235, pues se eliminó el factor temporal del que depende la aplicación del mismo, además, a la luz del artículo 4 C.P. se impone de todas formas su inaplicación, por las mismas razones de derecho expresadas en la sentencia citada, según la cual, se afecta de manera desproporcionada el «*espacio de libertad de la mujer para buscar una nueva opción de vida*» vulnerando con ello sus derechos «*a la libertad, a la honra y al libre desarrollo de la personalidad*».

TÍTULO 11° De los hijos legitimados

Artículo 236. Son también hijos legítimos los concebidos fuera de matrimonio y legitimados por el que posteriormente contraen sus padres, según las reglas y bajo las condiciones que van a expresarse.

(*) El ordenamiento civil también presume la paternidad legítima de las uniones maritales de hecho. Art. 1 L. 1060 de 2006.

Inhib. C-585 de 2016: «... lo que la ley civil permite, un poco carente de efectos prácticos en la actualidad, es conferir a los hijos concebidos fuera del matrimonio el reconocimiento de la legitimación, sin que del anterior contenido legal se desprendan beneficios en el acceso al patrimonio de familia o al disfrute de los privilegios que se derivan de la patria potestad que ejercen los padres. Ello corresponde entonces a una interpretación subjetiva del actor que no se relaciona con el contenido legal verificable de la norma censurada».

Artículo 237. [Modificado. Art. 22 L. 1 de 1976] El matrimonio posterior legitima ipso jure a los hijos concebidos antes y nacidos en él. El marido, con todo, podrá reclamar contra la legitimidad del hijo que nace antes de expirar los ciento ochenta días subsiguientes al matrimonio, si prueba que estuvo en absoluta imposibilidad física de tener acceso a la madre, durante todo el tiempo en que pudo presumirse la concepción según las reglas legales.

Pero aun sin esta prueba, podrá reclamar contra la legitimidad del hijo, si no tuvo conocimiento de la preñez al tiempo de casarse, y si por actos positivos no ha manifestado reconocer el hijo después de nacido.

Para que valga la reclamación por parte del marido será necesario que se haga en el plazo y forma que se expresan en el capítulo precedente.

Exeq. C-004 de 1998. «...en esta norma, hay que tener en cuenta que el interesado en que se mantenga la legitimidad del hijo podrá demostrar que el nacimiento siguió a una gestación de menos de 180 días. (...) Interpretada así, esta norma es exequible. (...) RESUELVE (...) Segundo.- En los términos de esta sentencia declárense EXEQUIBLES las siguientes normas del Código Civil: el inciso segundo del artículo 214; el artículo 220; y el artículo 237».
Art. 92 C.C.

Artículo 238. El matrimonio de los padres legitima también *ipso jure* a los que uno y otro hayan reconocido como hijos naturales de ambos, con los requisitos legales.

Artículo 239. Fuera de los casos de los dos artículos anteriores, el matrimonio posterior no produce ipso jure la legitimidad de los hijos. Para que ella se produzca es necesario que los padres designen en el acta del matrimonio, o en escritura pública, los hijos a quienes confieren este beneficio, ya estén vivos o muertos.

Art. 366 C.C.

Artículo 240. Cuando la legitimación no se produce *ipso jure*, el instrumento público de legitimación deberá notificarse a la persona que se trate de legitimar. Y si [*ésta vive bajo potestad marital, o*] es de aquellas que necesitan de tutor o curador para la administración de sus bienes, se hará la notificación [*a su marido o*] a su tutor o curador general, o en defecto de éste a un curador especial.

[*] Los partes entre paréntesis cuadrados se estiman derogados tácitamente por el Dec. 2820 de 1974.

Artículo 241. La persona que no necesite de tutor o curador para la administración de sus bienes, [*o que no vive bajo potestad marital,*] podrá aceptar o repudiar la legitimación libremente.

[*] Los apartes entre paréntesis cuadrados se estiman derogados por el Dec. 2820 de 1974.

Artículo 242. El que necesite de tutor o curador para la administración de sus bienes, no podrá aceptar ni repudiar la legitimación sino por el ministerio o con el consentimiento de su tutor o curador general, o de un curador especial, y previo decreto judicial, con conocimiento de causa.

[Inc. Derogado. Art. 70 Dec. 2820 de 1974]

Artículo 243. La persona que acepte o repudie, deberá declararlo por instrumento público dentro de los noventa días subsiguientes a la notificación. Transcurrido este plazo, se entenderá que acepta, a menos de probarse que estuvo imposibilitada de hacer la declaración en tiempo hábil.

Artículo 244. La legitimación aprovecha a la posteridad [*legítima*] de los hijos legitimados.

Si es muerto el hijo que se legitima, se hará la notificación a sus descendientes [*legitimados*], los cuales podrán aceptarla o repudiarla con arreglo a los artículos precedentes.

Inexq. parcial. C-105 de 1994: «*Según este artículo la legitimación aprovecha a la posteridad legítima de los hijos legítimos. Por lo mismo, si es muerto el hijo que se legitima, se hará la notificación a sus descendientes legítimos. // La legitimación de acuerdo con el principio de igualdad de derechos, aprovecha a la posteridad en general y no sólo a la legítima. Por lo mismo, la notificación a que se refiere el inciso segundo, debe hacerse a todos los descendientes, sean*

*legítimos, extramatrimoniales o adoptivos. // Son inexequibles, por lo tanto, las
expresiones legítima del inciso primero y legítimos del segundo, y así se decidirá. (...) RESUELVE (...) Primero: Decláranse INEXEQUIBLES las siguientes palabras, contenidas en los artículos del Código Civil que se determinan a
continuación: (...) En el artículo 244, las palabras legítima del inciso primero y
legítimos del inciso segundo».*

Artículo 245. Los legitimados por matrimonio posterior son iguales en
todo a los legítimos concebidos en matrimonio.

Pero el beneficio de la legitimación no se retrotrae a una fecha anterior al
matrimonio que la produce.

Artículo 246. La designación de hijos legítimos, aun con la calificación
de nacidos de legítimo matrimonio, se entenderá comprender a los legitimados tanto en las leyes y decretos como en los actos testamentarios y en los
contratos, salvo que se exceptúe señalada y expresamente a los legitimados.

Inhib. C-247 de 2017: *«En una interpretación sistemática del artículo 246 del
Código Civil con los artículos del mismo estatuto que regulan la filiación, se
puede concluir que de las diversas formas de legitimación, bien sea (i) ipso jure
frente a hijos nacidos dentro del matrimonio o la unión marital de hecho, o
respecto de los hijos concebidos y nacidos fuera del matrimonio que son legitimados por el matrimonio posterior de sus padres (los padres deben reconocer a
dichos hijos en el acta de matrimonio o en la escritura pública), o (ii) por acto
jurídico, esto es, declaración expresa o voluntaria de los padres consignada
en el acta de matrimonio o en escritura pública, no se desprende un alcance
normativo que conlleve necesariamente a una discriminación en razón del origen de los hijos; por el contrario, de una lectura del mismo se evidencia que el
régimen iguala a los hijos legitimados».*

Artículo 247. La legitimación del que ha nacido después de celebrado
el matrimonio, no podrá ser impugnada sino por las mismas personas y de la
misma manera que la legitimidad del concebido en matrimonio.

Art. 386 C.G.P.

Artículo 248. [Modificado. Art. 11 L. 1060 de 2006] En los demás casos
podrá impugnarse la paternidad probando alguna de las causas siguientes:

1. Que el hijo no ha podido tener por padre al que pasa por tal.

2. Que el hijo no ha tenido por madre a la que pasa por tal, sujetándose
esta alegación a lo dispuesto en el título 18 de la maternidad disputada.

No serán oídos contra la paternidad sino los que prueben un interés actual en ello, y los ascendientes de quienes se creen con derechos, durante los 140 días desde que tuvieron conocimiento de la paternidad.

Art. 386 C.G.P.

Artículo 249. Sólo el supuesto legitimado, y en el caso del artículo 244 sus descendientes [*legítimos*] llamados inmediatamente al beneficio de la legitimación, tendrán derecho para impugnarla, por haberse omitido la notificación o la aceptación prevenidas en los artículos 240, 243 y 244.

Inexeq. parcial. C-105 de 1994: «*El conferir el derecho a impugnar la legitimación sólo a los descendientes legítimos, es contrario a la igualdad. En consecuencia, se decidirá la inexequibilidad de la palabra legítimos que aparece en el artículo 249. (…) (…) RESUELVE (…) Primero: Decláranse INEXEQUIBLES las siguientes palabras, contenidas en los artículos del Código Civil que se determinan a continuación: (…) En el artículo 249, la palabra legítimos*».
Arts. 240, 243 y 244 C.C.

TÍTULO 12° De los derechos y obligaciones entre los padres y los hijos [*legítimos*]

Inexeq. C-451 de 2016: «*…el encabezado del título XII del Libro I del Código Civil si bien no posee una fuerza normativa autónoma (…) genera una discriminación legal (…) Esta Corporación declarará inexequibles las expresiones "legítimos" que consagran el encabezado del Título XII-Libro I del Código Civil (…) por vulnerar los artículos 13 y 42 de la Constitución Política. Lo anterior por cuanto dicho encabezado excluye del criterio de interpretación del título, los derechos y deberes que también son predicables frente a los hijos extramatrimoniales y adoptivos. (…) RESUELVE (…) Primero.- Declarar INEXEQUIBLE la expresión "legítimos" contenida en el encabezado del Título XII-Libro I del Código Civil, por las razones expuestas en la parte motiva de esta providencia*».

Artículo 250. [Modificado. Art. 18 Dec. 2820 de 1974 y Art. 1 L. 29 de 1982] Los hijos deben respeto y obediencia a sus padres.

Los hijos son legítimos, extramatrimoniales y adoptivos y tendrán iguales derechos y obligaciones.

Art. 42 C.P.; Art. 11 L. 1850 de 2017.

Artículo 251. Aunque la emancipación dé al hijo el derecho de obrar independientemente, queda siempre obligado a cuidar de los padres en su ancianidad, en el estado de demencia, y en todas las circunstancias de la vida en que necesitaren sus auxilios.

Art. 42, 46 y 95 C.P.; Art. 411 y 1025 C.C.

Artículo 252. Tienen derecho al mismo socorro todos los demás ascendientes [*legítimos*], en caso de inexistencia o de insuficiencia de los inmediatos descendientes.

Inexeq. parcial. C-451 de 2016: «...el artículo 252 del Código Civil excluye a los ascendientes naturales y adoptivos de la posibilidad de ser beneficiarios legales de la obligación de cuidado y auxilio que deben prestar los hijos cuando aquellos se encuentren en estado de necesidad o debilidad manifiesta. (...) RESUELVE (...) Segundo.- Declarar INEXEQUIBLE la expresión "legítimos" contenida en el artículo 252 del Código Civil, por los argumentos planteados en esta sentencia».

Artículo 253. Toca de consuno a los padres, o al padre o madre sobreviviente, el cuidado personal de la crianza y educación de sus hijos [*legítimos*].

Inexeq. parcial. C-1026 de 2004: «Dicha restricción a la filiación matrimonial y a los hijos legítimos establece una clara discriminación contra los hijos extramatrimoniales, que carecerían de ese cuidado personal, por lo cual es contraria al mandato constitucional que consagra la igualdad en derecho y deberes de todos los hijos (CP art. 42). La expresión será entonces retirada del ordenamiento. (...) RESUELVE (...) Declarar INEXEQUIBLE la expresión "legítimos" contenida en el artículo 253 del Código Civil».

Artículo 254. Podrá el juez, en el caso de inhabilidad física o moral de ambos padres, confiar el cuidado personal de los hijos a otra persona o personas competentes.

En la elección de estas personas se preferirá a los consanguíneos más próximos, y sobre todo a los ascendientes legítimos.

Arts. 56 y 57 C.I.A.

Artículo 255. El juez procederá para todas estas resoluciones breve y sumariamente, oyendo a los parientes.

Art. 61 C.C.; Art. 390-3 C.G.P.

Artículo 256. Al padre o madre de cuyo cuidado personal se sacaren los hijos, no por eso se prohibirá visitarlos con la frecuencia y libertad que el juez juzgare convenientes.

Artículo 257. [Modificado Art. 19 Dec. 2820 de 1974] Los gastos de crianza, educación y establecimiento de los hijos legítimos pertenecen a la sociedad conyugal, según las reglas que, tratando de ella, se dirán.

Si el marido y la mujer vivieren bajo estado de separación de bienes, deben contribuir a dichos gastos en proporción a sus facultades.

Pero si un hijo tuviere bienes propios, los gastos de su establecimiento, y, en caso necesario, los de su crianza y educación, podrán sacarse de ellos, conservándose íntegros los capitales en cuanto sea posible.

Arts. 149, 205, 250, 411, 1796 y 1800 C.C.

Artículo 258. Muerto uno de los padres, los gastos de la crianza, educación y establecimientos de los hijos, tocarán al sobreviviente en los términos del Inciso final del procedente artículo.

Artículo 259. Las resoluciones del juez, bajo los respectos indicados en los artículos anteriores, se revocarán por la cesación de la causa que haya dado motivo a ellas; y podrán también modificarse o revocarse por el juez en todo caso y tiempo, si sobreviene motivo justo.

Artículo 260. La obligación de alimentar y educar al hijo que carece de bienes, pasa, por la falta o insuficiencia de los padres, a los abuelos [*legítimos*] por una y otra línea conjuntamente.

El juez reglará la contribución, tomadas en consideración las facultades de los contribuyentes, y podrá de tiempo en tiempo modificarla, según las circunstancias que sobrevengan.

Inexeq. parcial. C-105 de 1994: «*la obligación de alimentar y educar al hijo que carece de bienes, pasa, por la falta o insuficiencia de los padres, a los abuelos legítimos por una y otra línea conjuntamente. // Como la igualdad es de derechos y obligaciones, no se ve porqué de la obligación de alimentar al hijo ante la insuficiencia de los padres se excluya a los que no son abuelos legítimos. Es inexequible, pues, la palabra legítimos usada en el inciso primero del artículo 260, y así se decretará. {...} RESUELVE {...} Primero.- Declaranse INEXEQUIBLES las siguientes palabras, contenidas en los artículos del Código Civil que se determinan a continuación: ...e) En el artículo 260, la palabra legítimos, que aparece en el inciso primero...*»
Art. 411 C.C.

Artículo 261. [Derogado. Art. 119 L. 1306 de 2009].

Artículo 262. [Modificado. Art. 21 Dec. 2820 de 1974] Los padres o la persona encargada del cuidado personal de los hijos, tendrán la facultad de vigilar su conducta, corregirlos y *sancionarlos moderadamente.*

Exeq. C-371 de 1994: *«...la norma acusada en modo alguno legitima ni propicia el maltrato o la violencia en contra de los menores. Por el contrario, hace énfasis en el sentido razonable de la sanción. (...) Así, pues, las palabras acusadas serán declaradas exequibles, siempre que las posibilidades de sanción que consagran excluyan toda forma de violencia física o moral sobre los menores. (...) RESUELVE (...) Decláranse EXEQUIBLES las expresiones "...sancionarlos moderadamente", contenidas en el artículo 262 del Código Civil, tal como quedó redactado según el artículo 21 del Decreto 2820 de 1974, pero de las sanciones que apliquen los padres y las personas encargadas del cuidado personal de los hijos estará excluida toda forma de violencia física o moral, de conformidad con lo dispuesto en los artículos 12, 42 y 44 de la Constitución Política».*

Arts. 14, 17, 18, 20 y 45 C.I.A.

Artículo 263. [Modificado. Art. 22 Dec. 2820 de 1974] Los derechos conferidos a los padres en el artículo precedente se extenderán en ausencia, inhabilidad o muerte de uno de ellos, al otro, y de ambos a quien corresponde el cuidado personal del hijo menor [*no habilitado de edad*].

La habilitación de edad perdió vigor a partir de la ley 27 de 1977.

Artículo 264. [Modificado. Art. 4 Dec. 772 de 1975] Los padres, de común acuerdo, dirigirán la educación de sus hijos menores y su formación moral e intelectual, del modo que crean más conveniente para éstos; así mismo, colaborarán conjuntamente en su crianza, sustentación y establecimiento.

Arts. 5, 42, 43, 44, 45 y 67 C.P.; Arts. 3, 14, 23, 24, 25, 28, 29, 30, 31, 34, 36 y 37 C.I.A.

Artículo 265. El derecho que por el artículo anterior se concede al padre o madre, cesará respecto de los hijos que, por la mala conducta del padre o madre, hayan sido sacados de su poder y confiados a otra persona; la cual ejercerá este derecho con anuencia del tutor o curador, si ella misma no lo fuere.

Artículo 266. Los derechos concebidos a los padres [*legítimos*] en los artículos precedentes, no podrán reclamarse sobre el hijo que haya sido llevado por ellos a la casa de expósitos, o abandonado de otra manera.

Inexq. parcial. C-043 de 2018: «...*siguiendo el precedente de esta Corporación contenido entre otras, en las sentencias C-404 de 2013 y C-451 de 2016, en esta oportunidad la Sala advierte que la distinción introducida por el término "legítimo" utilizado en la redacción del artículo 266 del Código Civil desconoce los presupuestos constitucionales establecidos en los artículos 13, 42 y 44 de la Constitución por lo que ha de declararse inexequible (...) RESUELVE (...) Segundo.- Declarar INEXEQUIBLE la expresión "legítimos" contenida en el artículo 266 del Código Civil, por las razones expuestas en la parte motiva de esta providencia».*

Artículo 267. En la misma privación de derechos incurrirán los padres que por su mala conducta hayan dado motivo a la providencia de separar a los hijos de su lado, a menos que ésta haya sido después revocada.

Artículo 268. [*Si el hijo abandonado por sus padres hubiere sido alimentado y criado por otra persona, y quisieren sus padres sacarle del poder de ella, deberán pagarle los costos de su crianza y educación tasados por el juez*].

Artículo derogado. C-775 de 2010: «...*el Decreto 2737 de 1989 y la Ley 1098 de 2006, derogaron la norma acusada y, en consecuencia, no tiene sentido abordar el problema jurídico que plantearon los ciudadanos (...) RESUELVE (...) Declararse INHIBIDA para emitir pronunciamiento de fondo respecto de la demanda de la referencia, dirigida contra el artículo 268 del Código Civil, por cuanto dicha norma se encuentra derogada y sin producir efectos».*

TÍTULO 13º De la adopción

Artículos 269-287. [Derogados. L. 1098 de 2006].

El C.I.A. adoptó un nuevo régimen de adopción. Las reglas del Código Civil habían sido previamente modificadas en la L. 5 de 1975 y el Dec. 2737 de 1989.

TÍTULO 14º De la patria potestad

Artículo 288. [Modificado. Art. 24 Dec 2820 de 1974] La patria potestad es el conjunto de derechos que la ley reconoce a los padres sobre sus hijos no emancipados, para facilitar a aquellos el cumplimiento de los deberes que su calidad les impone.

Corresponde a los padres, conjuntamente, el ejercicio de la patria potestad sobre sus hijos [*legítimos*]. A falta de uno de los padres, la ejercerá el otro.

Los hijos no emancipados son hijos de familia, y el padre o madre con relación a ellos, padre o madre de familia.

> Inexq. parcial. C-404 de 2013: «...*el que el inciso 2° del artículo 288 del Código Civil consagre el ejercicio de la patria potestad como un ejercicio conjunto de los padres respecto de los hijos "legítimos", quienes a su vez son titulares del beneficio que otorga esa protección parental, constituye una discriminación por el origen familiar que excluye en la literalidad del lenguaje empleado, a los hijos extramatrimoniales y a los adoptivos (...) Entonces, el aparte censurado del artículo 288 del Código Civil, deberá ser declarado inexequible. (...) Por consiguiente, la lectura correcta que en adelante debe dársele a ese artículo es la siguiente: "La patria potestad es el conjunto de derechos que la ley reconoce a los padres sobre sus hijos no emancipados, para facilitar a aquellos el cumplimiento de los deberes que su calidad les impone. // Corresponde a los padres, conjuntamente, el ejercicio de la patria potestad sobre sus hijos. A falta de uno de los padres, la ejercerá el otro. // Los hijos no emancipados son hijos de familia, y el padre o madre con relación a ellos, padre o madre de familia". (...) RESUELVE (...) Primero.- Declarar INEXEQUIBLE la expresión "legítimos" contenida en el inciso 2° del artículo 288 del Código Civil, por las razones expuestas en la parte considerativa de este proveído».*
>
> Arts. 11.º C.C.; Arts. 14 C.I.A.; Arts. 14 y 15 Tratado de Derecho Civil Internacional de 1889 (L. 33 de 1992).

Artículo 289. [Modificado. Art. 25 del Dec. 2820 de 1974]. La legitimación da a los legitimantes la patria potestad sobre el menor [*de 21 años no habilitado de edad y pone fin a la guarda en que se hallare*].

> (*) La habilitación de edad perdió vigor a partir de la ley 27 de 1977.
> Art. 236 C.C.

Artículo 290. La patria potestad no se extiende al hijo que ejerce un empleo o cargo público, en los actos que ejecuta en razón de su empleo o cargo. Los empleados públicos, menores de edad, son considerados como mayores en lo concerniente a sus empleos.

Artículo 291. [Modificado. Art. 26 del Dec. 2820 de 1974] El padre y la madre gozan por iguales partes del usufructo de todos los bienes del hijo de familia, exceptuados:

1. El de los bienes adquiridos por el hijo como fruto de su trabajo o industria, los cuales forman su peculio profesional o industrial.

2. El de los bienes adquiridos por el hijo a título de donación, herencia o legado, cuando el donante o testador haya dispuesto expresamente que el usufructo de tales bienes corresponda al hijo y no a los padres; si sólo uno de los padres fuere excluido, corresponderá el usufructo al otro.

3. El de las herencias y legados que hayan pasado al hijo por indignidad o desheredamiento de uno de sus padres, caso en el cual corresponderá exclusivamente al otro.

Los bienes sobre los cuales los titulares de la patria potestad tienen el usufructo legal, forman el peculio adventicio ordinario del hijo; aquellos sobre los cuales ninguno de los padres tiene usufructo, forman el peculio adventicio extraordinario.

Arts. 823, 1011, 1025, 1265 y 1443 C.C.

Artículo 292. [Modificado. Art. 27 Dec. 2820 de 1974] Los padres gozan del usufructo legal hasta la emancipación del hijo.

Arts. 312-315 C.C.

Artículo 293. [Modificado. Art. 28 Dec. 2820 de 1974] Los padres no son obligados a prestar caución en razón de su usufructo legal.

Arts. 834-836 C.C.

Artículo 294. El hijo de familia se mirará como emancipado [*y habilitado de edad*] para la administración y goce de su peculio profesional o industrial.

(*) La habilitación en edad perdió vigor a partir de la L. 27 de 1977.
Arts. 312 y 339 C.C.

Artículo 295. [Modificado. Art. 29 Dec. 2820 de 1974] Los padres administran los bienes del hijo sobre los cuales la ley les concede el usufructo. Carecen conjunta o separadamente de esta administración respecto de los bienes donados, heredados o legados bajo esta condición.

Art. 1637 C.C.

Artículo 296. [Modificado. Art. 30 Dec. 2820 de 1974] La condición de no administrar el padre o la madre o ambos, impuesta por el donante o testador, no les priva del usufructo, ni la que los priva del usufructo les quita la administración, a menos de expresarse lo uno y lo otro por el donante o testador.

Art. 291 C.C.

Artículo 297. [Modificado. Art. 31 Dec. 2820 de 1974] Los padres que como tales administren bienes del hijo no son obligados a hacer inventario solemne de ellos, mientras no pasaren a otras nupcias; pero a falta de tal inventario, deberán llevar una descripción circunstanciada de dichos bienes desde que comience la administración.

Art. 169 C.C.

Artículo 298. [Modificado. Art. 32 Dec. 2820 de 1974 y Art. 5 Dec. 772 de 1975] Los padres son responsables, en la administración de los bienes del hijo, por toda disminución o deterioro que se deba a culpa aún leve, o a dolo.

La responsabilidad para con el hijo se extiende a la propiedad y a los frutos en los bienes en que tienen la administración pero no el usufructo; y se limita a la propiedad en los bienes de que son usufructuarios.

Arts. 63, 669, 849 y 1604 C.C.

Artículo 299. [Modificado. Art. 33 Dec. 2820 de 1974] Tanto la administración como el usufructo cesan cuando se extingue la patria potestad y cuando por Sentencia judicial se declare a los padres que la ejercen responsables de dolo o culpa grave en el desempeño de la primera.

Se presume culpa cuando se disminuyen considerablemente los bienes o se aumenta el pasivo sin causa justificada.

Arts. 63, 66 y 315 C.C.

Artículo 300. [Modificado. Art. 34 Dec. 2820 de 1974 y Art. 6 Dec. 772 de 1975] No teniendo los padres la administración de todo o parte del peculio adventicio ordinario o extraordinario, se dará al hijo un curador para esta administración.

Pero quitada a los padres la administración de aquellos bienes del hijo en que la ley les da el usufructo, no dejarán por esto de tener derecho a los frutos líquidos, deducidos los gastos de administración.

Artículo 301. [Modificado. Art. 35 Dec. 2820 de 1974] En el caso del artículo precedente, los negocios del hijo de familia no autorizados por quien ejerce la patria potestad o por el curador adjunto, le obligarán exclusivamente en su peculio profesional o industrial.

Pero no podrá tomar dinero a interés, ni comprar al fiado (excepto en el giro ordinario de dicho peculio) sin autorización escrita de los padres. Y si lo hiciere no será obligado por estos contratos, sino hasta concurrencia del beneficio que haya reportado de ellos.

Art. 1504 C.C.

Artículo 302. Los actos o contratos que el hijo de familia celebre fuera de su peculio profesional o industrial y que sean autorizados o ratificados por quien ejerce la patria potestad, obligan directamente a quien dio la autorización y subsidiariamente al hijo hasta la concurrencia del beneficio que éste hubiere reportado de dichos negocios.

Artículo 303. [Modificado. Art. 35 Dec. 2820 de 1974] No se podrán enajenar ni hipotecar en caso alguno los bienes raíces del hijo, aun pertenecientes a su peculio profesional, sin autorización del juez, con conocimiento de causa.

Art. 1741 C.C.; Art. 1 L. 67 de 1930.

Artículo 304. [Modificado. Art. 37 Dec. 2820 de 1974] No podrán los padres hacer donación de ninguna parte de los bienes del hijo, ni darlos en arriendo por largo tiempo, ni aceptar o repudiar una herencia deferida al hijo, sino en la forma y con las limitaciones impuestas a los tutores y curadores.

Arts. 1298, 1307 y 1973 C.C.

Artículo 305. [Modificado. Art. 38 Dec. 2820 de 1974] Siempre que el hijo tenga que litigar contra quien ejerce la patria potestad, se le dará un curador para la litis, el cual será preferentemente un abogado defensor de familia cuando exista en el respectivo municipio; y si obrare como actor será necesaria la autorización del juez.

Artículo 306. [Modificado. Art. 39 Dec. 2820 de 1974] La representación judicial del hijo corresponde a cualquiera de los padres.

El hijo de familia sólo puede comparecer en juicio como actor, autorizado o representado por uno de sus padres. Si ambos niegan su consentimiento al hijo o si están inhabilitados para prestarlo o si autorizan sin representarlo, se aplicarán las normas del Código de Procedimiento Civil para la designación de curador ad litem.

En las acciones civiles contra el hijo de familia deberá el actor dirigirse a cualquiera de sus padres, para que lo represente en la litis. Si ninguno pudiera representarlo, se aplicarán las normas del Código de Procedimiento Civil para la designación de curador ad litem.

Arts. 54 y 55 C.G.P.

Artículo 307. [Modificado. Art. 40 Dec. 2820 de 1974] Los derechos de administración de los bienes, el usufructo legal y la representación extrajudicial del hijo de familia serán ejercidos conjuntamente por el padre y la madre. Lo anterior no obsta para que uno de los padres delegue por escrito al otro, total o parcialmente, dichas administración o representación.

Si uno de los padres falta, corresponderán los mencionados derechos al otro.

En los casos en que no hubiere acuerdo de los titulares de la patria potestad sobre el ejercicio de los derechos de que trata el Inciso primero de este artículo o en el caso de que uno de ellos no estuviere de acuerdo en la forma como el otro lleve la representación judicial del hijo, se acudirá al juez o al funcionario que la ley designe para que dirima la controversia, de acuerdo con las normas procesales pertinentes.

Art. 62 C.C.

Artículo 308. [Modificado. Art. 41 Dec. 2820 de 1974] No será necesaria la intervención de los padres para proceder contra el hijo en caso de que exista contra él una acción penal; pero aquellos serán obligados a suministrarle los auxilios que necesite para su defensa.

Artículo 309. El hijo de familia no necesita de la autorización paterna para disponer de sus bienes por acto testamentario que haya de tener efecto después de su muerte.

Arts. 184 y 1061 C.C.

Artículo 310. [Modificado. Art. 7 Dec. 772 de 1975] La patria potestad se suspende, con respecto a cualquiera de los padres, por su demencia, por estar en entredicho de administrar sus propios bienes y por su larga ausencia. Asimismo, termina por las causales contempladas en el artículo 315; pero si éstas se dan respecto de ambos [*cónyuges*] se aplicará lo dispuesto en dicho artículo.

Cuando la patria potestad se suspenda respecto de ambos [*cónyuges*], mientras dure la suspensión se dará guardador al hijo no habilitado de edad.

La suspensión o privación de la patria potestad no exonera a los padres de sus deberes de tales para con sus hijos.

Cuando la patria potestad se suspenda respecto de ambos cónyuges, mientras dure la suspensión se dará guardador al hijo no habilitado de edad.

La suspensión o privación de la patria potestad no exonera a los padres de sus deberes de tales para con sus hijos artículo 70, Código del Menor.

Inex. Parcial C-262 de 2016: La expresión «cónyuges» en los incisos del artículo fue declarada inexequible.

Artículo 311. La suspensión de la patria potestad deberá ser decretada por el juez con conocimiento de causa, y después de oídos sobre ello los parientes del hijo y el defensor de menores.

Arts. 61 y 315 C.C.

TÍTULO 15° De la emancipación

Artículo 312. La emancipación es un hecho que pone fin a la patria potestad. Puede ser voluntaria, legal o judicial.

Art. 70 Dec. 2820 de 1974.

Artículo 313. [Modificado. Art. 43 Dec. 2820 de 1974 y Art. 8 Dec. 772 de 1975] La emancipación voluntaria se efectúa por instrumento público, en que los padres declaran emancipar al hijo adulto y éste consiente en ello. No valdrá esta emancipación si no es autorizada por el juez con conocimiento de causa.

Toda emancipación, una vez efectuada, es irrevocable, aún por causa de ingratitud.

Arts. 1760 C.C.

Artículo 314. [Modificado. Art. 9 Dec. 772 de 1975] La emancipación legal se efectúa:

1º. Por la muerte real o presunta de los padres.

2º. Por el matrimonio del hijo.

3º. Por haber cumplido el hijo la mayor edad.

4º. Por el decreto que da la posesión de los bienes del padre desaparecido.

Art. 97 C.C.

Artículo 315. [Modificado. Art. 10 Dec. 772 de 1975 y Art. 92 L. 1453 de 2011] La emancipación judicial se efectúa, por decreto del juez, cuando los padres que ejerzan la patria potestad incurran en alguna de las siguientes causales:

1. Por maltrato [*habitual*] del hijo, [*en términos de poner en peligro su vida o de causarle grave daño*].

2. Por haber abandonado al hijo.

3. Por depravación que los incapacite de ejercer la patria potestad.

4. *Por haber sido condenados a pena privativa de la libertad superior a un año.*

5. Cuando el adolescente hubiese sido sancionado por los delitos de homicidio doloso, secuestro, extorsión en todas sus formas y delitos agravados contra la libertad, integridad y formación sexual y se compruebe que los padres favorecieron estas conductas sin perjuicio de la responsabilidad penal que les asiste en aplicación del artículo 25 numeral 2 del Código Penal, que ordena.

En los casos anteriores podrá el juez proceder a petición de cualquier consanguíneo del hijo, del abogado defensor de familia y aun de oficio.

Inexeq. C-1003 de 2007.

Exeq. Sentencias C-997 de 2004, C-1050 de 2004 y C-1127 de 2004 (Numeral 4º)

Art. 395 C.G.P.

Artículos 316 y 317. [Derogados. Art. 70 Dec. 2820 de 1974].

TÍTULO 16º De los hijos naturales

Artículos 318-332. [Derogados. Art. 30 L. 45 de 1936].

TÍTULO 17º De las obligaciones y derechos entre los padres y los hijos naturales

Artículos 333 y 334. [Derogados. Art. 65 L. 153 de 1887].

TÍTULO 18° De la maternidad disputada

Artículo 335. La maternidad, esto es, el hecho de ser una mujer la verdadera madre del hijo que pasa por suyo, podrá ser impugnada, probándose falso parto, o suplantación del pretendido hijo al verdadero.

Tienen el derecho de impugnarla:

1. El marido de la supuesta madre y la misma madre supuesta, para desconocer la legitimidad del hijo.

2. Los verdaderos padre y madre legítimos del hijo, para conferirle a él, o a sus descendientes legítimos, los derechos de familia en la suya.

3. La verdadera madre para exigir alimentos al hijo.

Arts. 216-224 y 411 C.C.

Artículo 336. [Derogado. Arts. 12 y 14 L. 1060 de 2006].

Artículo 337. [Modificado. Art. 13 L. 1060 de 2006] Se concederá también esta acción a toda otra persona a quien la maternidad putativa perjudique actualmente en sus derechos sobre sucesión testamentaria o abintestato de los supuestos padre o madre.

Arts. 219-224 C.C.

Artículo 338. A ninguno de los que hayan tenido parte en el fraude de falso parto o de suplantación, aprovechará en manera alguna el descubrimiento del fraude, ni aun para ejercer sobre el hijo los derechos de patria potestad, o para exigirle alimentos, o para suceder en sus bienes por causa de muerte.

Arts. 418, 1515 y 2344 C.C.

TÍTULO 19° De la habilitación de la edad

Artículos 339-345. [Derogados. Art. 14 L. 1060 de 2006].

TÍTULO 20° De las pruebas del estado civil

Artículos 346 a 395. [Derogados. Art. 123 Dec. 1260 de 1970]

(*) Art. 123 Dec. 1260 de 1970: Deróganse los artículos 346 a 395 del título 20 del Libro 1 del Código Civil (...) así como las demás disposiciones relacionadas con el registro del estado civil de las personas, que resulten contrarias a este ordenamiento.

Artículo 396. La posesión notoria del estado de matrimonio consiste, principalmente, en haberse tratado los supuestos cónyuges como marido y mujer en sus relaciones domésticas sociales; y en haber sido la mujer recibida en ese carácter por los deudos y amigos de su marido, y por el vecindario de su domicilio en general.

Artículo 397. La posesión notoria del estado de hijo legítimo consiste en que sus padres le hayan tratado como tal, proveyendo a su educación y establecimiento de un modo competente, y presentándole en ese carácter a sus deudos y amigos; y en que éstos y el vecindario de su domicilio, en general, le hayan reputado y reconocido como hijo legítimo de tales padres.

Arts. 5 y 6 L. 45 de 1936. Art. 3 y 6 L. 75 de 1968.

Artículo 398. [Modificado. Art. 9 L. 75 de 1968] Para que la posesión notoria del estado civil se reciba como prueba de dicho estado, deberá haber durado cinco años continuos por lo menos.

Parágrafo. Para integrar este lapso podrá computarse el tiempo anterior a la vigencia de la presente ley, sin afectar la relación jurídico-procesal en los juicios en curso.

Artículo 399. La posesión notoria del estado civil se probará por un conjunto de testimonios fidedignos, que la establezcan de un modo irrefragable; particularmente en el caso de no explicarse y probarse satisfactoriamente la falta de la respectiva partida, o la pérdida o extravío del libro o registro en que debiera encontrarse.

Arts. 5, 6 y 7 L. 45 de 1936; Art. 3 y 6 L. 75 de 1968.

Artículo 400. Cuando fuere necesario calificar la edad de un individuo, para la ejecución de actos o ejercicio de cargos que requieran cierta edad, y no fuere posible hacerlo por documentos o declaraciones que fijen la época de su nacimiento, se le atribuirá una edad media entre la mayor y la menor que parecieren compatibles con el desarrollo y aspecto físico del individuo.

El prefecto o corregidor, para establecer la edad, oirá el dictamen de facultativos o de otras personas idóneas.

Artículo 401. El fallo judicial que declara verdadera o falsa la legitimidad del hijo, no sólo vale respecto de las personas que han intervenido en el juicio, sino respecto de todos, relativamente a los efectos que dicha legitimidad acarrea.

La misma regla deberá aplicarse al fallo que declara ser verdadera o falsa una maternidad que se impugna.

Arts. 17, 38, 213 y ss., 236 y ss.; 335 y ss. C.C.

Artículo 402. [Derogado. Art. 626. C.G.P.]

(*) Art. 626 C.G.P: *«A partir de la entrada en vigencia de esta ley, en los términos del numeral 6 del artículo 627, queda[n] derogado[s] (...) [los] artículo[s] (...) 402, 404, 405, 409, 410 (...) del Código Civil (...) y las demás disposiciones que le sean contrarias».*

Artículo 403. Legítimo contradictor en la cuestión de paternidades el padre contra el hijo, o el hijo contra el padre, y en la cuestión de maternidad, el hijo contra la madre, o la madre contra el hijo.

Siempre que en la cuestión esté comprometida la paternidad del hijo legítimo(*), deberá el padre intervenir forzosamente en el juicio, so pena de nulidad.

Artículo 404. [Derogado. Art. 626. C.G.P.]

Art. 626 C.G.P: *«A partir de la entrada en vigencia de esta ley, en los términos del numeral 6 del artículo 627, queda[n] derogado[s] (...) [los] artículo[s] (...) 402, 404, 405, 409, 410 (...) del Código Civil (...) y las demás disposiciones que le sean contrarias».*

Artículo 405. [Derogado. Art. 626. C.G.P.]

Art. 626 C.G.P: *«A partir de la entrada en vigencia de esta ley, en los términos del numeral 6 del artículo 627, queda[n] derogado[s] (...) [los] artículo[s] (...) 402, 404, 405, 409, 410 (...) del Código Civil (...) y las demás disposiciones que le sean contrarias».*

Artículo 406. Ni prescripción ni fallo alguno, entre cualesquiera otras personas que se haya pronunciado, podrá oponerse a quien se presente como verdadero padre o madre, del que pasa por hijo de otros, o como verdadero hijo del padre o madre que le desconoce.

Arts. 214, 335, 336, 406 C.C.

Artículo 407. [Modificado por Art. 91 Dec. 1260 de 1970] [Modificado por Art. 4. Dec. 999 de 1988] Una vez realizada la inscripción del estado civil, el funcionario encargado del registro, a solicitud escrita del interesado, corregirá los errores mecanográficos, ortográficos y aquellos que se establezcan con la comparación del documento antecedente o con la sola lectura del folio, mediante la apertura de uno nuevo donde se consignarán los datos correctos. Los folios llevarán notas de recíproca referencia.

Los errores en la inscripción, diferentes a los señalados en el Inciso anterior, se corregirán por escritura pública en la que expresará el otorgante las razones de la corrección y protocolizará los documentos que la fundamenten. Una vez autorizada la escritura, se procederá a la sustitución del folio correspondiente. En el nuevo se consignarán los datos correctos y en los dos se colocarán notas de referencia recíproca.

Las correcciones a que se refiere el presente artículo se efectuarán con el fin de ajustar la inscripción a la realidad y no para alterar el estado civil.

Arts. 89, 90, 91, 103, 104 Dec. 1260 de 1970; Arts. 2, 3, 4 Dec. 999 de 1980; Art. 5 Dec. 2272 de 1989.

Artículo 408. El notario ante quien se otorgue una escritura de legitimación de un hijo, conforme al Código Civil, extenderá y firmará un acta en el registro de legitimaciones, en que se exprese: la fecha de la escritura, nombre de los otorgantes, nombre del hijo legitimado, su edad y lugar donde nació y nombre de los testigos instrumentales de la escritura.

A la margen de la partida de nacimiento del legitimado se pondrá una nota citando la escritura de legitimación.

Si el nacimiento del legitimado fue inscrito en otra notaría diferente de la en que se otorga la legitimación, el notario que autoriza ésta, dará aviso a aquel donde está registrado el nacimiento, para que se anote tal partida en los términos del Inciso anterior.

Art. 239 C.C.; Arts. 89, 90, 91, 103, 104 Dec. 1260 de 1970.

Artículo 409. [Derogado. Art. 626. C.G.P.] *Art. 626: c) A partir de la entrada en vigencia de esta ley, en los términos del numeral 6 del artículo 627, queda[n] derogado[s] (...) [los] artículo[s] (...) 402, 404, 405, 409, 410 (...) del Código Civil (...) y las demás disposiciones que le sean contrarias.*

Artículo 410. [Derogado. Art. 626. C.G.P.] *Art. 626: c) A partir de la entrada en vigencia de esta ley, en los términos del numeral 6 del artículo 627, queda[n] derogado[s] (...) [los] artículo[s] (...) 402, 404, 405, 409, 410 (...) del Código Civil (...) y las demás disposiciones que le sean contrarias.*

TÍTULO 21° De los alimentos que se deben por ley a ciertas personas

Artículo 411. Se deben alimentos:

1. Al *cónyuge*[*][**];
2. A los descendientes;
3. A los ascendientes;
4. [Modificado. Art. 23. L. 1 de 1976] A cargo del cónyuge culpable, al cónyuge divorciado o separado de cuerpos sin su culpa.
5. [Modificado. Art. 31. L. 75 de 1968] A los hijos naturales, su posteridad y a los nietos naturales[***].
6. [Modificado. Art. 31. L. 75 de 1968] A los ascendientes naturales[***].
7. A los hijos adoptivos.
8. A los padres adoptantes.
9. A los hermanos *legítimos*[****].
10. Al que hizo una donación cuantiosa si no hubiere sido rescindida o revocada.

La acción del donante se dirigirá contra el donatario.

No se deben alimentos a las personas aquí designadas en los casos en que una ley se los niegue.

[*] Exeq. Cond. C-461 de 2013: «*Declarar EXEQUIBLE el numeral 1° del artículo 411 del Código Civil, siempre y cuando se entienda que esta disposición es aplicable a los compañeros permanentes que forman una unión marital de hecho*».

[**] Exeq.: C-029 de 2009.

[***] Art. 1 L. 29 de 1982: «*Los hijos son legítimos, extramatrimoniales y adoptivos y tendrán iguales derechos y obligaciones*». Debe entenderse la expresión «natural» como «extramatrimonial»; Art. 1 L. 1060 de 2006. Se presumen legítimos los hijos concebidos dentro de la unión marital de hecho.

[****] Exeq.: C-105 de 1994.

Arts. 166, 233, 251 a 253, 257, 260, 1016, 1226 a 1229, 1796 C.C; Arts. 233 y ss. C.Pen.; Arts. 21, 390, 397 C.G.P.; Art. 1 L. 29 de 2009; Art. 1 L. 1060 de 2006; Art. 24 L. 1098 de 2006; Arts. 135 y ss. Dec. 2737 de 1998.

Artículo 412. Las reglas generales a que está sujeta la prestación de alimentos son las siguientes, sin perjuicio de las disposiciones especiales que contiene este código respecto de ciertas personas.

Artículo 413. Los alimentos se dividen en congruos y necesarios.

Congruos son los que habilitan al alimentado para subsistir modestamente de un modo correspondiente a su posición social.

Necesarios los que le dan lo que basta para sustentar la vida.

Los alimentos, sean congruos o necesarios, comprenden la obligación de proporcionar al alimentario, menor de veintiún años[*], la enseñanza primaria y la de alguna profesión u oficio.

[*] Art. 2 L. 27 de 1977. Se fijó la mayoría de edad en 18 años.
Arts. 24, 52, 82, 111 L. 1098 de 2006.

Artículo 414. Se deben alimentos congruos a las personas designadas en los números 1, 2, 3, 4 y 10 del artículo 411, menos en los casos en que la ley los limite expresamente a lo necesario para la subsistencia; y generalmente, en los casos en que el alimentario se haya hecho culpable de injuria grave contra la persona que le debía alimentos.

Se deben asimismo alimentos congruos en el caso del artículo 330.

En el caso de injuria atroz cesará enteramente la obligación de prestar alimentos.

Para los efectos de este artículo, constituyen injuria atroz los delitos graves y aquellos delitos leves que entrañen ataque a la persona del que debe alimentos. Constituyen injuria grave los demás delitos leves contra cualquiera de los derechos individuales de la misma persona que debe alimentos.

Arts. 1036, 1266, 1268 C.C.; Art. 25 L. 45 de 1936. Art. 31 L. 75 de 1968.

Artículo 415. Los incapaces de ejercer el derecho de propiedad no lo son para recibir alimentos.

Artículo 416. El que para pedir alimentos reúna varios títulos de los expresados en el artículo 411, sólo podrá hacer uso de uno de ellos, observando el siguiente orden de preferencia:

En primer lugar, el que tenga según el Inciso 10.

En segundo, el que tenga según los Incisos 1° y 4°

En tercero, el que tenga según los Incisos 2° y 5°

En cuarto, el que tenga según los Incisos 3° y 6°

En quinto, el que tenga según los Incisos 7° y 8°

El del Inciso 9° no tendrá lugar sino a falta de todos los otros.

Entre varios ascendientes o descendientes debe recurrirse a los de próximo grado.

Sólo en el caso de insuficiencia del título preferente podrá recurrirse a otro.

Artículo 417. Mientras se ventila la obligación de prestar alimentos, podrá el juez o prefecto ordenar que se den provisionalmente, desde que en la secuela del juicio se le ofrezca fundamento plausible; sin perjuicio de la restitución, si la persona a quien se demanda obtiene Sentencia absolutoria.

Cesa este derecho a la restitución, contra el que de buena fe y con algún fundamento plausible, haya intentado la demanda.

Arts. 24, 52, 82, 111, 129 a 136 L. 1098 de 2006.

Artículo 418. En el caso de dolo para obtener alimentos, serán obligados solidariamente a la restitución y a la indemnización de perjuicios todos los que han participado en el dolo.

Arts. 63, 1568 y ss. C.C.

Artículo 419. En la tasación de los alimentos se deberán tomar siempre en consideración las facultades del deudor y sus circunstancias domésticas.

Arts. 179, 1192, 1229, 1796 C.C. Arts. 24, 52, 82, 111, 129 a 136 L. 1098 de 2006.

Artículo 420. Los alimentos congruos o necesarios no se deben sino en la parte en que los medios de subsistencia del alimentario no le alcancen para subsistir de un modo correspondiente a su posición social o para sustentar la vida.

Artículo 421. Los alimentos se deben desde la primera demanda, y se pagarán por mesadas anticipadas.

No se podrá pedir la restitución de aquella parte de las anticipaciones que el alimentario no hubiere devengado por haber fallecido.

Art. 1418 C.C.; Arts. 24, 52, 82, 111, 129 a 136 L. 1098 de 2006; Arts. 387, 397, 431 C.G.P; Art. 76 L. 153 de 1887.

Artículo 422. *Los alimentos que se deben por ley, se entienden concedidos para toda la vida del alimentario, continuando las circunstancias que legitimaron la demanda.*

Con todo, ningún varón[*] *de aquellos a quienes sólo se deben alimentos necesarios, podrá pedirlos después que haya cumplido veintiún años*[**], *salvo que por algún impedimento corporal o mental, se halle inhabilitado para subsistir de su trabajo*[***]; *pero si posteriormente se inhabilitare, revivirá la obligación de alimentarle.*

Exeq.: C-105 de 1994.

[*] Exeq. Cond. C-875 de 2003: «*Declarar EXEQUIBLE, la expresión "Con todo, ningún varón de aquellos a quienes sólo se debe alimentos necesarios, podrán pedirlos después que haya cumplido veintiún años, salvo que por algún impedimento corporal o mental, se halle inhabilitado para subsistir de su trabajo"*, contenida en el artículo 422 del Código Civil, bajo la condición que también se entienda referida a "*ninguna mujer*"».

[**] Art. 2 L. 27 de 1977. Se fijó la mayoría de edad en 18 años.

[***] En sentencia C.S.J., Sala Plena, de mayo 23 de 1985 [Exp. 1278; Sala de Casación Civil] se precisó que las normas aquí contenidas se extienden también a mayores que se encuentren inhabilitados para subsistir de su trabajo o que estén adelantando estudios.

Artículo 423. [Modificado. Art. 24 L. 1 de 1976] El juez reglará la forma y cuantía en que hayan de prestarse los alimentos, y podrá disponer que se conviertan en los intereses de un capital que se consigne a este efecto en una caja de ahorros o en otro establecimiento análogo, y se restituya al alimentante o a sus herederos luego que cese la obligación.

Igualmente, el juez podrá ordenar que el cónyuge obligado a suministrar alimentos al otro, en razón de divorcio o de separación de cuerpos, preste garantía personal o real para asegurar su cumplimiento en el futuro.

Son válidos los pactos de los cónyuges en los cuales, conforme a la ley, se determine por mutuo acuerdo la cuantía de las obligaciones económicas; pero a solicitud de parte podrá ser modificada por el mismo juez, si cambiaren las circunstancias que la motivaron, previos los trámites establecidos en el artículo 137 del Código de Procedimiento Civil.

En el mismo evento y por el mismo procedimiento, podrá cualquiera de los cónyuges solicitar la revisión judicial de la cuantía de las obligaciones fijadas en la sentencia.

Arts. 24, 52, 82, 111, 129 a 136 L. 1098 de 2006; Arts. 390 y ss. C.G.P.; Art. 34, 37, 38 L. 75 de 1968.

Artículo 424. El derecho de pedir alimentos no puede transmitirse por causa de muerte, ni venderse o cederse de modo alguno, ni renunciarse.

Arts. 15, 1523, 1721 y 2474 C.C.

Artículo 425. El que debe alimentos no puede oponer al demandante en compensación lo que el demandante le deba a él.

Arts. 1714, 1721 y 2474 C.C.; Arts. 24, 52, 82, 111, 129 a 136 L. 1098 de 2006.

Artículo 426. No obstante lo dispuesto en los dos artículos precedentes, las pensiones alimenticias atrasadas podrán renunciarse o compensarse; y el derecho de demandarlas, transmitirse por causa de muerte, venderse y cederse; sin perjuicio de la prescripción que competa al deudor.

Arts. 15, 411 y 1721 C.C.; Art. 133 L. 1098 de 2006.

Artículo 427. Las disposiciones de este título no rigen respecto de las asignaciones alimenticias hechas voluntariamente en testamento o por donación entre vivos; acerca de las cuales deberá estarse a la voluntad del testador o donante, en cuanto haya podido disponer libremente de lo suyo.

Arts. 1008 y ss., 1192, 1418 C.C.

TÍTULOS 22° a 35° De las tutelas y curadurías en general

Artículos 428 a 632. [Derogados. Art. 119 L. 1306 de 2009]

Art. 199 L. 1306 de 2009: «*Quedan derogados los artículos (...) 428 a 632 del Código Civil (...) y las demás normas que sean contrarias a esta ley*».

TÍTULO 36° De las personas jurídicas

Artículo 633. Se llama persona jurídica, una persona ficticia, capaz de ejercer derechos y contraer obligaciones civiles, y de ser representada judicial y extrajudicialmente.

Las personas jurídicas son de dos especies: corporaciones y fundaciones de beneficencia pública.

Hay personas jurídicas que participan de uno y otro carácter.

Arts. 73 y 1020 C.C.

Artículo 634. [Derogado. Art. 5 Dec. 3130 de 1968[*]] No son personas jurídicas las fundaciones que no se hayan establecido en virtud de una ley.

[*] Si bien el artículo 634 C.C. fue expresamente derogado por el art. 5 Dec. 3130 de 1968, el referido art. 5 Dec. 3130 de 1968 fue —a su vez— expresamente derogado por el art. 121 de la L. 489 de 1998. Conforme al art. 14 L. 153 de 1887 «[u]na ley derogada no revivirá por sí sola las referencias que a ella se hagan, ni por haber sido abolida la ley que la derogó. Una disposición derogada solo recobrará su fuerza en la forma en que aparezca reproducida en una ley nueva».

Artículo 635. Las sociedades industriales no están comprendidas en las disposiciones de este título; sus derechos y obligaciones son reglados, según su naturaleza, por otros títulos de este código, y por el Código de Comercio.

Tampoco se extienden las disposiciones de este título a las corporaciones o fundaciones de derecho público, como los establecimientos que se costean con fondos del tesoro nacional.

Arts. 98 a 514 C.Co.

Artículo 636. [Derogado. Arts. 42, 43 Dec. 2150 de 1995] [*Los reglamentos o estatutos de las corporaciones, que fueren formados por ellas mismas, serán sometidos a la aprobación del poder ejecutivo de la Unión, quien se la concederá si no tuvieren nada contrario al orden público, a las leyes o las buenas costumbres.*

Todos a quienes los estatutos de la corporación irrogaren perjuicio, podrán recurrir al poder ejecutivo ya citado, para que en lo que perjudicaren a terceros, se corrijan, y aun después de aprobados les quedará expedito su recurso a la justicia contra toda lesión o perjuicio que de la aplicación de dichos estatutos les haya resultado o pueda resultarles].

Inhib. C-670 de 2005: «...[el] artículo 636 del Código Civil (...) se encuentra derogado, por cuanto hay un sistema general al cual resulta opuesto (...) RESUELVE INHIBIRSE de emitir un pronunciamiento de fondo en el presente proceso por carencia actual de objeto».

Artículo 637. Lo que pertenece a una corporación, no pertenece ni en todo ni en parte a ninguno de los individuos que la componen; y recíprocamente, las deudas de una corporación no dan a nadie derecho para demandarlas en todo o parte, a ninguno de los individuos que componen la corporación, ni dan acción sobre los bienes propios de ellos, sino sobre los bienes de la corporación.

Sin embargo, los miembros pueden, expresándolo, obligarse en particular, al mismo tiempo que la corporación se obliga colectivamente; y la responsabilidad de los miembros será entonces solidaria si se estipula expresamente la solidaridad.

Pero la responsabilidad no se extiende a los herederos, sino cuando los miembros de la corporación los hayan obligado expresamente.

Art. 1568 C.C.

Artículo 638. La mayoría de los miembros de una corporación, que tengan según sus estatutos voto deliberativo, será considerada como una sala o reunión legal de la corporación entera.

La voluntad de la mayoría de la sala es la voluntad de la corporación.

Todo lo cual se entiende sin perjuicio de las modificaciones que los estatutos de la corporación prescribieren a este respecto.

Artículo 639. Las corporaciones son representadas por las personas autorizadas por las leyes o las ordenanzas respectivas, y a falta de unas y otras, por un acuerdo de la corporación que confiera este carácter.

Art. 62 C.C.; Arts. 53 y 54 C.G.P.

Artículo 640. Los actos del representante de la corporación, en cuanto no excedan de los límites del ministerio que se le ha confiado, son actos de la corporación; en cuanto excedan de estos límites sólo obligan personalmente al representante.

Art. 1502 C.C.

Artículo 641. Los estatutos de una corporación tienen fuerza obligatoria sobre ella, y sus miembros están obligados a obedecerlos bajo las penas que los mismos estatutos impongan.

Artículo 642. Toda corporación tiene sobre sus miembros el derecho de policía correccional que sus estatutos le confieran, y ejercerá este derecho en conformidad a ellos.

Artículos 643 [Derogado y subrogado. Arts. 45 y 27 L. 57 de 1887]. Las personas jurídicas pueden adquirir bienes de todas clases, por cualquier título con el carácter de enajenables.

Arts. 644-645 [Derogados. Art. 45 L. 57 de 1887]

Artículo 646. Los acreedores de las corporaciones tienen acción contra sus bienes como contra los de una persona natural, que se halla bajo tutela.

Arts. 52 y ss. L. 1306 de 2009.

Artículo 647. [Derogado. Art. 45 L. 57 de 1887]

Artículo 648. Si por muerte u otros accidentes quedan reducidos los miembros de una corporación a tan corto número que no pueden ya cumplirse los objetos para que fue instituida, o si faltan todos ellos y los estatutos no hubieren prevenido el modo de integrarla o renovarla en estos casos, corresponderá a la autoridad que legitimó su existencia dictar la forma en que haya de efectuarse la integración o renovación.

Artículo 649. Disuelta una corporación, se dispondrá de sus propiedades, en la forma que para este caso hubieren prescrito sus estatutos; y si en ellos no se hubiere previsto este caso, pertenecerán dichas propiedades a la Nación, con la obligación de emplearlas en objetos análogos a los de la institución. Tocará al Congreso de la Unión señalarlos.

Artículo 650. Las fundaciones de beneficencia que hayan de administrarse por una colección de individuos, se regirán por los estatutos que el fundador les hubiere dictado; y si el fundador no hubiere manifestado su voluntad a este respecto, o sólo la hubiere manifestado incompletamente, será suplido este defecto por el presidente de la Unión.

Artículo 651. [Derogado. Art. 45 L. 57 de 1887]

Artículo 652. Las fundaciones perecen por la destrucción de los bienes destinados a su manutención.

LIBRO SEGUNDO
DE LOS BIENES, Y DE SU DOMINIO, POSESIÓN, USO Y GOCE

TÍTULO 1º De las varias clases de bienes

Artículo 653. Los bienes consisten en cosas corporales o incorporales.

Corporales son las que tienen un ser real y pueden ser percibidas por los sentidos, como una casa, un libro.

Incorporales, las que consisten en meros derechos, como los créditos y las servidumbres activas.

Art. 28 C.C.

CAPÍTULO 1º De las cosas corporales

Artículo 654. Las cosas corporales se dividen en muebles e inmuebles.

Artículo 655. [Modificado. Art. 2 L. 1774 de 2016] Muebles. Muebles son las que pueden transportarse de un lugar a otro, sea moviéndose ellas a sí mismas *como los animales (que por eso se llaman semovientes)*, sea que sólo se muevan por una fuerza externa, como las cosas inanimadas.

Exceptúense las que siendo muebles por naturaleza se reputan inmuebles por su destino, según el artículo 658.

Parágrafo. Reconózcase la calidad de seres sintientes a los animales.

Exeq.: C-467 de 2016.
Arts. 655, 658, 846, 847, 1994 C.C.: Art. 4 L. 1774 de 2016

Artículo 656. Inmuebles o fincas o bienes raíces son las cosas que no pueden transportarse de un lugar a otro; como las tierras y minas, y las que adhieren permanentemente a ellas, como los edificios, los árboles.

Las casas y heredades se llaman predios o fundos.

Arts. 756, 826 y 972 C.C.

Artículo 657. Las plantas son inmuebles, mientras adhieren al suelo por sus raíces, a menos que estén en macetas o cajones que puedan transportarse de un lugar a otro.

Artículo 658. Se reputan inmuebles, aunque por su naturaleza no lo sean, las cosas que están permanentemente destinadas al uso, cultivo y beneficio de un inmueble, sin embargo de que puedan separarse sin detrimento. Tales son, por ejemplo:

Las losas de un pavimento.

Los tubos de las cañerías.

Los utensilios de labranza o minería, y los animales actualmente destinados al cultivo o beneficio de una finca, con tal que hayan sido puestos en ella por el dueño de la finca.

Los abonos existentes en ella y destinados por el dueño de la finca a mejorarla.

Las prensas, calderas, cubas, alambiques, toneles y máquinas, que forman parte de un establecimiento industrial adherente al suelo y pertenecen al dueño de éste.

Los animales que se guardan en conejeras, pajareras, estanques, colmenas y cualesquiera otros vivares, con tal que éstos adhieran al suelo, o sean parte del suelo mismo o de un edificio.

Exeq. C-467 de 2016.
Arts. 1179, 1886 y 2445 C.C.

Artículo 659. Los productos de los inmuebles y las cosas accesorias a ellos, como las yerbas de un campo, la madera y fruto de los árboles, los animales de un vivar, se reputan muebles, aun antes de su separación, para el efecto de constituir un derecho sobre dichos productos o cosas a otra persona que el dueño.

Lo mismo se aplica a la tierra o arena de un suelo, a los metales de una mina y a las piedras de una cantera.

Arts. 715, 1857 y 2445 C.C.

Artículo 660. Las cosas de comodidad u ornato que se clavan o fijan en las paredes de las casas y pueden removerse fácilmente sin detrimento de las mismas paredes como estufas, espejos, cuadros, tapicerías, se reputan muebles. Si los cuadros o espejos están embutidos en las paredes de manera que formen un mismo cuerpo con ellas, se considerarán parte de ellas, aunque puedan separarse sin detrimento.

Artículo 661. Las cosas que por ser accesorias a bienes raíces se reputan inmuebles, no dejan de serlo por su separación momentánea; por ejemplo, los bulbos o cebollas que se arrancan para volverlos a plantar, y las losas o piedras que se desencajan de su lugar para hacer alguna construcción o reparación y con ánimo de volverlas a él. Pero desde que se separan con el objeto de darles diferente destino, dejan de ser inmuebles.

Artículo 662. Cuando por la ley o el hombre se usa de la expresión bienes muebles sin otra calificación, se comprenderá en ella todo lo que se entiende por cosas muebles según el artículo 655.

En los muebles de una casa no se comprenderá el dinero, los documentos y papeles, las colecciones científicas o artísticas, los libros o sus estantes, las medallas, las armas, los instrumentos de artes y oficios, las joyas, la ropa de vestir y de cama, los carruajes o caballerías o sus arreos, los granos, caldos, mercancías, ni en general otras cosas que las que forman el ajuar de una casa.

Art. 1179 C.C.

Artículo 663. Las cosas muebles se dividen en fungibles y no fungibles. A las primeras pertenecen aquéllas de que no puede hacerse el uso conveniente a su naturaleza sin que se destruyan.

Las especies monetarias en cuanto perecen para el que las emplea como tales, son cosas fungibles.

Art. 823, 848, 880, 2200 y 2221 C.C.

CAPÍTULO 2º De las cosas incorporales

Artículo 664. Las cosas incorporales son derechos reales o personales.

Artículo 665. Derecho real es el que tenemos sobre una cosa sin respecto a determinada persona.

Son derechos reales el de dominio, el de herencia, los de usufructo, uso o habitación, los de servidumbres activas, el de prenda y el de hipoteca. De estos derechos nacen las acciones reales.

Art. 669, 870, 948, 950, 1011, 1326, 2409 y 2432 C.C.; Art. 281 C.G.P.

Artículo 666. Derechos personales o créditos son los que sólo pueden reclamarse de ciertas personas que, por un hecho suyo o la sola disposición de la ley, han contraído las obligaciones correlativas; como el que tiene el prestamista contra su deudor por el dinero prestado, o el hijo contra el padre por alimentos. De estos derechos nacen las acciones personales.

Artículo 667. Los derechos y acciones se reputan bienes muebles o inmuebles, según lo sea la cosa en que han de ejercerse o que se debe. Así, el derecho de usufructo sobre un inmueble, es inmueble. Así, la acción del comprador para que se le entregue la finca comprada, es inmueble, y la acción del que ha prestado dinero para que se le pague, es mueble.

Artículo 668. Los hechos que se deben se reputan muebles. La acción para que un artífice ejecute la obra convenida, o resarza los perjuicios causados por la inejecución del convenio, entra, por consiguiente, en la clase de los bienes muebles.

TÍTULO 2º Del dominio

Artículo 669. El dominio (que se llama también propiedad) es el derecho real en una cosa corporal, para gozar y disponer de ella [*arbitrariamente*[*]] *no siendo contra ley o contra derecho ajeno*[**].

La propiedad separada del goce de la cosa, se llama mera o nuda propiedad.

[*] Inexeq. C-595 de 1999: «*Declarar (...) INEXEQUIBLE el adverbio "arbitrariamente" de esa misma disposición*».

[*] Exeq. C-595 de 1999: «*Declarar EXEQUIBLES las expresiones "no siendo contra ley o contra derecho ajeno" contenidas en el artículo 669 del Código Civil*».

Art. 58 C.P.; Arts. 3 y ss. L. 1708 de 2014.

Artículo 670. Sobre las cosas incorporales hay también una especie de propiedad. Así el usufructuario tiene la propiedad de su derecho de usufructo.

Arts. 823 C.C.

Artículo 671. Las producciones del talento o del ingenio son una propiedad de sus autores.

Esta especie de propiedad se regirá por leyes especiales.

Art. 61 C.P.; Art. 1 y ss. Decisión 351 de la Comunidad Andina de Naciones; Art. 1 y ss. Decisión 486 de la Comunidad Andina de Naciones; Arts. 534-618

C.Co.; Art. 1 y ss. L. 23 de 1982; Art. 1 y ss. L. 44 de 1993; Art. 1 y ss. L. 656 de 2000; L. 719 de 2001; L. 1915 de 2018.

Artículo 672. El uso y goce de las capillas y cementerios, situados en posesiones de particulares y accesorios a ellas, pasarán junto con ellas y junto con los ornamentos, vasos y demás objetos pertenecientes a dichas capillas o cementerios, a las personas que sucesivamente adquieran las posesiones en que están situados, a menos de disponerse otra cosa por testamento o por acto entre vivos.

Art. XXVII Concordato de 1973 (Ley 20 de 1974).

Artículo 673. Los modos de adquirir el dominio son la ocupación, la accesión, la tradición, la sucesión por causa de muerte y la prescripción.

De la adquisición de dominio por estos dos últimos medios se tratará en el libro De la sucesión por causa de muerte, y al fin de este código.

Arts. 685, 713, 740, 1008, 1674, 2512 y 2519 C.C.

TÍTULO 3º De los bienes de la Unión

Artículo 674. Se llaman bienes de la Unión aquellos cuyo dominio pertenece a la República.

Si además su uso pertenece a todos los habitantes de un territorio, como el de calles, plazas, puentes y caminos, se llaman bienes de la Unión de uso público o bienes públicos del territorio.

Los bienes de la Unión cuyo uso no pertenece generalmente a los habitantes, se llaman bienes de la Unión o bienes fiscales.

Arts. 63 101, 102 C.P.; Arts. 39, 129, 130, 195 y 198 L. 4a de 1913; Art. 5o., L. 9a. de 1989; Art. 166 Dec. 2324 de 1984.

Artículo 675. Son bienes de la Unión todas las tierras que estando situadas dentro de los límites territoriales, carecen de otro dueño.

Arts. 48, 52, 56 y 65 L. 200 de 1936; L. 160 de 1994.
Arts. 63, 101, 102 C.P.

Artículo 676. Los puentes y caminos construidos a expensas de personas particulares, en tierras que les pertenecen, no son bienes de la Unión, aunque los dueños permitan su uso y goce a todos los habitantes de un territorio.

Lo mismo se extiende a cualesquiera otras construcciones hechas a expensas de particulares y en sus tierras, aun cuando su uso sea público, por permiso del dueño.

Art. 2520 C.C.

Artículo 677. Los ríos y todas las aguas que corren por cauces naturales son bienes de la Unión, de uso público en los respectivos territorios.

Exceptúanse las vertientes que nacen y mueren dentro de una misma heredad: su propiedad, uso y goce pertenecen a los dueños de las riberas, y pasan con éstos a los herederos y demás sucesores de los dueños.

Art. 262 C.Pen.; Arts. 80, 81 y 82 Dec. 2811 de 1974; Arts. 5, 7, 10, 18 y 19 Dec. 1541 de 1978.

Artículo 678. El uso y goce que para el tránsito, riego, navegación y cualesquiera otros objetos lícitos, corresponden a los particulares en las calles, plazas, puentes y caminos públicos, en ríos y lagos, y generalmente en todos los bienes de la Unión de uso público, estarán sujetos a las disposiciones de este código y a las demás que sobre la materia contengan las leyes.

Art. 82, 213 C.P.; Art. 5, 6 y 8 L. 9 de 1989.

Artículo 679. Nadie podrá construir, sino por permiso especial de autoridad competente, obra alguna sobre las calles, plazas, puentes, playas, terrenos fiscales, y demás lugares de propiedad de la Unión.

Artículo 680. Las columnas, pilastras, gradas, umbrales y cualesquiera otras construcciones que sirvan para la comodidad u ornato de los edificios, o hagan parte de ellos, no podrán ocupar ningún espacio, por pequeño que sea, de la superficie de las calles, plazas, puentes, caminos y demás lugares de propiedad de la Unión.

Los edificios en que se ha tolerado la práctica contraria, estarán sujetos a la disposición de este artículo, si se reconstruyeren.

Art. 338 L. 4 de 1913; Art. 5, 6 y 8 L. 9 de 1989.

Artículo 681. En los edificios que se construyan a los costados de calles o plazas, no podrá haber, hasta la altura de tres metros, ventanas, balcones, miradores u otras obras que salgan más de medio decímetro fuera del plano vertical del lindero; ni podrá haberlos más arriba que salgan del dicho plano vertical sino hasta la distancia horizontal de tres decímetros.

Las disposiciones de este artículo se aplicarán a las reconstrucciones de dichos edificios.

Artículo 682. Sobre las obras que con permiso de la autoridad competente se construyan en sitios de propiedad de la Unión, no tienen los particulares que han obtenido este permiso, sino el uso y goce de ellas, y no la propiedad del suelo.

Abandonadas las obras o terminado el tiempo por el cual se concedió el permiso, se restituyen ellas y el suelo, por el ministerio de la ley, al uso y goce privativo de la Unión, o al uso y goce general de los habitantes, según prescriba la autoridad soberana. Pero no se entiende lo dicho si la propiedad del suelo ha sido concedida expresamente por la Unión.

Artículo 683. No se podrán sacar canales de los ríos para ningún objeto industrial o doméstico, sino con arreglo a las leyes respectivas.

Art. 8 Dec. 1541 de 1978.

Artículo 684. No obstante lo prevenido en este capítulo y en el de la accesión, relativamente al dominio de la Unión sobre los ríos, lagos e islas, subsistirán en ellos los derechos adquiridos por particulares, de acuerdo con la legislación anterior a este código.

TÍTULO 4º De la ocupación

Artículo 685. Por la ocupación se adquiere el dominio de las cosas que no pertenecen a nadie, y cuya adquisición no es prohibida por las leyes o por el derecho internacional.

Art. 673 C.C.

Artículo 686. La caza y pesca son especies de ocupación, por las cuales se adquiere el dominio de los animales bravíos[*].

[*] La caza y la pesca están regulados por la actual legislación en recursos naturales y protección al medio ambiente (Dec. 2811 de 1974), por lo que esta materia dejó de estar reglamentada por el derecho privado. Así lo ha reconocido el Consejo de Estado en sentencia del 13 de marzo de 1980.

Arts. 8, 29 y ss. L. 84 de 1989; Arts. 247 y ss. Dec. 2811 de 1974.

Artículo 687. Se llaman animales bravíos o salvajes los que viven naturalmente libres e independientes del hombre, como las fieras y los peces; domésticos, los que pertenecen a especies que viven ordinariamente bajo la dependencia del hombre, como las gallinas, las ovejas, y domesticados, los que, sin embargo de ser bravíos por su naturaleza, se han acostumbrado a la domesticidad, y reconocen en cierto modo el imperio del hombre.

Estos últimos, mientras conservan la costumbre de volver al amparo o dependencia del hombre, siguen la regla de los animales domésticos, y perdiendo esta costumbre vuelven a la clase de los animales bravíos.

Art. 29 L. 84 de 1989; Arts. 1 y ss. L. 756 de 2002; Arts. 1 y ss. L. 1638 de 2013.

Artículo 688. No se puede cazar sino en tierras propias, o en las ajenas, con permiso del dueño.

Pero no será necesario este permiso, si las tierras no estuvieren cercadas, ni plantadas o cultivadas, a menos que el dueño haya prohibido expresamente cazar en ellas, y notificado la prohibición.

Art. 30 L. 84 de 1989; Arts. 248 y ss. Dec. 2811 de 1974; Arts. 31, 32 y 56 Dec. 1608 de 1978.

Artículo 689. Si alguno cazare en tierras ajenas sin permiso del dueño, cuando por la ley estaba obligado a obtenerlo, lo que cace será para el dueño, a quien además indemnizará de todo perjuicio.

Artículo 690. [Subrogado. Art. 32 L. 84 de 1989] Será permitida la captura y comercio de peces y de fauna acuática con destino al consumo humano o industrial, interno o de exportación, pero para realizarla se requiere autorización expresa, particular y determinada expedida por la entidad administradora de los recursos naturales. De no existir ésta, el hecho será punible.

La pesca de subsistencia y la artesanal no requieren autorización previa pero están sujetas a los reglamentos y normas que para el efecto dicte la entidad administradora de los recursos naturales.

Arts. 275, 277, 278-280 Dec. 2811 de 1974; Arts. 10 y ss. Dec. 1681 de 1978.

Artículo 691. A los que pesquen en los ríos y lagos no será lícito hacer uso alguno de los edificios y terrenos cultivados en las riberas, ni atravesar las cercas.

Art. 898 C.C.

Artículo 692. La disposición del artículo 689 se extiende al que pesca en aguas ajenas.

Art. 276 Dec. 2811 de 1977.

Artículo 693. Se entiende que el cazador o pescador se apodera del animal bravío, y lo hace suyo desde el momento que lo ha herido gravemente, de manera que ya no le sea fácil escapar, y mientras persiste en perseguirlo; o desde el momento que el animal ha caído en sus trampas o redes, con tal que las haya armado o tendido en paraje donde le sea lícito cazar o pescar.

Si el animal herido entra en tierras ajenas donde no es lícito cazar sin permiso del dueño, podrá éste hacerlo suyo.

Art. 687 C.C; Art. 29 y ss. Ley 84 de 1989.

Artículo 694. No es lícito a un cazador o pescador perseguir al animal bravío, que ya es perseguido por otro cazador o pescador; si lo hiciere sin su consentimiento, y se apoderare del animal, podrá el otro reclamarlo como suyo.

Art. 687 C.C; Art. 29 y ss. Ley 84 de 1989.

Artículo 695. Los animales bravíos pertenecen al dueño de las jaulas, pajareras, conejeras, colmenas, estanques o corrales en que estuvieren encerrados; pero luego que recobren su libertad natural, puede cualquier persona apoderarse de ellos, y hacerlos suyos, con tal que actualmente no vaya el dueño en seguimiento de ellos, teniéndolos a la vista, y que por lo demás no se contravenga al artículo 688.

Art. 688 C.C.

Artículo 696. Las abejas que huyen de la colmena y posan en árbol que no sea del dueño de ésta, vuelven a su libertad natural, y cualquiera puede apoderarse de ellas y de los panales fabricados por ellas, con tal que no lo haga sin permiso del dueño en tierras ajenas, cercadas o cultivadas, o contra la prohibición del mismo en las otras; pero al dueño de la colmena no podrá prohibirse que persiga a las abejas fugitivas en tierras que no estén cercadas ni cultivadas.

Art. 687 C.C.

Artículo 697. Las palomas que abandonan un palomar y se fijan en otro, se entenderán ocupadas legítimamente por el dueño del segundo, siempre que éste no se haya valido de alguna industria para atraerlas y aquerenciarlas.

En tal caso estará obligado a la indemnización de todo perjuicio, incluso la restitución de las especies, si el dueño la exigiere y si no la exigiere, a pagarle su precio.

Art. 687 y 1613 C.C.

Artículo 698. Los animales domésticos están sujetos a dominio.

Conserva el dueño este dominio sobre los animales domésticos fugitivos, aun cuando hayan entrado en tierras ajenas; salvo en cuanto las leyes y disposiciones de policía rural o urbana establecieren lo contrario.

Art. 687 C.C.

Artículo 699. La invención o hallazgo es una especie de ocupación por la cual el que se encuentra una cosa inanimada, que no pertenece a nadie, adquiere su dominio, apoderándose de ella.

De este modo se adquiere el dominio de las piedras, conchas y otras sustancias que arroja el mar, y que no presentan señales de dominio anterior. Se adquieren del mismo modo las cosas cuya propiedad abandona su dueño, como las monedas que se arrojan para que las haga suyas el primer ocupante.

No se presumen abandonadas por sus dueños las cosas que los navegantes arrojan al mar para alijar la nave.

Artículo 700. El descubrimiento de un tesoro es una especie de invención o hallazgo.

Se llama tesoro la moneda o joyas u otros efectos preciosos que, elaborados por el hombre, han estado largo tiempo sepultados o escondidos, sin que haya memoria ni indicio de su dueño.

Art. 14 L. 163 de 1959.

Artículo 701. El tesoro encontrado en terreno ajeno se dividirá por partes iguales entre el dueño del terreno y la persona que haya hecho el descubrimiento.

Pero ésta última no tendrá derecho a su porción, sino cuando el descubrimiento sea fortuito, o cuando se haya buscado el tesoro con permiso del dueño del terreno.

En los demás casos o cuando sea una misma persona el dueño del terreno y el descubridor, pertenecerá todo el tesoro al dueño del terreno.

Arts. 845 y 1787 C.C.

Artículo 702. Al dueño de una heredad o de un edificio podrá pedir cualquiera persona el permiso de cavar en el suelo para sacar dinero o alhajas que asegurare pertenecerle y estar escondidas en él; y si señalare el paraje en que están escondidos y diere competente seguridad de que probará su derecho sobre ellos, y de que abonará todo perjuicio al dueño de la heredad o edificio, no podrá éste negar el permiso, ni oponerse a la extracción de dichos dineros o alhajas.

Artículo 703. No probándose el derecho sobre dichos dineros o alhajas, serán considerados o como bienes perdidos, o como tesoro encontrado en suelo ajeno, según los antecedentes y señales.

En este segundo caso, deducidos los costos, se dividirá el tesoro por partes iguales entre el denunciador y el dueño del suelo; pero no podrá éste pedir indemnización de perjuicios, a menos de renunciar su porción.

Artículo 704. El que halle o descubra alguna cosa que por su naturaleza manifieste haber estado en dominio anterior, o que por sus señales o vestigios indique haber estado en tal dominio anterior, deberá ponerla a disposición de su dueño, si éste fuere conocido.

Si el dueño de la cosa hallada o descubierta no fuere conocido o no pareciere, se reputará provisoriamente estar vacante o ser mostrenca la cosa.

Artículo 705. La persona que en el caso del artículo anterior omitiere entregar al dueño si fuere conocido, o si no lo fuere, a la autoridad competente, la especie mueble encontrada, dentro de los treinta días siguientes al hallazgo, será juzgada criminalmente, aparte de la responsabilidad a que haya lugar por los perjuicios que ocasione su omisión.

Art. 58 C.P.

Artículo 706. Estímanse bienes vacantes los bienes inmuebles que se encuentran dentro del territorio respectivo a cargo de la Nación, sin dueño aparente o conocido; y mostrencos los bienes muebles que se hallen en el mismo caso.

Artículo 707. [Subrogado. Art. 82 L. 153 de 1887] [Modificado. Art. 66 L. 75 de 1968] El Instituto de Bienestar Familiar tendrá en las sucesiones intestadas los derechos que hoy corresponden al municipio de la vecindad del extinto de conformidad con el artículo 85[*] (sic) de la Ley 153 de 1887.

[*] El texto normativo se refiere realmente al artículo 82 de la L. 153 de 1887. Arts. 21, 39 L. 7 de 1979. Arts. 82 y 129 L. 153 de 1887.

Artículo 708. Si aparece el dueño de una cosa que se ha considerado vacante o mostrenca, antes de que la Unión la haya enajenado, le será restituida, pagando las expensas de aprehensión, conservación y demás que incidieren y lo que por la ley correspondiere al que encontró o denunció la cosa vacante.

Si el dueño hubiere ofrecido recompensa por el hallazgo, el denunciante elegirá entre el premio fijado por la ley y la recompensa ofrecida.

Artículo 709. Enajenada la cosa, se mirará como irrevocablemente perdida para el dueño.

Artículo 710. Las especies náufragas que se salvaren, serán restituidas por la autoridad a los interesados, mediante el pago de las expensas y la gratificación de salvamento.

Si no aparecieren interesados dentro de los treinta días siguientes al naufragio, se procederá a declarar mostrencas las especies salvadas, previo el juicio correspondiente[*][**].

[*] El Dec. 12 de 1984 reglamentó el art. 710 del C.C., estableciendo que las especies náufragas rescatadas se considerarán antigüedades náufragas y pertenecen a la Nación.

[**] La L. 1675 de 2013 reglamenta los artículos 63, 70 y 72 de la C.P. en lo relativo al patrimonio cultural sumergido, al establecer normas para la exploración

y recuperación de las especies náufragas en los arts. 4, 6-9; regulaciones para las iniciativas público-privadas con fines de exploración, intervención y aprovechamiento económico de las mismas en los arts. 10-20; y tipificó sanciones administrativas y delitos contra acciones en el patrimonio cultural sumergido en los arts. 21 y 22.

Arts. 1 y ss. L. 1675 de 1984; Arts. 1, 2 y 3 Dec. 12 de 1984.

Artículo 711. La autoridad competente fijará, según las circunstancias, la gratificación de salvamento, que nunca pasará de la mitad del valor de las especies.

Pero si el salvamento de las especies se hiciere bajo las órdenes y dirección de la autoridad pública, se restituirán a los interesados mediante el abono de las expensas, sin gratificación de salvamento.

Art. 4 Dec. 12 de 1984.

Artículo 712. Los trámites para la declaratoria de la calidad de vacantes o mostrencos de los bienes, son objeto del código judicial de la Unión.

Arts. 668 y ss., 383 C.G.P.; Arts. 99-113 Dec. 2388 de 1979.

TÍTULO 5º De la accesión

Artículo 713. La accesión es un modo de adquirir por el cual el dueño de una cosa pasa a serlo de lo que ella produce o de lo que se junta a ella. Los productos de las cosas son frutos naturales o civiles.

Art. 673 C.C.

CAPÍTULO 1º De las accesiones de frutos

Artículo 714. Se llaman frutos naturales los que da la naturaleza, ayudada o no de la industria humana.

Artículo 715. Los frutos naturales se llaman pendientes mientras que adhieren todavía a la cosa que los produce, como las plantas que están arraigadas al suelo, o los productos de las plantas mientras no han sido separados de ellas.

Frutos naturales percibidos son los que han sido separados de la cosa productiva, como las maderas cortadas, las frutas y granos cosechados, etc., y se dicen consumidos cuando se han consumido verdaderamente, o se han enajenado.

Art. 755 C.C.

Artículo 716. Los frutos naturales de una cosa pertenecen al dueño de ella; sin perjuicio de los derechos constituidos por las leyes, o por un hecho del hombre, al poseedor de buena fe, al usufructuario, al arrendatario.

Así, los vegetales que la tierra produce espontáneamente o por el cultivo, y las frutas, semillas y demás productos de los vegetales, pertenecen al dueño de la tierra.

Así también las pieles, lana, astas, leche, cría y demás productos de los animales, pertenecen al dueño de éstos.

Art. 715, 755, 840, 964, 1000 y 1885 C.C.

Artículo 717. Se llaman frutos civiles los precios, pensiones o cánones de arrendamiento o censo, y los intereses de capitales exigibles, o impuestos a fondo perdido.

Los frutos civiles se llaman pendientes mientras se deben; y percibidos desde que se cobran.

Art. 624, 840 y 849 C.C.

Artículo 718. Los frutos civiles pertenecen también al dueño de la cosa de que provienen, de la misma manera y con la misma limitación que los naturales.

CAPÍTULO 2º De las accesiones del suelo

Artículo 719. Se llama aluvión el aumento que recibe la ribera de un río o lago por el lento e imperceptible retiro de las aguas[*].

[*] La accesión del suelo ha sido sustancialmente modificada por la actual legislación en recursos naturales no renovables y protección al medio ambiente (Dec. 2811 de 1974), por lo que esta materia dejó de estar reglamentada por el derecho privado.
Art. 844 C.C.; Arts. 70 y ss. Dec 2811 de 1974.

Artículo 720. El terreno de aluvión accede a las heredades riberanas, dentro de sus respectivas líneas de demarcación, prolongadas directamente hasta el agua; pero en puertos habilitados pertenecerá a la Unión.

El suelo que el agua ocupa y desocupa alternativamente en sus creces y bajas periódicas, forma parte de la ribera o del cauce, y no accede mientras tanto a las heredades contiguas.

Arts. 11, 14 Dec. 1541 de 1978; Art. 83 Dec. 2811 de 1974.

Artículo 721. Siempre que prolongadas las antedichas líneas de demarcación, se corten una a otra, antes de llegar al agua, el triángulo formado por ellas y por el borde del agua, accederá a las dos heredades laterales; una línea recta que lo divida en dos partes iguales, tiradas desde el punto de intersección hasta el agua, será la línea divisoria entre las dos heredades.

Art. 83 Dec. 2811 de 1974.

Artículo 722. Sobre la parte del suelo que, por una avenida o por otra fuerza natural violenta, es transportada de un sitio a otro, conserva el dueño su dominio, para el solo efecto de llevársela; pero si no la reclama dentro del subsiguiente año, la hará suya el dueño del sitio a que fue transportada.

Artículo 723. Si una heredad ha sido inundada, el terreno restituido por las aguas, *dentro de los diez años subsiguientes*, volverá a sus antiguos dueños.

Exeq. C-1172 de 2004.
Art. 867 C.C.

Artículo 724. Si un río varía de curso, podrán los propietarios riberanos, con permiso de autoridad competente, hacer las obras necesarias para restituir las aguas a su acostumbrado cauce, y la parte de éste que permanentemente quedare en seco, accederá a las heredades contiguas, como el terreno de aluvión en el caso del artículo 720.

Concurriendo los riberanos de un lado con los del otro, una línea longitudinal dividirá el nuevo terreno en dos partes iguales, y cada una de éstas accederá a las heredades contiguas, como en el caso del mismo artículo.

Art. 132 C.P.; Art. 130 L. 9 de 1914; Art. 1 y ss. Dec. 2031 de 1988.

Artículo 725. Si un río se divide en dos brazos, que no vuelven después a juntarse, las partes del anterior cauce que el agua dejare descubiertas, accederán a las heredades contiguas, como en el caso del artículo precedente.

Artículo 726. Acerca de las nuevas islas que no hayan de pertenecer a la Unión, se observarán las reglas siguientes:

1. La nueva isla se mirará como parte del cauce o lecho, mientras fuere ocupada y desocupada alternativamente por las aguas en sus creces y bajas periódicas, y no accederá entre tanto a las heredades riberanas.

2. La nueva isla formada por un río que se abre en dos brazos que vuelven después a juntarse, no altera el anterior dominio de los terrenos comprendidos en ella; pero el nuevo terreno descubierto por el río accederá a las heredades contiguas, como en el caso del artículo 724.

3. La nueva isla que se forme en el cauce de un río accederá a las heredades de aquélla de las dos riberas a que estuviere más cercana toda la isla; correspondiendo a cada heredad la parte comprendida entre sus respectivas líneas de demarcación prolongadas directamente hasta la isla y sobre la superficie de ella.

Si toda la isla no estuviere más cercana a una de las dos riberas que a la otra, accederá a las heredades de ambas riberas; correspondiendo a cada heredad la parte comprendida entre sus respectivas líneas de demarcación prolongadas directamente hasta la isla y sobre la superficie de ella.

Las partes de la isla que en virtud de estas disposiciones correspondieren a dos o más heredades, se dividirán en partes iguales entre las heredades comuneras.

4. Para la distribución de una nueva isla, se prescindirá enteramente de la isla o islas que hayan preexistido a ella; y la nueva isla accederá a las heredades riberanas, como si ella sola existiese.

5. Los dueños de una isla formada por el río, adquieren el dominio de todo lo que por aluvión acceda a ella, cualquiera que sea la ribera de que diste, menos el nuevo terreno abandonado por las aguas.

6. A la nueva isla que se forme en un lago se aplicará el inciso 2º de la regla tercera precedente; pero no tendrán parte en la división del terreno formado por las aguas las heredades cuya menor distancia de la isla exceda a la mitad del diámetro de ésta, medido en la dirección de esa misma distancia.

Art. 83 Dec. 2811 de 1974.

CAPÍTULO 3º De la accesión de una cosa mueble a otra

Artículo 727. La adjunción es una especie de accesión, y se verifica cuando dos cosas muebles pertenecientes a diferentes dueños, se juntan una a otra, pero de modo que puedan separarse y subsistir cada una después de separada; como cuando el diamante de una persona se engasta en el oro de otra, o en marco ajeno se pone un espejo propio.

Art. 673 y 713 C.C.

Artículo 728. En los casos de adjunción, no habiendo conocimiento del hecho por una parte, ni mala fe por otra, el dominio de lo accesorio accederá al dominio de lo principal, con el gravamen de pagar al dueño de la parte accesoria su valor.

Artículo 729. Si de las dos cosas unidas, la una es de mucho más estimación que la otra, la primera se mirará como lo principal, y la segunda como lo accesorio.

Se mirará como de más estimación la cosa que tuviere para su dueño un gran valor de afección.

Artículo 730. Si no hubiere tanta diferencia en la estimación, aquella de las dos cosas que sirva para el uso, ornato o complemento de la otra, se tendrá por accesoria.

Artículo 731. En los casos a que no pudiere aplicarse ninguna de las reglas precedentes, se mirará como principal lo de más volumen.

Artículo 732. Otra especie de accesión es la especificación que se verifica cuando de la materia perteneciente a una persona, hace otra persona una obra o artefacto cualquiera, como si de uvas ajenas se hace vino, o de plata ajena una copa, o de madera ajena una nave.

No habiendo conocimiento del hecho por una parte, ni mala fe por otra, el dueño de la materia tendrá derecho a reclamar la nueva especie, pagando la hechura.

A menos que en la obra o artefacto, el precio de la nueva especie valga mucho más que el de la materia, como cuando se pinta en lienzo ajeno, o de mármol ajeno se hace una estatua; pues en este caso la nueva especie pertenecerá al especificante, y el dueño de la materia tendrá solamente derecho a la indemnización de perjuicios.

Si la materia del artefacto es, en parte ajena, y en parte propia del que la hizo o mandó hacer, y las dos partes no pueden separarse sin inconveniente, la especie pertenecerá en común a los dos propietarios: al uno a prorrata del valor de su materia, y al otro a prorrata del valor de la suya y de la hechura.

Artículo 733. Si se forma una cosa por mezcla de materias áridas o líquidas, pertenecientes a diferentes dueños, no habiendo conocimiento del hecho por una parte, ni mala fe/ por otra, el dominio de la cosa pertenecerá a dichos dueños pro indiviso, a prorrata del valor de la materia que a cada uno pertenezca.

A menos que el valor de la materia perteneciente a uno de ellos fuere considerablemente superior, pues en tal caso el dueño de ella tendrá derecho para reclamar la cosa producida por la mezcla, pagando el precio de la materia restante.

Artículo 734. En todos los casos en que al dueño de una de las dos materias primas no sea fácil reemplazarla por otra de la misma calidad, y valor y aptitud, y pueda la primera separarse sin deterioro de lo demás, el dueño de ella, sin cuyo conocimiento se haya hecho la unión, podrá pedir su separación y entrega, a costa del que hizo uso de ella.

Artículo 735. En todos los casos en que el dueño de una materia de que se ha hecho uso sin su conocimiento, tenga derecho a la propiedad de la cosa que ha sido empleada, lo tendrá igualmente para pedir que en lugar de dicha materia se le restituya otro tanto de la misma naturaleza, calidad y aptitud, o su valor en dinero.

Artículo 736. El que haya tenido conocimiento del uso que de una materia suya se hacía por otra persona, se presumirá haberlo consentido y sólo tendrá derecho a su valor.

Art. 66 C.C.

Artículo 737. El que haya hecho uso de una materia sin conocimiento del dueño, y sin justa causa de error, estará sujeto en todos los casos a perder lo suyo, y a pagar lo que más de esto valieren los perjuicios irrogados al dueño; fuera de la acción criminal a que haya lugar, cuando ha procedido a sabiendas.

Si el valor de la obra excediere notablemente al de la materia, no tendrá lugar lo prevenido en este artículo; salvo que se haya procedido a sabiendas.

CAPÍTULO 4° De la accesión de las cosas muebles a inmuebles

Artículo 738. Si se edifica con materiales ajenos en suelo propio, el dueño del suelo se hará dueño de los materiales por el hecho de incorporarlos en la construcción; pero estará obligado a pagar al dueño de los materiales su justo precio u otro tanto de la misma naturaleza, calidad y aptitud.

Si por su parte no hubo justa causa de error, será obligado al resarcimiento de perjuicios, y si ha procedido a sabiendas, quedará también sujeto a la acción criminal competente; pero si el dueño de los materiales tuvo conocimiento del uso que se hacía de ellos, sólo habrá lugar a la disposición de este artículo.

La misma regla se aplica al que planta o siembra en suelo propio vegetales o semillas ajenas.

Mientras los materiales no están incorporados en la construcción o los vegetales arraigados en el suelo, podrá reclamarlos el dueño.

Artículo 739. El dueño del terreno en que otra persona, sin su conocimiento, hubiere edificado, plantado o sembrado, tendrá derecho de hacer suyo el edificio, plantación o sementera, mediante las indemnizaciones prescritas a favor de los poseedores de buena o mala fe en el título De la reivindicación, o de obligar al que edificó o plantó a pagarle el justo precio del terreno con los intereses legales por todo el tiempo que lo haya tenido en su poder, y al que sembró a pagarle la renta y a indemnizarle los perjuicios.

Si se ha edificado, plantado o sembrado a ciencia y paciencia del dueño del terreno, será éste obligado, para recobrarlo, a pagar el valor del edificio, plantación o sementera.

TÍTULO 6° De la tradición

CAPÍTULO 1° Disposiciones generales

Artículo 740. La tradición es un modo de adquirir el dominio de las cosas, y consiste en la entrega que el dueño hace de ellas a otro, habiendo por una parte la facultad e intención de transferir el dominio, y por otra la capacidad e intención de adquirirlo.

Lo que se dice del dominio se extiende a todos los otros derechos reales.

Artículo 741. Se llama tradente la persona que por la tradición transfiere el dominio de la cosa entregada por él, y adquirente la persona que por la tradición adquiere el dominio de la cosa recibida por él o a su nombre.

Pueden entregar y recibir a nombre del dueño sus mandatarios o sus representantes legales.

En las ventas forzadas que se hacen por decreto judicial a petición de un acreedor, en pública subasta, la persona cuyo dominio se transfiere es el tradente, y el juez su representante legal.

La tradición hecha por o a un mandatario debidamente autorizado, se entiende hecha por o a el respectivo mandante.

Art. 1505, 1637 C.C.

Artículo 742. Para que la tradición sea válida, deberá ser hecha voluntariamente por el tradente o por su representante.

Una tradición que al principio fue inválida por haberse hecho sin voluntad del tradente o de su representante, se valida retroactivamente por la ratificación del que tiene facultad de enajenar la cosa como dueño o como representante del dueño.

Arts. 767, 1506, 1752 y 2186 C.C.

Artículo 743. La tradición para que sea válida requiere también el consentimiento del adquirente o de su representante.

Pero la tradición que en su principio fue inválida, por haber faltado este consentimiento, se valida retroactivamente por la ratificación.

Artículo 744. Para que sea válida la tradición en que intervienen mandatarios o representantes legales, se requiere además que estos obren dentro de los límites de su mandato o de su representación legal.

Artículo 745. Para que valga la tradición se requiere un título traslaticio de dominio, como el de venta, permuta, donación, etc.

Se requiere, además, que el título sea válido respecto de la persona a quien se confiere. Así el título de donación irrevocable no transfiere el dominio entre cónyuges.

Arts. 759 y 765 C.C.

Artículo 746. Se requiere también para la validez de la tradición que no se padezca error en cuanto a la identidad de la especie que debe entregarse, o de la persona a quien se hace la entrega, ni en cuanto al título.

Si se yerra en el nombre sólo, es válida la tradición.

Arts. 1116, 1510-1512 y 2480 C.C.

Artículo 747. El error en el título invalida la tradición, sea cuando una sola de las partes supone un título traslaticio de dominio, como cuando por una parte se tiene el ánimo de entregar a título de comodato, y por otra se tiene el ánimo de recibir a título de donación, o sea cuando por las dos partes se suponen títulos traslaticios de dominio, pero diferentes, como si por una parte se supone mutuo y por otra donación.

Artículo 748. Si la tradición se hace por medio de mandatarios o representantes legales, el error de estos invalida la tradición.

Artículo 749. Si la ley exige solemnidades especiales para la enajenación, no se transfiere el dominio sin ellas.

Arts. 756 y 1857 C.C.

Artículo 750. La tradición puede transferir el dominio bajo condición suspensiva o resolutoria, con tal que se exprese.

Verificada la entrega por el vendedor, se transfiere el dominio de la cosa vendida, aunque no se haya pagado el precio, a menos que el vendedor se haya reservado el dominio hasta el pago, o hasta el cumplimiento de una condición.

Arts. 1530 y 1536 C.C.

Artículo 751. Se puede pedir la tradición de todo aquello que se deba, desde que no haya plazo pendiente para su pago; salvo que intervenga decreto judicial en contrario.

Art. 1551 C.C.

Artículo 752. Si el tradente no es el verdadero dueño de la cosa que se entrega por él o a su nombre, no se adquieren por medio de la tradición otros derechos que los transmisibles del mismo tradente sobre la cosa entregada.

Pero si el tradente adquiere después el dominio, se entenderá haberse este transferido desde el momento de la tradición.

Artículo 753. La tradición da al adquirente, en los casos y del modo que las leyes señalan, el derecho de ganar por la prescripción el dominio de que el tradente carecía, aunque el tradente no haya tenido ese derecho.

Arts. 2518-2533 C.C.

CAPÍTULO 2° De la tradición de las cosas corporales muebles

Artículo 754. La tradición de una cosa corporal mueble deberá hacerse significando una de las partes a la otra que le transfiere el dominio, y figurando esta transferencia por uno de los medios siguientes:

1°. Permitiéndole la aprehensión material de una cosa presente.

2°. Mostrándosela.

3°. Entregándole las llaves del granero, almacén, cofre o lugar cualquiera en que esté guardada la cosa.

4°. Encargándose el uno de poner la cosa a disposición del otro en el lugar convenido.

5°. Por la venta, donación u otro título de enajenación conferido al que tiene la cosa mueble como usufructuario, arrendatario, comodatario, depositario o a cualquier otro título no traslaticio de dominio; y recíprocamente por el mero contrato en que el dueño se constituye usufructuario, comodatario, arrendatario, etc.

Artículo 755. Cuando con permiso del dueño de un predio se toman en él piedras, frutos pendientes u otras cosas que forman parte del predio, la tradición se verifica en el momento de la separación de estos objetos.

Aquel a quien se debieren los frutos de una sementera, viña o plantío, podrá entrar a cogerlos, fijándose el día y hora, de común acuerdo con el dueño.

CAPÍTULO 3° De las otras especies de tradición

Artículo 756. Se efectuará la tradición del dominio de los bienes raíces por la inscripción del título en la oficina de registro de instrumentos públicos.

De la misma manera se efectuará la tradición de los derechos de usufructo o de uso, constituidos en bienes raíces, y de los de habitación o hipoteca.

Arts. 673, 749, 785, 871, 1457, 1880, 2435 y 2526 C.C.; Art. 922 C.Co.

Artículo 757. En el momento de deferirse la herencia la posesión de ella se confiere por ministerio de la ley al heredero; pero esta posesión legal no lo habilita para disponer en manera alguna de un inmueble, [*mientras no proceda*]⁽*⁾.

1°. [Derogado. Art. 626 C.G.P.].

2°. [Derogado. Art. 626 C.G.P.].

⁽*⁾ Expresión «*mientras no proceda*» fue derogada por el artículo 626 C.G.P.

Artículo 758. Siempre que por una sentencia ejecutoriada se reconociere como adquirido por prescripción el dominio o cualquier otro de los derechos mencionados en los precedentes artículos de este capítulo, servirá de título esta sentencia, después de su registro en la oficina u oficinas respectivas.

Art. 2534 C.C.

Artículo 759. Los títulos traslaticios de dominio que deben registrarse, no darán o transferirán la posesión efectiva del respectivo derecho mientras no se haya verificado el registro en los términos que se dispone en el título «del registro de instrumentos públicos».

Art. 96 Dec. 1250 de 1970.

Artículo 760. La tradición de un derecho de servidumbre se efectuará por escritura pública, debidamente registrada, en que el tradente exprese constituirlo y el adquirente aceptarlo; podrá esta escritura ser la misma del acto o contrato principal a que acceda el de la constitución de la servidumbre.

Arts. 879 y 937 C.C.

Artículo 761. La tradición de los derechos personales que un individuo cede a otro, se verifica por la entrega del título, hecha por el cedente al cesionario.

Arts. 1959 y 1960 C.C.

TÍTULO 7° De la posesión

CAPÍTULO 1° De la posesión y sus diferentes calidades

Artículo 762. La posesión es la tenencia de una cosa determinada con ánimo de señor o dueño, sea que el dueño o el que se da por tal, tenga la cosa por sí mismo, o por otra persona que la tenga en lugar y a nombre de él.

El poseedor es reputado dueño, mientras otra persona no justifique serlo.

Arts. 2518 y 2528 C.C.

Artículo 763. Se puede poseer una cosa por varios títulos.

Artículo 764. La posesión puede ser regular o irregular.

Se llama posesión regular la que procede de justo título y ha sido adquirida de buena fe, aunque la buena fe no subsista después de adquirida la posesión.

Se puede ser, por consiguiente, poseedor regular y poseedor de mala fe, como viceversa, el poseedor de buena fe puede ser poseedor irregular.

Si el título es traslaticio de dominio, es también necesaria la tradición.

La posesión de una cosa, a ciencia y paciencia del que se obligó a entregarla, hará presumir la tradición, a menos que ésta haya debido efectuarse por la inscripción del título.

Arts. 2526 y 2528 C.C.; Arts. 1-9 L. 1183 de 2008.

Artículo 765. El justo título es constitutivo o traslaticio de dominio. Son constitutivos de dominio la ocupación, la accesión y la prescripción.

Son traslaticios de dominio los que por su naturaleza sirven para transferirlo, como la venta, la permuta, la donación entre vivos. Pertenecen a esta clase las sentencias de adjudicación en juicios divisorios y los actos legales de partición.

Las sentencias judiciales sobre derechos litigiosos no forman nuevo título para legitimar la posesión.

Las transacciones en cuanto se limitan a reconocer o declarar derechos preexistentes no forman un nuevo título; pero en cuanto transfieren la propiedad de un objeto no disputado constituyen un título nuevo.

Arts. 1849, 1995 C.C.

Artículo 766. No es justo título:

1°. El falsificado, esto es, no otorgado realmente por la persona que se pretende.

2°. El conferido por una persona en calidad de mandatario o representante legal de otra, sin serlo.

3°. El que adolece de un vicio de nulidad, como la enajenación, que debiendo ser autorizada por un representante legal o por decreto judicial, no lo ha sido.

4°. El meramente putativo, como el del heredero aparente que no es en realidad heredero; el del legatario, cuyo legado ha sido revocado por un acto testamentario posterior, etc.

[Inc. Derogado Art. 626 C.G.P.]

Artículo 767. La validación del título que en su principio fue nulo, efectuada por la ratificación, o por otro medio legal, se retrotrae a la fecha en que fue conferido el título.

Artículo 768. La buena fe es la conciencia de haberse adquirido el dominio de la cosa por medios legítimos exentos de fraudes y de todo otro vicio.

Así, en los títulos traslaticios de dominio, la buena fe supone la persuasión de haberse recibido la cosa de quien tenía la facultad de enajenarla y de no haber habido fraude ni otro vicio en el acto o contrato.

Un justo error en materia de hecho, no se opone a la buena fe.

Pero el error, en materia de derecho, constituye una presunción de mala fe, que no admite prueba en contrario[*].

[*] Véase L. 1448 de 2011 sobre restitución de tierras, especialmente Arts. 5°, 76 y ss.

Exeq. C-544 de 1994: «*Declárense EXEQUIBLES las siguientes disposiciones del Código Civil: (...) El inciso final del artículo 768, que dice: "Pero el error en materia de derecho, constituye una presunción de mala fe, que no admite prueba en contrario"*».

Artículo 769. La buena fe se presume, excepto en los casos en que la ley establece la presunción contraria.

En todos los otros, la mala fe deberá probarse.

Exeq. C-540 de 1995: «*Declárase EXEQUIBLE el artículo 769 del Código Civil*».
Art. 66 C.C.

Artículo 770. Posesión irregular es la que carece de uno o más de los requisitos señalados en el artículo 764.

Artículo 771. Son posesiones viciosas la violenta y la clandestina.

Art. 984 C.C.

Artículo 772. Posesión violenta es la que se adquiere por la fuerza.
La fuerza puede ser actual o inminente.

Artículo 773. El que en ausencia del dueño se apodera de la cosa y volviendo el dueño le repele es también poseedor violento.

Artículo 774. Existe el vicio de violencia, sea que se haya empleado contra el verdadero dueño de la cosa, o contra el que la poseía sin serlo, o contra el que la tenía en lugar o a nombre de otro.
Lo mismo es que la violencia se ejecute por una persona o por sus agentes, y que se ejecute con su consentimiento, o que después de ejecutada se ratifique expresa o tácitamente.
Posesión clandestina es la que se ejerce ocultándola a los que tienen derecho para oponerse a ella.

Art. 984 C.C.

Artículo 775. Se llama mera tenencia la que se ejerce sobre una cosa, no como dueño, sino en lugar o a nombre del dueño. El acreedor prendario[*], el secuestre, el usufructuario, el usuario, el que tiene derecho de habitación, son meros tenedores de la cosa empeñada, secuestrada o cuyo usufructo, uso o habitación les pertenece.
Lo dicho se aplica generalmente a todo el que tiene una cosa reconociendo dominio ajeno.

[*] Art. 3 L. 1676 de 2013.

Artículo 776. La posesión de las cosas incorporales es susceptible de las mismas calidades y vicios que la posesión de una cosa corporal.

Arts. 663, 664 y 670 C.C.

Artículo 777. El simple lapso de tiempo no muda la mera tenencia en posesión.

Artículo 778. Sea que se suceda a título universal o singular, la posesión del sucesor principia en él; a menos que quiera añadir la de su antecesor a la suya; pero en tal caso se la apropia con sus calidades y vicios.

Podrá agregarse, en los mismos términos, a la posesión propia la de una serie no interrumpida de antecesores.

Art. 1008 C.C.

Artículo 779. Cada uno de los partícipes de una cosa que se poseía proindiviso, se entenderá haber poseído exclusivamente la parte que por la división le cupiere, durante todo el tiempo que duró la indivisión.

Podrá, pues, añadir este tiempo al de su posesión exclusiva y las enajenaciones que haya hecho por sí solo de la cosa común, y los derechos reales con que la haya gravado, subsistirán sobre dicha parte si hubiere sido comprendida en la enajenación o gravamen.

Pero si lo enajenado o gravado se extendiere a más, no subsistirá la enajenación o gravamen, contra la voluntad de los respectivos adjudicatarios.

Arts. 1401 y 2442 C.C.

Artículo 780. Si se ha empezado a poseer a nombre propio, se presume que esta posesión ha continuado hasta el momento en que se alega.

Si se ha empezado a poseer a nombre ajeno, se presume igualmente la continuación del mismo orden de cosas.

Si alguien prueba haber poseído anteriormente, y posee actualmente, se presume la posesión en el tiempo intermedio.

Arts. 66, 792 y 2523 C.C.

Artículo 781. La posesión puede tomarse no solo por el que trata de adquirirla para sí, sino por su mandatario o por sus representantes legales.

Arts. 1505-1507 C.C.

CAPÍTULO 2° De los modos de adquirir y perder la posesión

Artículo 782. Si una persona toma la posesión de una cosa, en lugar o a nombre de otra de quien es mandatario o representante legal, la posesión del mandante o representado principia en el mismo acto, aun sin su conocimiento.

Si el que toma la posesión a nombre de otra persona, no es su mandatario ni representante, no poseerá ésta sino en virtud de su conocimiento y aceptación; pero se retrotraerá su posesión al momento en que fue tomada a su nombre.

Arts. 1505 y 1506 C.C.

Artículo 783. La posesión de la herencia se adquiere desde el momento en que es deferida, aunque el heredero lo ignore.

El que válidamente repudia una herencia, se entiende no haberla poseído jamás.

Arts. 757 y 1013 C.C.

Artículo 784. Los que no pueden administrar libremente lo suyo, no necesitan de autorización alguna para adquirir la posesión de una cosa mueble, con tal que concurran en ello la voluntad y la aprehensión material o legal; pero no pueden ejercer los derechos de poseedores, sino con la autorización que competa.

Los dementes[*] y los infantes son incapaces de adquirir por su voluntad la posesión, sea para sí mismos, o para otros.

[*] Par. Art. 2 L. 1306 de 2009: *«El término "demente" que aparece actualmente en las demás leyes se entenderá sustituido por "persona con discapacidad mental" y en la valoración de sus actos se aplicará lo dispuesto por la presente Ley, en lo pertinente».*

Artículo 785. Si la cosa es de aquellas cuya tradición deba hacerse por inscripción en el registro de instrumentos públicos, nadie podrá adquirir la posesión de ellas (sic) sino por este medio.

Arts. 759, 789, 980 y 2526 C.C.

Artículo 786. El poseedor conserva la posesión, aunque transfiera la tenencia de la cosa, dándola en arriendo, comodato, prenda[*], depósito, usufructo, o cualquiera otro título no traslaticio de dominio.

[*] Art. 3 L. 1676 de 2013.

Artículo 787. Se deja de poseer una cosa desde que otro se apodera de ella, con ánimo de hacerla suya; menos en los casos que las leyes expresamente exceptúan.

Arts. 957 y 2526 C.C.

Artículo 788. La posesión de la cosa mueble no se entiende perdida mientras se halla bajo el poder del poseedor, aunque éste ignore accidentalmente su paradero.

Artículo 789. Para que cese la posesión inscrita, es necesario que la inscripción se cancele, sea por voluntad de las partes, o por una nueva inscripción en que el poseedor inscrito transfiere su derecho a otro o por decreto judicial.

Mientras subsista la inscripción, el que se apodera de la cosa a que se refiere el título inscrito, no adquiere posesión de ella, ni pone fin a la posesión existente.

Arts. 756, 980 y 2526 C.C.

Artículo 790. Si alguien, pretendiéndose dueño, se apodera violenta o clandestinamente de un inmueble cuyo título no está inscrito, el que tenía la posesión la pierde.

Arts. 772 y 774 C.C.

Artículo 791. Si el que tiene la cosa en lugar y a nombre de otro, la usurpa, dándose por dueño de ella, no se pierde, por una parte, la posesión, ni se adquiere por otra, a menos que el usurpador enajene a su propio nombre la cosa. En este caso la persona a quien se enajena adquiere la posesión de la cosa, y pone fin a la posesión anterior.

Con todo, si el que tiene la cosa en lugar y a nombre de un poseedor inscrito, se da por dueño de ella y la enajena, no se pierde, por una parte, la posesión, ni se adquiere por otra, sin la competente inscripción.

Artículo 792. El que recupera legalmente la posesión perdida se entenderá haberla tenido durante todo el tiempo intermedio.

Arts. 780, 864 y 2523 C.C.

TÍTULO 8° De las limitaciones del dominio y primeramente de la propiedad fiduciaria

Artículo 793. El dominio puede ser limitado de varios modos:

1°. Por haber de pasar a otra persona en virtud de una condición.

2°. Por el gravamen de un usufructo, uso o habitación a que una persona tenga derecho en las cosas que pertenecen a otra.

3°. Por las servidumbres.

Art. 669, 823, 870, 879 y 1530 C.C.

Artículo 794. Se llama propiedad fiduciaria la que está sujeta al gravamen de pasar a otra persona por el hecho de verificarse una condición.

La constitución de la propiedad fiduciaria se llama fideicomiso. Este nombre se da también a la cosa constituida en propiedad fiduciaria. La traslación de la propiedad a la persona en cuyo favor se ha constituido el fideicomiso, se llama restitución.

Arts. 1226-1244 C.Co.

Artículo 795. No puede constituirse fideicomiso sino sobre la totalidad de una herencia o sobre una cuota determinada de ella, o sobre uno o más cuerpos ciertos.

Artículo 796. Los fideicomisos no pueden constituirse sino por acto entre vivos otorgado en instrumento público, o por acto testamentario.

La constitución de todo fideicomiso que comprenda o afecte un inmueble, deberá inscribirse en el competente registro.

Arts. 756, 1308, 1500 y 1760 C.C.

Artículo 797. Una misma propiedad puede constituirse a la vez en usufructo a favor de una persona, y en fideicomiso en favor de otra.

Art. 823 C.C.

Artículo 798. El fideicomisario puede ser persona que al tiempo de deferirse la propiedad fiduciaria no existe, pero se espera que exista.

Artículo 799. El fideicomiso supone siempre la condición expresa o tácita de existir el fideicomisario o su sustituto, a la época de la restitución.

A esta condición de existencia, pueden agregarse otras copulativa o disyuntivamente.

Art. 821 C.C.

Artículo 800. Toda condición de que penda la restitución de un fideicomiso, y que tarde más de treinta años en cumplirse, se tendrá por fallida, a menos que la muerte del fiduciario sea el evento de que penda la restitución.

Estos treinta años se contarán desde la delación de la propiedad fiduciaria.

Art. 1539 C.C.

Artículo 801. Las disposiciones a día que no equivalgan a condición, según las reglas del título «de las asignaciones testamentarias», capítulo 3º, no constituyen fideicomiso.

Arts. 1138-1146 C.C.

Artículo 802. El que constituye un fideicomiso, puede nombrar no sólo uno sino dos o más fiduciarios, y dos o más fideicomisarios.

Artículo 803. El constituyente puede dar al fideicomisario los sustitutos que quiera para el caso que deje de existir antes de la restitución, por fallecimiento u otra causa.

Estas sustituciones pueden ser de diferentes grados, sustituyéndose una persona al fideicomisario nombrado en primer lugar, otra al primer sustituto, otra al segundo, etc.

Arts. 1215-1225 C.C.

Artículo 804. No se reconocerán otros sustitutos que los designados expresamente en el respectivo acto entre vivos o testamento.

Artículo 805. Se prohíbe constituir dos o más fideicomisos sucesivos, de manera que restituido el fideicomiso a una persona, lo adquiera ésta con el gravamen de restituirlo eventualmente a otra.

Si de hecho se constituyeren, adquirido el fideicomiso por uno de los fideicomisarios nombrados, se extinguirá para siempre la expectativa de los otros.

Artículo 806. Si se nombran uno o más fideicomisarios de primer grado, y cuya existencia haya de aguardarse en conformidad al artículo 798, se restituirá la totalidad del fideicomiso, en el debido tiempo, a los fideicomisarios que existan, y los otros entrarán al goce de él a medida que su cumpla, respecto de cada uno, la condición impuesta. Pero expirado el plazo prefijado en el artículo 800, no se dará lugar a ningún otro fideicomiso.

Artículo 807. Cuando en la constitución del fideicomiso no se designe expresamente el fiduciario, o cuando falte por cualquiera causa el fiduciario designado, estando todavía pendiente la condición, gozará fiduciariamente de la propiedad el mismo constituyente, si viviere, o sus herederos.

Artículo 808. Si se dispusiere que mientras pende la condición se reserven los frutos para la persona que en virtud de cumplirse o de faltar la condición, adquiera la propiedad absoluta, el que haya de administrar los bienes será un tenedor fiduciario, que solo tendrá las facultades de los curadores de bienes.

Artículo 809. Siendo dos o más los propietarios fiduciarios, habrá entre ellos derecho de acrecer, según lo dispuesto para el usufructo en el artículo 839.

Arts. 1206-1214 C.C.

Artículo 810. La propiedad fiduciaria puede enajenarse entre vivos, y transmitirse por causa de muerte, pero en uno y otro caso con el cargo de mantenerla indivisa, y sujeta al gravamen de restitución, bajo las mismas condiciones que antes.

No será, sin embargo, transmisible por testamento o abintestato, cuando el día fijado para la restitución es el de la muerte del fiduciario; y en este caso, si el fiduciario la enajena en vida, será siempre su muerte la que determine el día de la restitución.

Arts. 832 y 1142 C.C.

Artículo 811. Cuando el constituyente haya dado la propiedad fiduciaria a dos o más personas, según el artículo 802, o cuando los derechos de fiduciario se transfieran a dos o más personas, según el artículo precedente, podrá el juez, a petición de cualquiera de ellas, confiar la administración a aquella que diere mejores seguridades de conservación.

Artículo 812. Si una persona reuniere en sí el carácter de fiduciario de una cuota y dueño absoluto de otra, ejercerá sobre ambas los derechos de fiduciario, mientras la propiedad permanezca indivisa; pero podrá pedir la división.

Intervendrán en ella las personas designadas en el artículo 820.

Arts. 820 y 1374 C.C.

Artículo 813. El propietario fiduciario tiene sobre las especies que puede ser obligado a restituir, los derechos y cargas del usufructuario, con las modificaciones que en los siguientes artículos se expresan.

Artículo 814. No es obligado a prestar caución de conservación y restitución, sino en virtud de sentencia de juez, que así lo ordene como providencia conservatoria, impetrada de conformidad al artículo 820.

Arts. 65 y 820, 834 C.C.

Artículo 815. Es obligado a todas las expensas extraordinarias, para la conservación de la cosa, incluso el pago de las deudas y de las hipotecas a que estuviere afecta; pero llegado el caso de la restitución, tendrá derecho a que previamente se le reembolsen por el fideicomisario dichas expensas, reducidas a lo que con mediana inteligencia y cuidado debieron costar y con las rebajas que van a expresarse:

1. Si se han invertido en obras materiales, como diques, puentes, paredes, no se le reembolsará, en razón de estas obras, sino lo que valgan al tiempo de la restitución.

2. Si se han invertido en objetos inmateriales, como el pago de una hipoteca o las costas de un pleito que no hubiera podido dejar de sostenerse sin comprometer los derechos del fideicomisario, se rebajará de lo que haya costado estos objetos una vigésima parte, por cada año de los que desde entonces hubieren transcurrido hasta el día de la restitución; y si hubieren transcurrido más de veinte, nada se deberá por esta causa.

Arts. 66 y 965 C.C.

Artículo 816. En cuanto a la imposición de hipotecas, servidumbres o cualquiera otro gravamen, los bienes que fiduciariamente se posean se asimilarán a los bienes de la persona que vive bajo tutela o curaduría, y las facultades del fiduciario a las del tutor o curador.

Impuestos dichos gravámenes sin previa autorización judicial, con conocimiento de causa y con audiencia de los que, según el artículo 820, tengan derecho para impetrar providencias conservatorias, no será obligado el fideicomisario a reconocerlos.

Artículo 817. Por lo demás, el fiduciario tiene la libre administración de las especies comprendidas en el fideicomiso, y podrá mudar su forma, pero conservando su integridad y valor. Será responsable de los menoscabos y deterioros que provengan de su hecho o culpa.

Artículo 818. El fiduciario no tendrá derecho a reclamar cosa alguna en razón de mejoras no necesarias, salvo en cuanto lo haya pactado con el fideicomisario a quien se haga la restitución; pero podrá oponer en compensación el aumento de valor que las mejoras hayan producido en las especies, hasta concurrencia de la indemnización que debiere.

Arts. 860, 965 y 967 C.C.

Artículo 819. Si por la constitución del fideicomiso se concede expresamente al fiduciario el derecho de gozar de la propiedad a su arbitrio, no será responsable de ningún deterioro.

Si se le concede, además, la libre disposición de la propiedad, el fideicomisario tendrá sólo el derecho de reclamar lo que exista al tiempo de la restitución.

Artículo 820. El fideicomisario, mientras pende la condición, no tiene derecho ninguno sobre el fideicomiso, sino la simple expectativa de adquirirlo.

Podrá, sin embargo, impetrar las providencias conservatorias que le convengan, si la propiedad pareciere peligrar o deteriorarse en manos del fiduciario.

Tendrán el mismo derecho los ascendientes [*legítimos*] del fideicomisario que todavía no existe y cuya existencia se espera, y los personeros o representantes de las corporaciones y fundaciones interesadas.

Inexeq. C-046 de 2017: «Declarar INEXEQUIBLE la expresión "legítimos", contenida en el inciso tercero del artículo 820 del Código Civil».

Artículo 821. El fideicomisario que fallece antes de la restitución, no trasmite por testamento o abintestato derecho alguno sobre fideicomiso, ni aun la simple expectativa que pasa ipso jure al sustituto o sustitutos designados por el constituyente, si los hubiere.

Arts. 799 y 1019 C.C.

Artículo 822. El fideicomiso se extingue:

1°. Por la restitución.

2°. Por la resolución del derecho de su autor, como cuando se ha constituido el fideicomiso sobre una cosa que se ha comprado con pacto de retrovendendo, y se verifica la retroventa.

3°. Por la destrucción de la cosa en que está constituido, conforme a lo prevenido respecto al usufructo en el artículo 866.

4°. Por la renuncia del fideicomisario antes del día de la restitución; sin perjuicio de los derechos de los sustitutos.

5°. Por faltar la condición o no haberse cumplido en tiempo hábil.

6°. Por confundirse la calidad de único fideicomisario con la de único fiduciario.

Arts. 794, 1724 y 1939-1943 C.C.

TÍTULO 9° Del derecho de usufructo

Artículo 823. El derecho de usufructo es un derecho real que consiste en la facultad de gozar de una cosa con cargo de conservar su forma y sustancia, y de restituir a su dueño, si la cosa no es fungible; o con cargo de volver igual cantidad y calidad del mismo género, o de pagar su valor si la cosa es fungible.

Arts. 663, 665, 775 y 848 C.C.

Artículo 824. El usufructo supone necesariamente dos derechos coexistentes: el del nudo propietario, y el del usufructuario. Tiene, por consiguiente, una duración limitada, al cabo de la cual pasa al nudo propietario y se consolida con la propiedad.

Arts. 669, 793 y 950 C.C.

Artículo 825. El derecho de usufructo se puede constituir de varios modos:

1°. Por la ley, como el del padre de familia, sobre ciertos bienes del hijo.

2°. Por testamento.

3°. Por donación, venta u otro acto entre vivos.

4°. Se puede también adquirir un usufructo por prescripción.

Art. 291 C.C.

Artículo 826. El usufructo que haya de recaer sobre inmuebles por acto entre vivos, no valdrá si no se otorgare por instrumento público inscrito.

Art. 656 C.C.

Artículo 827. Se prohíbe constituir usufructo alguno bajo una condición o a un plazo cualquiera que suspenda su ejercicio. Si de hecho se constituyere, no tendrá valor alguno.

Con todo, si el usufructo se constituye por testamento, y la condición se hubiere cumplido, o el plazo hubiere expirado antes del fallecimiento del testador, valdrá el usufructo.

Artículo 828. Se prohíbe constituir dos o más usufructos sucesivos o alternativos. Si de hecho se constituyeren, los usufructuarios posteriores se considerarán como sustitutos, para el caso de faltar los anteriores, antes de deferirse el primer usufructo.

El primer usufructo que tenga efecto hará caducar los otros; pero no durará sino por el tiempo que le estuviere designado.

Art. 31 L. 153 de 1887.

Artículo 829. El usufructo podrá constituirse por tiempo determinado o por toda la vida del usufructuario.

Cuando en la constitución del usufructo no se fija tiempo alguno para su duración, se entenderá constituido por toda la vida del usufructuario.

El usufructo, constituido a favor de una corporación o fundación cualquiera, no podrá pasar de treinta años.

Artículo 830. Al usufructo constituido por tiempo determinado, o por toda la vida del usufructuario, según los artículos precedentes, podrá agregarse una condición, verificada la cual, se consolide con la propiedad. Si la condición no es cumplida antes de la expiración de dicho tiempo, o antes de la muerte del usufructuario, según los casos, se mirará como no escrita.

Art. 824, 1536 y 1537 C.C.

Artículo 831. Se puede constituir un usufructo a favor de dos, o más personas que lo tengan simultáneamente, por igual, o según las cuotas determinadas por el constituyente, y podrán en este caso los usufructuarios dividir entre sí el usufructo, de cualquier modo que de común acuerdo les pareciere.

Art. 839 C.C.

Artículo 832. La nuda propiedad puede transferirse por acto entre vivos, y transmitirse por causa de muerte.

El usufructo es intransmisible por testamento o abintestato.

Arts. 865 y 839 C.C.; Art. 97 L. 300 de 1996

Artículo 833. El usufructuario es obligado a recibir la cosa fructuaria en el estado en que al tiempo de la delación se encuentre, y tendrá derecho para ser indemnizado de todo menoscabo o deterioro que la cosa haya sufrido desde entonces, en poder y por culpa del propietario.

Artículo 834. El usufructuario no podrá tener la cosa fructuaria sin haber prestado caución suficiente de conservación y restitución, y sin previo inventario solemne a su costa, como el de los curadores de bienes.

Pero tanto el que constituye el usufructo como el propietario, podrán exonerar e la caución al usufructuario.

Ni es obligado a ella el donante que se reserva el usufructo de la cosa donada.

La caución del usufructuario de cosas fungibles se reducirá a la obligación de restituir otras tantas del mismo género y calidad, o el valor que tuvieren al tiempo de la restitución.

Arts. 65, 293, 297, 814 y 1198 C.C.

Artículo 835. Mientras el usufructuario no rinda la caución a que es obligado, y se termine el inventario, tendrá el propietario la administración con cargo de dar el valor líquido de los frutos al usufructuario.

Artículo 836. Si el usufructuario no rinde la caución a que es obligado, dentro de un plazo equitativo, señalado por el juez, a instancia del propietario, se adjudicará la administración a éste, con cargo de pagar al usufructuario el valor líquido de los frutos, deducida la suma que el juez prefijare por el trabajo y cuidado de la administración.

Podrá en el mismo caso tomar en arriendo la cosa fructuaria, o tomar prestados a interés los dineros fructuarios, de acuerdo con el usufructuario. Podrá también, de acuerdo con el usufructuario, arrendar la cosa fructuaria, y dar los dineros a interés.

Podrá también, de acuerdo con el usufructuario, comprar o vender las cosas fungibles, y tomar o dar prestados a interés los dineros que de ello provengan.

Los muebles comprendidos en el usufructo, que fueren necesarios para el uso personal del usufructuario o de su familia, le serán entregados bajo juramento de restituir las especies o sus respectivos valores, tomándose en cuenta el deterioro proveniente del tiempo y del uso legítimo.

El usufructuario podrá, en todo tiempo, reclamar la administración, prestando la caución a que es obligado.

Artículo 837. El propietario cuidará de que se haga el inventario con la debida especificación, y no podrá después tacharlo de inexacto o de incompleto.

Artículo 838. No es lícito al propietario hacer cosa alguna que perjudique al usufructuario en el ejercicio de sus derechos, a no ser con el consentimiento formal del usufructuario.

Si quiere hacer reparaciones necesarias, podrá el usufructuario exigir que se hagan en un tiempo razonable y con el menor perjuicio posible del usufructo.

Si transfiere o transmite la propiedad, será con la carga del usufructo constituido en ella, aunque no lo exprese.

Artículo 839. Siendo dos o más los usufructuarios, habrá entre ellos el derecho de acrecer, y durará la totalidad del usufructo hasta la expiración del derecho del último de los usufructuarios.

Lo cual se entiende si el constituyente no hubiere dispuesto que terminado un usufructo parcial, se consolide con la propiedad.

Art. 1206 C.C.

Artículo 840. El usufructuario de una cosa inmueble tiene el derecho de percibir todos los frutos naturales, inclusos los pendientes al tiempo de deferirse el usufructo.

Recíprocamente, los frutos que aún estén pendientes a la terminación del usufructo, pertenecerán al propietario.

Art. 714 y 715 C.C.

Artículo 841. El usufructuario de una heredad goza de todas las servidumbres activas, constituidas a favor de ella, y está sujeto a todas las servidumbres pasivas constituidas en ella.

Art. 880 C.C.

Artículo 842. El goce del usufructuario de una heredad se extiende a los bosques y arbolados, pero con el cargo de conservarlos en su ser, reponiendo los árboles que derribe, y respondiendo de su menoscabo, en cuanto no dependa de causas naturales o accidentes fortuitos.

Artículo 843. Si la cosa fructuaria comprende minas y canteras en actual laboreo, podrá el usufructuario aprovecharse de ellas, y no será responsable de la disminución de productos que a consecuencia sobrevenga, con tal que la mina o cantera no se inutilice o desmejore por culpa suya.

Art. 861 C.C.

Artículo 844. El usufructo de una heredad se extiende a los aumentos que ella reciba por aluvión o por otras accesiones naturales.

Artículo 845. El usufructuario no tiene sobre los tesoros que se descubran en el suelo que usufructúa, el derecho que la ley concede al propietario del suelo.

Arts. 700 y 701 C.C.

Artículo 846. El usufructuario de cosa mueble tiene el derecho de servirse de ella según su naturaleza y destino; y al fin del usufructo no es obligado a restituirla sino en el estado en que se halle respondiendo solamente de aquellas pérdidas o deterioros que provengan de su dolo o culpa.

Artículo 847. El usufructuario de ganados o rebaños es obligado a reponer los animales que mueren o se pierden, pero sólo con el incremento natural de los mismos ganados o rebaños, salvo que la muerte o pérdida fueren imputables a su hecho o culpa, pues en este caso deberá indemnizar al propietario. Si el ganado o rebaño perece del todo o en gran parte por efecto de una epidemia u otro caso fortuito, el usufructuario no está obligado a reponer los animales perdidos, y cumplirá con entregar los despojos que hayan podido salvarse.

Artículo 848. Si el usufructo se constituye sobre cosas fungibles, el usufructuario se hace dueño de ellas, y el propietario se hace meramente acreedor a la entrega de otras especies de igual cantidad y calidad, o del valor que estas tengan al tiempo de terminarse el usufructo.

Art. 663 C.C.

Artículo 849. Los frutos civiles pertenecen al usufructuario día por día.

Art. 717 C.C.

Artículo 850. Lo dicho en los artículos precedentes se entenderá sin perjuicio de las convenciones que sobre la materia intervengan entre el nudo propietario y el usufructuario, o de las ventajas que en la constitución del usufructo se hayan concedido expresamente al nudo propietario o al usufructuario.

Art. 16 C.C.

Artículo 851. El usufructuario es obligado a respetar los arriendos de la cosa fructuaria, contratados por el propietario antes de constituirse el usufructo por acto entre vivos, o de fallecer la persona que lo ha constituido por testamento. Pero sucede en la percepción de la renta o pensión desde que principia el usufructo.

Art. 2020 C.C.

Artículo 852. El usufructuario puede dar en arriendo el usufructo y cederlo a quien quiera, a título oneroso o gratuito.

Cedido el usufructo a un tercero, el cedente permanece siempre directamente responsable al propietario.

Pero no podrá el usufructuario arrendar ni ceder su usufructo, si se lo hubiere prohibido el constituyente; a menos que el propietario le releve de la prohibición.

El usufructuario que contraviniere a esta disposición, perderá el derecho de usufructo.

Artículo 853. Aun cuando el usufructuario tenga la facultad de dar el usufructo en arriendo o cederlo a cualquier título, todos los contratos que al efecto haya celebrado se resolverán al fin del usufructo.

El propietario, sin embargo, concederá al arrendatario o cesionario el tiempo que necesite para la próxima percepción de frutos; y por ese tiempo quedará sustituido al usufructuario en el contrato.

Art. 2016 C.C.

Artículo 854. Corresponden al usufructuario todas las expensas ordinarias de conservación y cultivo.

Artículo 855. Serán de cargo del usufructuario las pensiones, cánones y, en general, las cargas periódicas con que de antemano haya sido gravada la cosa fructuaria, y que durante el usufructo se devenguen. No es lícito al nudo propietario imponer nuevas cargas sobre ella en perjuicio del usufructo.

Corresponde, asimismo, al usufructuario el pago de los impuestos periódicos fiscales y municipales, que la graven durante el usufructo, en cualquier tiempo que se hayan establecido.

Si por no hacer el usufructuario estos pagos los hiciere el propietario, o se enajenare o embargare la cosa fructuaria, deberá el primero indemnizar de todo perjuicio al segundo.

Arts. 1427 y 1796 C.C.

Artículo 856. Las obras o refacciones mayores, necesarias para la conservación de la cosa fructuaria, serán de cargo del propietario, pagándole el usufructuario, mientras dure el usufructo, el interés legal de los dineros invertidos en ellas.

El usufructuario hará saber al propietario las obras y refacciones mayores que exija la conservación de la cosa fructuaria. Si el propietario rehúsa o retarda el desempeño de estas cargas podrá el usufructuario, para libertar la cosa fructuaria y conservar su usufructo, hacerlas a su costa, y el propietario se las reembolsará sin interés.

Art. 1617 C.C.

Artículo 857. Se entiende por obras o refacciones mayores las que ocurren por una vez a largos intervalos de tiempo y que conciernen a la conservación y permanente utilidad de la cosa fructuaria.

Artículo 858. Si un edificio viene todo a tierra por vetustez o por caso fortuito, ni el propietario ni el usufructuario son obligados a reponerlo.

Artículo 859. El usufructuario podrá retener la cosa fructuaria hasta el pago de los reembolsos e indemnizaciones a que, según los artículos precedentes, es obligado el propietario.

Art. 970 C.C.; Art. 310 C.G.P.; Art. 10 L. 95 de 1890.

Artículo 860. El usufructuario no tiene derecho a pedir cosa alguna por las mejoras que voluntariamente haya hecho en la cosa fructuaria; pero le será lícito alegarlas en compensación por el valor de los deterioros que se le puedan imputar, o llevarse los materiales, si puede separarlos sin detrimento de la cosa fructuaria, y el propietario no le abona lo que después de separados valdrían.

Lo cual se entiende sin perjuicio de las convenciones que hayan intervenido entre el usufructuario y el propietario, relativamente a mejoras, o de lo que sobre esta materia se haya previsto en la constitución del usufructo.

Artículo 861. El usufructuario es responsable no sólo de sus propios hechos u omisiones, sino de los hechos ajenos a que su negligencia haya dado lugar.

Por consiguiente, es responsable de las servidumbres que por su tolerancia haya dejado adquirir sobre el predio fructuario, y del perjuicio que las usurpaciones cometidas en la cosa fructuaria hayan inferido al dueño, si no las ha denunciado al propietario oportunamente, pudiendo.

Art. 63 C.C.

Artículo 862. Los acreedores del usufructuario pueden pedir que se le embargue el usufructo, y se les pague con él hasta concurrencia de sus créditos, prestando la competente caución de conservación y restitución a quien corresponda.

Podrán, por consiguiente, oponerse a toda cesión o renuncia del usufructo hecha con fraude de sus derechos.

Art. 2491 C.C.

Artículo 863. El usufructo se extingue generalmente por la llegada del día, o el evento de la condición prefijados para su terminación. Si el usufructo se ha constituido hasta que una persona distinta del usufructuario llegue a cierta edad, y esa persona fallece antes, durará, sin embargo, el usufructo hasta el día en que esa persona hubiera cumplido esa edad, si hubiese vivido.

Art. 1536 C.C.

Artículo 864. En la duración legal del usufructo se cuenta aún el tiempo en que el usufructuario no ha gozado de él, por ignorancia o despojo, o cualquiera otra causa.

Art. 792 C.C.

Artículo 865. El usufructo se extingue también:

Por la muerte natural del usufructuario, aunque ocurra antes del día o condición prefijados para su terminación.

Por la resolución del derecho del constituyente, como cuando se ha constituido sobre una propiedad fiduciaria, y llega el caso de la restitución.

Por consolidación del usufructo con la propiedad.

Por prescripción.

Por la renuncia del usufructuario.

Artículo 866. El usufructo se extingue por la destrucción completa de la cosa fructuaria; si sólo se destruye una parte, subsiste el usufructo en lo restante.

Si todo el usufructo está reducido a un edificio, cesará para siempre por la destrucción completa de este, y el usufructuario no conservará derecho alguno sobre el suelo.

Pero si el edificio destruido pertenece a una heredad, el usufructuario de esta conservará su derecho sobre toda ella.

Artículo 867. Si una heredad fructuaria es inundada, y se retiran después las aguas, revivirá el usufructo por el tiempo que falte para su terminación.

Arts. 723, 2522 y 2523 C.C.

Artículo 868. El usufructo termina, en fin, por sentencia del Juez que, a instancia del propietario, lo declara extinguido por haber faltado el usufructuario a sus obligaciones en materia grave, o por haber causado daños o deterioros considerables a la cosa fructuaria.

El juez, según la gravedad del caso, podrá ordenar, o que cese absolutamente el usufructo, o que vuelva al propietario la cosa fructuaria, con cargo de pagar al fructuario una pensión anual determinada, hasta la terminación del usufructo.

Artículo 869. El usufructo legal del padre de familia sobre ciertos bienes del hijo, y el del marido, como administrador de la sociedad conyugal, en los bienes de la mujer, están sujetos a las reglas especiales del título «De la patria potestad», y del título «De la sociedad conyugal».

Arts. 1-10 L. 28 de 1932.

TÍTULO 10° Derechos de uso y habitación

Artículo 870. El derecho de uso es derecho real que consiste, generalmente, en la facultad de gozar de una parte limitada de las utilidades y productos de una cosa.

Si se refiere a una casa, y a la utilidad de morar en ella, se llama derecho de habitación.

Arts. 655 y 755 C.C.

Artículo 871. Los derechos de uso y habitación se constituyen y pierden de la misma manera que el usufructo.

Arts. 756, 825-832 y 863-866 C.C.

Artículo 872. Ni el usuario ni el habitador estarán obligados a prestar caución. Pero el habitador es obligado a inventario; y la misma obligación se extenderá al usuario, si el uso se constituye sobre cosas que deban restituirse en especie.

Artículo 873. La extensión en que se concede el derecho de uso o de habitación, se determina por el título que lo constituye y a falta de esta determinación en el título, se regla por los artículos siguientes.

Artículo 874. El uso y la habitación se limitan a las necesidades personales del usuario o del habitador.

En las necesidades personales del usuario o del habitador se comprenden las de su familia.

La familia comprende la mujer y los hijos; tanto los que existen al momento de la constitución, como los que sobrevienen después, y esto aun cuando el usuario o habitador no esté casado, ni haya reconocido hijo alguno a la fecha de la constitución.

Comprende, asimismo, el número de [*sirvientes*]^(*) necesarios para la familia.

^(*) C-1235 de 2005: «*Declarar INEXEQUIBLE las expresiones "amos", "criados" y "sirvientes" incluidas en el artículo 2349 del Código Civil, las que se sustituyen por las expresiones "empleadores" y "trabajadores", "respectivamente"*».

Artículo 875. En las necesidades personales del usuario o del habitador no se comprenden las de la industria o tráfico en que se ocupa.

Así, el usuario de animales no podrá emplearlos en el acarreo de los objetos en que trafica, ni el habitador servirse de la casa para tiendas o almacenes.

A menos que la cosa en que se concede el derecho, por su naturaleza y uso ordinario y por su relación con la profesión o industria del que ha de ejercerlo, aparezca destinada a servirle en ellas.

Artículo 876. El usuario de una heredad tiene solamente derecho a los objetos comunes de alimentación y combustible, no a los de una calidad superior; y está obligado a recibirlos del dueño, o a tomarlos con su permiso.

Artículo 877. El usuario y el habitador deben usar de los objetos comprendidos en sus respectivos derechos, con la moderación y cuidados propios de un buen padre de familia; y están obligados a contribuir a las expensas ordinarias de conservación y cultivo, a prorrata del beneficio que reporten.

Esta última obligación no se extiende al uso o a la habitación que se dan caritativamente a las personas necesitadas.

Artículo 878. Los derechos de uso y habitación son intransmisibles a los herederos, y no pueden cederse a ningún título, prestarse ni arrendarse.

Ni el usuario ni el habitador pueden arrendar, prestar o enajenar objeto alguno de aquéllos a que se extiende el ejercicio de su derecho.

Pero bien pueden dar los frutos que les es lícito consumir en sus necesidades personales.

Art. 819, 852, 1677 y 1974 C.C.

TÍTULO 11° De las servidumbres

Artículo 879. Servidumbre predial o simple servidumbre, es un gravamen impuesto sobre un predio, en utilidad de otro predio de distinto dueño.

Art. 106 Dec. 2811 de 1974.

Artículo 880. Se llama predio sirviente el que sufre el gravamen, y predio dominante el que reporta la utilidad.

Con respecto al predio dominante, la servidumbre se llama activa, y con respecto al predio sirviente, se llama pasiva.

Art. 665 C.C.

Artículo 881. Servidumbre continua es la que se ejerce o se puede ejercer continuamente, sin necesidad de un hecho actual del hombre, como la servidumbre de acueducto por un canal artificial que pertenece al predio dominante; y servidumbre discontinua la que se ejerce a intervalos más o menos largos de tiempo y supone un hecho actual del hombre, como la servidumbre de tránsito.

Art. 939 C.C.

Artículo 882. Servidumbre positiva; es, en general, la que sólo impone al dueño del predio sirviente la obligación de dejar hacer, como cualquiera de las dos anteriores; y negativa, la que impone al dueño del predio sirviente la prohibición de hacer algo, que sin la servidumbre le sería lícito, como la de no poder elevar sus paredes sino a cierta altura.

Las servidumbres positivas imponen a veces al dueño del predio sirviente la obligación de hacer algo, como la del artículo 900.

Servidumbre aparente es la que está continuamente a la vista, como la del tránsito, cuando se hace por una senda o por una puerta especialmente destinada a él; e inaparente la que no se conoce por una señal exterior, como la misma de tránsito, cuando carece de estas dos circunstancias y de otras análogas.

Artículo 883. Las servidumbres son inseparables del predio a que activa o pasivamente pertenecen.

Artículo 884. Dividido el predio sirviente no varía la servidumbre que estaba constituida en él, y deben sufrirla aquél o aquéllos a quienes toque la parte en que se ejercía.

Así, los nuevos dueños del predio que goza de una servidumbre de tránsito, no pueden exigir que se altere la dirección, forma, calidad o anchura de la senda o camino destinado a ella.

Art. 890 C.C.

Artículo 885. El que tiene derecho a una servidumbre, lo tiene igualmente a los medios necesarios para ejercerla. Así, el que tiene derecho de sacar agua de una fuente, situada en la heredad vecina, tiene el derecho de tránsito para ir a ella, aunque no se haya establecido expresamente en el título.

Art. 924 C.C.

Artículo 886. El que goza de una servidumbre puede hacer las obras indispensables para ejercerla; pero serán a su costa, si no se ha establecido lo contrario; y aun cuando el dueño del predio sirviente se haya obligado a hacerlas o repararlas, le será lícito exonerarse de la obligación, abandonando la parte del predio en que deban hacerse o conservarse las obras.

Artículo 887. El dueño del predio sirviente no puede alterar, disminuir, ni hacer más incómoda para el predio dominante la servidumbre con que está gravado el suyo.

Con todo, si por el transcurso del tiempo llegare a serle más oneroso el modo primitivo de la servidumbre, podrá proponer que se varíe a su costa; y si las variaciones no perjudican al predio dominante, deberán ser aceptadas.

Artículo 888. Las servidumbres, o son naturales, que provienen de la natural situación de los lugares, o legales, que son impuestas por la ley, o voluntarias, que son constituidas por un hecho del hombre.

Artículo 889. Las disposiciones de este título se entenderán sin perjuicio de lo estatuido sobre servidumbres en el Código de Policía o en otras leyes.

Artículo 890. Dividido el predio dominante, cada uno de los nuevos dueños gozará de la servidumbre, pero sin aumentar el gravamen del predio sirviente.

Art. 884 C.C.

CAPÍTULO 1° De las servidumbres naturales

Artículo 891. El predio inferior está sujeto a recibir las aguas que descienden del predio superior naturalmente, es decir, sin que la mano del hombre contribuya a ello.

No se puede, por consiguiente, dirigir un albañal o acequia sobre el predio vecino, si no se ha constituido esta servidumbre especial.

En el predio servil no se puede hacer cosa alguna que estorbe la servidumbre natural, ni *(sic)* el predio dominante, que la grave.

Arts. 887, 919 y 936 C.C.; Arts. 32 y 33 L. 153 de 1887; Arts. 108, 109 y 110 Dec. 2811 de 1974.

Artículo 892. El dueño de una heredad puede hacer de las aguas que corren naturalmente por ellas, aunque no sean de su dominio privado, el uso conveniente para los menesteres domésticos, para el riesgo de la misma heredad, para dar movimiento a sus molinos u otras máquinas y abrevar sus animales.

Pero aunque el dueño pueda servirse de dichas aguas, deberá hacer volver el sobrante al acostumbrado cauce a la salida del fundo.

Art. 677 C.C.; Arts. 86 y 87 Dec. 2811 de 1974.

Artículo 893. El uso que el dueño de una heredad puede hacer de las aguas que corren por ella, se limita:

1°. En cuanto el dueño de la heredad inferior haya adquirido por prescripción u otro título, el derecho de servirse de las mismas aguas; la prescripción, en este caso, será de ocho años, contados como para la adquisición del dominio, y correrá desde que se hayan constituido obras aparentes, destinadas a facilitar o dirigir el descenso de las aguas en la heredad inferior.

2°. En cuanto contraviniere a las leyes y ordenanzas que provean al beneficio de la navegación o flote, o reglen la distribución de las aguas entre los propietarios riberanos.

3°. Cuando las aguas fueren necesarias para los menesteres domésticos de los habitantes de un pueblo vecino; pero en este caso se dejará una parte a la heredad, y se la indemnizará de todo perjuicio inmediato.

Si la indemnización no se ajusta de común acuerdo, podrá el pueblo pedir la expropiación del uso de las aguas en la parte que corresponda.

Arts. 86, 87, 132, 133 y 137 Dec. 2811 de 1974.

Artículo 894. El uso de las aguas que corren por entre dos heredades corresponde en común a los dos riberanos, con las mismas limitaciones, y será reglado, en caso de disputa, por la autoridad competente, tomándose en consideración los derechos adquiridos por prescripción u otro título, como en el caso del artículo precedente, número 1°.

Artículo 895. Las aguas que corren por un cauce artificial, construido a expensa ajena, pertenecen exclusivamente al que, con los requisitos legales, haya construido el cauce.

Artículo 896. El dueño de un predio puede servirse, como quiera, de las aguas lluvias que corren por un camino público y torcer su curso para servirse de ellas. Ninguna prescripción puede privarle de este uso.

Arts. 143, 144 y 145 Dec. 1541 de 1978.

CAPÍTULO 2° De las servidumbres legales

Artículo 897. Las servidumbres legales son relativas al uso público, o a la utilidad de los particulares.

Las servidumbres legales, relativas al uso público, son:

El uso de las riberas en cuanto sea necesario para la navegación o flote.

Y las demás determinadas por las leyes respectivas.

Artículo 898. Los dueños de las riberas serán obligados a dejar libre el espacio necesario para la navegación o flote a la sirga, y tolerarán que los navegantes saquen sus barcas y balsas a tierra, las aseguren a los árboles, las carmenen, saquen sus velas, compren los efectos que libremente quieran vendérseles, y vendan a los riberanos los suyos; pero sin permiso del respectivo riberano y de la autoridad local no podrán establecer ventas públicas.

El propietario riberano no podrá cortar el árbol a que actualmente estuviere atada una nave, barca o balsa.

Art. 691 C.C.; Art. 118 Dec. 2811 de 1974.

Artículo 899. Las servidumbres legales de la segunda especie, son asimismo determinadas por las leyes sobre policía rural, con excepción de lo que aquí se dispone respecto de algunas de tales servidumbres.

Artículo 900. Todo dueño de un predio tiene derecho a que se fijen los límites que lo separan de los predios colindantes, y podrá exigir a los respectivos dueños que concurran a ello, haciéndose la demarcación a expensas comunes.

Arts. 882 y 916 C.C.

Artículo 901. Si se ha quitado de su lugar alguno de los mojones que deslindan predios comunes, el dueño del predio perjudicado tiene derecho para pedir que el que lo ha quitado lo reponga a su costa, y le indemnice de los daños que de la remoción se le hubieren originado, sin perjuicio de las penas con que las leyes castiguen el delito.

Artículo 902. El dueño de un predio tiene derecho para cerrarlo o cercarlo por todas partes, sin perjuicio de las servidumbres constituidas a favor de otros predios.

El cerramiento podrá consistir en paredes, fosos, cercas vivas o muertas.

Artículo 903. Si el dueño hace el cerramiento del predio a su costa y en su propio terreno, podrá hacerlo de la calidad y dimensiones que quiera. Y el propietario colindante no podrá servirse de la pared, foso o cerca para ningún objeto, a no ser que haya adquirido este derecho por título o por prescripción de ocho años contados como para la adquisición del dominio.

Artículo 904. El dueño de un predio podrá obligar a los dueños de los predios colindantes a que concurran a la construcción y reparación de cercas divisorias comunes.

El juez, en caso necesario, reglará el modo y forma de la concurrencia, de manera que no se imponga a ningún propietario un gravamen ruinoso.

La cerca divisoria, construida a expensas comunes, estará sujeta a la servidumbre de medianería.

Artículo 905. *Si un predio se halla destituido de [toda] comunicación con el camino público, por la interposición de otros predios, el dueño del primero* *tendrá derecho para imponer a los otros la servidumbre de tránsito en cuanto fuere indispensable para el uso y beneficio de su predio, pagando el valor del terreno necesario para la servidumbre, y resarciendo todo otro perjuicio.*

Exeq. Cond. C-544 de 2007: «*Declarar EXEQUIBLE el artículo 905 del Código Civil, por los cargos analizados en esta sentencia y en el entendido que se deben ponderar los derechos existentes sobre el predio dominante y sirviente*». Inexeq. C-544 de 2007: «*(...) salvo la expresión "toda" que se declara INEXEQUIBLE*».
Art. 1394 C.C.

Artículo 906. Si las partes no se convienen, se reglará por peritos tanto el importe de la indemnización como el ejercicio de la servidumbre.

Artículo 907. Si concedida la servidumbre de tránsito, en conformidad a los artículos precedentes, llega a no ser indispensable para el predio dominante, por la adquisición de terrenos que le dan un acceso cómodo al camino, o por otro medio, el dueño del predio sirviente tendrá derecho para pedir que se le exonere de la servidumbre, restituyendo lo que al establecer ésta se le hubiere pagado por el valor del terreno.

Artículo 908. Si se vende o permuta alguna parte de un predio, o si es adjudicada a cualquiera de los que lo poseían pro indiviso, y en consecuencia esta parte viene a quedar separada del camino, se entenderá concedida a favor de ella una servidumbre de tránsito, sin indemnización alguna.

Arts. 66, 1178 y 1394 C.C.

Artículo 909. La medianería es una servidumbre legal, en virtud de la cual los dueños de dos predios vecinos que tienen paredes, fosos o cercas divisorias comunes, están sujetos a las obligaciones recíprocas que van a expresarse.

Artículo 910. Existe el derecho de medianería para cada uno de los dos dueños colindantes, cuando consta, o por alguna señal aparece que han hecho el cerramiento de acuerdo y a expensas comunes.

Artículo 911. Toda pared de separación entre dos edificios se presume medianera, pero sólo en la parte en que fuere común a los edificios mismos.

Se presume medianero todo cerramiento entre corrales, jardines y campos, cuando cada una de las superficies contiguas esté cerrada por todos lados; si una sola está cerrada de este modo, se presume que el cerramiento le pertenece exclusivamente.

Art. 66 C.C.

Artículo 912. En todos los casos, y aun cuando conste que una cerca o pared divisoria pertenece exclusivamente a uno de los predios contiguos, el dueño del otro predio tendrá el derecho de hacerla medianería en todo o en parte, aun sin el consentimiento de su vecino, pagándole la mitad del valor del terreno en que está hecho el cerramiento, y la mitad del valor actual de la porción del cerramiento cuya medianería pretende.

Artículo 913. Cualquiera de los dos condueños que quiera servirse de pared medianera para edificar sobre ella, o hacerla sostener el peso de una construcción nueva, debe primero solicitar el consentimiento de su vecino, y si éste lo rehúsa, provocará un juicio práctico en que se dicten las medidas necesarias para que la nueva construcción no dañe al vecino.

En circunstancias ordinarias se entenderá que cualquiera de los condueños de una pared medianera puede edificar sobre ella, introduciendo maderos hasta la distancia de un decímetro de la superficie opuesta; y que si el vecino quisiere, por su parte, introducir maderos en el mismo paraje, o hacer una chimenea, tendrá el derecho de recortar los maderos de su vecino, hasta el medio de la pared, sin dislocarlos.

Artículo 914. Si se trata de pozos, letrinas, caballerizas, chimeneas, hogares, fraguas, hornos u otras obras de que pueda resultar daño a los edificios o heredades vecinas, deberán observarse las reglas prescritas por las leyes de policía, ora sea medianera, o no, la pared divisoria. Lo mismo se aplica a los depósitos de pólvora, de materias húmedas o infectas y de todo lo que pueda dañar a la solidez, seguridad y salubridad e los edificios.

Art. 998 C.C.

Artículo 915. Cualquiera de los condueños tiene el derecho de elevar la pared medianera, en cuanto lo permitan las leyes de policía, sujetándose a las reglas siguientes:

1ª. La nueva obra será enteramente a su costa.

2ª. Pagará al vecino a título de indemnización, por el aumento de peso que va a cargar sobre la pared medianera, la sexta parte de lo que valga la obra nueva.

3ª. Pagará la misma indemnización todas las veces que se trate de reconstruir la pared medianera.

4ª. Será obligado a elevar a su costa las chimeneas del vecino, situadas en la pared medianera.

5ª. Si la pared medianera no es bastante sólida para soportar el aumento de peso, la reconstruirá a su costa, indemnizando al vecino por la remoción y reposición de todo lo que por el lado de éste cargaba sobre la pared o estaba pegado a ella.

6ª. Si reconstruyendo la pared medianera fuere necesario aumentar su espesor, se tomará este aumento sobre el terreno del que construya la obra nueva.

7ª. El vecino podrá, en todo tiempo, adquirir la medianería de la parte nuevamente levantada, pagando la mitad del costo total de ésta, y el valor de la mitad del terreno sobre que se haya extendido la pared medianera, según el inciso anterior.

Artículo 916. Las expensas de construcción, conservación y reparación del cerramiento serán a cargo de todos los que tengan derecho de propiedad en él, a prorrata de los respectivos derechos.

Sin embargo, podrá cualquiera de ellos exonerarse de este cargo abandonando su derecho de medianería, pero sólo cuando el cerramiento no consista en una pared que sostenga un edificio de su pertenencia.

Artículo 917. Los árboles que se encuentran en la cerca medianera, son igualmente medianeros; y lo mismo se extiende a los árboles cuyo tronco está en la línea divisoria de dos heredades, aunque no haya cerramiento intermedio.

Cualquiera de los dos condueños puede exigir que se derriben dichos árboles, probando que de algún modo le dañan; y si por algún accidente se destruyen, no se repondrán sin su consentimiento.

Artículo 918. Las mercedes de aguas que se conceden por autoridad competente, se entenderán sin perjuicio de derechos anteriormente adquiridos en ellas.

Arts. 863 y 1001 C.C.; Art. 88-98 Dec. 2811 de 1974.

Artículo 919. Toda heredad está sujeta a la servidumbre de acueducto en favor de otra heredad que carezca de las aguas necesarias para el cultivo de sementeras, plantaciones o pastos, o en favor de un pueblo que las haya menester para el servicio doméstico de los habitantes, o en favor de un establecimiento industrial que las necesite para el movimiento de sus máquinas.

Esta servidumbre consiste en que puedan conducirse las aguas por la heredad sirviente, a expensas del interesado; y está sujeta a las reglas que van a expresarse.

Arts. 891, 928, 986 y 1001 C.C.; Art. 107 Dec. 2811 de 1974; Arts. 125 y 128 Dec. 1541 de 1978.

Artículo 920. Las casas, y los corrales, patios, huertas y jardines que de ellas dependan, no están sujetos a la servidumbre de acueducto.

Artículo 921. Se hará la conducción de las aguas por un acueducto que no permita derrames; en que no se deje estancar el agua ni acumular basuras; y que tenga de trecho en trecho los puentes necesarios para la cómoda administración y cultivo de las heredades sirvientes.

Artículo 922. El derecho de acueducto comprende el de llevarlo por un rumbo que permita el libre descenso de las aguas y que por la naturaleza del suelo no haga excesivamente dispendiosa la obra.

Verificadas estas condiciones, se llevará el acueducto por el rumbo que menos perjuicio ocasione a los terrenos cultivados. El rumbo más corto se mirará como el menos perjudicial a la heredad sirviente, y el menos costoso al interesado, si no se probare lo contrario.

El juez conciliará en lo posible los intereses de las partes, y en los puntos dudosos decidirá a favor de las heredades sirvientes.

Artículo 923. El dueño del predio sirviente tendrá derecho para que se le pague el precio de todo el terreno que fuere ocupado por el acueducto; el de un espacio a cada uno de los costados, que no bajará de un metro de anchura en toda la extensión de su curso, y podrá ser mayor por convenio de las partes, o por disposición del juez, cuando las circunstancias lo exigieren; y un diez por ciento más sobre la suma total. Tendrá, además, derecho para que se le indemnice de todo perjuicio ocasionado por la construcción del acueducto y por sus filtraciones y derrames que puedan imputarse a defectos de construcción.

Art. 1613 C.C.

Artículo 924. El dueño del predio sirviente es obligado a permitir la entrada de trabajadores para la limpia y reparación del acueducto, con tal que se dé aviso previo al administrador del predio.

Es obligado asimismo a permitir, con este aviso previo, la entrada de un inspector o cuidador; pero sólo de tiempo en tiempo, o con la frecuencia que el juez, en caso de discordia y atendidas las circunstancias, determinare.

Arts. 885 y 986 C.C.

Artículo 925. El dueño del acueducto podrá impedir toda plantación u obra nueva en el espacio lateral de que habla el artículo 923.

Artículo 926. El que tiene a beneficio suyo un acueducto en su heredad, puede oponerse a que se construya otro en ella, ofreciendo paso por el suyo a las aguas de que otra persona quiera servirse; con tal que de ello no se siga un perjuicio notable al que quiera abrir un nuevo acueducto.

Aceptada esta oferta, se pagará al dueño de la heredad sirviente el valor del suelo ocupado por el antiguo acueducto (incluso el espacio lateral de que habla el artículo 923), a prorrata del nuevo volumen de agua introducido en él, y se le reembolsará, además, en la misma proporción de que valiere la obra en toda la longitud que aprovechare al interesado. Este, en caso necesario, ensanchará el acueducto a su costa y pagará el nuevo terreno ocupado por él, y por el espacio lateral, y todo otro perjuicio; pero sin el diez por ciento de recargo.

Artículo 927. Si el que tiene un acueducto en heredad ajena quisiere introducir mayor volumen de agua en él, podrá hacerlo, indemnizando de todo perjuicio a la heredad sirviente. Y si para ello fueren necesarias nuevas obras, se observará respecto a éstas lo dispuesto en el artículo 923.

Art. 117 Dec. 2811 de 1974.

Artículo 928. Las reglas establecidas para la servidumbre de acueducto se extienden a los que se construyan para dar salida y dirección a las aguas sobrantes, y para desecar pantanos y filtraciones naturales por medio de zanjas y canales de desagüe.

Art. 108 Dec. 2811 de 1974.

Artículo 929. Abandonado un acueducto, vuelve el terreno a la propiedad y uso exclusivo del dueño de la heredad sirviente, que sólo será obligado a restituir lo que se le pagó por el valor del suelo.

Artículo 930. Siempre que las aguas que corren a beneficio de particulares, impidan o dificulten la comunicación con los predios vecinos, o embaracen los riesgos o desagües, el particular beneficiado deberá construir los puentes, canales y otras obras necesarias para evitar este inconveniente.

Artículo 931. La servidumbre legal de luz tiene por objeto dar luz a un espacio cualquiera, cerrado y techado; pero no se dirige a darle vista sobre el predio vecino, esté cerrado o no.

Artículo 932. No se puede abrir ventana o tronera de ninguna clase en una pared medianera, sino con el consentimiento del condueño.

El dueño de una pared no medianera puede abrirlas en ella en el número y de las dimensiones que quiera.

Si la pared no es medianera sino en una parte de su altura, el dueño de la parte no medianera goza de igual derecho en esta.

No se opone al ejercicio de la servidumbre de luz la contigüidad de la pared al predio vecino.

Artículo 933. La servidumbre legal de luz está sujeta a las condiciones que van a expresarse:

1. La ventana estará guarnecida de rejas de hierro, y de una red de alambre, cuyas mallas tengan tres centímetros de abertura o menos.

2. La parte inferior de la venta distará del suelo de la vivienda a que da luz tres metros a lo menos.

Artículo 934. El que goza de la servidumbre de luz no tendrá derecho para impedir que en el suelo vecino se levante una pared que le quite la luz. Si la pared divisoria llega a ser medianera, cesa la servidumbre legal de luz, y sólo tiene cabida la voluntaria, determinada por mutuo consentimiento de ambos dueños.

Artículo 935. No se pueden tener ventanas, balcones, miradores o azoteas, que den vista a las habitaciones, patios o corrales de un predio vecino, cerrado o no; a menos que intervenga una distancia de tres metros.

La distancia se medirá entre el plano vertical de la línea más sobresaliente de la ventana, balcón, etc., y el plano vertical de la línea divisoria de los dos predios, siendo ambos planos paralelos. No siendo paralelos los dos planos, se aplicará la misma medida a la menor distancia entre ellos.

Artículo 936. No hay servidumbre legal de aguas lluvias. Los techos de todo edificio deben verter sus aguas lluvias sobre el predio a que pertenecen, o sobre la calle o camino público o vecinal, y no sobre otro predio, sino con voluntad de su dueño.

Arts. 891 y 987 C.C.

CAPÍTULO 3° De las servidumbres voluntarias

Artículo 937. Cada cual podrá sujetar su predio a las servidumbres que quiera, y adquirirlas sobre los predios vecinos, con la voluntad de sus dueños, con tal que no se dañe con ellas el orden público, ni se contravenga a las leyes.

Las servidumbres de esta especie pueden también adquirirse por sentencia de juez, en los casos previstos por las leyes.

Artículo 938. Si el dueño de un predio establece un servicio continuo y aparente a favor de otro predio que también le pertenece, y enajena después uno de ellos, o pasan a ser de diversos dueños por partición, subsistirá el mismo servicio con el carácter de servidumbre entre los dos predios, a menos que en el título constitutivo de la enajenación o de la partición se haya establecido expresamente otra cosa.

Art. 1178 C.C.

Artículo 939 [Subrogado. Art. 9 L. 95 de 1890] Las servidumbres discontinuas de todas clases y las continuas inaparentes sólo pueden adquirirse por medio de un título; ni aun el goce inmemorial bastará para constituirlas.

Las servidumbres continuas y aparentes pueden constituirse por título o por prescripción de diez años, contados como para la adquisición del dominio de fundos.

Arts. 760, 881, 882, 973. 2518 y 2520 C.C.

Artículo 940. El título constitutivo de servidumbre puede suplirse por el reconocimiento expreso del dueño del predio sirviente.

La destinación anterior, según el artículo 938, puede servir también de título.

Artículo 941. El título o la posesión de la servidumbre por el tiempo señalado en el artículo 939, determina los derechos del predio dominante y las obligaciones del predio sirviente.

CAPÍTULO 4° De la extinción de las servidumbres

Artículo 942. Las servidumbres se extinguen:

1°. Por la resolución del derecho del que las ha constituido.

2°. Por la llegada del día o de la condición, si se ha establecido de uno de estos modos.

3°. Por la confusión, o sea la reunión perfecta e irrevocable de ambos predios en manos de un mismo dueño.

Así, cuando el dueño de uno de ellos compra el otro, perece la servidumbre, y si por una venta se separan, no revive; salvo el caso del artículo 938; por el contrario, si la sociedad conyugal adquiere una heredad que debe servidumbre a otra heredad del uno de los dos cónyuges, no habrá confusión sino cuando, disuelta la sociedad, se adjudiquen ambas heredades a una misma persona.

4°. Por la renuncia del dueño del predio dominante.

5°. Por haberse dejado de gozar durante veinte años.

En las servidumbres discontinuas corre el tiempo desde que han dejado de gozarse; en las continuas, desde que se haya ejecutado un acto contrario a la servidumbre.

Art. 1530 C.C.

Artículo 943. Si el predio dominante pertenece a muchos proindiviso, el goce de uno de ellos interrumpe la prescripción respecto de todos; y si contra uno de ellos no puede correr la prescripción, no puede correr contra ninguno.

Arts. 1586, 2525 y 2540 C.C.

Artículo 944. Si cesa la servidumbre por hallarse las cosas en tal estado que no sea posible usar de ellas, revivirá desde que deje de existir la imposibilidad, con tal que esto suceda antes de haber transcurrido veinte años.

Artículo 945. Se puede adquirir y perder por la prescripción un modo particular de ejercer la servidumbre, de la misma manera que podría adquirirse o perderse la servidumbre misma.

TÍTULO 12° De la reivindicación

Artículo 946. La reivindicación o acción de dominio es la que tiene el dueño de una cosa singular, de que no está en posesión, para que el poseedor de ella sea condenado a restituirla.

CAPÍTULO 1° Qué cosas pueden reivindicarse

Artículo 947. Pueden reivindicarse las cosas corporales, raíces y muebles.
Exceptúanse las cosas muebles, cuyo poseedor las haya comprado en una feria, tienda, almacén u otro establecimiento industrial en que se vendan cosas muebles de la misma clase.
Justificada esta circunstancia, no estará el poseedor obligado a restituir la cosa, si no se le reembolsa lo que haya dado por ella y lo que haya gastado en repararla y mejorarla.

Arts. 653, 654, 655, 1547 y 2321 C.C.

Artículo 948. Los otros derechos reales pueden reivindicarse como el dominio, excepto el derecho de herencia.
Este derecho produce la acción de petición de herencia, de que se trata en el libro 3°.

Arts. 1321-1326 C.C.

Artículo 949. Se puede reivindicar una cuota determinada proindiviso de una cosa singular.

CAPÍTULO 2° Quién puede reivindicar

Artículo 950. La acción reivindicatoria o de dominio corresponde al que tiene la propiedad plena o nuda, absoluta o fiduciaria de la cosa.

Arts. 655, 978, 1988, 2278, 2342 y 2418 C.C.

Artículo 951. Se concede la misma acción aunque no se pruebe dominio, al que ha perdido la posesión regular de la cosa, y se hallaba en el caso de poderla ganar por prescripción.

Pero no valdrá ni contra el verdadero dueño, ni contra el que posea con igual o mejor derecho.

Arts. 764 y 789 C.C.

CAPÍTULO 3° Contra quién se puede reivindicar

Artículo 952. La acción de dominio se dirige contra el actual poseedor.

Art. 762 C.C.

Artículo 953. El mero tenedor de la cosa que se reivindica es obligado a declarar el nombre y residencia de la persona a cuyo nombre la tiene.

Arts. 775 y 971 C.C.; Art. 67 C.G.P.

Artículo 954. Si alguien, de mala fe, se da por poseedor de la cosa que se reivindica sin serlo, será condenado a la indemnización de todo perjuicio que de este engaño haya resultado al actor.

Arts. 768 y 769 C.C.

Artículo 955. La acción de dominio tendrá lugar contra el que enajenó la cosa para la restitución de lo que haya recibido por ella, siempre que por haberla enajenado se haya hecho imposible o difícil su persecución; y si la enajenó a sabiendas de que era ajena, para la indemnización de todo perjuicio.

El reivindicador que recibe del enajenador lo que se ha dado a éste por la cosa, confirma por el mismo hecho la enajenación.

Arts. 1874 y 2320 C.C.

Artículo 956. La acción de dominio no se dirige contra un heredero sino por la parte que posea en la cosa; pero las prestaciones a que estaba obligado el poseedor por razón de los frutos o de los deterioros que le eran imputables, pasan a los herederos de éste, a prorrata de sus cuotas hereditarias.

Art. 1580 C.C.

Artículo 957. Contra el que poseía de mala fe y por hecho o culpa suya ha dejado de ser poseedor, podrá intentarse la acción de dominio, como si actualmente poseyese.

De cualquier modo que haya dejado de poseer, y aunque el reivindicador prefiera dirigirse contra el actual poseedor, respecto del tiempo que ha estado la cosa en su poder, tendrá las obligaciones y derechos que según este título corresponden a los poseedores de mala fe, en razón de frutos, deterioros y expensas.

Si paga el valor de la cosa, y el reivindicador lo acepta, sucederá en los derechos del reivindicador sobre ella.

El reivindicador, en los casos de los dos incisos precedentes, no será obligado al saneamiento.

Arts. 768, 769, 963-971 y 1904 C.C.

Artículo 958. Si reivindicándose una cosa corporal mueble, hubiere motivo de temer que se pierda o deteriore en manos del poseedor, podrá el actor pedir su secuestro; y el poseedor será obligado a consentir en él o a dar seguridad suficiente de restitución para el caso de ser condenado a restituir.

Artículo 959. Si se demanda el dominio u otro derecho real constituido sobre un inmueble, el poseedor seguirá gozando de él hasta la sentencia definitiva, pasada en autoridad de cosa juzgada.

Pero el actor tendrá derecho de provocar las providencias necesarias para evitar todo deterioro de la cosa y de los muebles y semovientes anexos a ella y comprendidos en la reivindicación, si hubiere justo motivo de temerlo, o las facultades del demandado no ofrecieren suficiente garantía.

Artículo 960. La acción reivindicatoria se extiende al embargo en manos de tercero, de lo que por este se deba como precio o permuta al poseedor que enajenó la cosa.

CAPÍTULO 4° Prestaciones mutuas

Artículo 961. Si es vencido el poseedor, restituirá la cosa en el plazo fijado por la ley o por el juez, de acuerdo con ella; y si la cosa fue secuestrada, pagará el actor al secuestre los gastos de custodia y conservación, y tendrá derecho para que el poseedor de mala fe se los reembolse.

Arts. 1551, 1746, 2218, 2258, 2259 y 2277 C.C.

Artículo 962. En la restitución de una heredad se comprenden las cosas que forman parte de ella, o que se reputan como inmuebles, por la conexión con ella, según lo dicho en el título «De las varias clases de bienes». Las otras no serán comprendidas en la restitución, sino lo hubieren sido en la demanda y sentencia; pero podrán reivindicarse separadamente.

En la restitución de un edificio se comprende la de sus llaves. En la restitución de toda cosa se comprende la de los títulos que conciernen a ella, si se hallan en manos del poseedor.

Art. 658 C.C.

Artículo 963. El poseedor de mala fe es responsable de los deterioros que por su hecho o culpa ha sufrido la cosa.

El poseedor de buena fe, mientras permanece en ella, no es responsable de los deterioros, sino en cuanto se hubiere aprovechado de ellos; por ejemplo, destruyendo un bosque o arbolado y vendiendo la madera, o la leña, o empleándola en beneficio suyo.

Art. 768 C.C.

Artículo 964. El poseedor de mala fe es obligado a restituir los frutos naturales y civiles de la cosa, y no solamente los percibidos sino los que el dueño hubiera podido percibir con mediana inteligencia y actividad, teniendo la cosa en su poder.

Si no existen los frutos, deberá el valor que tenían o hubieran tenido al tiempo de la percepción; se considerarán como no existentes lo que se hayan deteriorado en su poder.

El poseedor de buena fe no es obligado a la restitución de los frutos percibidos antes de la contestación de la demanda; en cuanto a los percibidos después, estará sujeto a las reglas de los dos incisos anteriores.

En toda restitución de frutos se abonarán al que la hace los gastos ordinarios que ha invertido en producirlos.

Arts. 714, 717 y 768 C.C.

Artículo 965. El poseedor vencido tiene derecho a que se le abonen las expensas necesarias invertidas en la conservación de la cosa, según las reglas siguientes:

Si estas expensas se invirtieren en obras permanentes, como una cerca para impedir las depredaciones, o un dique para atajar las avenidas, o las reparaciones de un edificio arruinado por un terremoto, se abonarán al poseedor dichas expensas, en cuanto hubieren sido realmente necesarias; pero reducidas a lo que valgan las obras al tiempo de la restitución.

Y si las expensas se invirtieron en cosas que por su naturaleza no dejan un resultado material permanente, como la defensa judicial de la finca, serán abonados al poseedor en cuanto aprovecharen al reivindicador y se hubieren ejecutado con mediana inteligencia y economía.

Arts. 815, 1802, 1993 y 1994 C.C.

Artículo 966. El poseedor de buena fe, vencido, tiene asimismo derecho a que se le abonen las mejoras útiles, hechas antes de contestarse la demanda.

Solo se entenderán por mejoras útiles las que hayan aumentado el valor venal de la cosa.

El reivindicador elegirá entre el pago de lo que valgan, al tiempo de la restitución, las obras en que consisten las mejoras, o el pago de lo que en virtud de dichas mejoras valiere más la cosa en dicho tiempo.

En cuanto a las obras hechas después de contestada la demanda, el poseedor de buena fe tendrá solamente los derechos que por el inciso último de este artículo se conceden al poseedor de mala fe.

El poseedor de mala fe no tendrá derecho a que se le abonen las mejoras útiles de que habla este artículo.

Pero podrá llevarse los materiales de dichas mejoras, siempre que pueda separarlos sin detrimento de la cosa reivindicada, y que el propietario rehúse pagarle el precio que tendrían dichos materiales después de separados.

Artículo 967. En cuanto a las mejoras voluptuarias, el propietario no será obligado a pagarlas al poseedor de mala ni de buena fe, que sólo tendrán con

respecto a ellas el derecho que por el artículo precedente se concede al poseedor de mala fe, respecto de las mejoras útiles.

Se entienden por mejoras voluptuarias las que sólo consisten en objetos
de lujo y recreo, como jardines, miradores, fuentes, cascadas artificiales y generalmente aquellas que no aumentan el valor venal de la cosa, en el mercado
general, o sólo lo aumentan en una proporción insignificante.

Artículo 968. Se entenderá que la separación de los materiales permitida
por los artículos precedentes, es en detrimento de la cosa reivindicada, cuando
hubiere de dejarla en peor estado que antes de ejecutarse las mejoras; salvo
en cuanto el poseedor vencido pudiere reponerla inmediatamente en su estado
anterior, y se allanare a ello.

Artículo 969. La buena o mala fe del poseedor se refiere, relativamente a
los frutos, al tiempo de la percepción, y relativamente a las expensas y mejoras, al tiempo en que fueron hechas.

Arts. 715 y 768 C.C.

Artículo 970. Cuando el poseedor vencido tuviere un saldo que reclamar
en razón de expensas y mejoras, podrá retener la cosa hasta que se verifique el
pago, o se le asegure a su satisfacción.

Artículo 971. Las reglas de este título se aplicarán contra el que, pose-
yendo a nombre ajeno, retenga indebidamente una cosa raíz o mueble, aunque
lo haga sin ánimo de señor.

TÍTULO 13° De las acciones posesorias

Artículo 972. Las acciones posesorias tienen por objeto conservar o recuperar la posesión de bienes raíces, o de derechos reales constituidos en ellos.

Artículo 973. Sobre las cosas que no pueden ganarse por prescripción,
como las servidumbres inaparentes o discontinuas, no puede haber acción
posesoria.

Arts. 881 y 939 C.C.

Artículo 974. No podrá instaurar una acción posesoria sino el que ha estado en posesión tranquila y no interrumpida un año completo.

Art. 762 C.C.

Artículo 975. El heredero tiene y está sujeto a las mismas acciones posesorias que tendría y a que estaría sujeto su autor, si viviese.

Arts. 1008 y 1011 C.C.

Artículo 976. Las acciones que tienen por objeto conservar la posesión, prescriben al cabo de un año completo, contado desde el acto de molestia o embarazo inferido a ella.

Las que tienen por objeto recuperarla expiran al cabo de un año completo, contado desde que el poseedor anterior la ha perdido.

Si la nueva posesión ha sido violenta o clandestina, se contará este año desde el último acto de violencia, o desde que haya cesado la clandestinidad. Las reglas que sobre la continuación de la posesión se dan en los artículos 778, 779 y 780 se aplican a las acciones posesorias.

Artículo 977. El poseedor tiene derecho para pedir que no se le turbe o embarace su posesión o se le despoje de ella, que se le indemnice del perjuicio que ha recibido, y que se le dé seguridad contra el que fundadamente teme.

Artículo 978. El usufructuario, el usuario y el que tiene derecho de habitación son hábiles para ejercer por sí las acciones y excepciones posesorias dirigidas a conservar o recuperar el goce de sus respectivos derechos, aun contra el propietario mismo. El propietario es obligado a auxiliarlos contra todo turbador o usurpador extraño, siendo requerido al efecto.

Las sentencias obtenidas contra el usufructuario, el usuario o el que tiene derecho de habitación, obligan al propietario; menos si se tratare de la posesión del dominio de la finca o de derechos anexos a él: en este caso no valdrá la sentencia contra el propietario que no haya intervenido en juicio.

Arts. 670, 870, 950 y 2342 C.C.

Artículo 979. En los juicios posesorios no se tomará en cuenta el dominio que por una o por otra parte se alegue.

Podrán con todo, exhibirse títulos de dominio para comprobar la posesión, pero sólo aquellos cuya existencia pueda probarse sumariamente; ni valdrá objetar contra ellos otros vicios o defectos que los que puedan probarse de la misma manera.

Artículo 980. La posesión de los derechos inscritos se prueba por la inscripción, y mientras ésta subsista y con tal que haya durado un año completo, no es admisible ninguna prueba de posesión con que se pretenda impugnarla.

Arts. 785, 789 y 2526 C.C.

Artículo 981. Se deberá probar la posesión del suelo por hechos positivos de aquellos a que sólo da derecho el dominio, como el corte de maderas, la construcción de edificios, la de cerramientos, las plantaciones o sementeras, y otros de igual significación, ejecutados sin el consentimiento del que disputa la posesión.

Artículo 982. El que injustamente ha sido privado de la posesión, tendrá derecho para pedir que se le restituya con indemnización de perjuicios.

Arts. 1613-1614 C.C.

Artículo 983. La acción para la restitución puede dirigirse no solamente contra el usurpador, sino contra toda persona cuya posesión se derive de la del usurpador por cualquier título. Pero no serán obligados a la indemnización de perjuicios, sino el usurpador mismo, o el tercero de mala fe, y habiendo varias personas obligadas todas lo serán *in solidum*.

Art. 1568 y ss. C.C.

Artículo 984. Todo el que violentamente ha sido despojado, sea de la posesión, sea de la mera tenencia, y que por poseer a nombre de otro, o por no haber poseído bastante tiempo, o por otra causa cualquiera, no pudiere instaurar acción posesoria, tendrá, sin embargo, derecho para que se restablezcan las cosas en el estado en que antes se hallaban, sin que para esto necesite probar más que el despojo violento, ni se le pueda objetar clandestinidad o despojo anterior. Este derecho prescribe en seis meses.

Restablecidas las cosas y asegurado el resarcimiento de daños, podrán intentarse por una u otra parte las acciones posesorias que correspondan.

Arts. 771 a 774 C.C.

Artículo 985. Los actos de violencia, cometidos con armas o sin ellas, serán además castigados con las penas que por el Código respectivo correspondan.

TÍTULO 14° De algunas acciones posesorias especiales

Artículo 986. El poseedor tiene derecho para pedir que se prohíba toda obra nueva que se trate de construir sobre el suelo de que está en posesión. Pero no tendrá el derecho de denunciar con este fin las obras necesarias para precaver la ruina de un edificio, acueducto, canal, puente, acequia, etc., con tal que en lo que puedan incomodarle se reduzcan a lo estrictamente necesario, y que, terminadas, se restituyan las cosas al estado anterior a costa del dueño de las obras.

Tampoco tendrá derecho para embarazar los trabajos conducentes a mantener la debida limpieza en los caminos, cañerías, acequias, etc.

Artículo 987. Son obras nuevas denunciables las que, construidas en el predio sirviente, embarazan el goce de una servidumbre constituida en él.

Son igualmente denunciables las construcciones que se trata de sustentar en edificio ajeno, que no esté sujeto a tal servidumbre. Se declara especialmente denunciable toda obra voladiza que atraviese el plano vertical de la línea divisoria de los predios, aunque no se apoye sobre el predio ajeno, ni dé vista, ni vierta aguas lluvias sobre él.

Artículo 988. El que tema que la ruina de un edificio vecino le pare perjuicio, tiene derecho de querellarse al juez para que se mande al dueño de tal edificio derribarlo, si estuviere tan deteriorado que no admita reparación; o para que, si la admite, se le ordene hacerla inmediatamente; y si el querellado no procediere a cumplir el fallo judicial, se derribará el edificio o se hará la reparación a su costa.

Si el daño que se teme del edificio no fuere grave, bastará que el querellado rinda caución de resarcir todo perjuicio que por el mal estado del edificio sobrevenga.

Art. 2350 C.C.

Artículo 989. En el caso de hacerse por otro que el querellado la reparación de que habla el artículo precedente, el que se encargue de hacerla conservará la forma y dimensiones del antiguo edificio en todas sus partes, salvo si fuere necesario alterarlas para precaver el peligro.

Las alteraciones se ejecutarán a voluntad del dueño del edificio, en cuanto sea compatible con el objeto de la querella.

Artículo 990. Si notificada la querella, cayere el edificio por efecto de su mala condición, se indemnizará de todo perjuicio a los vecinos; pero si cayere por caso fortuito, como avenida, rayo o terremoto, no habrá lugar a indemnización; a menos de probarse que el caso fortuito, sin el mal estado del edificio, no lo hubiera derribado.

Art. 64 C.C.

Artículo 991. No habrá lugar a indemnización, si no hubiere precedido notificación de la querella.

Artículo 992. Las disposiciones precedentes se extenderán al peligro que se tema de cualesquiera construcciones; o de árboles mal arraigados, o expuestos a ser derribados por casos de ordinaria ocurrencia.

Artículo 993. Si se hicieren estacadas, paredes u otras labores que tuerzan la dirección de las aguas corrientes, de manera que se derramen sobre el suelo ajeno, o estancándose lo humedezcan, o priven de su beneficio a los predios que tienen derecho de aprovecharse de ellas, mandará el juez, a petición de los interesados, que las tales obras se deshagan o modifiquen y se resarzan los perjuicios.

Arts. 892, 924 y 925 C.C.

Artículo 994. Lo dispuesto en el artículo precedente se aplica no sólo a las obras nuevas, sino a las ya hechas, mientras no haya transcurrido tiempo bastante para constituir un derecho de servidumbre.

Pero ninguna prescripción se admitirá contra las obras que corrompan el aire y lo hagan conocidamente dañoso.

Artículo 995. El que hace obras para impedir la entrada de aguas que no es obligado a recibir, no es responsable de los daños que, atajadas de esa manera, y sin intención de ocasionarlos, puedan causar en las tierras o edificios ajenos.

Artículo 996. Si corriendo el agua por una heredad se estancare o torciere su curso, embarazada por el cieno, piedras, palos u otras materias que acarrea y deposita, los dueños de las heredades en que esta alteración del curso del agua cause perjuicio, tendrán derecho para obligar al dueño de la heredad en que ha sobrevenido el embarazo, a removerlo, o les permita a ellos hacerlo, de manera que se restituyan las cosas al estado anterior.

El costo de la limpia o desembarazo se repartirá entre los dueños de todos los predios, a prorrata del beneficio que reporten del agua.

Artículo 997. Siempre que de las aguas de que se sirve un predio, por negligencia del dueño en darle salida sin daño de sus vecinos, se derramen sobre otro predio, el dueño de éste tendrá derecho para que se le resarza el perjuicio sufrido, y para que en caso de reincidencia se le pague el doble de lo que el perjuicio le importare.

Artículo 998. El dueño de una casa tiene derecho para impedir que cerca de sus paredes haya depósitos o corrientes de agua o materias húmedas que puedan dañarla.

Tiene así mismo derecho para impedir que se planten árboles a menos distancia que la de quince decímetros, ni hortalizas o flores a menos distancia que la de cinco decímetros.

Si los árboles fueren de aquellos que extienden a gran distancia sus raíces, podrá el juez ordenar que se planten a la que convenga para que no dañen a los edificios vecinos; el máximum de la distancia señalada por el juez será de cinco metros.

Los derechos concedidos en este artículo subsistirán contra los árboles, flores u hortalizas plantadas, a menos que la plantación haya precedido a la construcción de las paredes.

Art. 914 C.C.

Artículo 999. Si un árbol extiende sus ramas sobre suelo ajeno, o penetra en él sus raíces podrá el dueño del suelo exigir que se corte la parte excedente de las ramas, y cortar él mismo las raíces.

Lo cual se extiende aun cuando el árbol esté plantado a la distancia debida.

Artículo 1000. Los frutos que dan las ramas tendidas sobre terreno ajeno, pertenecen al dueño del árbol; el cual, sin embargo, no podrá entrar a cogerlos sino con permiso del dueño del suelo, estando cerrado el terreno. El dueño del terreno será obligado a conceder este permiso; pero sólo en días y horas oportunas, de que no le resulte daño.

Art. 716 C.C.

Artículo 1001. El que quisiere construir un ingenio o molino, o una obra cualquiera, aprovechándose de las aguas que van a otras heredades o a otro ingenio, molino o establecimiento industrial y que no corren por un cauce artificial construido a expensa ajena, podrá hacerlo en su propio suelo o en suelo ajeno con permiso del dueño; con tal que no tuerza o menoscabe las aguas en perjuicio de aquellos que ya han levantado obras aparentes con el objeto de servirse de dichas aguas, o que de cualquiera otro modo hayan adquirido el derecho de aprovecharse de ellas.

Art. 919 C.C.

Artículo 1002. Cualquiera puede cavar en suelo propio un pozo, aunque de ello resulte menoscabarse el agua de que se alimenta orto pozo; pero si de ello no reportare utilidad alguna, o no tanta que pueda compararse con el perjuicio ajeno, será obligado a cegarlo.

Artículo 1003. Siempre que haya de prohibirse, destruirse o enmendarse una obra perteneciente a muchos, puede intentarse la denuncia o querella contra todos juntos o contra cualquiera de ellos; pero la indemnización a que por los daños recibidos hubiere lugar, se repartirá entre todos por igual, sin perjuicio de que los gravados con esta indemnización la dividan entre sí, a prorrata de la parte que tenga cada uno en la obra.

Y si el daño sufrido o temido perteneciere a muchos, cada uno tendrá derecho para intentar la denuncia o querella por sí solo, en cuanto se dirija a la prohibición, destrucción o enmienda de la obra; pero ninguno podrá pedir indemnización sino por el daño que él mismo haya sufrido, a menos que legitime su personería respectivamente a los otros.

Artículo 1004. Las acciones concedidas en este título no tendrán lugar contra el ejercicio de servidumbre legítimamente constituida.

Art. 897 C.C.

Artículo 1005. La municipalidad y cualquiera persona del pueblo tendrá en favor de los caminos, plazas u otros lugares de uso público, y para la seguridad de los que transitan por ellos, los derechos concedidos a los dueños de heredades o edificios privados.

Y siempre que a consecuencia de una acción popular haya de demolerse o enmendarse una construcción, o de resarcirse un daño sufrido, se recompensará al actor, a costas del querellado, con una suma que no baje de la décima, ni exceda de la tercera parte de lo que cueste la demolición o enmienda, o el resarcimiento del daño; sin perjuicio de que si se castiga el delito o negligencia con una pena pecuniaria, se adjudique al actor la mitad.

Art. 88 C.P.; L. 472 de 1998.

Artículo 1006. Las acciones municipales o populares se entenderán sin perjuicio de las que competan a los inmediatos interesados.

Artículo 1007. Las acciones concedidas en este título para la indemnización de un daño sufrido, prescriben para siempre al cabo de un año completo.

Las dirigidas a precaver un daño no prescriben mientras haya justo motivo de temerlo.

Si las dirigidas contra una obra nueva no se instauraren dentro del año, los denunciados o querellados serán amparados en el juicio posesorio, y el denunciante o querellante podrá solamente perseguir su derecho por la vía ordinaria.

Pero ni aun esta acción tendrá lugar, cuando, según las reglas dadas para las servidumbres, haya prescrito el derecho.

LIBRO TERCERO
DE LA SUCESIÓN POR CAUSA DE MUERTE Y DE LAS DONACIONES ENTRE VIVOS

TÍTULO 1° Definiciones y reglas generales

Artículo 1008. Se sucede a una persona difunta a título universal o a título singular.

El título es universal cuando se sucede al difunto en todos sus bienes, derechos y obligaciones transmisibles o en una cuota de ellos, como la mitad, tercio o quinto.

El título es singular cuando se sucede en una o más especies o cuerpos ciertos, como tal caballo, tal casa; o en una o más especies indeterminadas de cierto género, como un caballo, tres vacas, seiscientos pesos, cuarenta hectolitros de trigo.

Arts. 94, 673, 1011, 1155 y 1162 C.C.

Artículo 1009. Si se sucede en virtud de un testamento, la sucesión se llama testamentaria, y si en virtud de la ley, intestada o abintestato.

La sucesión en los bienes de una persona difunta puede ser parte testamentaria y parte intestada.

Arts. 1010, 1037 y 1055 C.C.

Artículo 1010. Se llaman asignaciones por causa de muerte las que hace la ley o el testamento de una persona difunta, para suceder en sus bienes.

Con la palabra asignaciones se significan en este libro las asignaciones por causa de muerte, ya las haga el hombre o la ley.

Asignatario es la persona a quien se hace la asignación.

Artículo 1011. Las asignaciones a título universal se llaman herencias, y las asignaciones a título singular, legados. El asignatario de herencia se llama heredero, y el asignatario de legado, legatario.

Arts. 1155 y 1162 C.C.

Artículo 1012. La sucesión en los bienes de una persona se abre al momento de su muerte en su último domicilio, salvo los casos expresamente exceptuados.

La sucesión se regla por la ley del domicilio en que se abre, salvas las excepciones legales.

Artículo 1013. La delación de una asignación es el actual llamamiento de la ley a aceptarla o repudiarla.

La herencia o legado se defiere al heredero o legatario en el momento de fallecer la persona de cuya sucesión se trata, si el heredero o legatario no es llamado condicionalmente; o en el momento de cumplirse la condición, si el llamamiento es condicional. Salvo si la condición es de no hacer algo que dependa de la sola voluntad del asignatario; pues en este caso la asignación se defiere en el momento de la muerte del testador, dándose por el asignatario caución suficiente de restituir la cosa asignada con sus accesiones y frutos, en caso de contravenirse a la condición. Lo cual, sin embargo, no tendrá lugar cuando el testador hubiere dispuesto que mientras penda la condición de no hacer algo, pertenezca a otro asignatario la cosa asignada.

Arts. 757, 783 y 1128 C.C.

Artículo 1014. Si el heredero o legatario cuyos derechos a la sucesión no han prescrito, fallece antes de haber aceptado o repudiado la herencia o legado que se le ha deferido, trasmite a sus herederos el derecho de aceptar dicha herencia o legado o repudiarlos, aun cuando fallezca sin saber que se le ha deferido. No se puede ejercer este derecho sin aceptar la herencia de la persona que lo trasmite.

Arts. 1212, 1285 y 1472 C.C.

Artículo 1015. Si dos o más personas, llamadas a suceder una a otra, se hallan en el caso del artículo 95, ninguna de ellas sucederá en los bienes de las otras.

Artículo 1016. «Palabra tachada INEXEQUIBLE». En toda sucesión por causa de muerte, para llevar a efecto las disposiciones del difunto o de la ley, se deducirán del acervo o masa de bienes que el difunto ha dejado, incluso los créditos hereditarios:

1o.) Las costas de la publicación del testamento, si lo hubiere, y las demás anexas a la apertura de la sucesión.

2o.) Las deudas hereditarias.

3o.) Los impuestos fiscales que gravaren toda la masa hereditaria.

4o.) Las asignaciones alimenticias forzosas.

5o.) *La porción conyugal* a que hubiere lugar, en todos los órdenes de sucesión, menos en el de los descendientes *[legítimos]*. El resto es el acervo líquido de que dispone el testador o la ley.

Exeq. Cond. C-283 de 2011, «*siempre y cuando se entienda que, a la porción conyugal (...), también tienen derecho el compañero o compañera permanente y la pareja del mismo sexo*». Inexeq. C-105 de 1994, la palabra «legítimos».

Artículo 1017. Los impuestos fiscales que gravan toda la masa, se extienden a las donaciones revocables que se confirman por la muerte.

Los impuestos fiscales sobre ciertas cuotas o legados, se cargarán a los respectivos asignatarios.

Art. 7° del Estatuto Tributario: las sucesiones ilíquidas están sometidas al impuesto sobre la renta y complementarios.

Artículo 1018. Será capaz y digna de suceder toda persona a quien la ley no haya declarado incapaz o indigna.

Artículo 1019. Para ser capaz de suceder es necesario existir naturalmente al tiempo de abrirse la sucesión; salvo que se suceda por derecho de transmisión, según el artículo 1014, pues entonces bastará existir al abrirse la sucesión de la persona por quien se trasmite la herencia o legado. Si la herencia o legado se deja bajo condición suspensiva, será también preciso existir en el momento de cumplirse la condición. Con todo, las asignaciones a personas que al tiempo de abrirse la sucesión no existen, pero se espera que existan, no se invalidarán por esta causa si existieren dichas personas antes de expirar los diez[*] años subsiguientes a la apertura de la sucesión. Valdrán con la misma limitación las asignaciones ofrecidas en premio a los que presten un servicio importante aunque el que lo presta no haya existido al momento de la muerte del testador.

[*] El Art. 1° de la L. 791 de 2002 redujo el plazo de 20 a 10 años. Art. 1014 C.C.

Artículo 1020. Son incapaces de toda herencia o legado las cofradías, gremios o establecimientos cualesquiera que no sean personas jurídicas. Pero si la asignación tuviere por objeto la fundación de una nueva corporación o establecimiento, podrá solicitarse la aprobación legal, y obtenida ésta, valdrá la asignación.

Art. 1448 C.C.

Artículo 1021. [Subrogado Art. 27 L. 57 de 1887]. Las personas jurídicas pueden adquirir bienes de todas clases, por cualquier título, con el carácter de enajenables.

Artículo 1022. [Subrogado Art. 84 L. 53 de 1887]. Por testamento otorgado en la última enfermedad no puede recibir herencia o legado alguno, ni aún como albacea fiduciaria, el eclesiástico que hubiere confesado al testador en la misma enfermedad, o habitualmente en los dos últimos años anteriores al testamento; ni la orden, convento o cofradía de que sea miembro el eclesiástico, ni sus deudos por consanguinidad o afinidad dentro del tercer grado.

Tal incapacidad no comprende a la iglesia parroquial del testador, ni recaerá sobre la porción de bienes al que dicho eclesiástico, o sus deudos habrían correspondido en sucesión intestada.

Exeq.: C-266 de 1994, que se refiere al primer inciso.
Exeq. C-094 de 2007, que se refiere a la expresión «iglesia parroquial» del segundo inciso.

Artículo 1023. Será nula la disposición a favor de un incapaz, aunque se disfrace bajo la forma de un contrato oneroso, o por interposición de persona.

Artículo 1024. El incapaz no adquiere la herencia o legado, mientras no prescriban las acciones que contra él puedan intentarse por los que tengan interés en ello.

Artículo 1025. [Modificado Art. 1 L. 1893 de 2018]. Son indignos de suceder al difunto como heredero o legatarios:

1. El que ha cometido el crimen de homicidio en la persona del difunto o ha intervenido en este crimen por obra o consejo, o la dejó perecer pudiendo salvarla.

2. El que cometió atentado grave contra la vida, el honor o los bienes de la persona de cuya sucesión se trata, o de su cónyuge o de cualquiera de

sus ascendientes o descendientes, con tal que dicho atentado se pruebe por sentencia ejecutoriada.

3. El consanguíneo dentro del sexto grado inclusive que en el estado de demencia o destitución de la persona de cuya sucesión se trata no la socorrió pudiendo.

4. El que por fuerza o dolo obtuvo alguna disposición testamentaria del difunto o le impidió testar.

5. El que dolosamente ha detenido u ocultado un testamento del difunto, presumiéndose dolo por el mero hecho de la detención u ocultación.

6. El que abandonó sin justa causa a la persona de cuya sucesión se trata, estando obligado por ley a suministrarle alimentos. Para los efectos de este artículo, entiéndase por abandono: la falta absoluta o temporal a las personas que requieran de cuidado personal en su crianza, o que, conforme a la ley, demandan la obligación de proporcionar a su favor habitación, sustento o asistencia médica.

Se exceptúa al heredero o legatario que habiendo abandonado al causante, este haya manifestado su voluntad de perdonarlo y de sucederlo, lo cual se demostrará por cualquiera de los mecanismos probatorios previstos en la ley, pero previo a la sentencia judicial en la que se declare la indignidad sucesoral y el causante se encuentre en pleno ejercicio de su capacidad legal y libre de vicio.

7. El que hubiese sido condenado con sentencia ejecutoriada por la comisión de alguno de los delitos contemplados en el Título VI Capítulo Primero del Código Penal, siendo el sujeto pasivo de la conducta la persona de cuya sucesión se trata.

8. Quien abandonó sin justa causa y no prestó las atenciones necesarias al causante, teniendo las condiciones para hacerlo, si este en vida se hubiese encontrado en situación de discapacidad.

Artículo 1026. [Subrogado. Art. 57 D. 2820 de 1974]. Es indigno de suceder quien siendo mayor de edad no hubiere denunciado a la justicia, dentro del mes siguiente al día en que tuvo conocimiento del delito, el homicidio de su causante, a menos que se hubiere iniciado antes la investigación.

[Modificado Art. 12 Dec. 772 de 1975]. Esta indignidad no podrá alegarse cuando el heredero o legatario sea cónyuge, ascendiente o descendiente de la persona por cuya obra o consejo se ejecutó el homicidio, o haya entre ellos vínculos de consanguinidad hasta el cuarto grado, o de afinidad o de parentesco civil hasta el segundo grado, inclusive.

Exeq. C-174 de 1996 que se refiere a la expresión «cónyuge».

Artículo 1027. Es indigno de suceder al impúber, [demente][*] o sordomudo, el ascendiente o descendiente que siendo llamado a sucederle abintestato, no pidió que se le nombrara un tutor o curador, y permaneció en esta omisión un año entero; a menos que aparezca haberle sido imposible hacerlo por sí o por procurador.

Si fueren muchos los llamados a la sucesión, la diligencia de uno de ellos aprovechará a los demás.

Transcurrido el año recaerá la obligación antedicha en los llamados, en segundo grado, a la sucesión intestada.

[Modificado. Art. 58 Dec. 2820 de 1974]. La obligación no se extiende a los menores, ni en general a los que viven bajo tutela o curaduría. Esta causa de indignidad desaparece desde que el impúber llega a la pubertad, o el [demente][*] o sordomudo toman la administración de sus bienes.

Par. Art. 2 L. 1306 de 2009[*]. «El término "demente" que aparece actualmente en las demás leyes, se entenderá sustituido por "persona con discapacidad mental…"»

Artículo 1028. Son indignos de suceder el tutor o curador que nombrados por el testador se excusaren sin causa legítima.

El albacea que nombrado por el testador se excusare sin probar inconveniente grave, se hace igualmente indigno de sucederle.

No se extenderá esta causa de indignidad a los asignatarios forzosos en la cuantía que lo son, ni a los que desechada por el juez la excusa, entren a servir el cargo.

Arts. 1327, 1334 C.C.

Artículo 1029. Finalmente, es indigno de suceder el que, a sabiendas de la incapacidad, haya prometido al difunto hacer pasar sus bienes o parte de ellos, bajo cualquier forma, a una persona incapaz.

Esta causa de indignidad no podrá alegarse contra ninguna persona de las que por temor reverencial hubieren podido ser inducidas a hacer la promesa al difunto; a menos que hayan procedido a la ejecución de la promesa.

Art. 1513 C.C.

Artículo 1030. Las causas de indignidad mencionadas en los artículos precedentes no podrán alegarse contra disposiciones testamentarias posteriores a los hechos que la producen, aun cuando se ofreciere probar que el difunto no tuvo conocimiento de esos hechos del tiempo de testar ni después.

Artículo 1031. La indignidad no produce efecto alguno, si no es declarada en juicio, a instancia de cualquiera de los interesados en la exclusión del heredero o legatario indigno.

Declarada judicialmente, es obligado el indigno a la restitución de la herencia o legado con sus accesiones y frutos.

Artículo 1032. La indignidad se purga en diez años de posesión de la herencia o legado.

Artículo 1033. La acción de indignidad no pasa contra terceros de buena fe.

Artículo 1034. A los herederos se transmite la herencia o legado de que su autor se hizo indigno, pero con el mismo vicio de indignidad de su autor, por todo el tiempo que falte para completar los diez años.

Art. 1044 C.C.

Artículo 1035. Los deudores hereditarios o testamentarios no podrán oponer al demandante la excepción de incapacidad o indignidad.

Artículo 1036. La incapacidad o indignidad no priva al heredero o legatario excluido de los alimentos que la ley le señale; pero en los casos del artículo 1025, no tendrán ningún derecho a alimentos.

Arts. 411, 414, 1025, 1268 C.C.

TÍTULO 2° Reglas relativas a la sucesión intestada

Artículo 1037. Las leyes reglan la sucesión en los bienes de que el difunto no ha dispuesto, o si dispuso, no lo hizo conforme a derecho, o no han tenido efecto sus disposiciones.

Art. 1158 C.C.

Artículo 1038. La ley no atiende al origen de los bienes para reglar la sucesión intestada o gravarla con restituciones o reservas.

Artículo 1039. En la sucesión intestada no se atiende al sexo ni a la primogenitura.

Artículo 1040. [Subrogado. Art. 2 L. 29 de 1982]. Son llamados a sucesión intestada: los descendientes; los hijos adoptivos; los ascendientes; los padres adoptantes; los hermanos; los hijos de éstos; el cónyuge supérstite; el Instituto Colombiano de Bienestar Familiar.

Exeq. C-831 de 2006, relativa a la expresión *«padres adoptantes».* Exeq. C-352 de 1995, relativa a la expresión *«los hijos de éstos».* Exeq. Cond. C-238 de 2012 relativa a la expresión *«cónyuge», «siempre y cuando se entienda que ella comprende el compañero o compañera permanente de distinto sexo o del mismo sexo que conformó con el causante, a quien sobrevive, una unión de hecho».* Art. 1051 C.C.

Artículo 1041. Se sucede abintestato, ya por derecho personal, ya por derecho de representación.

La representación es una ficción legal en que se supone que una persona tiene el lugar y por consiguiente el grado de parentesco y los derechos hereditarios que tendría su padre o madre si ésta o aquél no quisiese o no pudiese suceder.

Se puede representar a un padre o una madre que, si hubiese podido o querido suceder, habría sucedido por derecho de representación.

Artículo 1042. Los que suceden por representación heredan en todos casos por estirpes, es decir, que cualquiera que sea el número de los hijos que representan al padre o madre, toman entre todos y por iguales partes la porción que hubiere cabido al padre o madre representado.

Los que no suceden por representación suceden por cabezas, esto es, toman entre todos y por iguales partes la porción a que la ley los llama, a menos que la misma ley establezca otra división diferente.

Exeq. C-1111 de 2001

Artículo 1043. [Modificado. Art. 3 L. 29 de 1982]. Hay siempre lugar a representación en la descendencia del difunto y en la descendencia de sus hermanos.

Artículo 1044. Se puede representar al ascendiente cuya herencia se ha repudiado.

Se puede, asimismo, representar al incapaz, al indigno, al desheredado y al que repudió la herencia del difunto.

Arts. 1014, 1034, 1248 C.C.

Artículo 1045. [Modificado. Art. 1 L. 1934 de 2018]. Los descendientes de grado más próximo excluyen a todos los otros herederos y recibirán entre ellos iguales cuotas, sin perjuicio de la porción conyugal.

Exeq. Cond. La sentencia C-283 de 2011 había declarado exequible el Art. 1045, siempre y cuando se entienda que a la porción conyugal también tienen derecho el compañero o compañera permanente y la pareja del mismo sexo.

Artículo 1046. [Modificado. Art. 5 L. 29 de 1982]. Si el difunto no deja posteridad, le sucederán sus ascendientes de grado más próximo, sus padres adoptantes y su cónyuge. La herencia se repartirá entre ellos por cabezas.

No obstante, en la sucesión del hijo adoptivo en forma plena, los adoptantes excluyen a los ascendientes de sangre; en la del adoptivo en forma simple, los adoptantes y los padres de sangre recibirán igual cuota[*].

Exeq. C-831 de 2006, relativa a la expresión *«padres adoptantes»*. Exeq. Cond. C-238 de 2012 relativa a la expresión *«cónyuge»*, siempre y cuando se entienda que ella comprende el compañero y compañera permanente de distinto sexo o del mismo sexo que conformó con el causante, a quien sobrevive, una unión de hecho.

[*] Los Arts. 61-78 C.I.A. reglamentan la adopción y se eliminó la distinción entre adopción simple y adopción plena.
Art. 50 C.C

Artículo 1047. [Subrogado. Art. 6 Ley 29 de 1982]. Si el difunto no deja descendientes ni ascendientes, ni hijos adoptivos, ni padres adoptantes, le sucederán sus hermanos y su cónyuge. La herencia se divide la mitad para éste y la otra mitad para aquéllos por partes iguales.

A falta de cónyuge, llevarán la herencia los hermanos, y a falta de éstos aquél.

Los hermanos carnales recibirán doble porción que los que sean simplemente paternos o maternos.

Exeq. Cond. C-238 de 2012 relativa a la expresión «cónyuge», siempre y cuando se entienda que ella comprende el compañero y compañera permanente de distinto sexo o del mismo sexo que conformó con el causante, a quien sobrevive, una unión de hecho.

Artículo 1048. [Derogado. Art. 10 L. 29 de 1982]

Artículo 1049. [Derogado. Art. 88 L. 153 de 1887]

Artículo 1050. [Subrogado. Art. 7 L. 29 de 1982]. La sucesión del hijo extramatrimonial se rige por las mismas reglas que la del causante legítimo.

Artículo 1051. [Modificado. Art. 8 L. 29 de 1982]. A falta de descendientes, ascendientes, hijos adoptivos, padres adoptantes, hermanos y cónyuges, suceden al difunto los hijos de sus hermanos.

A falta de éstos, el Instituto Colombiano de Bienestar Familiar.

Artículo 1052. Cuando en un mismo patrimonio se ha de suceder por testamento y abintestato, se cumplirán las disposiciones testamentarias, y el remanente se adjudicará a los herederos abintestato según las reglas generales.

Pero los que suceden a la vez por testamento y abintestato, imputarán a la porción que les corresponda abintestato lo que recibieren por testamento, sin perjuicio de retener toda la porción testamentaria, si excediere a la otra.

Prevalecerá sobre todo ello la voluntad expresa del testador en lo que de derecho corresponda.

Art. 1009 C.C.

Artículo 1053. Los extranjeros son llamados a las sucesiones abintestato abiertas en el territorio, de la misma manera y según las mismas reglas que los miembros de él.

Art. 18 C.C.

Artículo 1054. En la sucesión abintestato de un extranjero que fallezca dentro o fuera del territorio, tendrán los miembros de él, a título de herencia, de porción conyugal o de alimentos, los mismos derechos que según las leyes vigentes en el territorio les corresponderían sobre la sucesión intestada de un miembro del territorio.

Los miembros del territorio interesados podrán pedir que se les adjudique en los bienes del extranjero, existentes en el territorio todo lo que les corresponda en la sucesión del extranjero.

Esto mismo se aplicará, en caso necesario, a la sucesión de un miembro del territorio que deja bienes en un país extranjero.

Exeq. Cond. C-283 de 2011: «*siempre y cuando se entienda que a la porción conyugal también tienen derecho el compañero o compañera permanente y la pareja del mismo sexo*».

TÍTULO 3° De la ordenación del testamento

CAPÍTULO 1° Del testamento en general

Artículo 1055. El testamento es un acto más o menos solemne, en que una persona dispone del todo o de una parte de sus bienes para que tenga pleno efecto después de sus días, conservando la facultad de revocar las disposiciones contenidas en él mientras viva.

Artículo 1056. Toda donación o promesa que no se haga perfecta e irrevocable sino por la muerte del donante o promisor, es un testamento, y debe sujetarse a las mismas solemnidades que el testamento. Exceptúanse las donaciones o promesas entre marido y mujer, las cuales, aunque revocables, podrán hacerse bajo la forma de los contratos entre vivos.

Artículo 1057. Todas las disposiciones testamentarias son esencialmente revocables, sin embargo de que el testador exprese en el testamento la determinación de no revocarlas. Las cláusulas derogatorias de sus disposiciones futuras se tendrán por no escritas, aunque se confirmen con juramento. Si en un testamento anterior se hubiere ordenado que no valga su revocación si no se hiciere con ciertas palabras o señales, se mirará esta disposición como no escrita.

Art. 1194 C.C.

Artículo 1058. Las cédulas o papeles a que se refiera el testador en el testamento, no se mirarán como partes de éste, aunque el testador lo ordene; ni valdrán más de lo que sin esta circunstancia valdrían.

Artículo 1059. El testamento es un acto de una sola persona.

Serán nulas todas las disposiciones contenidas en el testamento otorgado por dos o más personas a un tiempo, ya sean en beneficio recíproco de los otorgantes, o de una tercera persona.

Artículo 1060. La facultad de testar es indelegable.

Artículo 1061. No son hábiles para testar:

1o.) El impúber.

2o.) El que se hallare bajo interdicción por causa de [demencia][*].

3o.) El que actualmente no estuviere en su sano juicio por ebriedad u otra causa.

4o.) Todo el que de palabra o por escrito no pudiere expresar su voluntad claramente.

Las personas no comprendidas en esta enumeración son hábiles para testar.

[*] Par. Art. 2 L. 1306 de 2009. *«El término "demente" que aparece actualmente en las demás leyes, se entenderá sustituido por "persona con discapacidad mental"».*

Artículo 1062. El testamento otorgado durante la existencia de cualquiera de las causas de inhabilidad expresadas en el artículo precedente es nulo, aunque posteriormente deje de existir la causa.

Y por el contrario, el testamento válido no deja de serlo por el hecho de sobrevenir después alguna de estas causas de inhabilidad.

Artículo 1063. El testamento en que de cualquier modo haya intervenido la fuerza, es nulo en todas sus partes.

Arts. 1513 y 1741 C.C.

Artículo 1064. El testamento es solemne, y menos solemne. Testamento solemne es aquel en que se han observado todas las solemnidades que la ley ordinariamente requiere. El menos solemne o privilegiado es aquel en que pueden omitirse algunas de estas solemnidades, por consideración a circunstancias particulares, determinadas expresamente por la ley.

El testamento solemne es abierto o cerrado.

Testamento abierto, nuncupativo o público es aquel en que el testador hace sabedores de sus disposiciones a los testigos, y al notario cuando concurren; y testamento cerrado o secreto, es aquél en que no es necesario que los testigos y el notario tengan conocimiento de ellas.

Artículo 1065. La apertura y publicación del testamento se hará ante el juez del último domicilio del testador; pero si no fueren hallados allí el notario y los testigos que deben reconocer sus firmas, aquellos actos tendrán lugar ante el juez que designen las leyes de procedimiento.

Arts. 473-474 C.G.P.

Artículo 1066. Siempre que el juez haya de proceder a la apertura y publicación de un testamento, se cerciorará previamente de la muerte del testador. Exceptúanse los casos en que, según la ley, deba presumirse la muerte.

Art. 97 C.C.

CAPÍTULO 2° Del testamento solemne y primeramente del otorgado en los territorios

Artículo 1067. El testamento solemne es siempre escrito.

Artículo 1068. No podrán ser testigos en un testamento solemne, otorgado en los territorios:

1o.) [Derogado. Art. 4 L. 8 de 1922]

2o.) Los menores de dieciocho años.

3o.) Los que se hallaren en interdicción por causa de [demencia][*].

4o.) Todos los que actualmente se hallaren privados de la razón.

5o.) *[Los ciegos]*[**]

6o.) *[Los sordos]*[**]

7o.) *[Los mudos]*[**]

8o.) Los condenados a alguna de las penas designadas en el artículo 315, número 4o, y en general, los que por sentencia ejecutoriada estuvieren inhabilitados para ser testigos.[***]

9o.) Los amanuenses del notario que autorizare el testamento.

10.) Los extranjeros no domiciliados en el territorio.

11.) Las personas que no entienden el idioma del testador, sin perjuicio de lo dispuesto en el artículo 1081.

12.) Los ascendientes, descendientes y parientes dentro del tercer grado de consanguinidad, o segundo de afinidad del otorgante o del funcionario público que autorice el testamento.

13.) El cónyuge del testador(****).

14.) Los dependientes o domésticos del testador, de su consorte, del funcionario que autorice el testamento y de las otras personas comprendidas en los números 12 y 17.

15.) Los que tengan con otro de los testigos el parentesco o las relaciones de que habla en los números 12 y 14(*****).

16.) El sacerdote que haya sido el confesor habitual del testador, y el que haya confesado a éste en la última enfermedad(******).

17.) Los herederos y legatarios, y en general, todos aquéllos a quienes resulte un provecho directo del testamento.

Dos, a lo menos, de los testigos deberán estar domiciliados en el lugar en que se otorga el testamento y uno, a lo menos, deberá saber leer y escribir, cuando sólo concurran tres testigos, y dos cuando concurrieren cinco.

(*) Numeral 3°: Par. Art. 2 L. 1306 de 2009. «*El término "demente" que aparece actualmente en las demás leyes, se entenderá sustituido por "persona con discapacidad mental..."*»

(**) Numerales 5°, 6° y 7°: Inexeq: C-065 de 2003.

(***) Numeral 8°: Inexeq. Cond. C-230 de 2003, «*En el entendido que la prohibición de ser testigo en un testamento solemne tendrá como tiempo máximo de duración el equivalente al término de la pena prevista para el hecho punible*».

(****) Numeral 13°: Modificado Art. 59 D. 2820 de 1974. Exeq: C-065 de 2003

(*****) Numeral 15°: Exeq. C-1029 de 2004.

(******) Numeral 16°: Exeq. C-266 de 1994.

Artículo 1069. Si alguna de las causas de inhabilidad, expresadas en el artículo precedente, no se manifestare en el aspecto o comportación de un testigo, y se ignorare generalmente en el lugar donde el testamento se otorga, fundándose la opinión contraria en hechos positivos y públicos, no se invalidará el testamento por la inhabilidad real del testigo.

Pero la habilidad putativa no podrá servir sino a uno solo de los testigos.

Artículo 1070. El testamento solemne y abierto debe otorgarse ante el respectivo notario o su suplente y tres testigos.

Todo lo que en el presente Código se diga acerca del notario, se entenderá respecto del suplente de éste en ejercicio, en su caso.

Artículo 1071. En los lugares en que no hubiere notario o en que faltare este funcionario, podrá otorgarse el testamento solemne, nuncupativo, ante cinco testigos que reúnan las cualidades exigidas en este Código.

Artículo 1072. Lo que constituye esencialmente el testamento abierto, es el acto en que el testador hace sabedor de sus disposiciones al notario, si lo hubiere, y a los testigos.

El testamento será presenciado en todas sus partes por el testador, por un mismo notario, si lo hubiere, y por unos mismos testigos.

Artículo 1073. En el testamento se expresará el nombre y apellido del testador; el lugar de su nacimiento; la nación a que pertenece; si está o no avecindado en el territorio, y si lo está, el lugar en que tuviere su domicilio; su edad; la circunstancia de hallarse en su entero juicio; los nombres de las personas con quienes hubiere contraído matrimonio, de los hijos habidos o legitimados en cada matrimonio, y de los hijos naturales[*] del testador, con distinción de vivos y muertos; y el nombre, apellido y domicilio de cada uno de los testigos.

Se ajustarán estas designaciones a lo que respectivamente declaren el testador y testigos. Se expresarán, asimismo, el lugar, día, mes y año del otorgamiento; y el nombre y apellido del notario, si asistiere alguno.

[*] Debe entenderse «hijos extramatrimoniales», Art. 1° L. 29 de 1982.

Artículo 1074. El testamento abierto podrá haberse escrito previamente.

Pero sea que el testador lo tenga escrito, o que se escriba en uno o más actos, será todo él leído en alta voz por el notario, si lo hubiere, o, a falta de notario, por uno de los testigos designados por el testador a este efecto.

Mientras el testamento se lee, estará el testador a la vista, y las personas cuya presencia es necesaria oirán todo el tenor de sus disposiciones.

Artículo 1075. Termina el acto por las firmas del testador y testigos, y por la del notario, si lo hubiere.

Si el testador no supiere o no pudiere firmar, se mencionará en el testamento esta circunstancia, expresando la causa.

Si se hallare alguno de los testigos en el mismo caso, otro de ellos firmará por él, y a ruego suyo, expresándolo así.

Artículo 1076. El ciego podrá sólo testar nuncupativamente y ante notario o funcionario que haga veces de tal. Su testamento será leído en alta voz dos veces: la primera por el notario o funcionario, y la segunda por uno de los testigos, elegido al efecto por el testador. Se hará mención especial de esta solemnidad en el testamento.

Artículo 1077. Si el testamento no ha sido otorgado ante notario, sino ante cinco testigos, será necesario que se proceda a su publicación, en la forma siguiente:

El juez competente hará comparecer los testigos para que reconozcan sus firmas y la del testador.

Si uno o más de ellos no compareciere por ausencia u otro impedimento, bastará que los testigos instrumentales presentes reconozcan la firma del testador, las suyas propias y las de los testigos ausentes.

En caso necesario, y siempre que el juez lo estimare conveniente, podrán ser abonadas las firmas del testador y de los testigos ausentes, por declaraciones juradas de otras personas fidedignas.

En seguida pondrán el juez y su secretario sus rúbricas en cada página del testamento, y después de haberlo el juez declarado testamento nuncupativo, expresando su fecha, lo mandará pasar con lo actuado, al respectivo notario, previo el correspondiente registro.

Artículo 1078. El testamento solemne cerrado debe otorgarse ante un notario y cinco testigos.

Artículo 1079. El que no sepa leer y escribir no podrá otorgar testamento cerrado.

Artículo 1080. Lo que constituye esencialmente el testamento cerrado es el acto en que el testador presenta al notario y los testigos una escritura cerrada, declarando de viva voz, y de manera que el notario y los testigos lo vean, oigan y entiendan (salvo el caso del artículo siguiente), que en aquella escritura se contiene su testamento. Los mudos podrán hacer esta declaración, escribiéndola a presencia del notario y los testigos.

El testamento deberá estar firmado por el testador. La cubierta del testamento estará cerrada o se cerrará exteriormente, de manera que no pueda extraerse el testamento sin romper la cubierta.

Queda al arbitrio del testador estampar un sello o marca, o emplear cualquier otro medio para la seguridad de la cubierta.

El notario expresará sobre la cubierta, bajo el epígrafe testamento, la circunstancia de hallarse el testador en su sano juicio; el nombre, apellido y domicilio del testador y de cada uno de los testigos, y el lugar, día, mes y año del otorgamiento.

Termina el otorgamiento por las firmas del testador, de los testigos y del notario, sobre la cubierta.

Si el testador no pudiere firmar al tiempo del otorgamiento, firmará por él otra persona diferente de los testigos instrumentales, y si alguno o algunos de los testigos no supieren o no pudieren firmar, lo harán otros por los que no supieren o no pudieren hacerlo, de manera que en la cubierta aparezcan siempre siete firmas: la del testador, las de los cinco testigos y la del notario.

Durante el otorgamiento estarán presentes, además del testador, un mismo notario y unos mismos testigos, y no habrá interrupción alguna sino en los breves intervalos en que algún accidente lo exigiere.

Adicionado por L. 36 de 1931:

Art. 1°. Inmediatamente después del acto en que el testador presenta al Notario y a los testigos la escritura en que declara que se contiene su testamento, según el artículo 1080 del Código Civil, se deberá extender una escritura pública en que conste el lugar, día, mes y año de la constitución del testamento cerrado; el nombre y apellido del Notario; el nombre y apellido, domicilio y vecindad del testador y cada uno de los testigos; la edad del otorgante, la circunstancia de hallarse éste en su entero y cabal juicio, el lugar de sus nacimiento y la nación a que pertenece.

Art. 2°. En el mismo instrumento se consignará una relación pormenorizada de la clase, estado y forma de los sellos, marcas y señales que como medios de seguridad contenga la cubierta.

Art. 3°. La escritura de que tratan los artículos anteriores debe ser firmada por el testador, los cinco testigos y el Notario.

Art. 4°. Copia de esta escritura debe acompañarse a la solicitud de apertura y publicación del testamento.

Artículo 1081. Cuando el testador no pudiere entender o ser entendido de viva voz, sólo podrá otorgar testamento cerrado.

El testador escribirá, de su letra, sobre la cubierta, la palabra testamento, o la equivalente en el idioma que prefiera, y hará del mismo modo la designación de su persona, expresando, a lo menos, su nombre, apellido y domicilio, y la nación a que pertenece; y en lo demás, se observará lo prevenido en el artículo precedente.

Artículo 1082. [Modificado. Arts. 59-67 Dec. 960 de 1970][*]

[*] ***Art. 59.*** El testamento cerrado se dejará al Notario o Cónsul colombiano que lo haya autorizado, para su custodia, en la forma y condiciones que determine el Reglamento.

Art. 60. El testamento cerrado será abierto y publicado por el Notario o Cónsul que lo haya autorizado.

Art. 61. Cualquier interesado presunto en la sucesión, podrá solicitar la apertura y publicación del testamento, presentando prueba legal de la defunción del testador, copia de la escritura exigida por la Ley 36 de 1931, y cuando fuere el caso, el sobre que la contenga, o petición de requerimiento de entrega a quien lo conserve.

Art. 62. [Modificado. Art. 39 Dec. 2163 de 1970]. Presentada la solicitud y el sobre, el notario hará constar el estado de éste, con expresión de las marcas, sellos y demás circunstancias distintivas, señalará el día y la hora en que deban comparecer ante él los testigos que intervinieron en la autorización del testamento y dispondrá que se les cite.

Art. 63. Llegados el día y la hora señalados, se procederá al reconocimiento del sobre y de las firmas puestas en él por el testador, los testigos y el Notario, teniendo a la vista el sobre y la escritura original que se haya otorgado en cumplimiento de lo ordenado en la Ley 36 de 1931. Acto seguido el Notario, en presencia de los testigos e interesados concurrentes, extraerá el pliego contenido en la cubierta y lo leerá de viva voz; terminada la lectura, lo firmará con los testigos a continuación de la firma del testador o en las márgenes y en todas las hojas de que conste.

Art. 64. De lo ocurrido se sentará un acta con mención de los presentes y constancia de su identificación correspondiente, y transcripción del texto íntegro del testamento.

Art. 65. [Modificado. Art. 40 Dec. 2163 de 1970]. Cuando alguno o algunos de los testigos no concurrieren, el notario ante quien se otorgó el testamento abonará sus firmas mediante su confrontación con las del original de la escritura de protocolización. Si aquel notario faltare, abonará su firma quien desempeñare actualmente sus funciones, mediante la misma confrontación y aún con su firma en otros instrumentos del protocolo.

Art. 66. El testamento así abierto y publicado, se protocolizará con lo actuado por el mismo Notario, quien expedirá las copias a que hubiere lugar. El registro se efectuará sobre copia enviada directamente por aquel y no sobre el original.

Art. 67. Si alguna persona que acredite interés en ello y exponga las razones que tenga, se opusiere a la apertura, el Notario se abstendrá de practicar la apertura y publicación y entregará el sobre y copia de lo actuado al Juez competente para conocer del proceso de sucesión, para que ante él se tramite y decida la oposición a la apertura como un incidente.

Si las firmas del Notario o los testigos no fueren reconocidas o abonadas, o la cubierta no apareciere cerrada, marcada y sellada como cuando se presentó para el otorgamiento, el Notario, dejando constancia de ello, practicará la apertura y publicación del testamento y enviará sobre, pliego y copia de su actuación al juez competente. En este caso el testamento no prestará mérito mientras no se declare su validez en proceso ordinario, con citación de quienes tengan interés en la sucesión por Ley o por razón de un testamento anterior.

Declarada la validez del testamento, el juez ordenará su protocolización y posterior registro.

D. Único Reglam. 1069 de 2015.

Artículo 1083. [Subrogado. Art. 11 L. 95 de 1890]. El testamento solemne, abierto o cerrado, en que se omitiere cualquiera de las formalidades a que debe respectivamente, sujetarse, según los artículos precedentes, no tendrá valor alguno.

Con todo, cuando se omitiere una o más de las designaciones prescritas en el artículo 1073, en el inciso 4o. del 1080 y en el inciso 2o. del 1081, no será por eso nulo el testamento, siempre que no haya duda acerca de la identidad personal del testador, notario o testigo.

CAPÍTULO 3° Del testamento solemne otorgado en los estados o en país extranjero

Artículo 1084. Valdrá en los territorios el testamento escrito, otorgado en cualquiera de los Estados o en país extranjero, si por lo tocante a las solemnidades, se hiciere constar su conformidad a las leyes del país o Estado en que se otorgó, y si además se probare la autenticidad del instrumento respectivo en la forma ordinaria.

Art. 21 C.C.

Artículo 1085. Valdrá, asimismo, en los territorios el testamento otorgado en cualquiera de los Estados o en país extranjero, con tal que concurran los requisitos que van a expresarse:

1o.) Que el testador sea colombiano, o que si es extranjero, tenga domicilio en el territorio.

2o.) Que sea autorizado por un ministro diplomático de los Estados Unidos de Colombia o de una nación amiga, por un secretario de legación que tenga título de tal, expedido por el presidente de la república, o por un cónsul que tenga patente del mismo; pero no valdrá si el que lo autoriza es un vicecónsul. En el testamento se hará mención expresa del cargo, y de los referidos títulos y patente;

3o.) Que los testigos sean colombianos o extranjeros domiciliados en la ciudad donde se otorgue el testamento.

4o.) Que se observen en lo demás las reglas del testamento solemne otorgado en los territorios.

5o.) Que el instrumento lleve el sello de la legación o consulado.

6o.) Que el testamento que no haya sido otorgado ante un jefe de legación, lleve el visto bueno de este jefe, si lo hubiere; si el testamento fuere abierto, al pie; y si fuere cerrado, sobre la carátula; y que dicho jefe ponga su rúbrica al principio y al fin de cada página cuando el testamento fuere abierto.

7o.) Que en seguida se remita por el Jefe de Legación, si lo hubiere, y si no directamente por el cónsul, una copia del testamento abierto, o de la carátula del cerrado, al Secretario de Relaciones Exteriores de la República, y que abonando este la firma del Jefe de Legación, o la del cónsul en su caso, pase la copia al Prefecto del Territorio respectivo.

Artículo 1086. Siempre que se proceda conforme a lo dispuesto en el anterior artículo, el jefe del territorio pasará la copia al juez del circuito del último domicilio que el difunto tuviera en el territorio, a fin de que dicha copia se incorpore en los protocolos de un notario del mismo domicilio.

No conociéndose al testador ningún domicilio, en el territorio, el testamento será remitido al prefecto o juez del circuito de la capital del territorio, para su incorporación en los protocolos de la notaría que el mismo juez designe.

CAPÍTULO 4° De los testamentos privilegiados

Artículo 1087. Son testamentos privilegiados:
1o.) El testamento verbal.
2o.) El testamento militar.
3o.) El testamento marítimo.

Artículo 1088. En los testamentos privilegiados podrá servir de testigo toda persona de sano juicio, hombre o mujer, mayor de diez y ocho años, que vea, oiga y entienda al testador, y que no tenga la inhabilidad designada en el número 8o. del artículo 1068. Se requerirá, además, para los testamentos privilegiados escritos, que los testigos sepan leer y escribir.

Bastará la habilidad putativa con arreglo a lo prevenido en el artículo 1069.

Artículo 1089. En los testamentos privilegiados el testador declarará expresamente que su intención es testar: las personas cuya presencia es necesaria serán unas mismas desde el principio hasta el fin; y el acto será continuo, o sólo interrumpido en los breves intervalos que algún accidente lo exigiere.

No serán necesarias otras solemnidades que éstas, y las que en los artículos siguientes se expresan.

Artículo 1090. El testamento verbal será presenciado por tres testigos, a lo menos.

Artículo 1091. En el testamento verbal el testador hace de viva voz sus declaraciones y disposiciones, de manera que todos le vean, oigan y entiendan.

Artículo 1092. El testamento verbal no tendrá lugar sino en los casos de peligro tan inminente de la vida del testador, que parezca no haber modo o tiempo de otorgar testamento solemne.

Artículo 1093. El testamento verbal no tendrá valor alguno si el testador falleciere después de los treinta días subsiguientes al otorgamiento; o si ha-biendo fallecido antes no se hubiere puesto por escrito el testamento, con las formalidades que van a expresarse, dentro de los treinta días subsiguientes al de la muerte.

Art. 1270 C.C.

Artículo 1094. Para poner el testamento verbal por escrito, el juez del circuito en que se hubiere otorgado, a instancia de cualquiera persona que pueda tener interés en la sucesión, y con citación de los demás interesados, residentes en el mismo circuito, tomará declaraciones juradas a los individuos que lo presenciaron como testigos instrumentales, y a todas las otras personas cuyo testimonio le pareciere conducente a esclarecer los puntos siguientes:
1o.) El nombre, apellido y domicilio del testador, el lugar de su nacimien-to, la nación a que pertenecía, su edad y las circunstancias que hicieron creer que su vida se hallaba en peligro inminente.
2o.) El nombre y apellido de los testigos instrumentales, y el lugar de su domicilio.
3o.) El lugar, día, mes y año del otorgamiento.

Art. 475 C.G.P.

Artículo 1095. Los testigos instrumentales depondrán sobre los puntos siguientes:
1o.) Si el testador aparecía estar en su sano juicio.
2o.) Si manifestó la intención de testar ante ellos.
3o.) Sus declaraciones y disposiciones testamentarias.

Artículo 1096. La información de que hablan los artículos precedentes será remitida al juez del último domicilio, si no lo fuere el que ha recibido la información; y el juez, si encontrare que se han observado las solemnidades prescritas, y que en la información aparece claramente la última voluntad del testador, fallará que, según dicha información, el testador ha hecho las declaraciones y disposiciones siguientes (expresándolas); y mandará que valgan dichas declaraciones y disposiciones como testamento del difunto, y que se protocolice como tal su decreto.

No se mirarán como declaraciones y disposiciones testamentarias sino aquellas en que los testigos que asistieron por vía de solemnidad estuvieren conformes.

Artículo 1097. El testamento consignado en el decreto judicial, protocolizado, podrá ser impugnado de la misma manera que cualquier otro testamento auténtico.

Artículo 1098. En tiempo de guerra, el testamento de los militares, y de los demás individuos empleados en un cuerpo de tropas del territorio o de la república, y asimismo el de los voluntarios, rehenes y prisioneros que pertenecieren a dicho cuerpo, y el de las personas que van acompañando y sirviendo a cualquiera de los antedichos, podrá ser recibido por un capitán, o por un oficial de grado superior al de capitán, o por un intendente de ejército, comisario o auditor de guerra. Si el que desea testar estuviere enfermo o herido, podrá ser recibido su testamento por el capellán, médico o cirujano que le asista; y si se hallare en un destacamento, por el oficial que lo mande, aunque sea de grado inferior al de capitán.

Artículo 1099. El testamento será firmado por el testador, si supiere y pudiere escribir, por el funcionario que lo ha recibido, y por los testigos.

Si el testador no supiere o no pudiere firmar, se expresará así en el testamento.

Artículo 1100. Para testar militarmente será preciso hallarse en una expedición de guerra, que esté actualmente en marcha o campaña contra el enemigo, o en la guarnición de una plaza actualmente sitiada.

Artículo 1101. Si el testador falleciere antes de expirar los noventa días subsiguientes a aquel en que hubieren cesado, con respecto a él, las circunstancias que habilitan para testar militarmente, valdrá su testamento como si hubiere sido otorgado en la forma ordinaria.

Si el testador sobreviviere a este plazo, caducará el testamento.

Art. 1270 C.C.

Artículo 1102. Para que valga el testamento militar es necesario que lleve al pie el visto bueno del jefe superior de la expedición o del comandante de la plaza, si no hubiere sido otorgado ante el mismo jefe o comandante, que vaya rubricado al principio y fin de cada página por dicho jefe o comandante, y que la firma de éste sea abonada por el Secretario de Guerra y Marina de la República, si el cuerpo de tropas estuviere al servicio de la Nación, o por el Secretario del Prefecto del Territorio, si dicho cuerpo obrare solamente en dicho Territorio.

Para que este testamento sea incorporado en el protocolo de instrumentos públicos, el Secretario del Prefecto lo remitirá, una vez cumplidas las formalidades legales, al notario del último domicilio del testador, y si éste se ignorare o no fuere conocido, al notario de la capital del territorio. La remisión se hará por conducto del juez superior respectivo.

Artículo 1103. Cuando una persona que puede testar militarmente se hallare en inminente peligro podrá otorgar testamento verbal en la forma arriba prescrita; pero este testamento caducará por el hecho de sobrevivir el testador al peligro.

La información de que hablan los artículos 1094 y 1095 será evacuada lo más pronto posible ante el auditor de guerra o la persona que haga veces de tal.

Para remitir la información al juez del último domicilio se cumplirá lo prescrito en el artículo precedente.

Artículo 1104. Si el que puede testar militarmente prefiere hacer testamento cerrado, deberán observarse las solemnidades prescritas en el artículo 1080, actuando como ministro de fe cualquiera de las personas designadas al fin del inciso 1o. del artículo 1098.

La carátula será visada, como el testamento, en el caso del artículo 1102; y para su remisión se procederá según el mismo artículo.

Artículo 1105. Se podrá otorgar testamento marítimo a bordo de un buque colombiano de guerra en alta mar.

Será recibido por el comandante o por su segundo a presencia de tres testigos.

Si el testador no supiere o no pudiere firmar, se expresará esta circunstancia en el testamento.

Se extenderá un duplicado del testamento con las mismas firmas que el original.

Artículo 1106. El testamento se guardará entre los papeles más importantes de la nave, y se dará noticia de su otorgamiento en el diario de la nave.

Artículo 1107. Si el buque, antes de volver a los Estados Unidos de Colombia, arribare a un puerto extranjero, en que haya un agente diplomático o consular colombiano, el comandante entregará a este agente un ejemplar del testamento, exigiendo recibo, y poniendo nota de ello en el diario a fin de que puedan surtirse los efectos y requisitos de que se trata en los incisos 5o., 6o. y 7o. del artículo 1085 y en el artículo 1086.

Si el buque llegare antes a Colombia, se enviará dicho ejemplar, con las debidas seguridades, al Poder Ejecutivo nacional para que puedan surtirse los mismos efectos expresados en el inciso anterior.

Artículo 1108. Podrán testar en la forma prescrita por el artículo 1105 no sólo los individuos de la oficialidad y tripulación, sino cualesquiera otros que se hallaren a bordo del buque colombiano de guerra, en alta mar.

Artículo 1109. El testamento marítimo no valdrá, sino cuando el testador hubiere fallecido antes de desembarcar, o antes de expirar los noventa días subsiguientes al desembarque.

No se entenderá por desembarque el pasar a tierra por corto tiempo para reembarcarse en el mismo buque.

Art. 1270 C.C.

Artículo 1110. En caso de peligro inminente podrá otorgarse testamento verbal a bordo de un buque de guerra en alta mar, observándose lo prevenido en el artículo 1103; y el testamento caducará si el testador sobrevive al peligro.

La información de que hablan los artículos 1094 y 1095 será recibida por el comandante o su segundo, y para su remisión al juez por conducto del secretario de Estado, se aplicará lo prevenido en el artículo 1103.

Artículo 1111. Si el que puede otorgar testamento marítimo prefiere hacerlo cerrado, se observarán las solemnidades prescritas en el artículo 1080, actuando como ministro de fe el comandante de la nave o su segundo. Se observará, además, lo dispuesto en el artículo 1106, y se remitirá copia de la carátula al secretario de Estado para que se protocolice, como el testamento, según el artículo 1107.

Artículo 1112. En los buques mercantes bajo bandera colombiana, podrá solo testarse en la forma prescrita por el artículo 1105, recibiéndose el testamento por el capitán o su segundo o el piloto, y observándose además lo prevenido en el artículo 1107.

TÍTULO 4° De las asignaciones testamentarias

CAPÍTULO 1° Reglas generales

Artículo 1113. Todo asignatario testamentario deberá ser una persona cierta y determinada, natural o jurídica, ya sea que se determine por su nombre o por indicaciones claras del testamento. De otra manera, la asignación se tendrá por no escrita.

Valdrán, con todo, las asignaciones destinadas a objetos de beneficencia, aunque no sean para determinadas personas.

Las asignaciones que se hicieren a un establecimiento de beneficencia sin designarlo, se darán al establecimiento de beneficencia que el jefe del territorio designe, prefiriendo alguno de los de la vecindad o residencia del testador.

Lo que se deja al alma del testador, sin especificar de otro modo su inversión, se entenderá dejado a un establecimiento de beneficencia, y se sujetará a la disposición del inciso anterior.

Lo que en general se dejare a los pobres, sin determinar el modo de distribuirlo, se aplicará al establecimiento público de beneficencia o caridad que exista en el lugar del domicilio del testador, si en dicho lugar hubiere tal establecimiento, y si no lo hubiere, se aplicará al establecimiento público de beneficencia o caridad más inmediato a dicho domicilio, salvo los casos siguientes:

1o.) Cuando el testador lo prohíba expresamente.

2o.) Cuando haya manifestado su voluntad de dejarlo a los pobres de determinado lugar, en donde no exista establecimiento público de beneficencia o caridad.

Art. 1115 C.C.

Artículo 1114. Las cantidades que se recauden por consecuencia de la disposición contenida en el anterior artículo se capitalizarán sea cual fuere su cuantía, y los réditos se invertirán en los gastos de los establecimientos a que correspondan.

Artículo 1115. Lo que conforme al artículo 1113 deba ser repartido entre los pobres de determinado lugar, lo será a presencia del alcalde y personero municipal del distrito.

Del repartimiento que se haga en observancia de lo dispuesto en el artículo que antecede, se entenderá una diligencia expresiva de la fecha en que se hace el repartimiento, de la cantidad repartida, y de los nombres y apellidos de los agraciados. Esta diligencia, que será suscrita por los funcionarios que hayan intervenido en la distribución, por los albaceas, herederos y legatarios distribuidores, y por aquéllos de los agraciados que supieren firmar, se agregará a los inventarios, sin cuyo requisito no serán estos aprobados por el juez.

Art. 1348 C.C.

Artículo 1116. El error en el nombre o calidad del asignatario no vicia la disposición, si no hubiere duda acerca de la persona.

Art. 746 C.C.

Artículo 1117. La asignación que pareciere motivada por un error de hecho, de manera que sea claro que sin este error no hubiera tenido lugar, se tendrá por no escrita.

Las disposiciones captatorias no valdrán.

Se entenderán por tales aquéllas en que el testador asigna alguna parte de sus bienes a condición que el asignatario le deje por testamento alguna parte de los suyos.

Artículo 1118. No vale disposición alguna testamentaria que el testador no haya dado a conocer de otro modo que por sí o no, o por una señal de afirmación o negación, contestando a una pregunta.

Artículo 1119. No vale disposición alguna testamentaria a favor del notario que autorizare el testamento o del funcionario que haga veces de tal, o del cónyuge de dicho notario o funcionario, o de cualquiera de los ascendientes, descendientes, hermanos, cuñados o [sirvientes][*] asalariados del mismo.

Lo mismo se aplica a las disposiciones en favor de cualquiera de los testigos.

[*] Inexeq. C-190 de 2017.

Artículo 1120. El acreedor cuyo crédito no conste sino por el testamento, será considerado como legatario para las disposiciones del artículo precedente.

Art. 1191 C.C.

Artículo 1121. La elección de un asignatario, sea absolutamente, sea de entre cierto número de personas, no dependerá del puro arbitrio ajeno.

Artículo 1122. Lo que se deje indeterminadamente a los parientes se entenderá dejado a los consanguíneos del grado más próximo según el orden de la sucesión abintestato, teniendo lugar el derecho de representación, en conformidad con las reglas legales; salvo que a la fecha del testamento haya habido uno solo en este grado, pues entonces se entenderán llamados al mismo tiempo los del grado inmediato.

Artículo 1123. Si la asignación estuviere concebida o escrita en tales términos, que no se sepa a cuál de dos o más personas ha querido designar el testador, ninguna de dichas personas tendrá derecho a ella.

Artículo 1124. Toda asignación deberá ser, o a título universal o de especies determinadas, o que por las indicaciones del testamento puedan claramente determinarse, o de géneros y cantidades que igualmente lo sean o puedan serlo. De otra manera se tendrá por no escrita.

Sin embargo, si la asignación se destinare a un objeto de beneficencia expresado en el testamento, sin determinar la cuota, cantidad o especies que hayan de invertirse en él, valdrá la asignación y se determinará la cuota, cantidad o especies, habida consideración a la naturaleza del objeto, a las otras disposiciones del testador y a las fuerzas del patrimonio, en la parte de que el testador pudo disponer libremente. El juez hará la determinación, oyendo al personero municipal y a los herederos, y conformándose en cuanto fuere posible a la intención del testador.

Art. 1008 C.C.

Artículo 1125. Si el cumplimiento de una asignación se dejare al arbitrio de un heredero o legatario, a quien aprovechare rehusarla, será el heredero o legatario obligado a llevarla a efecto, a menos que pruebe justo motivo para no hacerlo así. Si de rehusar la asignación no resultare utilidad al heredero o legatario, no será obligado a justificar su resolución, cualquiera que sea.

El provecho de un ascendiente o descendiente, de un cónyuge o de un hermano o cuñado, se reputará, para el efecto de esta disposición, provecho de dicho heredero o legatario.

Art. 1538 C.C.

Artículo 1126. La asignación que por faltar el asignatario se transfiere a distinta persona por acrecimiento, sustitución u otra causa, llevará consigo todas las obligaciones y cargas transferibles, y el derecho de aceptarla o repudiarla separadamente.

La asignación que por demasiado gravada hubieren repudiado todas las personas sucesivamente llamadas a ella por el testamento o la ley, se deferirá en último lugar a las personas a cuyo favor se hubieren constituido los gravámenes.

Arts. 1206-1225 y 1282 C.C.

Artículo 1127. Sobre las reglas dadas en este título acerca de la inteligencia y efecto de las disposiciones testamentarias, prevalecerá la voluntad del testador claramente manifestada, con tal que no se oponga a los requisitos o prohibiciones legales.

Para conocer la voluntad del testador se estará más a la sustancia de las disposiciones que a las palabras de que se haya servido.

Art. 1618 C.C.

CAPÍTULO 2° De las asignaciones testamentarias condicionales

Artículo 1128. Las asignaciones testamentarias pueden ser condicionales.

Asignación condicional es, en el testamento, aquella que depende de una condición, esto es, de un suceso futuro e incierto, de manera que según las intenciones del testador no valga la asignación si el suceso positivo no acaece, o si acaece el negativo.

Las asignaciones testamentarias condicionales se sujetan a las reglas dadas en el título de las obligaciones condicionales, con las excepciones y modificaciones que van a expresarse.

Arts. 820, 1030, 1395, 1530-1550 C.C.

Artículo 1129. La condición que consiste en un hecho presente o pasado no suspende el cumplimiento de la disposición. Si existe o ha existido se mira como no escrita; si no existe o no ha existido, no vale la disposición.

Lo pasado, presente y futuro se entenderá con relación al momento de testar, a menos que se exprese otra cosa.

Art. 1580 C.C.

Artículo 1130. Si la condición que se impone como para tiempo futuro, consiste en un hecho que se ha realizado en vida del testador, y el testador al tiempo de testar lo supo, y el hecho es de los que pueden repetirse, se presumirá que el testador exige su repetición; si el testador al tiempo de testar lo supo, y el hecho es de aquellos cuya repetición es imposible, se mirará la condición como cumplida; y si el testador no lo supo, se mirará la condición como cumplida, cualquiera que sea la naturaleza del hecho.

Arts. 66, 1580 C.C.

Artículo 1131. La condición de no impugnar el testamento, impuesta a un asignatario, no se extiende a las demandas de nulidad, por algún defecto en su forma.

Artículo 1132. [Subrogado. Art. 12 L. 95 de 1890] La condición impuesta al heredero o legatario de no contraer matrimonio, se tendrá por no escrita, salvo que se limite a no contraerlo antes de la edad de veintiún años[*] o menos, o con determinada persona.

[*] Art. 2 L. 27 de 1977. Se fijó la mayoría de edad en 18 años.
Arts. 113 y ss. C.C.

Artículo 1133. Se tendrá, así mismo, por no puesta la condición de permanecer en estado de viudedad; [*a menos que el asignatario tenga uno o más hijos del anterior matrimonio, al tiempo de deferírsele la asignación*].

Inexeq.: C-513 de 2013: «*Declarar INEXEQUIBLE la expresión "a menos que el asignatario tenga uno o más hijos del anterior matrimonio, al tiempo de deferírsele la asignación" contenida en el artículo 1133 del Código Civil*». El texto entre paréntesis cuadrados no forma parte del ordenamiento.

Artículo 1134. [*Los artículos precedentes no se oponen a que se provea a la subsistencia de una mujer mientras permanezca soltera o viuda dejándole por ese tiempo un derecho de usufructo, de uso o de habitación, o una pensión periódica*].

Inexq.: C-101 de 2005: «*Declarar INEXEQUIBLE el artículo 1134 del Código Civil*». El texto entre paréntesis cuadrados no hace parte ya del ordenamiento.

Artículo 1135. La condición de casarse o no casarse con una persona determinada, y la de abrazar un estado o profesión cualquiera, permitida por las leyes, aunque sea incompatible con el estado de matrimonio, valdrán.

Exeq.: C-660 de 1996.

Artículo 1136. Las asignaciones testamentarias, bajo condición suspensiva, no confieren al asignatario derecho alguno, mientras pende la condición, sino el de implorar las providencias conservativas necesarias.

Si el asignatario muere antes de cumplirse la condición, no trasmite derecho alguno.

Cumplida la condición, no tendrá derecho a los frutos percibidos en el tiempo intermedio, si el testador no se los hubiere expresamente concedido.

Arts. 820 y 1019. C.C.

Artículo 1137. Las disposiciones condicionales que establecen fideicomisos y conceden una propiedad fiduciaria, se reglan por el título De la propiedad fiduciaria.

Arts. 793 y ss. C.C.

CAPÍTULO 3º De las asignaciones testamentarias a día

Artículo 1138. Las asignaciones testamentarias pueden estar limitadas a plazos o días, de que dependa el goce actual o la extinción de un derecho; y se sujetarán entonces a las reglas dadas en el título De las obligaciones a plazo, con las explicaciones que siguen.

Arts. 67, 68, 70, 820, 1551-1555 C.C.

Artículo 1139. El día es cierto y determinado, si necesariamente ha de llegar, y se sabe cuándo, como el día tantos de tal mes y año, o tantos días, meses o años después de la fecha del testamento o del fallecimiento del testador.

Es cierto pero indeterminado, si necesariamente ha de llegar, pero no se sabe cuándo, como el día de la muerte de una persona.

Es incierto pero determinado si puede llegar o no; pero suponiendo que haya de llegar se sabe cuándo, como el día en que una persona cumpla veinticinco años.

Finalmente es incierto e indeterminado, si no se sabe si ha de llegar, ni cuándo, como el día en que una persona se case.

Artículo 1140. Lo que se asigna desde un día que llega antes de la muerte del testador, se entenderá asignado para después de sus días, y sólo se deberá desde que se abra la sucesión.

Artículo 1141. El día incierto e indeterminado es siempre una verdadera condición, y se sujeta a las reglas de las condiciones.

Arts. 801, 1530-1550 C.C.

Artículo 1142. La asignación desde día cierto y determinado, da al asignatario, desde el momento de la muerte del testador, la propiedad de la cosa asignada, y el derecho de enajenarla y transmitirla; pero no el de reclamarla antes que llegue el día.

Si el testador impone expresamente la condición de existir el asignatario en ese día, se sujetará a las reglas de las asignaciones condicionales.

Artículo 1143. La asignación desde día cierto pero indeterminado, es condicional, y envuelve la condición de existir el asignatario en ese día.

Si se sabe que ha de existir el asignatario en ese día (como cuando la asignación es a favor de un establecimiento permanente) tendrá lugar lo prevenido en el Inciso 1º del artículo precedente.

Arts. 799 y 810 C.C.

Artículo 1144. La asignación desde el día incierto, sea determinado o no, es siempre condicional.

Art. 810, 1530-1550 C.C.

Artículo 1145. La asignación hasta el día cierto, sea determinado o no, constituye un usufructo a favor del asignatario.

La asignación de prestaciones periódicas es intransmisible por causa de muerte, y termina, como el usufructo, por la llegada del día y por la muerte natural del pensionario.

Si es a favor de una corporación o fundación no podrá durar más de treinta años[*].

[*] Art. 1 L. 791 de 2002. Se fijó el término en diez (10) años.
Arts. 801, 825, 829, 863 y 865 C.C.

Artículo 1146. La asignación hasta día incierto pero determinado, unido a la existencia del asignatario, constituye usufructo; salvo que consista en prestaciones periódicas.

Si el día está unido a la existencia de otra persona que el asignatario, se entenderá concedido el usufructo hasta la fecha en que, viviendo la otra persona, llegaría para ella el día.

Arts. 823-869 C.C.

CAPÍTULO 4º De las asignaciones modales

Artículo 1147. Si se asigna algo a alguna persona para que lo tenga por suyo, con la obligación de aplicarlo a un fin especial, como el de hacer ciertas obras o sujetarse a ciertas cargas, esta aplicación es un modo y no una condición suspensiva. El modo, por consiguiente, no suspende la adquisición de la cosa asignada.

Exeq.: C-105 de 1994.
Arts. 1530-1550 C.C.

Artículo 1148. En las asignaciones modales, se llama cláusula resolutoria la que impone la obligación de restituir la cosa y los frutos, si no se cumple el modo.

No se entenderá que envuelve cláusula resolutoria cuando el testador no la expresa.

Artículo 1149. Para que la cosa asignada modalmente se adquiera, no es necesario prestar fianza o caución de restitución para el caso de no cumplirse el modo.

Artículo 1150. Si el modo es en beneficio del asignatario exclusivamente, no impone obligación alguna, salvo que lleve cláusula resolutoria.

Artículo 1151. [Derogado. Art. 45 L. 57 de 1887]

Artículo 1152. Si el testador no determinare suficientemente el tiempo o la forma especial en que ha de cumplirse el modo, podrá el juez determinarlos, consultando en lo posible la voluntad de aquél, y dejando al asignatario modal un beneficio que ascienda, por lo menos, a la quinta parte del valor de la cosa asignada.

Artículo 1153. Si el modo consiste en un hecho tal que para el fin que el testador se haya propuesto, sea indiferente la persona que lo ejecute, es transmisible a los herederos del asignatario.

Artículo 1154. Siempre que haya de llevarse a efecto la cláusula resolutoria, se entregará a la persona en cuyo favor se ha constituido el modo, una suma proporcionada al objeto, y el resto del valor de la cosa asignada acrecerá a la herencia, si el testador no hubiere ordenado otra cosa.

El asignatario a quien se ha impuesto el modo no gozará del beneficio que pudiera resultarle de la disposición precedente.

CAPÍTULO 5º De las asignaciones a título universal

Artículo 1155. Los asignatarios a título universal, con cualesquiera palabras que se les llame, y aunque en el testamento se les califique de legatarios, son herederos; representan la persona del testador para sucederle en todos sus derechos y obligaciones transmisibles.

Los herederos son también obligados a las cargas testamentarias, esto es, a las que se constituyen por el testamento mismo, y que no se imponen a determinadas personas.

Arts. 1008, 1011, 1227, 1236, 1238, 1411, 1417, 1475, 1580 y 1836 C.C.

Artículo 1156. El asignatario que ha sido llamado a la sucesión, en términos generales, que no designan cuotas, como «sea Fulano mi heredero», o «dejo mis bienes a Fulano», es heredero universal.

Pero si concurriere con herederos de cuota, se entenderá heredero de aquella cuota que, con las designadas en el testamento, complete la unidad o entero.

Si fueren muchos los herederos instituidos, sin designación de cuota, dividirán entre sí, por partes iguales, la herencia, o la parte de ella que les toque.

Artículo 1157. Si hechas otras asignaciones se dispone del remanente de los bienes, y todas las asignaciones, excepto la del remanente, son a título singular, el asignatario del remanente es heredero universal; si algunas de las otras asignaciones son de cuotas, el asignatario del remanente es heredero de la cuota que resta para completar la unidad.

Artículo 1158. Si no hubiere herederos universales, sino de cuota, y las designadas en el testamento no componen todas juntas unidad entera, los herederos abintestato se entienden llamados como herederos del remanente.

Si en el testamento no hubiere asignación alguna a título universal, los herederos abintestato son herederos universales.

Art. 1037 C.C.

Artículo 1159. Si las cuotas designadas en el testamento completan o exceden la unidad, en tal caso el heredero universal se entenderá instituido en una cuota cuyo numerador sea la unidad, y el denominador el número total de herederos; a menos que sea instituido como heredero del remanente, pues entonces nada tendrá.

Artículo 1160. Reducidas las cuotas a un común denominador, inclusas las computadas según el artículo precedente, se representará la herencia por la suma de los numeradores, y la cuota efectiva de cada heredero por su numerador respectivo.

Artículo 1161. Las disposiciones de este título se entienden sin perjuicio de la acción de reforma que la ley concede a los legitimarios y al cónyuge sobreviviente.

Arts. 1274, 1276 y 1278 C.C.; Arts. 3, 17, 18 L. 1934 de 2018.

CAPÍTULO 6º De las asignaciones a título singular

Artículo 1162. Los asignatarios a título singular, con cualesquiera palabras que se les llame, y aunque en el testamento se les califique de herederos, son legatarios; no representan al testador; no tienen más derechos ni cargas que las que expresamente se les confieran o impongan.

Lo cual, sin embargo, se entenderá sin perjuicio de su responsabilidad en subsidio de los herederos, y de la que pueda sobrevenirles en el caso de la acción de reforma.

Arts. 1008, 1011, 1199, 1238, 1274, 1276, 1278 y 1417 C.C.; Arts. 3, 17 y 18 L. 1934 de 2018.

Artículo 1163. No vale el legado de cosas que al tiempo del testamento sean de propiedad pública y uso común, o formen parte de un edificio, de manera que no puedan separarse sin deteriorarlo; a menos que la causa cese antes de deferirse el legado.

Arts. 658, 660, 674-677 C.C.

Artículo 1164. Podrá ordenar el testador que se adquiera una especie ajena para darla a alguna persona o para emplearla en algún objeto de beneficencia; y si el asignatario a quien se impone esta obligación no pudiere cumplir, porque el dueño de la especie rehúsa enajenarla, o pide por ella un precio excesivo, el dicho asignatario será sólo obligado a dar en dinero el justo precio de la especie.

Y si la especie ajena legada hubiese sido antes adquirida por el legatario o para el objeto de beneficencia, no se deberá su precio sino en cuanto la adquisición hubiere sido a título oneroso y a precio equitativo.

Art. 1165, 1166 y 1167 C.C.

Artículo 1165. El legado de especie que no es del testador, o del asignatario a quien se impone la obligación de darla, es nulo; a menos que en el testamento aparezca que el testador sabía que la cosa no era suya o del dicho asignatario; o a menos de legarse la cosa ajena a un descendiente o ascendiente legítimo del testador, o a su cónyuge; pues en estos casos se procederá como en el del Inciso 1° del artículo precedente.

Art. 1164, 1166, 1167, 1169 y 1171 C.C.

Artículo 1166. Si la cosa ajena legada pasó, antes de la muerte del testador, al dominio de éste o del asignatario a quien se había impuesto la obligación de darla, se deberá el legado.

Artículo 1167. El asignatario obligado a prestar el legado de cosa ajena, que después de la muerte del testador la adquiere, la deberá al legatario; el cual, sin embargo, no podrá reclamarla, sino restituyendo lo que hubiere recibido por ella, según el artículo 1164.

Artículo 1168. Si el testador no ha tenido en la cosa legada más que una parte, cuota o derecho, se presumirá que no ha querido legar más que esa parte, cuota o derecho.

Lo mismo se aplica a la cosa que un asignatario es obligado a dar, y en que sólo tiene una parte, cuota o derecho.

Arts. 66, 72 y 1799 C.C.

Artículo 1169. Si al legar una especie se designa el lugar en que está guardada, y no se encuentra allí, pero se encuentra en otra parte, se deberá la especie; si no se encuentra en parte alguna, se deberá una especie de mediana calidad del mismo género, pero sólo a las personas designadas en el artículo 1165.

Artículo 1170. El legado de cosa fungible, cuya cantidad no se determine de algún modo, no vale.

Si se le lega la cosa fungible, señalando el lugar en que ha de encontrarse, se deberá la cantidad que allí se encuentre al tiempo de la muerte del testador, dado caso que el testador no haya determinado la cantidad; o hasta concurrencia de la cantidad determinada por el testador, y no más. Si la cantidad existente fuere menor que la cantidad designada, sólo se deberá la cantidad existente; y si no existe allí cantidad alguna de dicha cosa fungible, nada se deberá.

Lo cual, sin embargo, se entenderá con estas limitaciones:

1. Valdrá siempre el legado de la cosa fungible cuya cantidad se determine por el testador a favor de las personas designadas en el artículo 1165.

2. No importará que la cosa legada no se encuentre en el lugar señalado por el testador, cuando el legado y el señalamiento de lugar no forman una cláusula indivisible.

Así, el legado de «treinta hectolitros de trigo, que se hallan en tal parte», vale, aunque no se encuentre allí trigo alguno; pero el legado de «los treinta hectolitros de trigo, que se hallarán en tal parte», no vale, sino respecto del trigo que allí se encontrare, y que no pase de treinta hectolitros.

Art. 1124 C.C.

Artículo 1171. El legado de una cosa futura vale, con tal que llegue a existir.

Artículo 1172. Si de muchas especies que existen en el patrimonio del testador, se legare una, sin decir cuál, se deberá una especie de mediana cantidad o valor, entre las comprendidas en el legado.

Art. 1175 C.C.

Artículo 1173. Los legados de género que no se limitan a lo que existe en el patrimonio del testador, como una vaca, un caballo, imponen la obligación de dar una cosa de mediana calidad o valor del mismo género.

Artículo 1174. Si se legó una cosa entre varias que el testador creyó tener y no ha dejado más que una, se deberá la que haya dejado.

Si no ha dejado ninguna, no valdrá el legado sino en favor de las personas designadas en el artículo 1165; que sólo tendrán derecho a pedir una cosa mediana del mismo género, aunque el testador les haya concedido la elección.

Pero si se lega una cosa de aquéllas cuyo valor no tiene límites, como una casa, una hacienda de campo, y no existe ninguna del mismo género entre los bienes del testador, nada se deberá, ni aun a las personas designadas en el artículo 1165.

Art. 1165 C.C.

Artículo 1175. Inc. 1. [Derogado. Art. 45 L. 57 de 1887] [Subrogado. Art. 29 L. 57 de 1887] Si la elección de una cosa entre muchas se diere expresamente a la persona obligada o al legatario, podrá respectivamente aquélla o éste ofrecer o elegir a su arbitrio.

Si el testador cometiere la elección a tercera persona, podrá ésta elegir a su arbitrio; y si no cumpliere su encargo dentro del tiempo señalado por el testador, o en su defecto por el juez, tendrá lugar la regla del artículo 1172.

Hecha una vez la elección, no habrá lugar a hacerla de nuevo, sino por causa de engaño o dolo.

Art. 1772 C.C.

Artículo 1176. La especie legada se debe en el estado en que existiere al tiempo de la muerte del testador, comprendiendo los utensilios necesarios para su uso, y que existan con ella.

Art. 1395 C.C.

Artículo 1177. Si la cosa legada es un predio, los terrenos y los nuevos edificios que el testador le haya agregado después del testamento, no se comprenderán en el legado; y si lo nuevamente agregado formare con lo demás, al tiempo de abrirse la sucesión, un todo que no pueda dividirse sin grave pérdida, y las agregaciones valieren más que el predio en su estado anterior, sólo se deberá este segundo valor al legatario; si valiere menos, se deberá todo ello al legatario, con el cargo de pagar el valor de las agregaciones.

Pero el legado de una medida de tierra, como mil metros cuadrados, no crecerá en ningún caso por la adquisición de tierras contiguas, y si aquélla no pudiere separarse de éstas, sólo se deberá lo que valga.

Si se lega un solar, y después el testador edifica en él, sólo se deberá el valor del solar.

Arts. 655-658 C.C.

Artículo 1178. Si se deja parte de un predio, se entenderán legadas las servidumbres que para su goce y cultivo le sean necesarias.

Artículo 1179. Si se lega una casa, con sus muebles o con todo lo que se encuentre en ella, no se entenderán comprendidas en el legado las cosas enumeradas en el Inciso 2º del artículo 662, sino sólo las que forman el ajuar de la casa, y se encuentran en ella; y si se lega de la misma manera una hacienda de campo, no se entenderá que el legado comprende otras cosas que las que sirven para el cultivo y beneficio de la hacienda, y se encuentran en ella.

En uno y otro caso no se deberán de los demás objetos contenidos en la casa o hacienda, sino los que el testador expresamente designare.

Arts. 655-658 y 662 C.C.

Artículo 1180. Si se lega un carruaje de cualquiera clase, se entenderán legados los arneses y las bestias de que el testador solía servirse para usarlo, y que al tiempo de su muerte existan con él.

Artículo 1181. Si se lega un rebaño, se deberán los animales de que se componga al tiempo de la muerte del testador, y no más.

Artículo 1182. [Derogado. Art. 45 L. 57 de 1887] [Subrogado. Art. 30 L. 57 de 1887] Si a varias personas se legan distintas cuotas de la misma cosa, se seguirán para la división de éstas las reglas del capítulo V, título IV, del libro III del código.

Artículo 1183. La especie legada pasa al legatario con sus servidumbres, censos y demás cargas reales.

Art. 879 y ss. C.C.

Artículo 1184. Si se lega una cosa con calidad de no enajenarla, y la enajenación no comprometiere ningún derecho de tercero, la cláusula de no enajenar se tendrá por no escrita.

Art. 2022 C.C.

Artículo 1185. Pueden legarse no sólo las cosas corporales, sino los derechos y acciones.

Por el hecho de legarse el título de un crédito se entenderá que se lega el crédito.

El legado de un crédito comprende el de los intereses devengados; pero no subsiste sino en la parte del crédito o de los intereses que no hubiere recibido el testador.

Art. 653, 664-668 C.C.

Artículo 1186. Si la cosa que fue empeñada al testador, se lega al deudor, no se extingue por eso la deuda, sino el derecho de prenda[*]; a menos que aparezca claramente que la voluntad del testador fue extinguir la deuda.

[*] Art. 3 L. 1676 de 2013
Art. 2431 C.C.

Artículo 1187. Si el testador condona en el testamento una deuda, y después demanda judicialmente al deudor, o acepta el pago que se le ofrece, no podrá el deudor aprovecharse de la condonación; pero si se pagó sin noticia o consentimiento del testador, podrá el legatario reclamar lo pagado.

Arts. 1711 a 1713 y 2313 C.C.

Artículo 1188. Si se condona a una persona lo que debe, sin determinar suma, no se comprenderán en la condonación sino las deudas existentes a la fecha del testamento.

Artículo 1189. Lo que se lega a un acreedor no se entenderá que es a cuenta de su crédito, si no se expresa, o si por las circunstancias no apareciere claramente que la intención del testador es pagar la deuda con el legado.

Si así se expresare o apareciere, se deberá reconocer la deuda en los términos que lo haya hecho el testador, o en que se justifique haberse contraído la obligación; y el acreedor podrá, a su arbitrio, exigir el pago en los términos a que estaba obligado el deudor, o en los que expresa el testamento.

Artículo 1190. Si el testador manda pagar lo que cree deber y no debe, la disposición se tendrá por no escrita.

Si en razón de una deuda determinada se manda pagar más de lo que ella importa, no se deberá el exceso, a menos que aparezca la intención de donarlo.

Arts. 1117, 1510 y 2313. C.C.

Artículo 1191. Las deudas confesadas en el testamento, y de que por otra parte no hubiere un principio de prueba por escrito, se tendrán por legados gratuitos, y estarán sujetos a las mismas responsabilidades y deducciones que los otros legados de esta clase.

Arts. 1058, 1120 y 1417 C.C.

Artículo 1192. Si se legaren alimentos voluntarios sin determinar su forma y cuantía, se deberán en la forma y cuantía en que el testador acostumbraba suministrarlos a la misma persona; y a falta de esta determinación, se regularán tomando en consideración la necesidad del legatario, sus relaciones con el testador, y la fuerza del patrimonio en la parte de que el testador ha podido disponer libremente.

Si el testador no fija el tiempo que haya de durar la contribución de alimentos, se entenderá que debe durar por toda la vida del legatario.

Si se legare una pensión anual para la educación del legatario, durará hasta que cumpla veintiún años[*], y cesará si muere antes de cumplir esa edad.

[*] Art. 2 L. 27 de 1977. Se fijó la mayoría de edad en 18 años.
Arts. 419 y ss., 427, 1418 C.C.

Artículo 1193. Por la destrucción de la especie legada se extingue la obligación de pagar el legado.

La enajenación de las especies legadas, en todo o parte, por acto entre vivos, envuelve la revocación del legado en todo o parte; y no subsistirá o revivirá el legado, aunque la enajenación haya sido nula, y aunque las especies legadas vuelvan a poder del testador.

La prenda[*], hipoteca o censo constituido sobre la cosa legada, no extingue el legado, pero lo grava con dicha prenda, hipoteca o censo.

Si el testador altera sustancialmente la cosa legada mueble, como si de la madera hace construir un carro, o de la lana telas, se entenderá que revoca el legado.

[*] Art. 3 L. 1676 de 2013: «...Cuando en otras normas se haga referencia a las normas de prenda (...) dichas figuras se considerarán como garantías mobiliarias y se aplicará lo previsto por la presente ley».
Arts. 1543, 1561, 1604, 1607, 1729-1739 C.C.

CAPÍTULO 7º De las donaciones revocables

Artículo 1194. Donación revocable es aquella que el donante puede revocar a su arbitrio.

Donación por causa de muerte es lo mismo que donación revocable; y donación entre vivos, lo mismo que donación irrevocable.

Arts. 112, 125, 150, 164, 304, 1056, 1057, 1244-1246, 1258, 1443-1446 y 1842 C.C.; Arts. 5, 6 y 20 L. 1934 de 2018.

Artículo 1195. No valdrá como donación revocable sino aquella que se hubiere otorgado con las solemnidades que la ley prescribe para las de su clase, o aquella a que la ley da expresamente este carácter.

Si el otorgamiento de una donación se hiciere con las solemnidades de las entre vivos, y el donante en el instrumento se reservare la facultad de revocarla, será necesario, para que subsista después de la muerte del donante, que éste la haya confirmado expresamente en un acto testamentario; salvo que la donación sea de uno de los cónyuges al otro.

Las donaciones de que no se otorgare instrumento alguno, valdrán como donaciones entre vivos, en lo que fuere de derecho; menos las que se hicieren entre cónyuges, que podrán siempre revocarse.

Arts. 745 y 1056 C.C.

Artículo 1196. Son nulas las donaciones revocables de personas que no pueden testar o donar entre vivos.

Son nulas, así mismo, las entre personas que no pueden recibir asignaciones testamentarias o donaciones entre vivos una de otra.

Sin embargo, las donaciones entre cónyuges valen como donaciones revocables.

Arts. 1056, 1061 a 1064, 1445, 1449 y 1842 C.C.; Art. 1 L. 1934 de 2018.

Artículo 1197. [Derogado. Art. 45 L. 57 de 1887] [Subrogado. Art. 31 L. 57 de 1887] El otorgamiento de las donaciones revocables se sujeta a las reglas del artículo 1056.

Arts. 1056, 1844 y 1852 C.C.

Artículo 1198. Por la donación revocable, seguida de la tradición de las cosas donadas, adquiere el donatario los derechos y contrae las obligaciones de usufructuario.

Sin embargo, no estará sujeto a rendir la caución de conservación y restitución a que son obligados los usufructuarios, a no ser que lo exija el donante.

Arts. 745 y 834 C.C.

Artículo 1199. Las donaciones revocables a título singular son legados anticipados, y se sujetan a las mismas reglas que los legados.

Recíprocamente, si el testador da en vida al legatario el goce de la cosa legada, el legado es una donación revocable.

Arts. 1008, 1011, 1162 a 1193, 1243 y 1419 C.C.

Artículo 1200. Las donaciones revocables, incluso los legados, en el caso del Inciso precedente, preferirán a los legados de que no se ha dado el goce a los legatarios en vida del testador, cuando los bienes que éste deja a su muerte no alcanzan a cubrirlos todos.

Artículo 1201. La donación revocable de todos los bienes o de una cuota de ellos se mirará como una institución de heredero, que sólo tendrá efecto desde la muerte del donante.

Sin embargo, podrá el donatario de todos los bienes, o de una cuota de ellos ejercer los derechos de usufructuario sobre las especies que se le hubieren entregado.

Artículo 1202. Las donaciones revocables caducan por el mero hecho de morir el donatario antes que el donante.

Art. 1258 C.C.

Artículo 1203. Las donaciones revocables se confirman y dan la propiedad del objeto donado, por el mero hecho de morir el donante sin haberlas revocado, y sin que haya sobrevenido en el donatario alguna causa de incapacidad o indignidad, bastante para invalidar una herencia o legado; salvo el caso del artículo 1195, Inciso 2º.

Artículo 1204. Su revocación puede ser expresa o tácita, de la misma manera que la revocación de las herencias o legados.

Artículo 1205. Las disposiciones de este párrafo, en cuanto conciernan a los asignatarios forzosos, están sujetas a las excepciones y modificaciones que se dirán en el título de las asignaciones forzosas.

Arts. 1226-1264 C.C.; Arts. 2-16 L. 1934 de 2018.

CAPÍTULO 8º Del derecho de acrecer

Artículo 1206. Destinado un mismo objeto a dos o más asignatarios, la porción de uno de ellos, que por falta de este se junta a las porciones de los otros, se dice acrecer a ellas.

Arts. 1126 y 1222 C.C.

Artículo 1207. Este acrecimiento no tendrá lugar entre los asignatarios de distintas partes o cuotas en que el testador haya dividido el objeto asignado: cada parte o cuota se considerará en tal caso como un objeto separado; y no habrá derecho de acrecer sino entre los coasignatarios de una misma parte o cuota.

Si se asigna un objeto a dos o más personas por iguales partes, habrá derecho de acrecer.

Artículo 1208. Habrá derecho de acrecer, sea que se llame a los coasignatarios en una misma cláusula o en cláusulas separadas de un mismo instrumento testamentario.

Si el llamamiento se hace en dos instrumentos distintos, el llamamiento anterior se presumirá revocado en toda la parte que no le fuere común con el llamamiento posterior.

Artículo 1209. Los coasignatarios conjuntos se reputarán por una sola persona para concurrir con otros coasignatarios; y la persona colectiva, formada por los primeros, no se entenderá faltar sino cuando todos estos faltaren.

Se entenderán por conjuntos los coasignatarios asociados por una expresión copulativa, como Pedro y Juan, o comprendidos en una denominación colectiva, como los hijos de Pedro.

Artículo 1210. El coasignatario podrá conservar su propia porción y repudiar la que se le defiere por acrecimiento; pero no podrá repudiar la primera y aceptar la segunda.

Arts. 1126, 1282-1296 C.C.

Artículo 1211. La porción que acrece lleva todos sus gravámenes consigo, excepto los que suponen una calidad o aptitud personal del coasignatario que falta.

Artículo 1212. El derecho de transmisión establecido por el artículo 1014, excluye el derecho de acrecer.

Arts. 1014-1222 C.C.

Artículo 1213. Los asignatarios de usufructo, de uso, de habitación o de una pensión periódica, conservan el derecho de acrecer, mientras gozan de dicho usufructo, uso, habitación o pensión; y ninguno de estos derechos se extingue hasta que falte el último coasignatario.

Art. 832 C.C.

Artículo 1214. El testador podrá, en todo caso, prohibir el acrecimiento.

CAPÍTULO 9° De las sustituciones

Artículo 1215. La sustitución es vulgar o fideicomisaria.

La sustitución vulgar es aquella en que se nombra un asignatario para que ocupe el lugar de otro que no acepte, o que, antes de deferírsele la asignación, llegue a faltar por fallecimiento, o por otra causa que extinga su derecho eventual.

No se entiende faltar el asignatario que una vez aceptó, salvo que se invalide la aceptación.

Artículo 1216. La sustitución que se hiciere expresamente para algunos de los casos en que pueda faltar el asignatario, se entenderá hecha para cualquiera de los otros en que llegare a faltar; salvo que el testador haya expresado voluntad contraria.

Artículo 1217. La sustitución puede ser de varios grados, como cuando se nombra un sustituto al asignatario directo, y otro al primer sustituto.

Artículo 1218. Se puede sustituir uno a muchos y muchos a uno.

Artículo 1219. Si se sustituyen recíprocamente tres o más asignatarios, y falta uno de ellos, la porción de éste se dividirá entre los otros a prorrata de los valores de sus respectivas asignaciones.

Artículo 1220. El sustituto de un sustituto que llega a faltar, se entiende llamado en los mismos casos, y con las mismas cargas que éste, sin perjuicio de lo que el testador haya ordenado a este respecto.

Artículo 1221. Si el asignatario fuere descendiente [*legítimo*] del testador, los descendientes [*legítimos*] del asignatario no por eso se entenderán sustituidos a éste; salvo que el testador haya expresado voluntad contraria.

Inexeq.: C-046 de 2017: «*Declarar INEXEQUIBLES las expresiones "legítimo" y "legítimos", contenidas en el artículo 1221 del Código Civil*». El texto entre paréntesis cuadrados no hace parte ya del ordenamiento.

Artículo 1222. El derecho de transmisión excluye al de sustitución, y el de sustitución al de acrecimiento.

Arts. 1014, 1206 y 1212 C.C.

Artículo 1223. Sustitución fideicomisaria es aquella en que se llama a un fideicomisario, que en el evento de una condición se hace dueño absoluto de lo que otra persona poseía en propiedad fiduciaria.

La sustitución fideicomisaria se regla por lo dispuesto en el título de la propiedad fiduciaria.

Arts. 793 y ss. C.C.

Artículo 1224. Si para el caso de faltar el fideicomisario antes de cumplirse la condición, se le nombran uno o más sustitutos, estas sustituciones se entenderán vulgares, y se sujetarán a las reglas de los artículos precedentes.

Ni el fideicomisario de primer grado, ni sustituto alguno llamado a ocupar su lugar, trasmiten su expectativa si faltan.

Arts. 805 y 806 C.C.

Artículo 1225. La sustitución no debe presumirse fideicomisaria, sino cuando el tenor de la disposición excluye manifiestamente la vulgar.

TÍTULO 5° De las asignaciones forzosas

Artículo 1226. [Modificado. Art. 2 L. 1934 de 2018] *Definición y clases de asignaciones forzosas. Asignaciones forzosas son las que el testador está obligado a hacer, y que se suplen cuando no las ha hecho, aún con perjuicio de sus disposiciones testamentarias expresas.*

Asignaciones forzosas son:

1° Los alimentos que se deben por la ley a ciertas personas.

2° La porción conyugal [*].

3° Las legítimas.

Exeq. Cond. C-283 de 2011: «*Declarar EXEQUIBLES los artículos (...) 1226, (...) del Código Civil, siempre y cuando se entienda que a la porción conyugal en ellos regulada, también tienen derecho el compañero o compañera permanente y la pareja del mismo sexo*».

Arts. 411 y ss., 1230 y 1242 C.C.

CAPÍTULO 1° De las asignaciones alimenticias que se deben a ciertas personas

Artículo 1227. Los alimentos que el difunto ha debido por la ley a ciertas personas, gravan la masa hereditaria, menos cuando el testador haya impuesto esa obligación a uno o más partícipes de la sucesión.

Arts. 411 y ss., 1155 y 1418 C.C.

Artículo 1228. Los asignatarios de alimentos no estarán obligados a devolución alguna, en razón de las deudas o cargas que gravaren el patrimonio del difunto; pero podrán rebajarse los alimentos futuros que parezcan desproporcionados a las fuerzas de patrimonio efectivo.

Arts. 411, 419, 1229 y 1418 C.C.

Artículo 1229. Las asignaciones alimenticias en favor de personas que por ley no tengan derecho a alimentos, se imputarán a la porción de bienes de que el difunto ha podido disponer a su arbitrio.

Y si las que se hacen a alimentarios forzosos fueren más cuantiosas de lo que en las circunstancias corresponda, el exceso se imputará a la misma porción de bienes.

Arts. 411 y 1228 C.C.

CAPÍTULO 2° De la porción conyugal

Artículo 1230. *La porción conyugal es aquélla (sic) parte del patrimonio de una persona difunta que la ley asigna al cónyuge sobreviviente que carece de lo necesario para su congrua subsistencia.*

Exeq. Cond. C-283 de 2011: «*Declarar EXEQUIBLES los artículos (...) 1230, (...) del Código Civil, siempre y cuando se entienda que a la porción conyugal en ellos regulada, también tienen derecho el compañero o compañera permanente y la pareja del mismo sexo*».

Artículo 1231. *Tendrá derecho a la porción conyugal aun el cónyuge divorciado*[*], *a menos que por culpa suya haya dado ocasión al divorcio.*

Exeq. Cond. C-283 de 2011: «*Declarar EXEQUIBLES los artículos (...) 1231, (...) del Código Civil, siempre y cuando se entienda que a la porción conyugal en ellos regulada, también tienen derecho el compañero o compañera permanente y la pareja del mismo sexo*».

[*] L. 1 de 1976: El divorciado deja de ser cónyuge.
Arts. 154 y ss., 166, 162, 411 y ss. C.C.: Art. 12 L. 1 de 1976.

Artículo 1232. *El derecho se entenderá existir al tiempo del fallecimiento del otro cónyuge, y no caducará en todo o parte por la adquisición de bienes que posteriormente hiciere el cónyuge sobreviviente.*

Exeq. Cond. C-283 de 2011: «*Declarar EXEQUIBLES los artículos (...) 1232, (...) del Código Civil, siempre y cuando se entienda que a la porción conyugal en ellos regulada, también tienen derecho el compañero o compañera permanente y la pareja del mismo sexo*».

Artículo 1233. *El cónyuge*[*] *sobreviviente que al tiempo de fallecer el otro cónyuge*[*] *no tuvo derecho a porción conyugal, no lo adquirirá después por el hecho de caer en pobreza.*

[*] Exeq. Cond. C-238 de 2012: «*Declarar EXEQUIBLE, (...) la expresión "cónyuge", contenida en el artículo 1233 del Código Civil, siempre y cuando se entienda que ella comprende al compañero o compañera permanente de distinto sexo o del mismo sexo que conformó con el causante, a quien sobrevive, una unión de hecho*».

Artículo 1234. *Si el cónyuge sobreviviente tuviere bienes, pero no de tanto valor como la porción conyugal, sólo tendrá derecho al complemento, a título de porción conyugal.*

Se imputará por tanto a la porción conyugal todo lo que el cónyuge so-
breviviente tuviere derecho a percibir a cualquier otro título en la sucesión del
difunto, incluso su mitad de gananciales, si no la renunciare.

Exeq. Cond. C-283 de 2011: «Declarar EXEQUIBLES los artículos (...) 1234
(...) del Código Civil, siempre y cuando se entienda que a la porción conyugal
en ellos regulada, también tienen derecho el compañero o compañera permanente y la pareja del mismo sexo».
Art. 1248 C.C.

Artículo 1235. *El cónyuge sobreviviente podrá, a su arbitrio, retener lo que*
posea o se le deba, renunciando la porción conyugal, o pedir la porción conyugal
abandonando sus otros bienes y derechos.

Exeq. Cond. C-283 de 2011: «Declarar EXEQUIBLES los artículos (...) 1235,
(...) del Código Civil, siempre y cuando se entienda que a la porción conyugal
en ellos regulada, también tienen derecho el compañero o compañera permanente y la pareja del mismo sexo».
Art. 495 C.G.P.

Artículo 1236. *La porción conyuyul es la cuarta parte de los bienes de la*
persona difunta, en todos los órdenes de sucesión, menos en el de los descen-
dientes [legítimos][*].

Habiendo tales descendientes, el viudo o viuda será contado entre los hijos,
y recibirá como porción conyugal la legítima rigurosa de un hijo.

Exeq. Cond. C-283 de 2011: «Declarar EXEQUIBLES los artículos (...) 1236,
(...) del Código Civil, siempre y cuando se entienda que a la porción conyugal
en ellos regulada, también tienen derecho el compañero o compañera permanente y la pareja del mismo sexo».

[*] Inexeq.: C-105 de 1994: «Decláranse INEXEQUIBLES las siguientes palabras, contenidas en los artículos del Código Civil que se determinan a continuación: (...) II) En el artículo 1236, la palabra legítimos, del inciso primero (...)».
Arts. 1016, 1045 a 1050, 1248, 1249, 1251, 1278 C.C.; Art. 1, 5, 6, 8, 9, 10
L. 1934 de 2018.

Artículo 1237. Si el cónyuge sobreviviente hubiere de percibir en la sucesión del difunto, a título de donación, herencia o legado, más de lo que le
corresponde a título de porción conyugal, el sobrante se imputará a la parte de
los bienes de que el difunto pudo disponer a su arbitrio.

Exeq. Cond. C-283 de 2011: «*Declarar EXEQUIBLES los artículos (...) 1237, (...) del Código Civil, siempre y cuando se entienda que a la porción conyugal en ellos regulada, también tienen derecho el compañero o compañera permanente y la pareja del mismo sexo*».

Artículo 1238. El cónyuge a quien por cuenta de su porción conyugal haya cabido a título universal alguna parte en la sucesión del difunto, será responsable a prorrata de esta parte, como los herederos en sus respectivas cuotas.

Si se imputare a dicha porción la mitad de gananciales, subsistirá en ésta la responsabilidad especial que le es propia, según lo prevenido en el título de la sociedad conyugal.

En lo demás que el viudo o viuda perciba, a título de porción conyugal, solo tendrán la responsabilidad subsidiaria de los legatarios.

Exeq. Cond. C-283 de 2011: «*Declarar EXEQUIBLES los artículos (...) 1238, (...) del Código Civil, siempre y cuando se entienda que a la porción conyugal en ellos regulada, también tienen derecho el compañero o compañera permanente y la pareja del mismo sexo*».
Arts. 1774 y ss C.C.

CAPÍTULO 3° De las legítimas y mejoras

Artículo 1239. Legítima es aquella cuota de los bienes de un difunto que la ley asigna a ciertas personas llamadas legitimarios.

Los legitimarios son, por consiguiente, herederos.

Artículo 1240. [Modificado. Art. 3 L. 1934 de 2018] Legitimarios. Son legitimarios:

1. Los descendientes personalmente o representados.
2. Los ascendientes.

Arts. 172, 213, 1161, 1275 C.C.; Art. 1 L. 1060 de 2006.

Artículo 1241. *Los legitimarios concurren y son excluidos y representados según el orden y reglas de la sucesión intestada.*

Exeq: C-641 de 2002.

Artículo 1242. [Modificado. Art. 4 L. 1934 de 2018] Cuarta de mejoras y de libre disposición. Habiendo legitimarios, la mitad de los bienes, previas las deducciones de que habla el artículo 1016 y las agregaciones indicadas en los artículos 1243 a 1245, se dividen por cabezas o estirpes entre los respectivos legitimarios, según las reglas de la sucesión intestada; lo que cupiere a cada uno de esta división es su legítima rigurosa.

La mitad de la masa de bienes restantes constituyen la porción de bienes de que el testador ha podido disponer a su arbitrio.

Parágrafo 1°. Los abogados no podrán hacerse parte de la sucesión en función de cobrarle sus honorarios.

Arts. 213, 1016, 1094, 1095, 1103, 1244, 1245, 1257 y 1275 C.C.; Art. 1 L. 1060 de 2006; Art. 13 L. 1934 de 2018.

Artículo 1243. [Derogado. Art. 20 L. 1934 de 2018]

Artículo 1244. [Modificado. Art. 5 L. 1934 de 2018] Valor de las donaciones. Si el que tenía, a la sazón, legitimarios, hubiere hecho donaciones entre vivos a extraños, y el valor de todas ellas juntas excediere a la mitad de la suma formada por este valor y al del acervo imaginario, tendrán derecho los legitimarios para que este exceso se agregue también imaginariamente al acervo, para la computación de las legítimas.

Arts. 1016, 1194, 1199, 1234, 1443 C.C.

Artículo 1245. [Modificado. Art. 6 L. 1934 de 2018] Restituciones por donación excesiva. Si fuere tal el exceso, que no sólo absorba la parte de los bienes de que el difunto ha podido disponer a su arbitrio, sino que menoscabe las legítimas rigurosas, tendrán derecho los legitimarios para la restitución de lo excesivamente donado, procediendo contra los donatarios, en un orden inverso al de las fechas de las donaciones, esto es, comenzando por las más recientes.

La insolvencia de un donatario no gravará a los otros.

Arts. 1194, 1234 y 1482 C.C.

Artículo 1246. No se tendrá por donación sino lo que reste, deducido el gravamen pecuniario a que la asignación estuviere afectada.

Ni se tomarán en cuenta los regalos moderados, autorizados por la costumbre, en ciertos días y casos, ni los dones manuales de poco valor.

Artículo 1247. [Modificado. Art. 7 L. 1934 de 2018] Si la suma de lo que se ha dado en razón de legítima no alcanzare la mitad del acervo imaginario, el déficit se sacará de los bienes, con preferencia a toda otra inversión.

Artículo 1248. [Modificado. Art. 8 L. 1934 de 2018] Si un legitimario no lleva el todo o parte de su legítima, por incapacidad, indignidad o desheredamiento, o porque la ha repudiado, y no tiene descendencia con derecho a representarlo, dicho todo o parte se agregará a la mitad de legítimas, y contribuirá a formar las legítimas rigurosas de los otros, y la porción conyugal en el caso del artículo 1236, inciso 2°.

Volverán de la misma manera la mitad de legítimas las deducciones que según el artículo 1234 se hagan a la porción conyugal, en el caso antedicho.

Arts. 1041, 1044, 1234 y 1236 C.C.

Artículo 1249. [Modificado. Art. 9 L. 1934 de 2018] Legítimas efectivas. Acrece a las legítimas rigurosas toda aquella porción de los bienes de que el testador ha podido disponer con absoluta libertad, y no ha dispuesto, y si lo ha hecho ha quedado sin efecto la disposición.

Aumentadas así las legítimas rigurosas, se llaman legítimas efectivas.

Este acrecimiento no aprovecha al cónyuge sobreviviente, en el caso del artículo 1236 inciso 2°.

Arts. 1052, 1236 y 1257 C.C.; Art. 13 L. 1934 de 2018.

Artículo 1250. La legítima rigurosa no es susceptible de condición, plazo, modo o gravamen alguno.

Sobre lo demás que se haya dejado o se deje a los legitimarios, excepto bajo la forma de donaciones entre vivos, puede imponer el testador los gravámenes que quiera, sin perjuicio de lo dispuesto en el artículo 1253.

Arts. 1239, 1240, 1241 y 1242 C.C.

Artículo 1251. [Modificado. Art. 9 L. 1934 de 2018] **Exceso en el monto de las legítimas.** Si lo que se ha dado o se da en razón de legítimas, excediere a la mitad del acervo imaginario, *el exceso se imputará a la mitad de libre disposición*, con exclusión del *cónyuge sobreviviente*, en el caso del artículo 1236, inciso 2, *todo ello sin perjuicio de cualquier otro objeto de libre disposición, a que el difunto las haya destinado.*

Art. 10 L. 1934 de 2018.

Exeq. Cond. C-283 de 2011. *Primero.- Declarar EXEQUIBLES los artículos (...) 1251 (...) del Código Civil, siempre y cuando se entienda que a la porción conyugal en ellos regulada, también tienen derecho el compañero o compañera permanente y la pareja del mismo sexo*.

Arts. 1236 y 1242 C.C.

Artículos 1252 y 1253. [Derogados. Art. 20 L. 1934 de 2018]

Artículo 1254. [Modificado. Art. 11 L. 1934 de 2018] **Rebajas de las legítimas y mejoras.** Si no hubiere cómo complementar las legítimas calculadas de conformidad con los artículos precedentes, se rebajarán a prorrata.

Art. 11 L. 1934 de 2018.

Arts. 1242, 1247, 1248, 1249 y 1251 C.C.

Artículo 1255. El que deba una legítima podrá, en todo caso, señalar las especies en que haya de hacerse su pago; *pero no podrá delegar esta facultad a persona alguna, ni tasar los valores de dichas especies.*

Exeq. C-641 de 2000.

Arts. 1239, 1240, 1241, 1242 y 1375 C.C.

Artículo 1256. [Modificado. Art. 12 L. 1934 de 2018] **Imputaciones a la legítima.** Todos los legados y todas las donaciones, sean revocables o irrevocables, hechas a un legitimario que tenía entonces la calidad de tal, se imputarán a su legítima, a menos que en el testamento o en la respectiva escritura o en acto posterior auténtico, aparezca que el legado o la donación se ha *hecho para imputarse a la mitad de libre disposición.*

Sin embargo, los gastos hechos para la educación de un descendiente no se tomarán en cuenta para la computación de legítimas ni de la *mitad de libre disposición*, aunque se hayan hecho con calidad de imputables. Tampoco se tomarán en cuenta para dichas imputaciones, los presentes hechos a un descendiente con ocasión de su matrimonio, ni otros regalos de costumbre.

Art. 12 L. 1934 de 2018.

Arts. 1240 y 1242 C.C.

Artículo 1257. [Modificado. Art. 13 L. 1934 de 2018] **Beneficiarios del acervo imaginario.** La acumulación de lo que se ha donado irrevocablemente en razón de legítimas, para el cómputo prevenido por el artículo 1242 y siguientes, no aprovecha a los acreedores hereditarios ni a los asignatarios que lo sean a otro título que al de legítima.

Art. 13 L. 1934 de 2018.
Art. 1242 C.C.

Artículo 1258. *Si se hiciere una donación revocable, o irrevocable, a título de legítima, a una persona que no fuere entonces legitimaria del donante, y el donatario no adquiere después la calidad de legitimario, se resolverá la donación.*

Lo mismo se observará si se hubiere hecho la donación a título de legítima al que era entonces legitimario, pero después dejó de serlo, por incapacidad, indignidad, desheredación o repudiación, o por haber sobrevenido otro legitimario de mejor derecho.

Si el donatario, descendiente legítimo, ha llegado a faltar de cualquiera de esos modos las donaciones imputables a su legítima se imputarán a la de sus descendientes legítimos.

Exeq. C-641 de 2000.
Arts. 1194, 1202, 1240, 1260 y 1443 C.C.

Artículo 1259. [Derogado. Art. 20 L. 1934 de 2018]

Artículo 1260. No se imputarán a la legítima de una persona las donaciones o las asignaciones testamentarias que el difunto haya hecho a otra, salvo el caso del artículo 1248, inciso 3o.

Arts. 1240, 1242 y 1414 C.C.

Artículo 1261. [Modificado. Art. 14 L. 1934 de 2018] **Pagos imputables a la legítima o mejora.** *Los desembolsos hechos para el pago de deudas de un legitimario, descendiente, se imputarán a su legítima, pero sólo en cuanto hayan sido útiles para el pago de dichas deudas.*

Art. 14 L. 1934 de 2018.
Exeq. C-641 de 2000: «*Decláranse EXEQUIBLES los artículos (...) 1261 (...) del Código Civil Colombiano (...)*».
Arts. 1240, 1242 y 1414 C.C.

Artículo 1262. [Derogado. Art. 20 L. 1934 de 2018]

Artículo 1263. [Modificado. Art. 15 L. 1934 de 2018] **Dominio sobre los frutos de la cosa donada.** Los frutos de las cosas donadas revocable o irrevocablemente, a título de legítima, durante la vida del donante, pertenecerán al donatario, desde la entrega de ellas, y no figurarán en el acervo; y si las cosas donadas no se han entregado al donatario, no le pertenecerán los frutos sino desde la muerte del donante, a menos que este le haya donado irrevocablemente, y de un modo auténtico, no sólo la propiedad sino el usufructo de las cosas donadas.

Art. 15 L. 1934 de 2018.
Arts. 714-718, y 1518 C.C.

Artículo 1264. [Modificado. Art. 16 L. 1934 de 2018] **Donación de especies imputables a la legítima o mejora.** Si al donatario de especies, que deban imputarse a su legítima, le cupiere definitivamente una cantidad no inferior a la que valgan las mismas especies, tendrá derecho a conservarlas y exigir el saldo, y no podrá obligar a los demás asignatarios a que le cambien las especies, o le den su valor en dinero.

Y si le cupiere definitivamente una cantidad inferior al valor de las mismas especies, y estuviere obligado a pagar un saldo, podrá, a su arbitrio, hacer este pago en dinero, o restituir una o más de dichas especies, y exigir la debida compensación pecuniaria, por lo que el valor actual de las especies que restituya excediere el saldo que debe.

Art. 16 L. 1934 de 2018.
Arts. 1242 C.C.

Artículo 1265. Desheredamiento es una disposición testamentaria en que se ordena que un legitimario sea privado del todo o parte de su legítima.

No valdrá el desheredamiento que no se conformare a las reglas que en este título se expresan.

Arts. 1226, 1240 y 1242 C.C.

Artículo 1266. Un descendiente no puede ser desheredado sino por alguna de las causas siguientes:

1a.) *Por haber cometido injuria grave contra el testador en su persona, honor o bienes, o en la persona, honor o bienes de su cónyuge, o de cualquiera de sus ascendientes o descendientes [legítimos].*

2a.) Por no haberle socorrido en el estado de demencia o destitución, pudiendo

3a.) Por haberse valido de fuerza o dolo para impedirle testar.

4a.) *Por haberse casado sin el consentimiento de un ascendiente, o sin el de la justicia en subsidio, estando obligado a obtenerlo.*

5a.) *[Por haber cometido un delito a que se haya aplicado alguna de las penas designadas en el número 4o. del artículo 315, o por haberse abandonado a los vicios o ejercido granjerías infames; a menos que se pruebe que el testador no cuidó de la educación del desheredado].*

Los ascendientes podrán ser desheredados por cualquiera de las tres primeras causas.

Inexeq. C-105 de 1994: «*Primero: Declárense INEXEQUIBLES las siguientes palabras, contenidas en los artículos del Código Civil que se determinan a continuación: (...) ñ) En el artículo 1266, la palabra legítimos, que aparece en el ordinal 1º (...)».*

Inexeq. C-430 de 2003: «*Primero: Declarar INEXEQUIBLE el inciso primero del numeral 5 del artículo 1266 del Código Civil (...)».*

Exeq. C-174 de 1996: «*Primero: Declárense EXEQUIBLES las expresiones demandadas, de los siguientes artículos del Código Civil: (...) 1266, numeral 1 (...)».*

Exeq. C-344 de 1993: «*1o. Declarar exequibles (...) el ordinal 4o. del artículo 1266 del Código Civil».*

Arts. 117, 120, 124, 172, 1025, 1030 y 1485 C.C.

Artículo 1267. No valdrá ninguna de las causas de desheredamiento, mencionadas en el artículo anterior, si no se expresa en el testamento específicamente, y si además no se hubiere probado judicialmente en vida del testador; o las personas a quienes interesare el desheredamiento no lo probaren después de su muerte.

Sin embargo, no será necesaria la prueba, cuando el desheredado no reclamare su legítima dentro de los cuatro años subsiguientes a la apertura de la sucesión; o dentro de los cuatro años contados desde el día en que haya cesado su incapacidad de administrar; si al tiempo de abrirse la sucesión era incapaz.

Arts. 1265, 1266 y 1274 C.C.; Arts. 22 y 23 C.G.P.

Artículo 1268. Los efectos del desheredamiento, si el desheredador no los limitare expresamente, se extienden no sólo a las legítimas, sino a todas las asignaciones por causa de muerte, y a todas las donaciones que le haya hecho el desheredador.

Pero no se extienden a los alimentos necesarios, excepto en los casos de injuria atroz.

Arts. 125, 414, 1036 y 1269 C.C.

Artículo 1269. El desheredamiento podrá revocarse, como las otras disposiciones testamentarias, y la revocación podrá ser total o parcial; pero no se entenderá revocado tácitamente por haber intervenido reconciliación, ni el desheredado será admitido a probar que hubo intención de revocarlo.

Arts. 1057, 1204 y 1270 C.C.

TÍTULO 6º De la revocación y reforma del testamento

CAPÍTULO 1º De la revocación del testamento

Artículo 1270. El testamento que ha sido otorgado válidamente no puede invalidarse sino por la revocación del testador.

Sin embargo, los testamentos privilegiados caducan sin necesidad de revocación, en los casos previstos por la ley.

La revocación puede ser total o parcial.

Arts. 1087, 1093, 1101, 1109 y 1110 C.C.

Artículo 1271. El testamento solemne puede ser revocado expresamente en todo o parte, por un testamento solemne o privilegiado.

Pero la revocación que se hiciere en un testamento privilegiado caducará con el testamento que la contiene y subsistirá el anterior.

Arts. 1064, 1067 y 1087 C.C.

Artículo 1272. Si el testamento que revoca un testamento anterior es revocado a su vez, no revive por esta revocación el primer testamento, a menos que el testador manifieste voluntad contraria.

Artículo 1273. Un testamento no se revoca tácitamente en todas sus partes por la existencia de otro u otros posteriores.

Los testamentos posteriores que expresamente no revoquen los anteriores, dejarán subsistentes en estos las disposiciones que no sean incompatibles con las posteriores o contrarias a ellas.

Art. 1208 C.C.

CAPÍTULO 2º De la reforma del testamento

Artículo 1274. *Los legitimarios a quienes el testador no haya dejado lo que por ley les corresponde, tendrán derecho a que se reforme a su favor el testamento, y podrán intentar la acción de reforma (ellos o las personas a quienes se hubieren transmitido sus derechos), dentro de los cuatro años contados desde el día en que tuvieron conocimiento del testamento y de su calidad de legitimarios.*

Si el legitimario a la apertura de la sucesión, no tenía la administración de sus bienes, no prescribirá en él la acción de reforma antes de la expiración de cuatro años contados desde el día en que tomare esa administración.

Exeq. C-641 de 200.
Arts. 1161, 1240, 1267 y 1372 C.C; Arts. 22 y 23 C.G.P.

Artículo 1275. [Modificado. Art. 17 L. 1934 de 2018] **Objeto de reclamo de la acción de reforma.** En general, lo que por ley corresponde a los legitimarios, y lo que tienen derecho a reclamar por la acción de reforma, es su legítima rigurosa.

El legitimario que ha sido indebidamente desheredado tendrá, además, derecho para que subsistan las donaciones entre vivos y comprendidas en la desheredación.

Art. 17 L. 1934 de 2018.
Arts. 1240, 1242, 1249, 1266, 1267 y 1274 C.C.

Artículo 1276. El haber sido pasado en silencio un legitimario, deberá entenderse como una institución de heredero en su legítima.

Conservará, además, las donaciones revocables que el testador no hubiere revocado.

Artículo 1277. [Modificado. Art. 18 L. 1934 de 2018] **Integración de la legítima.** Contribuirán a formar o integrar lo que en razón de su legítima se debe al demandante, los legitimarios del mismo orden y grado.

Art. 18 L. 1934 de 2018.

Exeq. C-105 de 1994: «*Cuarto.- Exceptuadas las palabras declaradas inexequibles, los artículos mencionados en el ordinal primero de esta sentencia, se declaran EXEQUIBLES*».

Art. 1274 C.C.

Artículo 1278. *El cónyuge sobreviviente tendrá acción de reforma para la integración de su porción conyugal, según las reglas precedentes.*

Exeq. Cond. C-283 de 2011: «*Primero.- Declarar EXEQUIBLES los artículos (...) 1278 del Código Civil, siempre y cuando se entienda que a la porción conyugal en ellos regulada, también tienen derecho el compañero o compañera permanente y la pareja del mismo sexo*».

Arts. 1236 y 1274 C.C.

TÍTULO 7° De la apertura de la sucesión y de su aceptación, repudiación e inventario

CAPÍTULO 1° Reglas generales

Artículo 1279. Desde el momento de abrirse una sucesión, todo el que tenga interés en ella, o se presuma que pueda tenerlo, podrá pedir que los muebles y papeles de la sucesión se guarden bajo llave y sello hasta que se proceda al inventario solemne de los bienes y efectos hereditarios.

No se guardarán bajo llave y sello los muebles domésticos de uso cotidiano; pero se formará lista de ellos.

La guarda y aposición de sellos deberá hacerse por el ministerio del juez, con las formalidades legales.

Arts. 1012 y 1341 C.C.; Arts. 476, 477, 478 y 479 C.G.P.

Artículo 1280. Si los bienes de la sucesión estuvieren en diversos lugares, el juez por ante quien se hubiere abierto la sucesión dirigirá, a instancia de cualquiera de los herederos o acreedores, órdenes o exhortos a los jueces de los lugares en que se encontraren los bienes, para que por su parte procedan a la guarda y selladura, hasta el correspondiente inventario, en su caso.

Artículo 1281. El costo de la guarda y aposición de sellos y de los inventarios, gravará los bienes todos de la sucesión, a menos que determinadamente recaigan sobre una parte de ellos, en cuyo caso gravarán esa sola parte.

Art. 1016 C.C.

Artículo 1282. Todo asignatario puede aceptar o repudiar libremente.

Exceptúanse las personas que no tuvieren la libre administración de sus bienes, las cuales no podrán aceptar o repudiar, sino por medio o con el consentimiento de sus representantes legales.

Se les prohíbe aceptar por sí solas, aun con el beneficio de inventario.

La mujer casada sin embargo, podrá aceptar o repudiar con autorización judicial, en defecto de la del marido[*]; conformándose a lo prevenido en el inciso final del artículo 191[**].

[*] A partir de la vigencia de la Ley 28 de 1932, la mujer casada tiene capacidad plena para administrar sus bienes sin permiso marital ni autorización judicial.

[**] El artículo 191 fue derogado por el artículo 9 de la Ley 28 de 1932.

Arts. 304, 783, 1013, 1126, 1210, 1284, 1285, 1286, 1304, 1307, 1468 y 1815 C.C; Arts. 488, 492, 493 y 494 C.G.P.

Artículo 1283. No se puede aceptar asignación alguna sino después que se ha deferido.

Pero después de la muerte de la persona de cuya sucesión se trata, se podrá repudiar toda asignación, aunque sea condicional y esté pendiente la condición.

Se mirará como repudiación intempestiva, y no tendrá valor alguno, el permiso concedido por un legitimario al que le debe la legítima para que pueda testar sin consideración a ella.

Arts. 1013, 1250 y 1468 C.C.; Art. 94 C.G.P.

Artículo 1284. No se puede aceptar o repudiar condicionalmente, ni hasta o desde cierto día.

Art. 1282 C.C.

Artículo 1285. No se puede aceptar una parte o cuota de la asignación, y repudiar el resto.

Pero si la asignación hecha a una persona se transmite a sus herederos, según el artículo 1014, puede cada uno de estos aceptar o repudiar su cuota.

Arts. 1014 y 1282 C.C.

Artículo 1286. Se puede aceptar una asignación y repudiar otra; pero no se podrá repudiar la asignación gravada y aceptar las otras, a menos que se difiera separadamente, por derecho de acrecimiento o de transmisión o de sustitución vulgar o fideicomisaria, o a menos que se haya concedido al asignatario la facultad de repudiarla separadamente.

Art. 1282 C.C.

Artículo 1287. Si un asignatario vende, dona o transfiere, de cualquier modo, a otra persona el objeto que se le ha deferido, o el derecho de suceder en él, se entiende que por el mismo hecho acepta.

Arts. 66, 1298, 1299, 1301 y 1309 C.C.

Artículo 1288. El heredero que ha sustraído efectos pertenecientes a una sucesión, pierde la facultad de repudiar la herencia, y no obstante su repudiación permanecerá heredero; pero no tendrá parte alguna en los objetos sustraídos.

El legatario que ha sustraído objetos pertenecientes a una sucesión, pierde los derechos que como legatario pudiera tener sobre dichos objetos, y no teniendo el dominio de ellos, será obligado a restituir el duplo.

Uno y otro quedarán, además, sujetos criminalmente a las penas que por el delito correspondan.

Arts. 1301, 1313, 1357 y 1824 C.C.

Artículo 1289. Todo asignatario será obligado, en virtud de demanda de cualquiera persona interesada en ello, a declarar si acepta o repudia; y hará esta declaración dentro de los cuarenta días siguientes al de la demanda. En caso de ausencia del asignatario, o de estar situados los bienes en lugares distantes, o de otro grave motivo, podrá el juez prorrogar este plazo; pero nunca por más de un año.

Durante este plazo tendrá todo asignatario la facultad de inspeccionar el objeto asignado; podrá implorar las providencias conservativas que le conciernan; y no será obligado al pago de ninguna deuda hereditaria o testamentaria; pero podrá serlo el albacea o curador de la herencia yacente en sus casos.

El heredero, durante el plazo, podrá también inspeccionar las cuentas y papeles de la sucesión.

Si el asignatario ausente no compareciere, por sí o por legítimo representante, en tiempo oportuno, se le nombrará curador de bienes que le represente, y acepte por él con beneficio de inventario.

Art. 1383 C.C.; Arts. 94 y 492 C.G.P.

Artículo 1290. El asignatario constituido en mora de declarar si acepta o repudia, se entenderá que repudia.

Arts. 66 y 1292 C.C.; Arts. 94 y 492 C.G.P.

Artículo 1291. La aceptación, una vez hecha con los requisitos legales, no podrá rescindirse, sino en el caso de haber sido obtenida por fuerza o dolo, y en el de lesión grave, a virtud de disposiciones testamentarias de que no se tenía noticia al tiempo de aceptarla.

Esta regla se extiende aun a los asignatarios que no tienen la libre administración de sus bienes.

Se entiende por lesión grave la que disminuya el valor total de la asignación en más de la mitad.

Arts. 28 y 1508 C.C.

Artículo 1292. La repudiación no se presume de derecho sino en los casos previstos por la ley.

Arts. 66 y 1290 C.C.

Artículo 1293. Los que no tienen la libre administración de sus bienes no pueden repudiar una asignación a título universal, ni una asignación de bienes raíces o de bienes muebles que valgan más de mil pesos, sin autorización judicial, con conocimiento de causa.

Los incisos 2 y 3 fueron derogados por el artículo 70 del Decreto 2820 de 1974. Art. 93 Inc. e) L. 306 de 2009.

Artículo 1294. Ninguna persona tendrá derecho para que se rescinda su repudiación, a menos que la misma persona, o su legítimo representante hayan sido inducidos por fuerza o dolo a repudiar.

Art. 1508 C.C.

Artículo 1295. Los acreedores del que repudia en perjuicio de los derechos de ellos, podrán hacerse autorizar por el juez para aceptar por el deudor. En este caso la repudiación no se rescinde sino en favor de los acreedores, y hasta concurrencia de sus créditos; y en el sobrante subsiste.

Arts. 862, 1441, 1451 y 2492 C.C.; Art. 493 C.G.P.

Artículo 1296. Los efectos de la aceptación o repudiación de una herencia se retrotraen al momento en que ésta haya sido deferida.

Otro tanto se aplica a los legados de especies.

Art. 1013 C.C.; Art. 94 C.G.P.

CAPÍTULO 2° Reglas particulares relativas a las herencias

Artículo 1297. Si dentro de quince días de abrirse la sucesión no se hubiere aceptado la herencia o una cuota de ella, ni hubiere albacea a quien el testador haya conferido la tenencia de los bienes, y que haya aceptado su encargo, el juez, a instancia del cónyuge sobreviviente, o de cualquiera de los parientes o dependientes del difunto, o de otra persona interesada en ello, o de oficio, declarará yacente la herencia; se insertará esta declaración en el periódico oficial del territorio, si lo hubiere; y en carteles que se fijarán en tres de los parajes más frecuentados del distrito en que se hallen la mayor parte de los bienes hereditarios, y en el del último domicilio del difunto; y se procederá al nombramiento de curador de la herencia yacente.

Si hubiere dos o más herederos, y aceptare uno de ellos, tendrá la administración de todos los bienes hereditarios pro indiviso, previo inventario solemne; y aceptando sucesivamente sus coherederos, y suscribiendo el inventario tomarán parte en la administración. Mientras no hayan aceptado todas las facultades del heredero o herederos que administren, serán las mismas de los curadores de la herencia yacente; pero no serán obligados a prestar caución, salvo que haya motivo de temer que bajo su administración peligren los bienes.

Arts. 114 y 116 L. 306 de 2009; Arts. 482, 483, 484 y 496 C.G.P.

Artículo 1298. La aceptación de una herencia puede ser expresa o tácita. Es expresa cuando se toma el título de heredero; y es tácita cuando el heredero ejecuta un acto que supone necesariamente su intención de aceptar, y que no hubiera tenido derecho de ejecutar sino en su calidad de heredero.

Arts. 66, 1287, 1290, 1300, 1301, 1309 y 1506 C.C.

Artículo 1299. Se entiende que alguien toma el título de heredero, cuando lo hace en escritura pública o privada, obligándose como tal heredero, o en un acto de tramitación judicial.

Artículo 1300. Los actos puramente conservativos, los de inspección y administración provisoria urgente, no son actos que suponen por sí solos la aceptación.

Arts. 1298 y 1309 C.C.

Artículo 1301. La enajenación de cualquier efecto hereditario, aun para objeto de administración urgente, es acto de heredero, si no ha sido autorizada por el juez, a petición del heredero, protestando éste que no es su ánimo obligarse en calidad de tal.

Arts. 1287, 1298 y 1309 C.C.

Artículo 1302. El que hace acto al heredero, sin previo inventario solemne, sucede en todas las obligaciones transmisibles del difunto, a prorrata de su cuota hereditaria, aunque le impongan un gravamen que exceda al valor de los bienes que hereda.

Habiendo precedido inventario solemne, gozará del beneficio de inventario.

Arts. 1304, 1309, 1682 y 2507 C.C.

Artículo 1303. El que a instancia de un acreedor hereditario o testamentario ha sido judicialmente declarado heredero, o condenado como tal, se entenderá serlo respecto de los demás acreedores, sin necesidad de nuevo juicio.

La misma regla se aplica a la declaración judicial de haber aceptado pura y simplemente, o con beneficio de inventario.

CAPÍTULO 3° Del beneficio de inventario

Artículo 1304. El beneficio de inventario consiste en no hacer a los herederos que aceptan, responsables de las obligaciones hereditarias o testamentarias, sino hasta concurrencia del valor total de los bienes, que han heredado.

Arts. 1282, 1289, 1302, 1314, 1411, 1435, 1682, 1728 y 2507 C.C.; Arts. 443 y 488 C.G.P.

Artículo 1305. Si de muchos coherederos, los unos quieren aceptar con beneficio de inventario y los otros no, todos ellos serán obligados a aceptar con beneficio de inventario.

Artículo 1306. El testador no podrá prohibir a un heredero el aceptar con beneficio de inventario.

Artículo 1307. Las herencias del fisco y de todas las corporaciones y establecimiento públicos, se aceptarán precisamente con beneficio de inventario.

Se aceptarán de la misma manera las herencias que recaigan en personas que no pueden aceptar o repudiar, sino por el ministerio, o con la autorización de otras.

No cumpliéndose con lo dispuesto en este artículo, las personas naturales o jurídicas representadas, no serán obligadas por las deudas y cargas de la sucesión sino hasta concurrencia de lo que existiere de la herencia al tiempo de la demanda, o se probare haberse empleado efectivamente en beneficio de ellas.

Art. 1282 C.C.

Artículo 1308. Los herederos fiduciarios son obligados a aceptar con beneficio de inventario.

Artículo 1309. Todo heredero conserva la facultad de aceptar con beneficio de inventario, mientras no haya hecho acto de heredero.

Art. 1282, 1287 y 1298 C.C.

Artículo 1310. En la confección del inventario se observará lo prevenido para el de los tutores y curadores en los artículos 472[*] y siguientes, y lo que en el Código de enjuiciamiento se prescribe para los inventarios solemnes.

[*] El artículo 472 fue derogado por el artículo 119 de la Ley 1306 de 2009.
Arts. 501 y 617 C.G.P.

Artículo 1311. Si el difunto ha tenido parte en una sociedad, y por una cláusula del contrato ha estipulado que la sociedad continúe con sus herederos después de su muerte, no por eso en el inventario que haya de hacerse dejarán de ser comprendidos los bienes sociales, sin perjuicio de que los asociados sigan administrándolos hasta la expiración de la sociedad, y sin que por ello se les exija caución alguna.

Artículo 1312. Tendrán derecho de asistir al inventario el albacea, el curador de la herencia yacente, los herederos presuntos testamentarios o abintestato, el cónyuge sobreviviente, los legatarios, los socios de comercio, los fideicomisarios y todo acreedor hereditario que presente el título de su crédito. Las personas antedichas podrán ser representadas por otras que exhiban escritura pública o privada en que se les cometa este encargo, cuando no lo fueren por sus maridos, tutores o curadores, o cualesquiera otros legítimos representantes.

Todas estas personas, tendrán derecho de reclamar contra el inventario, en lo que les pareciere inexacto.

Art. 1821 C.C.; Arts. 480, 488 y 501 C.G.P.

Artículo 1313. El heredero que en la confección del inventario omitiere, de mala fe, hacer mención de cualquiera parte de los bienes, por pequeña que sea, o supusiere deudas que no existen, no gozará del beneficio de inventario.

Arts. 1288, 1304 y 1824 C.C.

Artículo 1314. El que acepta con beneficio de inventario se hace responsable, no sólo del valor de los bienes que entonces efectivamente reciba, sino de aquellos que posteriormente sobrevengan a la herencia sobre que recaiga el inventario.

Se agregará la relación y tasación de estos bienes al inventario existente, con las formalidades que para hacerlo se observaron.

Artículo 1315. Se hará asimismo responsable de todos los créditos como si los hubiere efectivamente cobrado; sin perjuicio de que, para su descargo, en el tiempo debido justifique lo que, sin culpa suya, haya dejado de cobrar, poniendo a disposición de los interesados las acciones y títulos insolutos.

Arts. 63 y 2183 C.C.

Artículo 1316. Las deudas y créditos del heredero beneficiario, no se confunden con las deudas y créditos de la sucesión.

Arts. 1414 y 1728 C.C.

Artículo 1317. El heredero beneficiario será responsable hasta por culpa leve, de la conservación de las especies o cuerpos ciertos que se deban.

Es de su cargo el peligro de los otros bienes de la sucesión, y sólo será responsable de los valores en que hubieren sido tasados.

Art. 63 C.C.

Artículo 1318. El heredero beneficiario podrá en todo tiempo exonerarse de sus obligaciones, abandonando a los acreedores los bienes de la sucesión que deba entregar en especie, y el saldo que reste de los otros, y obteniendo de ellos o del juez la aprobación de la cuenta que de su administración deberá presentarles.

Artículo 1319. Consumidos los bienes de la sucesión o la parte que de ellos hubiere cabido al heredero beneficiario, en el pago de las deudas y cargas, deberá el juez, a petición del heredero beneficiario, citar por edictos a los acreedores hereditarios y testamentarios, que no hayan sido cubiertos, para que reciban de dicho heredero la cuenta exacta, y en lo posible documentada de todas las inversiones que haya hecho; y aprobada la cuenta por ellos, o en caso de discordia por el juez, el heredero beneficiario será declarado libre de toda responsabilidad ulterior.

Art. 1366 C.C.

Artículo 1320. El heredero beneficiario que opusiere a una demanda la excepción de estar ya consumidos en el pago de deudas y cargas los bienes hereditarios o la porción de ellos que le hubiere cabido, deberá probarlo presentando a los demandantes una cuenta exacta y en lo posible documentada de todas las inversiones que haya hecho.

Art. 1757 C.C.

CAPÍTULO 4º De la petición de herencia, y de otras acciones del heredero

Artículo 1321. El que probare su derecho a una herencia, ocupada por otra persona en calidad de heredero, tendrá acción para que se le adjudique la herencia, y se le restituyan las cosas hereditarias, tanto corporales como incorporales; y aun aquellas de que el difunto era mero tenedor, como depositario, comodatario, prendario[*], arrendatario, etc., y que no hubieren vuelto legítimamente a sus dueños.

[*] Art. 3 L. 1676 de 2013.
Arts. 665 y 948 C.C.; Arts. 22 y 23 C.G.P; L. 1676 de 2013.

Artículo 1322. Se extiende la misma acción no solo a las cosas que al tiempo de la muerte pertenecían al difunto, sino a los aumentos que posteriormente haya tenido la herencia.

Arts. 716, 948, 964 y 1321 C.C.

Artículo 1323. A la restitución de los frutos y al abono de mejoras en la petición de herencia, se aplicarán las mismas reglas que en la acción reivindicatoria. Arts. 948, 950, 960, 961, 964, 971 y 1325 C.C.

Artículo 1324. El que de buena fe hubiere ocupado la herencia, no será responsable de las enajenaciones o deterioros de las cosas hereditarias, sino en cuanto le hayan hecho más rico; pero habiéndola ocupado de mala fe, lo será de todo el importe de las enajenaciones o deterioros.

Art. 948 C.C.

Artículo 1325. El heredero podrá también hacer uso de la acción reivindicatoria sobre cosas hereditarias reivindicables que hayan pasado a terceros y no hayan sido prescritas por ellos.

Si prefiere usar de esta acción, conservará sin embargo su derecho, para que el que ocupó de mala fe la herencia le complete lo que por el recurso contra terceros poseedores no hubiere podido obtener y le deje enteramente indemne; y tendrá igual derecho contra el que ocupó de buena fe la herencia, en cuanto por el artículo precedente se hallare obligado.

Artículo 1326. [Modificado. Art. 12 L. 791 de 2002] El derecho de petición de herencia expira en *diez (10) años*. Pero el heredero putativo, en caso del inciso final del artículo 766, podrá oponer a esta acción la prescripción de *cinco (5) años*, contados como para la adquisición del dominio.

Arts. 665, 766 y 1024 C.C.

TÍTULO 8º De los ejecutores testamentarios

Artículo 1327. Ejecutores testamentarios o albaceas son aquéllos a quienes el testador da el cargo de hacer ejecutar sus disposiciones.

Arts. 28 y 1355 C.C.; Arts. 496 y ss C.G.P.

Artículo 1328. No habiendo el testador nombrado albacea, o faltando el nombrado, el encargo de hacer ejecutar las disposiciones del testador pertenece a los herederos.

Artículo 1329. No puede ser albacea el menor, aun habilitado de edad[*]. Ni las personas designadas en el artículo 586[**].

[*] Arts. 1 y 2 L. 27 de 1977. Al fijar la mayoría de edad en 18 años eliminó la habilitación de edad.

[**] El artículo 586 que listaba las personas incapaces de ejercer tutela o curaduría fue derogado por el artículo 119 de la Ley 1306 de 2009. Para consultar las personas incapaces para ejercer la guarda ver el Art. 72 de la Ley 1306 de 2009. Art. 34 C.C.

Artículos 1330 y 1331. [Derogados. Art. 70 Dec. 2820 de 1974]

Artículo 1332. La incapacidad sobreviniente pone fin al albaceazgo.

Artículo 1333. El juez, a instancia de cualquiera de los interesados en la sucesión, señalará un plazo razonable, dentro del cual comparezca el albacea a ejercer su cargo, o a excusarse de servirlo, y podrá el juez, en caso necesario, ampliar por una sola vez el plazo.

Si el albacea estuviere en mora de comparecer, caducará su nombramiento.

Art. 497 C.G.P.

Artículo 1334. El albacea nombrado puede rechazar libremente este cargo. Si lo rechazare sin probar inconveniente grave, se hará indigno de suceder al testador, con arreglo al artículo 1028, inciso 2o.

Arts. 1028 y 1384 C.C.

Artículo 1335. Aceptando expresa o tácitamente el cargo, está obligado a evacuarlo, excepto en los casos en que es lícito al mandatario exonerarse del suyo.

La dimisión del cargo, con causa legítima, le priva sólo de una parte proporcionada de la asignación que se le haya hecho en recompensa del servicio.

Art. 1384 C.C.

Artículo 1336. El albaceazgo no es transmisible a los herederos del albacea.

Artículo 1337. El albaceazgo es indelegable, a menos que el testador haya concedido expresamente la facultad de delegarlo.

El albacea, sin embargo, podrá constituir mandatarios que obren a sus órdenes; pero será responsable de las operaciones de éstos.

Artículo 1338. Siendo muchos los albaceas, todos son solidariamente responsables, a menos que el testador los haya exonerado de la solidaridad, o que el mismo testador o el juez hayan dividido sus atribuciones, y cada uno se ciña a las que le incumban.

Art. 1568 C.C.; Art. 66 L. 1306 de 2009.

Artículo 1339. El juez podrá dividir las atribuciones, en ventaja de la administración, y a pedimento de cualquiera de los albaceas, o de cualquiera de los interesados en la sucesión.

Artículo 1340. Habiendo dos o más albaceas, con atribuciones comunes, todos ellos obrarán de consuno, de la misma manera que se previene para los tutores en el artículo 502[(*)].

El juez dirimirá las discordias que puedan ocurrir entre ellos.

El testador podrá autorizarlos para obrar separadamente, pero por esta sola autorización no se entenderá que los exonera de su responsabilidad solidaria.

[(*)] El artículo 502 fue derogado por el artículo 119 de la Ley 1306 de 2009.

Artículo 1341. Toca al albacea velar sobre la seguridad de los bienes; hacer que se guarde bajo llave y sello el dinero, muebles y papeles, mientras no haya inventario solemne, y cuidar de que se proceda a este inventario con citación de los herederos y de los demás interesados en la sucesión; salvo que siendo todos los herederos capaces de administrar sus bienes, determinen unánimemente que no se haga inventario solemne.

Arts. 1279 y 1344 C.C.

Artículo 1342. Todo albacea será obligado a dar noticia de la apertura de la sucesión por avisos publicados por la imprenta, en periódico que circule en el territorio, y por carteles que se fijarán en tres de los parajes más públicos del lugar en que se abra la sucesión, y cuidará de que se cite a los acreedores, por edictos que se publicarán de la misma manera.

Artículo 1343. Sea que el testador haya encomendado o no al albacea el pago de sus deudas, será éste obligado a exigir que en la partición de los bienes se señale un lote o hijuela suficiente para cubrir las deudas conocidas.

Arts. 1344, 1345, 1393, 1411 y 1939, C.C.

Artículo 1344. La omisión de las diligencias prevenidas en los dos artículos anteriores, hará responsable al albacea de todo perjuicio que ella irrogue a los acreedores.

Las mismas obligaciones y responsabilidad recaerán sobre los herederos presentes que tengan la libre administración de sus bienes, o sobre los respectivos tutores o curadores, y el marido de la mujer heredera que no está separada de bienes[*].

(*) A partir de la vigencia de la Ley 28 de 1932, la mujer casada tiene capacidad plena para administrar sus bienes sin permiso marital ni autorización judicial. Arts. 1342, 1343 y 1412 C.C.

Artículo 1345. El albacea encargado de pagar deudas hereditarias, lo hará precisamente con intervención de los herederos presentes o del curador de la herencia yacente en su caso.

Art. 1343 C.C.

Artículo 1346. Aunque el testador haya encomendado al albacea el pago de sus deudas, los acreedores tendrán siempre expedita su acción contra los herederos, si el albacea estuviere en mora de pagarles.

Artículo 1347. Pagará los legados que no se hayan impuesto a determinado heredero o legatario; para lo cual exigirá a los herederos o al curador de la herencia yacente, el dinero que sea menester, y las especies muebles o inmuebles en que consistan los legados, si el testador no le hubiere dejado la tenencia del dinero o de las especies.

Los herederos, sin embargo, podrán hacer el pago de los dichos legados por sí mismos, y satisfacer al albacea con las respectivas cartas de pago; a menos que el legado consista en una obra o hecho particularmente encomendado al albacea, y sometido a su juicio.

Art. 1162 C.C.

Artículo 1348. Si hubiere legados para objetos de beneficencia pública, dará conocimiento de ellos, con inserción de las respectivas cláusulas testamentarias, al personero, síndico o representante del establecimiento a que se hayan destinado o deban destinarse tales legados, o al personero municipal si fuere el caso del artículo 1115, o si los legados fueren para objetos de utilidad pública; y asimismo les denunciará la negligencia de los herederos o legatarios obligados a ellos, o del curador de la herencia yacente, en su caso, a fin de que puedan promover lo conveniente para que se cumplan dichos legados.

Arts. 1113 y 1115 C.C.

Artículo 1349. Si no hubiere de hacerse inmediatamente el pago de especies legadas, y se temiere fundadamente que se pierdan o deterioren por negligencia de los obligados a darlas, el albacea a quien incumba hacer cumplir los legados, podrá exigirles caución.

Artículo 1350. Con anuencia de los herederos presentes procederá a la venta de los muebles y subsidiariamente de los inmuebles, si no hubiere dinero suficiente para el pago de las deudas o de los legados; y podrán los herederos oponerse a la venta entregando al albacea el dinero que necesite al efecto.

Artículo 1351. Lo dispuesto en los artículos 484 y 501 se extenderá a los albaceas[*].

[*] Los artículos 484 y 501 fueron derogados por el artículo 119 de la Ley 1306 de 2009.

Artículo 1352. El albacea no podrá parecer en juicio en calidad de tal, sino para defender la validez del testamento, o cuando le fuere necesario para llevar a efecto las disposiciones testamentarias que le incumban; y en todo caso lo hará con intervención de los herederos presentes o del curador de la herencia yacente.

Artículo 1353. El testador podrá dar al albacea la tenencia de cualquiera parte de los bienes o de todos ellos.

El albacea tendrá, en este caso, las mismas facultades y obligaciones que el curador de la herencia yacente; pero no será obligado a rendir caución sino en el caso del artículo siguiente.

Sin embargo de esta tenencia, habrá lugar a las disposiciones de los artículos precedentes.

Arts. 1365 y 1637 C.C; Arts. 499 y 500 C.G.P.

Artículo 1354. Los herederos, legatarios o fideicomisarios, en el caso de justo temor sobre la seguridad de los bienes de que fuere tenedor el albacea, y a que respectivamente tuviere derecho actual o eventual, podrán pedir que se le exijan las debidas seguridades.

Artículo 1355. El testador no podrá ampliar las facultades del albacea, ni exonerarle de sus obligaciones, según se hallan unas y otras definidas en este título.

Artículo 1356. El albacea es responsable hasta de la culpa leve en el desempeño de su cargo.

Art. 63 C.C.

Artículo 1357. Será removido por culpa grave o dolo, a petición de los herederos o del curador de la herencia yacente, y en caso de dolo se hará indigno de tener en la sucesión parte alguna, y además de indemnizar de cualquier perjuicio a los interesados, restituirá todo lo que haya recibido a título de retribución.

Arts. 63, 1028, 1386, 1515 y 2356 C.C; Art. 499 C.G.P.

Artículo 1358. Se prohíbe al albacea llevar a efecto ninguna disposición del testador, en lo que fuere contraria a las leyes, so pena de nulidad, y de considerársele culpable de dolo.

Arts. 66, 1357, 1515 y 1740 C.C.

Artículo 1359. La remuneración del albacea será la que le haya señalado el testador.

Si el testador no hubiere señalado ninguna, tocará al juez regularla, tomando en consideración el caudal, y lo más o menos laborioso del cargo.

Artículo 1360. El albaceazgo durará el tiempo cierto y determinado que se haya prefijado por el testador.

Artículo 1361. Si el testador no hubiere prefijado tiempo para la duración del albaceazgo, durará un año contado desde el día en que el albacea haya comenzado a ejercer su cargo.

Artículo 1362. El juez podrá prorrogar el plazo señalado por el testador o la ley, si ocurrieren al albacea dificultades graves para evacuar su cargo en él.

Art. 1551 C.C.

Artículo 1363. El plazo prefijado por el testador o la ley, o ampliado por el juez, se entenderá sin perjuicio de la partición de los bienes y de su distribución entre los partícipes.

Artículo 1364. Los herederos podrán pedir la terminación del albaceazgo, desde que el albacea haya evacuado su cargo; aunque no haya expirado el plazo señalado por el testador o la ley, o ampliado por el juez para su desempeño.

Artículo 1365. No será motivo ni para la prolongación del plazo, ni para que no termine el albaceazgo, la existencia de legados o fideicomisos cuyo día o condición estuviere pendiente; a menos que el testador haya dado expresamente al albacea la tenencia de las respectivas especies, o de la parte de bienes destinada a cumplirlos; en cuyo caso se limitará el albaceazgo a esta sola tenencia.

Lo dicho se extiende a las deudas cuyo pago se hubiere encomendado al albacea, y cuyo día, condición o liquidación estuviere pendiente; y se entenderá sin perjuicio de los derechos conferidos a los herederos por los artículos precedentes.

Art. 1365 C.C.

Artículo 1366. El albacea, luego que cese en el ejercicio de su cargo, dará cuenta de su administración, justificándola.

No podrá el testador relevarle de esta obligación.

Arts. 1319 y 1373 C.C.; Art. 500 C.G.P.

Artículo 1367. El albacea, examinadas las cuentas por los respectivos interesados, y deducidas las expensas legítimas, pagará o cobrará el saldo que en su contra o a su favor resultare, según lo prevenido para los tutores o curadores en iguales casos.

TÍTULO 9° De los albaceas fiduciarios

Artículo 1368. El testador puede hacer encargos secretos y confidenciales al heredero, al albacea y a cualquiera otra persona para que se invierta en uno o más objetos lícitos una cuantía de bienes de que pueda disponer libremente.

El encargado de ejecutarlos se llama albacea fiduciario.

Artículo 1369. Los encargos que el testador hace secreta y confidencialmente, y en que ha de emplearse alguna parte de sus bienes, se sujetarán a las reglas siguientes:

1a.) Deberá designarse en el testamento la persona del albacea fiduciario.

2a.) El albacea fiduciario tendrá las calidades necesarias para ser albacea y legatario del testador; pero no obstara la calidad de eclesiástico secular, con tal que no se halle en el caso del artículo 1022.

3a.) Deberán expresarse en el testamento las especies o la determinada suma que ha de entregársele para el cumplimiento de su cargo. Faltando cualquiera de estos requisitos no valdrá la disposición.

Arts. 1022 y 1329 C.C.

Artículo 1370. No se podrá destinar a dichos encargos secretos más que la mitad de la porción de bienes de que el testador haya podido disponer a su arbitrio.

Artículo 1371. El albacea fiduciario deberá jurar ante el juez que el encargo no tiene por objeto hacer pasar parte alguna de los bienes del testador a una persona incapaz, o invertirla en un objeto ilícito.

Jurará, al mismo tiempo, desempeñar fiel y legalmente su cargo, sujetándose a la voluntad del testador.

La prestación del juramento deberá preceder a la entrega o abono de las especies o dineros asignados al encargo.

Si el albacea fiduciario se negare a prestar el juramento a que es obligado, caducará por el mismo hecho el encargo.

Art. 1029 C.C.

Artículo 1372. El albacea fiduciario podrá ser obligado, a instancias de un albacea general o de un heredero, o del curador de la herencia yacente, y con algún justo motivo, a dejar en depósito, o a afianzar la cuarta parte de lo que por razón del encargo se le entregue, para responder con esta suma a la acción de reforma o a las deudas hereditarias, en los casos prevenidos por la ley.

Podrán aumentarse esta suma, si el juez lo creyere necesario para la seguridad de los interesados.

Expirados los cuatro años subsiguientes a la apertura de la sucesión, se devolverá al albacea fiduciario la parte que reste, o se cancelará la caución.

Arts. 1016 y 1274 C.C.

Artículo 1373. El albacea fiduciario no estará obligado, en ningún caso, a revelar el objeto del encargo secreto, ni a dar cuenta de su administración.

Art. 1366 C.C.

TÍTULO 10º De la partición de los bienes

Artículo 1374. Ninguno de los coasignatarios de una cosa universal o singular será obligado a permanecer en la indivisión; la partición del objeto asignado podrá siempre pedirse, con tal que los coasignatarios no hayan estipulado lo contrario.

No puede estipularse proindivisión por más de cinco años, pero cumplido este término podrá renovarse el pacto.

Las disposiciones precedentes no se extienden a los lagos de dominio privado, ni a los derechos de servidumbre, ni a las cosas que la ley manda mantener indivisas, como la propiedad fiduciaria.

Arts. 794, 812, 900, 1832, 2322 y 2335 C.C.; Art. 406 C.G.P.; Art. 37 L. 153 de 1887.

Artículo 1375. Si el difunto ha hecho la partición por acto entre vivos o por testamento, se pasará por ella, en cuanto no fuere contraria a derecho ajeno.

Arts. 1255, 1393 y 1520 C.C.; Art. 517 C.G.P.

Artículo 1376. Si alguno de los coasignatarios lo fuere bajo condición suspensiva, no tendrá derecho para pedir la partición mientras penda la condición. Pero los otros coasignatarios podrán proceder a ella, asegurando competentemente al asignatario condicional lo que, cumplida la condición, le corresponda.

Si el objeto asignado fuere un fideicomiso, se observará lo prevenido en el título *De la propiedad fiduciaria*.

Arts. 750, 794-822, 1123, 1128-1137 y 1147 C.C.

Artículo 1377. Si un coasignatario vende o cede su cuota a un extraño, tendrá éste igual derecho que el vendedor o cedente para pedir la partición e intervenir en ella.

Artículo 1378. Si falleciere uno de varios coasignatarios después de habérsele deferido la asignación, cualquiera de los herederos de éste podrá pedir la partición; pero formarán en ella una sola persona, y no podrán obrar sino todos juntos o por medio de un procurador común.

Art. 1583 C.C; Art. 519 C.G.P.

Artículo 1379. Los tutores y curadores, y en general, los que administran bienes ajenos, por disposición de la ley, no podrán proceder a la partición de las herencias o de los bienes raíces en que tengan parte sus pupilos, sin autorización judicial.

[Inciso segundo Derogado. Art. 70 Dec. 2820 de 1974]

Arts. 1383 y 1394 C.C.

Artículo 1380. No podrá ser partidor, sino en los casos expresamente exceptuados, el que fuere albacea o coasignatario de la cosa de cuya partición se trata.

Artículo 1381. Valdrá el nombramiento de partidor que el difunto haya hecho por instrumento público entre vivos o por testamento, aunque la persona nombrada sea de las inhabilitadas por el precedente artículo.

Art. 507 C.G.P.

Artículo 1382. Si todos los coasignatarios tuvieren la libre disposición de sus bienes, y concurrieren al acto, podrán hacer la partición por sí mismos, o nombrar de común acuerdo un partidor; y no perjudicarán en este caso las inhabilidades indicadas en el antedicho artículo.

Si no se acordaren en el nombramiento, el juez, a petición de cualquiera de ellos, nombrará un partidor a su arbitrio, con tal que no sea de los propuestos por las partes, ni albacea, ni coasignatario.

Art. 507 C.G.P.

Artículo 1383. Si alguno de los coasignatarios no tuviere la libre disposición de sus bienes, el nombramiento de partidor que no haya sido hecho por el juez, deberá ser aprobado por éste.

Se exceptúa de esta disposición la mujer casada[*], cuyos bienes administra el marido; bastará en tal caso el consentimiento de la mujer, o el de la justicia en subsidio.

El curador de bienes del ausente, nombrado en conformidad al artículo 1289, inciso final, le representará en la partición, y administrará los que en ella se le adjudiquen, según las reglas de la curaduría de bienes.

[*] A partir de la vigencia de la Ley 28 de 1932, la mujer casada tiene capacidad plena para administrar sus bienes sin permiso marital ni autorización judicial. Art. 1394 C.C.

Artículo 1384. El partidor no es obligado a aceptar este cargo contra su voluntad; pero si nombrado en testamento, no acepta el encargo, se observará lo prevenido respecto del albacea en igual caso.

Arts. 1028, 1334 y 1335 C.C.

Artículo 1385. El partidor que acepta el encargo deberá declararlo así, y jurará desempeñarlo con la debida fidelidad y en el menor tiempo posible.

Art. 510 C.G.P.

Artículo 1386. La responsabilidad del partidor se extiende hasta la culpa leve, y en el caso de prevaricación, declarada por el juez competente, además de estar sujeto a la indemnización de perjuicios y a las penas legales que correspondan al delito, se constituirá indigno conforme a lo dispuesto para los ejecutores de últimas voluntades en el artículo 1357.

Arts. 63 y 1357 C.C.

Artículo 1387. Antes de proceder a la partición se decidirán por la justicia ordinaria las controversias sobre derechos a la sucesión por testamento o abintestato, desheredamiento, incapacidad o indignidad de los asignatarios.

Arts. 505 y 516 C.G.P.

Artículo 1388. Las cuestiones sobre la propiedad de objetos en que alguien alegue un derecho exclusivo, y que en consecuencia no deban entrar en la masa partible, serán decididas por la justicia ordinaria, y no se retardarán la partición por ellas. Decididas a favor de la masa partible se procederá como en el caso del artículo 1406.

Sin embargo, cuando recayeren sobre una parte considerable de la masa partible, podrá la partición suspenderse hasta que se decidan; si el juez, a petición de los asignatarios a quienes corresponda más de la mitad de la masa partible, lo ordenare así.

Art. 1406 C.C. Arts. 505 y 516 C.G.P.

Artículo 1389. La ley señala al partidor, para efectuar la partición, el término de un año, contado desde la aceptación de su cargo. El testador no podrá ampliar este plazo.

Los coasignatarios podrán ampliarlo o restringirlo como mejor les parezca, aun contra la voluntad del testador.

Artículo 1390. Las costas comunes de la partición serán de cuenta de los interesados en ella, a prorrata.

Artículo 1391. El partidor se conformará en la adjudicación de los bienes a las reglas de este título; salvo que los coasignatarios acuerden legítima y unánimemente otra cosa.

Artículo 1392. El valor de tasación por peritos será la base sobre que procederá el partidor para la adjudicación de las especies; salvo que los coasignatarios hayan legítima y unánimemente convenido en otra, o en que se liciten las especies, en los casos previstos por la ley.

Art. 1394 C.C.

Artículo 1393. El partidor, aun en el caso del artículo 1375 y aunque no sea requerido a ello por el albacea o los herederos, estará obligado a formar el lote e hijuela que se expresa en el artículo 1343, y la omisión de este deber le hará responsable de todo perjuicio respecto de los acreedores.

Arts. 1343 y 1375 C.C.

Artículo 1394. El partidor liquidará lo que a cada uno de los coasignatarios se deba, y procederá a la distribución de los efectos hereditarios, teniendo presentes las reglas que siguen:

1a.) Entre los coasignatarios de una especie que no admita división, o cuya división la haga desmerecer, tendrá mejor derecho a la especie el que más ofrezca por ella, siendo base de oferta o postura el valor dado por peritos nombrados por los interesados; cualquiera de los coasignatarios tendrá derecho a pedir la admisión de licitadores extraños y el precio se dividirá entre todos los coasignatarios a prorrata.

2a.) No habiendo quien ofrezca más que el valor tasación o el convencional mencionado en el artículo 1392, y compitiendo dos o más asignatarios sobre la adjudicación de una especie, el legitimario será preferido al que no lo sea.

3a.) Las porciones de uno o más fundos que se adjudiquen a un solo individuo, serán, si posible fuere, continuas, a menos que el adjudicatario consienta en recibir porciones separadas, o que de la continuidad resulte mayor perjuicio a los demás interesados, que de la separación al adjudicatario.

4a.) Se procurará la misma continuidad entre el fundo que se adjudique a un asignatario, y otro fundo de que el mismo asignatario sea dueño.

5a.) En la división de fundos se establecerán las servidumbres necesarias para su cómoda administración y goce.

6a.) Si dos o más personas fueren coasignatarios de un predio, podrá el partidor, con el legítimo consentimiento de los interesados, separar de la propiedad el usufructo, habitación o uso, para darlos por cuenta de la asignación.

7a.) En la partición de una herencia o de lo que de ella restare, después de las adjudicaciones de especies mencionadas en los números anteriores, se ha de guardar la posible igualdad, adjudicando a cada uno de los coasignatarios cosas de la misma naturaleza y calidad que a los otros, o haciendo hijuela o lotes de la masa partible.

8a.) En la formación de los lotes se procurará no solo la equivalencia sino la semejanza de todos ellos; pero se tendrá cuidado de no dividir o separar los objetos que no admitan cómoda división o de cuya separación resulte perjuicio; salvo que convengan en ello unánime y legítimamente los interesados.

9a.) Cada uno de los interesados podrá reclamar contra el modo de composición de los lotes.

10a.) Cumpliéndose con lo prevenido en los artículos 1379 y 1383, no será necesaria la aprobación judicial para llevar a efecto lo dispuesto en cualquiera de los números precedentes, aun cuando algunos o todos los coasignatarios sean menores, u otras personas que no tengan la libre administración de sus bienes.

Arts. 905, 908, 1379, 1383 y 1392 C.C. Art. 508 C.G.P.; Art. 48 L. 160 de 1994.

Artículo 1395. Los frutos percibidos después de la muerte del testador, y durante la indivisión, se dividirán del modo siguiente:

1o.) Los asignatarios de especies tendrán derecho a los frutos y accesorios de ellas desde el momento de abrirse la sucesión; salvo que la asignación haya sido desde día cierto, o bajo condición suspensiva, pues en estos casos no se deberán los frutos sino desde ese día o desde el cumplimiento de la condición; a menos que el testador haya expresamente ordenado otra cosa.

2o.) Los legatarios de cantidades o géneros no tendrán derecho a ningunos frutos, sino desde el momento en que la persona obligada a prestar dichas cantidades o géneros se hubiere constituido en mora; y este abono de frutos se hará a costa del heredero o legatario moroso.

3o.) Los herederos tendrán derecho a todos los frutos y accesiones de la masa hereditaria indivisa, a prorrata de sus cuotas; deducidos, empero, los frutos y accesiones pertenecientes a los asignatarios de especies.

4o.) Recaerá sobre los frutos y accesiones de toda la masa la deducción de que habla el inciso anterior, siempre que no haya una persona directamente gravada para la prestación del legado; habiéndose impuesto por el testador este gravamen a alguno de sus asignatarios, éste sólo sufrirá la deducción.

Arts. 716, 717, 750, 1012, 1013, 1128, 1138, 1155, 1162, 1147, 1542 y 1543 C.C.

Artículo 1396. Los frutos pendientes al tiempo de la adjudicación de las especies a los asignatarios de cuotas, cantidades o géneros, se mirarán como parte de las respectivas especies, y se tomarán en cuenta para la estimación del valor de ellas.

Arts. 715 y 717 C.C.

Artículo 1397. Si alguno de los herederos quisiere tomar a su cargo mayor cuota de las deudas, que la correspondiente a prorrata, bajo alguna condición que los otros herederos acepten, se accederá a ello.

Los acreedores hereditarios o testamentarios no serán obligados a conformarse con este arreglo de los herederos, para intentar sus demandas.

Arts. 862, 1295, 1415, 1416, 1430 y 1583 C.C.

Artículo 1398. Si el patrimonio del difunto estuviere confundido con bienes pertenecientes a otras personas por razón de bienes propios o gananciales del cónyuge, contratos de sociedad, sucesiones anteriores indivisas, y otro motivo cualquiera, se procederá en primer lugar a la separación de patrimonios, dividiendo las especies comunes según las reglas precedentes.

Art. 34 L. 63 de 1936.

Artículo 1399. Siempre que en la partición de la masa de bienes, o de una porción de la masa, tengan interés personas ausentes que no hayan nombrado apoderados, o personas bajo tutela o curaduría, o personas jurídicas, será necesario someterla, terminada que sea, a la aprobación judicial.

Artículo 1400. Efectuada la partición, se entregarán a los partícipes los títulos particulares de los objetos que les hubieren cabido.

Los títulos de cualquier objeto que hubieren sufrido división, pertenecerán a la persona designada al efecto por el testador, o en defecto de esta designación, a la persona a quien hubiere cabido la mayor parte; con cargo de exhibirlos a favor de los otros partícipes, y de permitirles que tengan traslado de ellos cuando lo pidan.

En caso de igualdad se decidirá la competencia por sorteo.

Art. 512 C.G.P.

Artículo 1401. Cada asignatario se reputará haber sucedido inmediata y exclusivamente al difunto, en todos los efectos que le hubieren cabido, y no haber tenido jamás parte alguna en los otros efectos de la sucesión.

Por consiguiente, si alguno de los coasignatarios ha enajenado una cosa que en la partición se adjudica a otro de ellos, se podrá proceder como en el caso de la venta de cosa ajena.

Arts. 757, 1799 y 1871 C.C.

Artículo 1402. El partícipe que sea molestado en la posesión del objeto que le cupo en la partición, o que haya sufrido evicción de él, lo denunciará a los otros partícipes para que concurran a hacer cesar la molestia, y tendrá derecho para que le saneen la evicción.

Esta acción prescribirá en cuatro años, contados desde el día de la evicción.

Arts. 1893 y 1913 C.C.

Artículo 1403. No hay lugar a esta acción:

1o.) Si la evicción o la molestia procediere de causa sobreviniente a la partición.

2o.) Si la acción de saneamiento se hubiere expresamente renunciado.

3o.) Si el partícipe ha sufrido la molestia o la evicción por su culpa.

Arts. 1893, 1895, 1898, 1909 y 1913 C.C.

Artículo 1404. El pago del saneamiento se divide entre los partícipes a prorrata de sus cuotas.

La porción del insolvente grava a todos a prorrata de sus cuotas, incluso el que ha de ser indemnizado.

Arts. 1422 y 2329 C.C.

Artículo 1405. Las particiones se anulan o se rescinden de la misma manera y según las mismas reglas que los contratos.

La rescisión por causa de lesión se concede al que ha sido perjudicado en más de la mitad de su cuota.

Arts. 1408, 1946 y ss C.C.

Artículo 1406. El haber omitido involuntariamente algunos objetos no será motivo para rescindir la partición. Aquella en que se hubiere omitido se continuará después, dividiéndolos entre los partícipes con arreglo a sus respectivos derechos.

Art. 1388 C.C.; Arts. 505 y 514 C.G.P.

Artículo 1407. Podrán los otros partícipes atajar la acción rescisoria de uno de ellos, ofreciéndole y asegurándole el suplemento de su porción en numerario.

Artículo 1408. No podrá intentar la acción de nulidad o rescisión el partícipe que haya enajenado su porción en todo o parte, salvo que la partición haya adolecido de error, fuerza o dolo, de que le resulte perjuicio.

Art. 1508 C.C.

Artículo 1409. La acción de nulidad o de rescisión prescribe respecto de las particiones, según las reglas generales que fijan la duración de estas especies de acciones.

Art. 1954 C.C.

Artículo 1410. El partícipe que no quisiere o no pudiere intentar la acción de nulidad o rescisión, conservará los otros recursos legales que para ser indemnizado le correspondan.

TÍTULO 11º Del pago de las deudas hereditarias y testamentarias

Artículo 1411. Las deudas hereditarias se dividen entre los herederos, a prorrata de sus cuotas.

Así, el heredero del tercio no es obligado a pagar sino el tercio de las deudas hereditarias.

Pero el heredero beneficiario no es obligado al pago de ninguna cuota de las deudas hereditarias sino hasta concurrencia de lo que valga lo que hereda.

Lo dicho se entiende sin perjuicio de lo dispuesto en los artículos 1413 y 1583.

Arts. 1016, 1155, 1238, 1304, 1413, 1420, 1440, 1475 y 1583 C.C.

Artículo 1412. La insolvencia de uno de los herederos no grava a los otros; excepto en los casos del artículo 1344, inciso 2o.

Arts. 1344 y 1583 C.C.

Artículo 1413. Los herederos usufructuarios o fiduciarios, dividen las deudas con los herederos propietarios o fideicomisarios, según lo prevenido en los artículos 1425 y 1429, y los acreedores hereditarios tienen el derecho de dirigir contra ellos sus acciones, en conformidad a los referidos artículos.

Arts. 1425 y 1429 C.C.

Artículo 1414. Si uno de los herederos fuere acreedor o deudor del difunto, sólo se confundirá con su porción hereditaria la cuota que en este crédito o deuda le quepa, y tendrá acción contra sus coherederos, a prorrata, por el resto de su crédito, y les estará obligado a prorrata por el resto de su deuda.

Arts. 1261, 1724, 1726 y 1728 C.C.

Artículo 1415. Si el testador dividiere entre los herederos las deudas hereditarias, de diferente modo que el que en los artículos precedentes se prescribe, los acreedores hereditarios podrán ejercer sus acciones, o en conformidad con dichos artículos, o en conformidad con las disposiciones del testador, según mejor les pareciere. Mas, en el primer caso, los herederos que sufrieren mayor gravamen que el que por el testador se les ha impuesto, tendrá derecho a ser indemnizados por sus coherederos.

Arts. 1397, 1416 y 1583 C.C.

Artículo 1416. La regla del artículo anterior se aplica al caso en que, por la partición o por convenio de los herederos, se distribuyan entre ellos las deudas de diferente modo que como se expresa en los referidos artículos.

Arts. 1397, 14165 y 1583 C.C.

Artículo 1417. Las cargas testamentarias no se mirarán como cargas de los herederos en común, sino cuando el testador no hubiere gravado con ellas a alguno o algunos de los herederos o legatarios en particular.

Las que tocaren a los herederos en común, se dividirán entre ellos como el testador lo hubiere dispuesto, y si nada ha dicho sobre la división, a prorrata de sus cuotas, o en la forma prescrita por los referidos artículos.

Arts. 1155, 1162, 1191, 1419 y 1430 C.C.

Artículo 1418. Los legados de pensiones periódicas se deben día por día, desde aquél en que se defieran; pero no podrán pedirse sino a la expiración de los respectivos períodos, que se presumirán mensuales.

Sin embargo, si las pensiones fueren alimenticias, podrá exigirse cada pago desde el principio del respectivo período, y no habrá obligación de restituir parte alguna, aunque el legatario fallezca antes de la expiración del período.

Si el legado de pensión alimenticia fuere una continuación de la que el testador pagaba en vida, seguirá prestándose como si no hubiese fallecido el testador.

Sobre todas estas reglas prevalecerá la voluntad expresa del testador.

Arts. 66, 427, 783, 1011, 1013, 1227-1229 y 1551 C.C.

Artículo 1419. Los legatarios no son obligados a concurrir al pago de las legítimas o de las deudas hereditarias, sino cuando el testador destine a legados alguna parte de la porción de los bienes que la ley reserva a los legitimarios, o cuando al tiempo de abrirse la sucesión no haya habido en ella lo bastante para pagar las deudas hereditarias.

La acción de los acreedores hereditarios contra los legatarios es un subsidio de la que tienen contra los herederos.

Arts. 1011, 1417, 1431 y 1440 C.C.

Artículo 1420. Los legatarios que deban contribuir al pago de las legítimas o de las deudas hereditarias, lo harán a prorrata de los valores de sus respectivos legados, y la porción del legatario insolvente no gravará a los otros.

No contribuirán, sin embargo, con los otros legatarios aquellos a quienes el testador hubiere expresamente exonerado de hacerlo. Pero si agotadas las contribuciones de los demás legatarios, quedare incompleta una legítima o insoluta una deuda, serán obligados al pago aun los legatarios exonerados por el testador.

Los legados de obras pías o de beneficencia pública se entenderán exonerados por el testador, sin necesidad de disposición expresa, y entrarán a contribución después de los legados expresamente exonerados; pero los legados estrictamente alimenticios, a que el testador es obligado por ley, no entrarán a contribución sino después de todos los otros.

Arts. 1011, 1227, 1348, 1411, 1431 y 1440 C.C.

Artículo 1421. El legatario obligado a pagar un legado, lo será sólo hasta concurrencia del provecho que reporte de la sucesión; pero deberá hacer constar la cantidad en que el gravamen exceda al provecho.

Art. 1011 C.C.

Artículo 1422. Si varios inmuebles de la sucesión están sujetos a una hipoteca, el acreedor hipotecario tendrá acción solidaria sobre cada uno de dichos inmuebles, sin perjuicios del recurso del heredero a quien pertenezca el inmueble contra sus coherederos, por la cuota que a ellos toque de la deuda.

Aun cuando el acreedor haya subrogado al dueño del inmueble en sus acciones contra sus coherederos, no será cada uno de éstos responsable sino de la parte que le quepa en la deuda.

Pero la porción del insolvente se repartirá entre todos los herederos a prorrata.

Arts. 1404, 1420, 1666, 2448 y 2325 C.C.

Artículo 1423. El legatario que en virtud de una hipoteca o prenda[*] sobre la especie legada, ha pagado una deuda hereditaria con que el testador no haya expresamente querido gravarle, es subrogado por la ley en la acción del acreedor contra los herederos.

Si la hipoteca o prenda[*] ha sido accesoria a la obligación de otra persona que el testador mismo, el legatario no tendrá acción contra los herederos.

[*] Art. 3 L. 1676 de 2013.
Arts. 1425, 1666 y 1668 C.C.

Artículo 1424. Los legados con causa onerosa, que pueda estimarse en dinero, no contribuyen sino con deducción del gravamen, y concurriendo las circunstancias que van a expresarse:

1a.) Que se haya efectuado el objeto.

2a.) Que no haya podido efectuarse sino mediante la inversión de una cantidad determinada de dinero.

Una y otra circunstancia deberán probarse por el legatario, y sólo se deducirá por razón del gravamen la cantidad que constare haberse invertido.

Arts. 1011 y 1016 C.C.

Artículo 1425. Si el testador deja el usufructo de una parte de sus bienes o de todos ellos a una persona, y la de nuda propiedad a otra, el propietario y el usufructuario se considerarán como una sola persona para la distribución de las obligaciones hereditarias y testamentarias que cupieren a la cosa fructuaria; y las obligaciones que unidamente les quepan, se dividirán entre ellos conforme a las reglas que siguen:

1a.) Será de cargo del propietario el pago de las deudas que recayere sobre la cosa fructuaria; quedando obligado el usufructuario a satisfacerle los intereses corrientes de la cantidad pagada, durante todo el tiempo que continuare el usufructo.

2a.) Si el propietario no se allanare a este pago, podrá el usufructuario hacerlo, y a la expiración del usufructo tendrá derecho a que el propietario le reintegre el capital sin interés alguno.

3a.) Si se vende la cosa fructuaria para cubrir una hipoteca o prenda[*] constituida en ella por el difunto, se aplicará al usufructuario la disposición del artículo 1423.

[*] Art. 3 L. 1676 de 2013.

Arts. 669, 670, 823, 832, 856, 857, 1413, 1423, 1427 y 1428 C.C; L. 1676 de 2013.

Artículo 1426. Las cargas testamentarias que recayeren sobre el usufructuario o sobre el propietario, serán satisfechas por aquél de los dos a quien el testamento las imponga, y del modo que en éste se ordenare; sin que por el hecho de satisfacerlas de este modo le corresponda indemnización o interés alguno.

Arts. 823 y 1417 C.C.

Artículo 1427. Cuando imponiéndose cargas testamentarias sobre una cosa que está en usufructo, no determinare el testador si es el propietario o el usufructuario el que debe sufrirlas, se procederá con arreglo a lo dispuesto en el artículo 1425.

Pero si las cargas consistieren en pensiones periódicas, y el testador no hubiere ordenado otra cosa, serán cubiertas por el usufructuario durante todo el tiempo del usufructo, y no tendrá derecho a que le indemnice de este desembolso el propietario.

Arts. 823, 1417, 1418 y 1425 C.C.

Artículo 1428. El usufructo constituido en la partición de una herencia está sujeto a las reglas del artículo 1425, si los interesados no hubieren acordado otra cosa.

Arts. 823 y 1425 C.C.

Artículo 1429. El propietario fiduciario y el fideicomisario se considerarán en todo caso como una sola persona, respecto de los demás asignatarios para la distribución de las deudas y cargas hereditarias y testamentarias, y la división de las deudas y cargas se hará entre los dos del modo siguiente:

El fiduciario sufrirá dichas cargas, con calidad de que a su tiempo se las reintegre el fideicomisario sin interés alguno.

Si las cargas fueren periódicas, las sufrirá el fiduciario, sin derecho a indemnización alguna.

Arts. 794 y ss C.C.

Artículo 1430. Los acreedores testamentarios no podrán ejercer las acciones a que les da derecho el testamento, sino conforme al artículo 1417.

Si en la partición de una herencia se distribuyeren los legados de diferente modo, entre los herederos, podrán los legatarios entablar sus acciones, o en conformidad a esta distribución, o en conformidad al artículo 1417, o en conformidad al convenio de los herederos.

Arts. 1397, 1415, 1117 y 1583 C.C.

Artículo 1431. No habiendo concurso de acreedores ni tercera oposición, se pagará a los acreedores hereditarios a medida que se presenten, y pagados los acreedores hereditarios, se satisfarán los legados.

Pero cuando la herencia no apareciere excesivamente gravada, podrá satisfacerse inmediatamente a los legatarios que ofrezcan caución de cubrir lo que les quepa en la contribución a las deudas.

No será exigible esta caución cuando la herencia está manifiestamente exenta de cargas que puedan comprometer a los legatarios.

Arts. 483, 503 y 504 C.G.P.

Artículo 1432. Los gastos necesarios para la entrega de las cosas legadas se mirarán como una parte de los mismos legados.

Artículo 1433. No habiendo en la sucesión lo bastante para el pago de todos los legados, se rebajarán a prorrata.

Artículo 1434. [Derogado. Art. 626 C.G.P.]

TÍTULO 12° Del beneficio de separación

Artículo 1435. Los acreedores hereditarios y los acreedores testamentarios podrán pedir que no se confundan los bienes del difunto con los bienes del heredero; y en virtud de este beneficio de separación tendrán derecho a que de los bienes del difunto se les cumplan las obligaciones hereditarias o testamentarias, con preferencia a las deudas propias del heredero.

Arts. 1439 y 2507 C.C; Art. 506 C.G.P.

Artículo 1436. Para que pueda impetrarse el beneficio de separación no es necesario que lo que se deba sea inmediatamente exigible; basta que se deba a día cierto o bajo condición.

Art. 1442 C.C; Art. 506 C.G.P.

Artículo 1437. El derecho de cada acreedor a pedir el beneficio de separación subsiste mientras no haya prescrito su crédito; pero no tiene lugar en dos casos:

1o.) Cuando el acreedor ha reconocido al heredero por deudor, aceptando un pagaré, prenda[*], hipoteca o fianza del dicho heredero, o un pago parcial de la deuda.

2o.) Cuando los bienes de la sucesión han salido ya de manos del heredero o se han confundido con los bienes de éste, de manera que no sea posible reconocerlos.

[*] Art. 3 L. 1676 de 2013.
Arts. 1439, 1476 y 1724 C.C; Art. 506 C.G.P.

Artículo 1438. Los acreedores del heredero no tendrán derecho a pedir, a beneficio de sus créditos, la separación de bienes de que hablan los artículos precedentes.

Arts. 1439 y 1440 C.C.

Artículo 1439. Obtenida la separación de patrimonios por alguno de los acreedores de la sucesión, aprovechará a los demás acreedores de la misma que la invoquen, y cuyos créditos no hayan prescrito, o que no se hallen en el caso del número 1o, artículo 1437. El sobrante, si lo hubiere, se agregará a los bienes del heredero, para satisfacer a sus acreedores propios, con los cuales concurrirán los acreedores de la sucesión, que no gocen de beneficio.

Art. 1437 C.C.

Artículo 1440. Los acreedores hereditarios o testamentarios que hayan obtenido la separación o aprovechándose de ella, en conformidad al inciso 1o. del artículo precedente, no tendrán acción contra los bienes del heredero, sino después que se hayan agotado los bienes a que dicho beneficio les dio un derecho preferente; mas aun entonces podrán oponerse a esta acción los otros acreedores del heredero hasta que se les satisfaga en el total de sus créditos.

Artículo 1441. Las enajenaciones de bienes del difunto, hechas por el heredero, dentro de los seis meses subsiguientes a la apertura de la sucesión, y que no hayan tenido por objeto el pago de créditos hereditarios o testamentarios, podrán rescindirse a instancia de cualquiera de los acreedores hereditarios o testamentarios que gocen del beneficio de separación. Lo mismo se extiende a la constitución de hipotecas especiales.

Art. 2491 C.C.

Artículo 1442. Si hubiere bienes raíces en la sucesión, el decreto en que se concede el beneficio de separación se inscribirá en el registro o registros que por la situación de dichos bienes corresponda, con expresión de las fincas que el beneficio se extienda.

TÍTULO 13º De las donaciones entre vivos

Artículo 1443. La donación entre vivos es un acto por el cual una persona transfiere, gratuita e irrevocablemente, una parte de sus bienes a otra persona que la acepta.

Arts. 125, 150, 1194, 1244, 1245, 1246, 1258, 1455, 1482-1489, 1712 y 2301 C.C; Arts. 62, 136 y 355 C.P.

Artículo 1444. Es hábil para donar entre vivos toda persona que la ley no haya declarado inhábil.

Artículo 1445. Son inhábiles para donar los que no tienen la libre administración de sus bienes; salvo en los casos y con los requisitos que las leyes prescriben.

Arts. 125, 304, 1196, 1258, 1248 y 1844 C.C.

Artículo 1446. Es capaz de recibir entre vivos toda persona que la ley no ha declarado incapaz.

Artículo 1447. No puede hacerse una donación entre vivos a una persona que no existe en el momento de la donación.

Si se dona bajo condición suspensiva, será también necesario existir al tiempo de cumplirse la condición, salvas las excepciones indicadas en los incisos 3o. y 4o. del artículo 1020[*].

[*] Error de transcripción; debería leerse 1019.

Arts. 750, 1019 y 1460 C.C.

Artículo 1448. Las incapacidades de recibir herencias y legados, según el artículo 1021[*], se extienden a las donaciones entre vivos.

[*] Error de transcripción; debería leerse 1022.

Art. 1022 C.C.

Artículo 1449. Es nula, asimismo, la donación hecha al curador del donante, antes que el curador haya exhibido las cuentas de la curaduría, y pagado el saldo, si lo hubiere, en su contra.

Arts. 6, 1196 y 1740-1743 C.C.

Artículo 1450. La donación entre vivos no se presume sino en los casos que expresamente hayan previsto las leyes.

Arts. 66, 1454 y 2317 C.C.; Art. 66 L. 63 de 1936.

Artículo 1451. No dona el que repudia una herencia, legado o donación, o deja de cumplir la condición a que está subordinado un derecho eventual, aunque así lo haga con el objeto de beneficiar a un tercero.

Los acreedores, con todo, podrán ser autorizados por el juez para sustituirse a un deudor que así lo hace, hasta concurrencia de sus créditos; y del sobrante, si lo hubiere, se aprovechará el tercero.

Arts. 783, 1011, 1282-1286 y 1295 C.C.

Artículo 1452. No hay donación en el comodato de un objeto cualquiera, aunque su uso o goce costumbre a darse en arriendo.

Tampoco lo (sic) hay en el mutuo sin interés.

Pero lo (sic) hay en la remisión o cesión del derecho de percibir los réditos de un capital colocado a interés o a censo.

Arts. 717, 1711-1713, 2200 y 2221 C.C.; L. 153 de 1997.

Artículo 1453. Los servicios personales gratuitos no constituyen donación, aunque sean de aquéllos que ordinariamente se pagan.

Artículo 1454. No hace donación a un tercero el que a favor de este se constituye fiador, o constituye una prenda[*] o hipoteca; ni el que exonera de sus obligaciones al fiador, o remite una prenda o hipoteca mientras está solvente el deudor; pero hace donación el que remite una deuda, o el que paga a sabiendas lo que en realidad no debe.

[*] Art. 3 L. 1676 de 2013.

Arts. 1625, 1711-1713, 2317, 2361 y ss C.C.; L. 1676 de 2013.

Artículo 1455. No hay donación si habiendo por una parte disminución de patrimonio, no hay por otra aumento; como cuando se da para un objeto que consume el importe de la cosa donada, y de que el donatario no reporta ninguna ventaja apreciable en dinero.

Art. 1443 C.C.

Artículo 1456. No hay donación en dejar de interrumpir la prescripción.

Arts. 1625, 2512 y ss C.C.

Artículo 1457. No valdrá la donación entre vivos, de cualquiera especie de bienes raíces, si no es otorgada por escritura pública, inscrita en el competente registro de instrumentos públicos.

Tampoco valdrá sin este requisito la remisión de una deuda de la misma especie de bienes.

Arts. 1711-1713 C.C.; Art. 243 C.G.P.

Artículo 1458. [Modificado. Dec. 1712 de 1989] *Corresponde al notario autorizar mediante escritura pública las donaciones cuyo valor excedan la suma de cincuenta (50) salarios mínimos mensuales, siempre que donante y donatario* *sean plenamente capaces, lo soliciten de común acuerdo y no se contravenga ninguna disposición legal.*

Las donaciones cuyo valor sea igual o inferior a cincuenta (50) salarios mínimos mensuales, no requieren insinuación.

Queda en estos términos modificado el artículo 1458 del Código Civil.

Art. 1 Dec. 1712 de 1989.

Arts. 1461, 1463, 1464, 1467 y 1712 C.C.; Arts. 2-4 Dec. 1712 de 1989.

Artículo 1459. Cuando lo que se dona es el derecho de percibir una cantidad periódicamente, será necesaria la insinuación, siempre que la suma de las cantidades que han de percibirse en un decenio excediere de dos mil pesos.

Art. 1461 C.C.

Artículo 1460. La donación a plazo o bajo condición no producirá efecto alguno, si no constare por escritura privada o pública en que se exprese la condición o plazo; y serán necesarias en ella la escritura pública y la insinuación e inscripción en los mismos términos que para las donaciones de presente.

Arts. 1447 y 1481 C.C.

Artículo 1461. Las donaciones con causa onerosa, como para que una persona abrace una carrera o estado, o a título de dote, o por razón de matrimonio, se otorgarán por escritura pública, expresando la causa; y no siendo así, se considerarán como donaciones gratuitas.

Las donaciones con causa onerosa, de que se habla en el inciso precedente, están sujetas a insinuación en los términos de los artículos 1458, 1459 y 1460.

Arts. 1458, 1459 y 1460 C.C. Art. 243 C.G.P.

Artículo 1462. Las donaciones en que se impone al donatario un gravamen pecuniario, o que puede apreciarse en una suma determinada de dinero, no están sujetas a insinuación sino con descuento del gravamen.

Arts. 1458, 1459 y 1460 C.C.

Artículo 1463. Las donaciones que, con los requisitos debidos, se hagan los esposos uno a otro en las capitulaciones matrimoniales, no requieren insinuación ni otra escritura pública que las mismas capitulaciones, cualquiera que sea la clase o valor de las cosas donadas.

Art. 162 C.C.

Artículo 1464. Las donaciones a título universal, sean de la totalidad o de una cuota de los bienes, exigen además de la insinuación y del otorgamiento de escritura pública, y de la inscripción en su caso, un inventario solemne de los bienes, so pena de nulidad.

Si se omitiere alguna parte de los bienes en este inventario, se entenderá que el donante se los reserva, y no tendrá el donatario ningún derecho de reclamarlos.

Arts. 1740 y 1741 C.C.

Artículo 1465. El que hace una donación de todos sus bienes deberá reservarse lo necesario para su congrua subsistencia; y si omitiere hacerlo podrá en todo tiempo obligar al donatario a que, de los bienes donados o de los suyos propios, le asigne a este efecto, a título de propiedad o de un usufructo vitalicio, lo que se estimare competente, habida proporción a la cuantía de los bienes donados.

Arts. 823 y 829 C.C.

Artículo 1466. Las donaciones a título universal no se extenderán a los bienes futuros del donante, aunque este disponga lo contrario.

Artículo 1467. Lo dispuesto en el artículo 1458 comprende a las donaciones fideicomisarias o con cargo de restituir a un tercero.

Arts. 1458, 1468 y 1470 C.C.

Artículo 1468. Nadie puede aceptar sino por sí mismo, o por medio de una persona que tuviere poder especial suyo al intento, o poder general para la administración de sus bienes, o por medio de su representante legal.

Pero bien podrá aceptar por el donatario, sin poder especial ni general, cualquier ascendiente o descendiente legítimo suyo, con tal que sea capaz de contratar y de obligarse.

Las reglas dadas sobre la validez de las aceptaciones y repudiaciones de herencias o legados, se extienden a las donaciones.

Arts. 1470, 1287, 1290, 1298, 1300, 1301, 1506 y 2158 C.C.

Artículo 1469. Mientras la donación entre vivos no ha sido aceptada, y notificada la aceptación al donante, podrá éste revocarla a su arbitrio.

Arts. 1194 y 1468 C.C.

Artículo 1470. Las donaciones, con cargo de restituir a un tercero, se hacen irrevocables en virtud de la aceptación del fiduciario, con arreglo al artículo 1468.

El fideicomisario no se halla en el caso de aceptar hasta el momento de la restitución; pero podrá repudiar antes de ese momento.

Arts. 1467, 1468 y 1471 C.C.

Artículo 1471. Aceptada la donación por el fiduciario, y notificada la aceptación del donante, podrán los dos, de común acuerdo, hacer en el fideicomiso las alteraciones que quieran, sustituir un fideicomisario a otro, y aun revocar el fideicomiso enteramente, sin que pueda oponerse a ello el fideicomisario.

Se procederá, para alterar en estos términos la donación, como si se tratare de un acto enteramente nuevo.

Arts. 1468 y 1470 C.C.

Artículo 1472. El derecho de transmisión, establecido para la sucesión por causa de muerte, en el artículo 1015[*], no se extiende a las donaciones entre vivos.

[*] Error de transcripción; debería leerse 1014.
Art. 1014 C.C.

Artículo 1473. Las reglas concernientes a la interpretación de las asignaciones testamentarias, al derecho de acrecer y a las sustituciones, plazos, condiciones y modos relativos a ellas, se extienden a las donaciones entre vivos.

En los demás que no se oponga a las disposiciones de este título, se seguirán las reglas generales de los contratos.

Arts. 1113-1127 y 1206-1214 C.C.

Artículo 1474. El donante de donación gratuita goza del beneficio de competencia en las acciones que contra él intente el donatario, sea para obligarle a cumplir una promesa o donación de futuro, sea demandando la entrega de las cosas que se le han donado de presente.

Arts. 1684-1686 C.C.

Artículo 1475. El donatario a título universal, tendrá respecto de los acreedores del donante, las mismas obligaciones que los herederos; pero sólo respecto de las deudas anteriores a la donación, o de las futuras que no excedan de una suma específica, determinada por el donante en la escritura de donación.

Arts. 1008, 1155, 1411-1434, 1464, 1466 y 1478 C.C.

Artículo 1476. La donación de todos los bienes o de una cuota de ellos, o de su nuda propiedad o usufructo, no priva a los acreedores del donante de las acciones que contra él tuvieren; a menos que acepten como deudor al donatario expresamente, o en los términos del artículo 1437, número 1.

Arts. 669, 823-869, 1437 y 2491 C.C.

Artículo 1477. En la donación a título singular puede imponerse al donatario el gravamen de pagar las deudas del donante, con tal que se exprese una suma determinada hasta la cual se extienda este gravamen.

Los acreedores, sin embargo, conservarán sus acciones contra el primitivo deudor, como en el caso del artículo precedente.

Art. 1476 C.C.

Artículo 1478. La responsabilidad del donatario respecto de los acreedores del donante, no se extenderá en ningún caso sino hasta concurrencia de lo que al tiempo de la donación hayan valido las cosas donadas, constando este valor por inventario solemne o por otro instrumento auténtico.

Lo mismo se extiende a la responsabilidad del donatario por los otros gravámenes que en la donación se le hayan impuesto.

Arts. 1476 y 1477 C.C.

Artículo 1479. El donatario de donación gratuita no tiene acción de saneamiento, aun cuando la donación haya principiado por una promesa.

Arts. 1893 y 1895 C.C.

Artículo 1480. Las donaciones con causa onerosa no dan acción de saneamiento por evicción, sino cuando el donante ha dado una cosa ajena, a sabiendas.

Con todo, si se han impuesto al donatario gravámenes pecuniarios, o apreciables en dinero, tendrá siempre derecho para que se le reintegre lo que haya invertido en cubrirlos, con los intereses corrientes, que no parecieren compensados por los frutos naturales y civiles de las cosas donadas.

Cesa en lo tocante a este reintegro el beneficio de competencia del donante.

Arts. 714-718, 1474, 1515 y 1893-1913 C.C.

Artículo 1481. La donación entre vivos no es resoluble porque después de ella le haya nacido al donante uno o más hijos legítimos[*], a menos que esta condición resolutoria se haya expresado en escritura pública de la donación.

[*] La Ley 29 de 1982 le otorgó igualdad de derechos herenciales a los hijos legítimos, extramatrimoniales y adoptivos.

Art. 1460 C.C.

Artículo 1482. Son rescindibles las donaciones en el caso del artículo 1245.

Arts. 1245, 1483 y 1491 C.C.

Artículo 1483. Si el donatario estuviere en mora de cumplir lo que en la donación se le ha impuesto, tendrá derecho el donante o para que se obligue al donatario a cumplirlo, o para que se rescinda la donación.

En este segundo caso será considerado el donatario como poseedor de mala fe para la restitución de las cosas donadas y los frutos, siempre que sin causa grave hubiere dejado de cumplir la obligación impuesta.

Se abonará al donatario lo que haya invertido hasta entonces en desempeño de su obligación, y de que se aprovechare el donante.

Arts. 963, 964, 966, 969, 1484 y 1491 C.C.

Artículo 1484. La acción rescisoria, concedida por el artículo precedente, terminará en cuatro años desde el día en que el donatario haya sido constituido en mora de cumplir la obligación impuesta.

Arts. 1483 y 1489 C.C.

Artículo 1485. La donación entre vivos puede revocarse por ingratitud.

Se entiende por acto de ingratitud cualquier hecho ofensivo del donatario que le hiciere indigno de heredar al donante.

Arts. 28, 1025, 1036, 1266, 1487, 1488 y 1491 C.C.

Artículo 1486. En la restitución a que fuere obligado el donatario por causa de ingratitud, será considerado como poseedor de mala fe desde la perpetración del hecho ofensivo que ha dado lugar a la revocación.

Arts. 963, 964, 966 y 969 C.C.

Artículo 1487. La acción revocatoria termina en cuatro años, contados desde que el donante tuvo conocimiento del hecho ofensivo, y se extingue por su muerte, a menos que haya sido intentada judicialmente durante su vida, o que el hecho ofensivo haya producido la muerte del donante o ejecutándose después de ella.

En estos casos la acción revocatoria se transmitirá a los herederos.

Art. 1750 C.C.

Artículo 1488. Cuando el donante, por haber perdido el juicio, o por otro impedimento, se hallare imposibilitado de intentar la acción que se le concede por el artículo 1485, podrán ejercerla a su nombre mientras viva, y dentro del plazo señalado en el artículo anterior, no sólo su guardador, sino cualquiera de sus descendientes o ascendientes legítimos o su cónyuge.

Art. 1485 C.C.

Artículo 1489. La resolución, rescisión y revocación de que hablan los artículos anteriores, no dará acción contra terceros poseedores, ni para la extinción de las hipotecas, servidumbres u otros derechos constituidos sobre las cosas donadas, sino en los casos siguientes:

1o.) Cuando en escritura pública de la donación (inscrita en el competente registro, si la calidad de las cosas donadas lo hubiere exigido), se ha prohibido al donatario enajenarlas, o se ha expresado la condición.

2o.) Cuanto antes de las enajenaciones o de la constitución de los referidos derechos, se ha notificado a los terceros interesados, que el donante u otra persona a su nombre se propone intentar la acción resolutoria, rescisoria o revocatoria contra el donatario.

3o.) Cuando se ha procedido a enajenar los bienes donados o a constituir los referidos derechos, después de intentada la acción.

El donante que no hiciere uso de dicha acción contra terceros, podrá exigir al donatario el precio de las cosas enajenadas; según el valor que hayan tenido a la fecha de la enajenación.

Arts. 1483, 1485 y 1548 C.C.

Artículo 1490. Se entenderán por donaciones remuneratorias las que expresamente se hicieren en remuneración de servicios específicos, siempre que estos sean de los que suelen pagarse.

Si no constare por escritura privada o pública, según los casos, que la donación ha sido remuneratoria, o si en la escritura no se especificaren los servicios, la donación se entenderá gratuita.

Art. 243 C.G.P.

Artículo 1491. Las donaciones remuneratorias, en cuanto equivalgan al valor de los servicios remunerados, no son rescindibles ni revocables, y en cuanto excedan a este valor deberán insinuarse.

Arts. 1482, 1483 y 1485 C.C; Dec. 1712 de 1989.

Artículo 1492. El donatario que sufriere evicción de la cosa que le ha sido donada en remuneración, tendrá derecho a exigir el pago de los servicios que el donante se propuso remunerarle con ella, en cuanto no aparecieren haberse compensado por los frutos.

Arts. 1894 y 714 y ss C.C.

Artículo 1493. En lo demás las donaciones remuneratorias quedan sujetas a las reglas de este título.

LIBRO CUARTO
DE LAS OBLIGACIONES EN GENERAL Y DE LOS CONTRATOS

TÍTULO 1° Definiciones

Artículo 1494. Las obligaciones nacen, ya del concurso real de las voluntades de dos o más personas, como en los contratos o convenciones; ya de un hecho voluntario de la persona que se obliga, como en la aceptación de una herencia o legado y en todos los cuasicontratos; ya a consecuencia de un hecho que ha inferido injuria o daño a otra persona, como en los delitos; ya por disposición de la ley, como entre los padres y los hijos de familia.

Arts. 411, 1495, 1602, 1604, 1011, 1013, 1162, 1289, 2302 y 2341 C.C.; Art. 822 C.Co.

Artículo 1495. Contrato o convención es un acto por el cual una parte se obliga para con otra a dar, hacer o no hacer alguna cosa. Cada parte puede ser de una o de muchas personas.

Art. 864 C.Co.

Artículo 1496. El contrato es unilateral cuando una de las partes se obliga para con otra que no contrae obligación alguna; y bilateral, cuando las partes contratantes se obligan recíprocamente.

Art. 1546; Art. 870 C.Co.

Artículo 1497. El contrato es gratuito o de beneficencia cuando sólo tiene por objeto la utilidad de una de las partes, sufriendo la otra el gravamen; y oneroso, cuando tiene por objeto la utilidad de ambos contratantes, gravándose cada uno a beneficio del otro.

Art. 2491 C.C.; Art. 74, L. 1116 de 2006.

Artículo 1498. El contrato oneroso es conmutativo, cuando cada una de las partes se obliga a dar o hacer una cosa que se mira como equivalente a lo que la otra parte debe dar o hacer a su vez; y si el equivalente consiste en una contingencia incierta de ganancia o pérdida, se llama aleatorio.

Arts. 2282-2286; 2287-2301 C.C.; Art. 1036 C.Co.

Artículo 1499. El contrato es principal cuando subsiste por sí mismo sin necesidad de otra convención, y accesorio, cuando tiene por objeto asegurar el cumplimiento de una obligación principal, de manera que no pueda subsistir sin ella.

Arts. 65, 2361, 2409 y 2432 C.C.

Artículo 1500. El contrato es real cuando, para que sea perfecto, es necesaria la tradición de la cosa a que se refiere; es solemne cuando está sujeto a la observancia de ciertas formalidades especiales, de manera que sin ellas no produce ningún efecto civil; y es consensual cuando se perfecciona por el solo consentimiento.

Arts. 1611, 1760, 1956, 2200, 2221, 1857, 2149 y 2434 C.C.; Art. 824 C.Co.; Art. 225 C.G.P.

Artículo 1501. Se distinguen en cada contrato las cosas que son de su esencia, las que son de su naturaleza, y las puramente accidentales. Son de la esencia de un contrato aquellas cosas sin las cuales, o no produce efecto alguno, o degeneran en otro contrato diferente; son de la naturaleza de un contrato las que no siendo esenciales en él, se entienden pertenecerle, sin necesidad de una cláusula especial; y son accidentales a un contrato aquellas que ni esencial ni naturalmente le pertenecen, y que se le agregan por medio de cláusulas especiales.

TÍTULO 2° De los actos y declaraciones de voluntad

Artículo 1502. Para que una persona se obligue a otra por un acto o declaración de voluntad, es necesario:

1o.) que sea legalmente capaz.

2o.) que consienta en dicho acto o declaración y su consentimiento no adolezca de vicio.

3o.) que recaiga sobre un objeto lícito.

4o.) que tenga una causa lícita.

La capacidad legal de una persona consiste en poderse obligar por sí misma, sin el ministerio o la autorización de otra.

Artículo 1503. Toda persona es legalmente capaz, excepto aquéllas que la ley declara incapaces.

Artículo 1504. [Modificado por: Dec. 2820 de 1974, L. 27 de 1977, L. 1306 de 2009] *Son absolutamente incapaces [las personas con discapacidad mental]*[*]*, los impúberes y [sordomudos]*[***]*, que no pueden darse a entender [por escrito]*[***]*.*

Sus actos no producen ni aún obligaciones naturales, y no admiten caución.

Son también incapaces los menores adultos [que no han obtenido habilitación de edad][**]* y los disipadores que se hallen bajo interdicción. Pero la incapacidad de estas personas no es absoluta y sus actos pueden tener valor en ciertas circunstancias y bajo ciertos respectos determinados por las leyes.*

Además de estas incapacidades hay otras particulares que consisten en la prohibición que la ley ha impuesto a ciertas personas para ejecutar ciertos actos.

Art. 60 Dec. 2820 de 1974. Modifica el texto del Inc. 3 Arts. 1 y 2 L. 27 de 1977[**]. Al fijar la mayoría de edad en 18 años elimino la habilitación de edad; Par. Art. 2 L. 1306 de 2009[*]. *«El término "demente" que aparece actualmente en las demás leyes, se entenderá sustituido por "persona con discapacidad mental" y en la valoración de sus actos se aplicará lo dispuesto por la presente ley en lo pertinente»*; C-983 de 2002[**]. *«Primero.- Declarar EXEQUIBLE la palabra "sordomudo" contenida en los artículos 62, 432 y 1504 del Código Civil, e INEXEQUIBLE la expresión "por escrito" contenida en los artículos 62, 432, 560 y 1504 del mismo Código».* Arts. 62, 140, 301, 784, 1527, 1740-1750, C.C.; Arts. 2, 15 y 17 L. 1306 de 2009.

Artículo 1505. Lo que una persona ejecuta a nombre de otra, estando facultada por ella o por la ley para representarla, produce respecto del representado iguales efectos que si hubiese contratado él mismo.

Art. 2177 C.C.; Arts. 832-844 C.Co.

Artículo 1506. Cualquiera puede estipular a favor de una tercera persona, aunque no tenga derecho para representarla; pero sólo esta tercera persona podrá demandar lo estipulado; y mientras no intervenga su aceptación expresa o tácita, es revocable el contrato por la sola voluntad de las partes que concurrieron a él.

Constituyen aceptación tácita los actos que solo hubieran podido ejecutarse en virtud del contrato.

Art. 1593 C.C.

Artículo 1507. Siempre que uno de los contratantes se compromete a que por una tercera persona, de quien no es legítimo representante, ha de darse, hacerse o no hacerse alguna cosa, esta tercera persona no contraerá obligación alguna, sino en virtud de su ratificación; y si ella no ratifica, el otro contratante tendrá acción de perjuicios contra el que hizo la promesa.

Art. 1593 C.C.

Artículo 1508. Los vicios de que puede adolecer el consentimiento, son error, fuerza y dolo.

Artículo 1509. *El error sobre un punto de derecho no vicia el consentimiento.*

Exeq.: C-993 de 2006.
Arts. 9 y 2315 C.C.

Artículo 1510. *El error de hecho vicia el consentimiento cuando recae sobre la especie de acto o contrato que se ejecuta o celebra, como si una de las partes entendiese empréstito y la otra donación; o sobre la identidad de la cosa específica de que se trata, como si en el contrato de venta el vendedor entendiese vender cierta cosa determinada, y el comprador entendiese comprar otra.*

Exeq.: C-993 de 2006.

Artículo 1511. *El error de hecho vicia asimismo el consentimiento cuando la sustancia o calidad esencial del objeto sobre que versa el acto o contrato, es diversa de lo que se cree; como si por alguna de las partes se supone que el objeto es una barra de plata, y realmente es una masa de algún otro metal semejante.*

El error acerca de otra cualquiera calidad de la cosa no vicia el consentimiento de los que contratan, sino cuando esa calidad es el principal motivo de una de ellas para contratar, y este motivo ha sido conocido de la otra parte.

Exeq.: C-993 de 2006.

Artículo 1512. El error acerca de la persona con quien se tiene intención de contratar, no vicia el consentimiento, salvo que la consideración de esta persona sea la causa principal del contrato.

Pero en este caso la persona con quien erradamente se ha contratado tendrá derecho a ser indemnizada de los perjuicios en que de buena fe haya incurrido por la nulidad del contrato.

Artículo 1513. La fuerza no vicia el consentimiento sino cuando es capaz de producir una impresión fuerte en una persona de sano juicio, tomando en cuenta su edad, sexo y condición. Se mira como una fuerza de este género todo acto que infunde a una persona un justo temor de verse expuesta ella, su consorte o alguno de sus ascendientes o descendientes a un mal irreparable y grave.

El temor reverencial, esto es, el solo temor de desagradar a las personas a quienes se debe sumisión y respeto, no basta para viciar el consentimiento.

Arts. 1 y 2 L. 201 de 1959.

Artículo 1514. Para que la fuerza vicie el consentimiento no es necesario que la ejerza aquél que es beneficiado por ella; basta que se haya empleado la fuerza por cualquiera persona con el objeto de obtener el consentimiento.

Artículo 1515. El dolo no vicia el consentimiento sino cuando es obra de una de las partes, y cuando además aparece claramente que sin él no hubiera contratado.

En los demás casos el dolo da lugar solamente a la acción de perjuicios contra la persona o personas que lo han fraguado o que se han aprovechado de él; contra las primeras por el total valor de los perjuicios y contra las segundas hasta concurrencia del provecho que han reportado del dolo.

Artículo 1516. El dolo no se presume sino en los casos especialmente previsto por la ley. En los demás debe probarse.

Exeq.: C-669 de 2005.
Arts. 769 y 1025, Nral. 5 C.C.

Artículo 1517. Toda declaración de voluntad debe tener por objeto una o más cosas, que se trata de dar, hacer o no hacer. El mero uso de la cosa o su tenencia puede ser objeto de la declaración.

Arts. 775, 1605, 1610 y 1612 C.C.

Artículo 1518. No sólo las cosas que existen pueden ser objeto de una declaración de voluntad, sino las que se espera que existan; pero es menester que las unas y las otras sean comerciales y que estén determinadas, a lo menos, en cuanto a su género.

La cantidad puede ser incierta con tal que el acto o contrato fije reglas o contenga datos que sirvan para determinarla.

Si el objeto es un hecho, es necesario que sea física y moralmente posible. Es físicamente imposible el que es contrario a la naturaleza, y moralmente imposible el prohibido por las leyes, o contrario a las buenas costumbres o al orden público.

Arts. 1869 y 1870 C.C.

Artículo 1519. Hay un objeto ilícito en todo lo que contraviene al derecho público de la nación. Así, la promesa de someterse en la República a una jurisdicción no reconocida por las leyes de ella, es nula por el vicio del objeto.

Arts. 16 y 1741 C.C.; Art. 899 C.Co.

Artículo 1520. [Modificado Art. 19, L. 1934 de 2018] Convenciones en materia sucesoral. Por regla general, el derecho de suceder por causa de muerte a una persona viva no puede ser objeto de una donación o contrato, aun cuando intervenga el consentimiento de la misma persona.

Sin embargo, las convenciones entre la persona que debe una legítima y el legitimario, relativas a la misma legítima, están sujetas a las reglas especiales contenidas en el título de las asignaciones forzosas.

La prohibición general del inciso primero de este artículo, tampoco obsta para lo dispuesto en el artículo 1375 del Código Civil.

Artículo 1521. Hay un objeto ilícito en la enajenación:

1o.) De las cosas que no están en el comercio.

2o.) De los derechos o privilegios que no pueden transferirse a otra persona.

3o.) De las cosas embargadas por decreto judicial, a menos que el juez lo autorice o el acreedor consienta en ello.

4o.) Derogado. Artículo 698 del Código de Procedimiento Civil.

Arts. 424, 878 y 1866 C.C.

Artículo 1522. El pacto de no pedir más en razón de una cuenta aprobada, no vale en cuanto al dolo contenido en ella, si no se ha condonado expresamente. La condonación del dolo futuro no vale.

Artículo 1523. Hay así mismo objeto ilícito en todo contrato prohibido por las leyes.

Arts. 6 y 16 C.C.; Art. 899 C. Co.

Artículo 1524. No puede haber obligación sin una causa real y lícita; pero no es necesario expresarla. La pura liberalidad o beneficencia es causa suficiente.

Se entiende por causa el motivo que induce al acto o contrato; y por causa ilícita la prohibida por la ley, o contraria a las buenas costumbres o al orden público.

Así, la promesa de dar algo en pago de una deuda que no existe, carece de causa; y la promesa de dar algo en recompensa de un crimen o de un hecho inmoral, tiene una causa ilícita.

Art. 1741 C.C.; Art. 899 C.Co.

Artículo 1525. No podrá repetirse lo que se haya dado o pagado por un objeto o causa ilícita a sabiendas.

Art. 1746 C.C.; Art. 48 Ley 80 de 1993.

Artículo 1526. Los actos o contratos que la ley declara inválidos, no dejarán de serlo por las cláusulas que en ellos se introduzcan y en que se renuncie a la acción de nulidad.

TÍTULO 3° De las obligaciones civiles y de las meramente naturales

Artículo 1527. Las obligaciones son civiles o meramente naturales.

Civiles son aquellas que dan derecho para exigir su cumplimiento.

Naturales las que no confieren derecho para exigir su cumplimiento, pero que cumplidas autorizan para retener lo que se ha dado o pagado, en razón de ellas.

Tales son:

1a.) *Las contraídas por personas que, teniendo suficiente juicio y discernimiento, son, sin embargo, incapaces de obligarse según las leyes, como [la*

mujer casada en los casos en que le es necesaria la autorización del marido, y]
los menores adultos [no habilitados de edad].

2a.) Las obligaciones civiles extinguidas por la prescripción.

3a.) Las que proceden de actos a que faltan las solemnidades que la ley exige para que produzca efectos civiles; como la de pagar un legado, impuesto por testamento, que no se ha otorgado en la forma debida.

4a.) Las que no han sido reconocidas en juicio, por falta de prueba.

Para que no pueda pedirse la restitución en virtud de estas cuatro clases de obligaciones, es necesario que el pago se haya hecho voluntariamente por el que tenía la libre administración de sus bienes.

Inhib. C-534 de 2005 y C-857 de 2005. De acuerdo con este último fallo, el texto entre corchetes fue derogado tácitamente por la Ley 28 de 1923 y el Decreto 2820 de 1974.

Art. 2314 C.C.; Art. 571 Num. 1 C.G.P.; L. 27 de 1977.

Artículo 1528. La sentencia judicial que rechaza la acción intentada contra el naturalmente obligado, no extingue la obligación natural.

Artículo 1529. Las fianzas, hipotecas, prendas y cláusulas penales constituidas en por terceros para seguridad de estas obligaciones, valdrán.

TÍTULO 4° De las obligaciones condicionales y modales

Artículo 1530. Es obligación condicional la que depende de una condición, esto es, de un acontecimiento futuro, que puede suceder o no.

Artículo 1531. La condición es positiva o negativa.

La positiva consiste en acontecer una cosa; la negativa en que una cosa no acontezca.

Artículo 1532. La condición positiva debe ser física y moralmente posible.

Es físicamente imposible la que es contraria a las leyes de la naturaleza física; y moralmente imposible la que consiste en un hecho prohibido por las leyes, o es opuesta a las buenas costumbres o al orden público.

Se mirarán también como imposibles las que están concebidas en términos ininteligibles.

Art. 16 C.C.

Artículo 1533. Si la condición es negativa de una cosa físicamente imposible, la obligación es pura y simple; si consiste en que el acreedor se abstenga de un hecho inmoral o prohibido, vicia la disposición.

Artículo 1534. Se llama condición potestativa la que depende de la voluntad del acreedor o del deudor; casual la que depende de la voluntad de un tercero o de un acaso; mixta la que en parte depende de la voluntad del acreedor y en parte de la voluntad de un tercero o de un acaso.

Artículo 1535. Son nulas las obligaciones contraídas bajo una condición potestativa que consista en la mera voluntad de la persona que se obliga.

Si la condición consiste en un hecho voluntario de cualquiera de las partes, valdrá.

Artículo 1536. La condición se llama suspensiva si, mientras no se cumple, suspende la adquisición de un derecho; y resolutoria, cuando por su cumplimiento se extingue un derecho.

Artículo 1537. Si la condición suspensiva es o se hace imposible, se tendrá por fallida. A la misma regla se sujetan las condiciones cuyo sentido y el modo de cumplirlas son enteramente ininteligibles.

Y las condiciones inductivas a hechos ilegales o inmorales.

La condición resolutoria que es imposible por su naturaleza, o ininteligible, o inductiva a un hecho ilegal o inmoral, se tendrá por no escrita.

Artículo 1538. La regla del artículo precedente, inciso 1o, se aplica aún a las disposiciones testamentarias.

Así, cuando la condición es un hecho que depende de la voluntad del asignatario y de la voluntad de otra persona, y deja de cumplirse por algún accidente que la hace imposible, o porque la otra persona de cuya voluntad depende no puede o no quiere cumplirla, se tendrá por fallida, sin embargo de que el asignatario haya estado, por su parte, dispuesto a cumplirla.

Con todo, si la persona que debe prestar la asignación, se vale de medios ilícitos para que la condición no pueda cumplirse, o para que la otra persona, de cuya voluntad depende en parte su cumplimiento, no coopere a él, se tendrá por cumplida.

Arts. 1128-1136 C.C.

Artículo 1539. Se reputa haber fallado la condición positiva o haberse cumplido la negativa, cuando ha llegado a ser cierto que no sucederá el acontecimiento contemplado en ella, o cuando ha expirado el tiempo dentro del cual el acontecimiento ha debido verificarse y no se ha verificado.

Artículo 1540. La condición debe ser cumplida del modo que las partes han probablemente entendido que lo fuese, y se presumirá que el modo más racional de cumplirla es el que han entendido las partes.

Cuando, por ejemplo, la condición consiste en pagar una suma de dinero a una persona que está bajo tutela o curaduría, no se tendrá por cumplida la condición, si se entrega a la misma persona, y ésta lo disipa.

Artículo 1541. Las condiciones deben cumplirse literalmente en la forma convenida.

Artículo 1542. No puede exigirse el cumplimiento de la obligación condicional sino verificada la condición totalmente.

Todo lo que se hubiere pagado antes de efectuarse la condición suspensiva, podrá repetirse mientras no se hubiere cumplido.

Artículo 1543. Si antes del cumplimiento de la condición la cosa prometida perece sin culpa del deudor, se extingue la obligación; y si por culpa del deudor, el deudor es obligado al precio y a la indemnización de perjuicios.

Si la cosa existe al tiempo de cumplirse la condición, se debe en el estado en que se encuentre, aprovechándose el acreedor de los aumentos o mejoras que hayan recibido la cosa, sin estar obligado a dar más por ella, y sufriendo su deterioro o disminución, sin derecho alguno a que se le rebaje el precio; salvo que el deterioro o disminución proceda de culpa del deudor; en cuyo caso el acreedor podrá pedir o que se rescinda el contrato, o que se le entregue la cosa, y además de lo uno o lo otro, tendrá derecho a indemnización de perjuicios.

Todo lo que destruye la aptitud de la cosa para el objeto a que según su naturaleza o según la convención se destina, se entiende destruir la cosa.

Arts. 1607, 1729, 1730 y 1876 C.C.; Art. 929 C.Co.

Artículo 1544. Cumplida la condición resolutoria, deberá restituirse lo que se hubiere recibido bajo tal condición, a menos que ésta haya sido puesta en favor del acreedor exclusivamente, en cuyo caso podrá éste, si quiere, renunciarla; pero será obligado a declarar su determinación, si el deudor lo exigiere.

Art. 750 C.C.

Artículo 1545. Verificada una condición resolutoria no se deberán los frutos percibidos en el tiempo intermedio, salvo que la ley, el testador, el donante o los contratantes, según los varios casos, hayan dispuesto lo contrario.

Artículo 1546. En los contratos bilaterales va envuelta la condición resolutoria en caso de no cumplirse por uno de los contratantes lo pactado.

Pero en tal caso podrá el otro contratante pedir a su arbitrio, o la resolución o el cumplimiento del contrato con indemnización de perjuicios.

Arts. 1930, 1935-1938 C.C.; Art. 870 C.Co.

Artículo 1547. Si el que debe una cosa mueble a plazo, o bajo condición suspensiva o resolutoria, la enajena, no habrá derecho de reivindicarla contra terceros poseedores de buena fe.

Arts. 768 y 769 C.C.

Artículo 1548. Si el que debe un inmueble bajo condición lo enajena, o lo grava con hipoteca o servidumbre, no podrá resolverse la enajenación o gravamen, sino cuando la condición constaba en el título respectivo, inscrito u otorgado por escritura pública.

Art. 2241 C.C.

Artículo 1549. El derecho del acreedor que fallece en el intervalo entre el contrato condicional y el cumplimiento de la condición, se transmite a sus herederos; y lo mismo sucede con la obligación del deudor.

Esta regla no se aplica a las asignaciones testamentarias, ni a las donaciones entre vivos. El acreedor podrá impetrar durante dicho intervalo las providencias conservativas necesarias.

Artículo 1550. Las disposiciones del título 4o. del libro 3o. sobre las asignaciones testamentarias condicionales o modales, se aplican a las convenciones en lo que no pugne con lo dispuesto en los artículos precedentes.

TÍTULO 5° De las obligaciones a plazo

Artículo 1551. El plazo es la época que se fija para el cumplimiento de la obligación; puede ser expreso o tácito. Es tácito, el indispensable para cumplirlo.

No podrá el juez, sino en casos especiales que las leyes designen, señalar plazo para el cumplimiento de una obligación; solo podrá interpretar el concebido en términos vagos u oscuros, sobre cuya inteligencia y aplicación discuerden las partes.

Arts. 67, 68 y 1651 C.C.; Art. 829 C.Co.

Artículo 1552. Lo que se paga antes de cumplirse el plazo, no está sujeto a restitución. Esta regla no se aplica a los plazos que tienen el valor de condiciones.

Artículo 1553. El pago de la obligación no puede exigirse antes de expirar el plazo, si no es:

1o.) Al deudor constituido en quiebra o que se halla en notoria insolvencia.

2o.) Al deudor cuyas cauciones, por hecho o culpa suya, se han extinguido o han disminuido considerablemente de valor. Pero en este caso el deudor podrá reclamar el beneficio del plazo, renovando o mejorando las cauciones[*].

[*] Art. 50 numeral 9° L. 1116 de 2006: «Efectos de la apertura del proceso de liquidación judicial. La declaración judicial del proceso de liquidación judicial produce (...): 9° La exigibilidad de todas las obligaciones a plazo del deudor. La apertura del proceso de liquidación judicial del deudor solidario no conllevará la exigibilidad de las obligaciones solidarias respecto de los otros codeudores».

Artículo 1554. El deudor puede renunciar el plazo, a menos que el testador haya dispuesto o las partes estipulado lo contrario, o que la anticipación del pago acarree al acreedor un perjuicio que por medio del plazo se propuso manifiestamente evitar.

En el contrato de mutuo a interés se observará lo dispuesto en el artículo 2225.

Art. 2229 C.C.

Artículo 1555. Lo dicho en el título 4o, del libro 3o. sobre las asignaciones testamentarias a día, se aplica a las convenciones.

Arts. 1138-1146 C.C.

TÍTULO 6° De las obligaciones alternativas

Artículo 1556. Obligación alternativa es aquella por la cual se deben varias cosas, de tal manera que la ejecución de una de ellas exonera de la ejecución de las otras.

Arts. 1564 y 1583 Nral 6° C.C.

Artículo 1557. Para que el deudor quede libre, debe pagar o ejecutar en su totalidad una de las cosas que alternativamente deba; y no puede obligar al acreedor a que acepte parte de una y parte de otra. La elección es del deudor, a menos que se haya pactado lo contrario.

Arts. 1627 y 1649 C.C.

Artículo 1558. Siendo la elección del deudor, no puede el acreedor demandar determinadamente una de las cosas debidas, sino bajo la alternativa en que se le deben.

Artículo 1559. Si la elección es del deudor, está a su arbitrio enajenar o destruir cualquiera de las cosas que alternativamente debe mientras subsista una de ellas.

Pero si la elección es del acreedor, y alguna de las cosas que alternativamente se le deben perece por culpa del deudor, podrá el acreedor, a su arbitrio, pedir el precio de esta cosa y la indemnización de perjuicios, o cualquiera de las cosas restantes.

Arts. 1730 y 1731 C.C.

Artículo 1560. Si una de las cosas alternativamente prometidas no podía ser objeto de la obligación o llega a destruir, subsiste la obligación alternativa de las otras; y si una sola resta, el deudor es obligado a ella.

Artículo 1561. Si perecen todas las cosas comprendidas en la obligación alternativa, sin culpa del deudor, se extingue la obligación.

Si con culpa del deudor, estará obligado al precio de cualquiera de las cosas que elija, cuando la elección es suya; o al precio de cualquiera de las cosas que el acreedor elija, cuando es del acreedor la elección.

Arts. 1607, 1729, 1730 y 1731 C.C.

TÍTULO 7° De las obligaciones facultativas

Artículo 1562. Obligación facultativa es la que tiene por objeto una cosa determinada, pero concediéndose al deudor la facultad de pagar con esta cosa o con otra que se designa.

Artículo 1563. En la obligación facultativa el acreedor no tiene derecho para pedir otra cosa que aquella a que el deudor es directamente obligado, y si dicha cosa perece sin culpa del deudor y antes de haberse éste constituido en mora, no tiene derecho para pedir cosa alguna.

Arts. 1729 y 1730 C.C.

Articulo 1564. En caso de duda sobre si la obligación es alternativa o facultativa, se tendrá por alternativa.

TÍTULO 8° De las obligaciones de género

Artículo 1565. Obligaciones de género son aquellas en que se debe indeterminadamente un individuo de una clase o género determinado.

Artículo 1566. En la obligación de género, el acreedor no puede pedir determinadamente ningún individuo, y el deudor queda libre de ella, entregando cualquier individuo del género, con tal que sea de una calidad a lo menos mediana.

Arts. 823, 1124, 1174, 1518, 1867, 1877, 1878, 2221 y 2318 C.C.

Artículo 1567. La pérdida de algunas cosas del género no extingue la obligación, y el acreedor no puede oponerse a que el deudor las enajene o destruya mientras subsistan otras para el cumplimiento de lo que debe.

TÍTULO 9° De las obligaciones solidarias

Artículo 1568. En general cuando se ha contraído por muchas personas o para con muchas la obligación de una cosa divisible, cada uno de los deudores, en el primer caso, es obligado solamente a su parte o cuota en la deuda, y cada uno de los acreedores, en el segundo, sólo tiene derecho para demandar su parte o cuota en el crédito.

Pero en virtud de la convención, del testamento o de la ley puede exigirse cada uno de los deudores o por cada uno de los acreedores el total de la deuda, y entonces la obligación es solidaria o *in solidum*.

La solidaridad debe ser expresamente declarada en todos los casos en que no la establece la ley.

Arts. 983, 1582, 1694, 2214, 2347 Nral. 2 y 2344 C.C.; Art. 825 C.Co.

Artículo 1569. La cosa que se debe solidariamente por muchos o a muchos, ha de ser una misma, aunque se deba de diversos modos; por ejemplo, pura y simplemente respecto de unos, bajo condición o a plazo respecto de otros.

Artículo 1570. El deudor puede hacer el pago a cualquiera de los acreedores solidarios que elija, a menos que haya sido demandado por uno de ellos, pues entonces deberá hacer el pago al demandante.

La condonación de la deuda, la compensación, la novación que intervenga entre el deudor y uno cualquiera de los acreedores solidarios, extingue la deuda con respecto a los otros, de la misma manera que el pago lo haría; con tal que uno de estos no haya demandado ya al deudor.

Artículo 1571. El acreedor podrá dirigirse contra todos los deudores solidarios conjuntamente, o contra cualquiera de ellos a su arbitrio, sin que por éste pueda oponérsele el beneficio de división.

Artículo 1572. La demanda intentada por el acreedor contra algunos de los deudores solidarios, no extingue la obligación solidaria de ninguno de ellos, sino en la parte que hubiere sido satisfecha por el demandado.

Artículo 1573. El acreedor puede renunciar expresa o tácitamente la solidaridad respecto de unos de los deudores solidarios o respecto de todos.

La renuncia tácitamente en favor de uno de ellos, cuando la ha exigido o reconocido el pago de su parte o cuota de la deuda, expresándolo así en la demanda o en la carta de pago, sin la reserva especial de la solidaridad, o sin la reserva general de sus derechos.

Pero esta renuncia expresa o tácita no extingue la acción solidaria del acreedor contra los otros deudores, por toda la parte del crédito que no haya sido cubierta por el deudor a cuyo beneficio se renunció la solidaridad.

Se renuncia la solidaridad respecto de todos los deudores solidarios, cuando el acreedor consiente en la división de la deuda.

Art. 15 C.C.

Artículo 1574. La renuncia expresa o tácita de la solidaridad de una pensión periódica se limita a los pagos devengados, y sólo se extiende a los futuros cuando el acreedor lo expresa.

Artículo 1575. Si el acreedor condona la deuda a cualquiera de los deudores solidarios, no podrá después ejercer la acción que se le concede por el artículo 1561[*], sino con rebaja de la cuota que correspondía al primero en la deuda.

[*] La remisión debe hacerse al artículo 1571.

Artículo 1576. La novación entre el acreedor y uno cualquiera de los deudores solidarios, liberta a los otros, a menos que éstos accedan a la obligación nuevamente constituida.

Art. 1704 C.C.

Artículo 1577. El deudor demandado puede oponer a la demanda todas las excepciones que resulten de la naturaleza de la obligación, y además todas las personales suyas.

Pero no puede oponer, por vía de compensación, el crédito de un codeudor solidario contra el demandante, si el codeudor solidario no le ha cedido su derecho.

Artículo 1578. Si la cosa perece por culpa o durante la mora de uno de los deudores solidarios, todos ellos quedan obligados solidariamente al precio, salvo la acción de los codeudores contra el culpable o moroso. Pero la acción de perjuicios a que diere lugar la culpa o mora, no podrá intentarla el acreedor sino contra el deudor culpable o moroso.

Arts. 1607, 1730, 1731 C.C.

Artículo 1579. El deudor solidario que ha pagado la deuda o la ha extinguido por alguno de los medios equivalentes al pago, queda subrogado en la acción del acreedor con todos sus privilegios y seguridades, pero limitada respecto de cada uno de los codeudores a la parte o cuota que tenga este codeudor en la deuda.

Si el negocio para el cual ha sido contraída la obligación solidaria, concernía solamente a alguno o algunos de los deudores solidarios, serán estos responsables entre sí, según las partes o cuotas que le correspondan en la deuda, y los otros codeudores serán considerados como fiadores.

La parte o cuota del codeudor insolvente se reparte entre todos los otros a prorrata de las suyas, comprendidos aún aquellos a quienes el acreedor haya exonerado de la solidaridad.

Art. 1668, Nral. 3° C.C.

Artículo 1580. Los herederos de cada uno de los deudores solidarios son, entre todos, obligados al total de la deuda; pero cada heredero será solamente responsable de aquella cuota de la deuda que corresponda a su porción hereditaria.

Art. 1411 C.C.

TÍTULO 10° De las obligaciones divisibles e indivisibles

Artículo 1581. La obligación es divisible o indivisible según tenga o no tenga por objeto una cosa susceptible de división, sea física, sea intelectual o de cuota.

Así, la obligación de conceder una servidumbre de tránsito, o la de hacer construir una casa, son indivisibles; la de pagar una suma de dinero, divisible.

Arts. 1568, 1597 y 1896 C.C.

Artículo 1582. El ser solidaria una obligación no le da el carácter de indivisible.

Art. 1568 C.C.

Artículo 1583. Si la obligación no es solidaria ni indivisible, cada uno de los acreedores puede solo exigir su cuota, y cada uno de los codeudores es solamente obligado al pago de la suya; y la cuota del deudor insolvente no gravará a sus codeudores. Exceptúanse los casos siguientes:

1o.) La acción hipotecaria o prendaria se dirige contra aquel de los codeudores que posea, en todo o parte, la cosa hipotecada o empeñada. El codeudor que ha pagado su parte de la deuda, no puede recobrar la prenda u obtener la cancelación de la hipoteca, ni aún en parte, mientras no se extinga el total de la deuda; y el acreedor a quien se ha satisfecho su parte del crédito, no puede remitir la prenda o cancelar la hipoteca, ni aún en parte, mientras no hayan sido enteramente satisfechos sus coacreedores.

2o.) Si la deuda es de una especie o cuerpo cierto, aquel de los codeudores que lo posee es obligado a entregarlo.

3o.) Aquel de los codeudores por cuyo hecho o culpa se ha hecho imposible el cumplimiento de la obligación, es exclusiva y solidariamente responsable de todo perjuicio al acreedor.

4o.) Cuando por testamento o por convención entre los herederos, o por partición de la herencia, se ha impuesto a uno de los herederos la obligación de pagar el total de la deuda, el acreedor podrá dirigirse o contra este heredero por el total de la deuda, o contra cada uno de los herederos por la parte que le corresponda a prorrata.

Si expresamente se hubiere estipulado con el difunto que el pago no pudiese hacerse por partes, ni aún por los herederos del deudor, cada uno de estos podrá ser obligado a entenderse con sus coherederos para pagar el total de la deuda, o a pagarla él mismo, salvo su acción de saneamiento.

Pero los herederos del acreedor, si no entablan conjuntamente su acción, no podrán exigir el pago de la deuda, sino a prorrata de sus cuotas.

5o.) Si se debe un terreno o cualquiera otra cosa indeterminada, cuya división ocasionare grave perjuicio al acreedor, cada uno de los codeudores podrá ser obligado a entenderse con los otros para el pago de la cosa entera, o pagarla él mismo, salvo su acción para ser indemnizado por los otros.

Pero los herederos del acreedor no podrán exigir el pago de la cosa entera, sino intentando conjuntamente su acción.

6o.) Cuando la obligación es alternativa, si la elección es de los acreedores, deben hacerlas todos de consuno; y si de los deudores, deben hacerlas de consuno todos éstos.

Arts. 1411, 1415, 1416, 1556, 1578, 1580 y 1590 C.C.; Art. 3° L. 1676 de 2013 (en relación con la acción prendaria mencionada en el numeral 1° del Art. 1583)

Artículo 1584. Cada uno de los que han contraído unidamente una obligación indivisible, es obligado a satisfacerla en todo, aunque no se haya estipulado la solidaridad, y cada uno de los acreedores de una obligación indivisible tiene igualmente derecho a exigir el total.

Artículo 1585. Cada uno de los herederos del que ha contraído una obligación indivisible es obligado a satisfacerla en el todo, y cada uno de los herederos del acreedor puede exigir su ejecución total.

Artículo 1586. La prescripción interrumpida respecto de uno de los deudores de la obligación indivisible, lo es igualmente respecto de los otros.

Art. 2540 C.C.

Artículo 1587. Demandado uno de los deudores de la obligación indivisible podrá pedir un plazo para entenderse con los demás deudores, a fin de cumplirla entre todos; a menos que la obligación sea de tal naturaleza que él solo pueda cumplirla, pues en tal caso podrá ser condenado desde luego al total cumplimiento, quedándole a salvo su acción contra los demás deudores, para la indemnización que le deban.

Artículo 1588. El cumplimiento de la obligación indivisible por cualquiera de los obligados, la extingue respecto de todos.

Artículo 1589. Siendo dos o más los acreedores de la obligación indivisible, ninguno de ellos puede, sin el consentimiento de los otros, remitir la deuda o recibir el precio de la cosa debida. Si alguno de los acreedores remite la deuda o recibe el precio de la cosa, sus coacreedores podrán todavía demandar la cosa misma, abonando al deudor la parte o cuota del acreedor que haya remitido la deuda o recibido el precio de la cosa.

Artículo 1590. Es divisible la acción de perjuicios que resulta de[*] haberse cumplido o de haberse retardado la obligación indivisible: ninguno de los acreedores puede intentarla, y ninguno de los deudores está sujeto a ella, sino en la parte que le quepa.

Si por el hecho o culpa de uno de los deudores de la obligación indivisible, se ha hecho imposible el cumplimiento de ella, ese solo será responsable de todos los perjuicios.

> [*] Nota: el texto omite erróneamente el vocablo «no», que es necesario para la comprensión de este artículo. Debe leerse: «Es divisible la acción de perjuicios que resulta de no haberse cumplido...»

Artículo 1591. Si de dos codeudores de un hecho que deba ejecutarse en común, el uno está pronto a cumplirlo, y el otro lo rehúsa o retarda, éste sólo será responsable de los perjuicios que de la inejecución o retardo del hecho resultaren al acreedor.

TÍTULO 11° De las obligaciones con cláusula penal

Artículo 1592. La cláusula penal es aquella en que una persona, para asegurar el cumplimiento de una obligación, se sujeta a una pena que consiste en dar o hacer algo en caso de no ejecutar o retardar la obligación principal.

Art. 65 C.C.

Artículo 1593. La nulidad de la obligación principal acarrea la de la cláusula penal, pero la nulidad de ésta no acarrea la de la obligación principal.

Con todo, cuando uno promete por otra persona, imponiéndose una pena para el caso de no cumplirse por esta lo prometido, valdrá la pena, aunque la obligación principal no tenga efecto por falta de consentimiento de dicha persona.

Lo mismo sucederá cuando uno estipula con otro a favor de un tercero, y la persona con quien se estipula se sujeta a una pena para el caso de no cumplir lo prometido.

Arts. 1506 y 1507 C.C.

Artículo 1594. Antes de constituirse el deudor en mora, no puede el acreedor demandar a su arbitrio la obligación principal o la pena, sino solo la obligación principal; ni constituido el deudor en mora, puede el acreedor pedir a un tiempo el cumplimiento de la obligación principal y la pena, sino cualquiera de las dos cosas a su arbitrio; a menos que aparezca haberse estipulado la pena por el simple retardo, o a menos que se haya estipulado que por el pago de la pena no se entienda extinguida la obligación principal.

Arts. 1608, 1615, 1706 y 2486 C.C.; Art. 867 C.Co.

Artículo 1595. Háyase o no estipulado un término dentro del cual deba cumplirse la obligación principal, el deudor no incurre en la pena sino cuando se ha constituido en mora, si la obligación es positiva.

Si la obligación es negativa, se incurre en la pena desde que se ejecuta el hecho de que el deudor se ha obligado a abstenerse.

Art. 1608 C.C.

Artículo 1596. Si el deudor cumple solamente una parte de la obligación principal y el acreedor acepta esta parte, tendrá derecho para que se rebaje proporcionalmente la pena estipulada por falta de cumplimiento de la obligación principal.

Artículo 1597. Cuando la obligación contraída con cláusula penal es de cosa divisible, la pena, del mismo modo que la obligación principal, se divide entre los herederos del deudor a prorrata de sus cuotas hereditarias.

El heredero que contraviene a la obligación, incurre, pues, en aquella parte de la pena que corresponde a su cuota hereditaria; y el acreedor no tendrá acción alguna contra los coherederos que no han contravenido a la obligación.

Exceptúase el caso en que habiéndose puesto la cláusula penal con intención expresa de que no pudiera ejecutarse parcialmente el pago, uno de los herederos ha impedido el pago total: podrá entonces exigirse a este heredero toda la pena, o a cada uno su respectiva cuota, quedándole a salvo su recurso contra el heredero infractor.

Lo mismo se observará cuando la obligación contraída con cláusula penal es de cosa indivisible.

Art. 1581 C.C.

Artículo 1598. Si a la pena estuviere afecto hipotecariamente un inmueble, podrá perseguirse toda la pena en él salvo el recurso de indemnización contra quien hubiere lugar.

Artículo 1599. Habrá lugar a exigir la pena en todos los casos en que se hubiere estipulado, sin que pueda alegarse por el deudor que la inejecución de lo pactado no ha inferido perjuicio al acreedor o le ha producido beneficio.

Artículo 1600. No podrá pedirse a la vez la pena y la indemnización de perjuicios, a menos de haberse estipulado así expresamente; pero siempre estará al arbitrio del acreedor pedir la indemnización o la pena.

Artículo 1601. Cuando por el pacto principal, una de las partes se obligó a pagar una cantidad determinada, como equivalente a lo que por la otra parte debe prestarse, y la pena consiste asimismo en el pago de una cantidad determinada, podrá pedirse que se rebaje de la segunda todo lo que exceda al duplo de la primera, incluyéndose ésta en él.

La disposición anterior no se aplica al mutuo ni a las obligaciones de valor inapreciable o indeterminado.

En el primero se podrá rebajar la pena en lo que exceda al máximum del interés que es permitido estipular.

En las segundas se deja a la prudencia del juez moderarla, cuando atendidas las circunstancias pareciere enorme.

Art. 2231 C.C.

TÍTULO 12° Del efecto de las obligaciones

Artículo 1602. Todo contrato legalmente celebrado es una ley para los contratantes, y no puede ser invalidado sino por su consentimiento mutuo o por causas legales.

Arts. 1495, 1546 y 1740 C.C.

Artículo 1603. Los contratos deben ejecutarse de buena fe, y por consiguiente obligan no solo a lo que en ellos se expresa, sino a todas las cosas que emanan precisamente de la naturaleza de la obligación, o que por ley pertenecen a ella.

Arts. 1501, 1618-1624 C.C.; Art. 871 C.Co.

Artículo 1604. El deudor no es responsable sino de la culpa lata en los contratos que por su naturaleza solo son útiles al acreedor; es responsable de la leve en los contratos que se hacen para beneficio recíproco de las partes;

y de la levísima en los contratos en que el deudor es el único que reporta beneficio.

El deudor no es responsable del caso fortuito, a menos que se haya constituido en mora (siendo el caso fortuito de aquellos que no hubieran dañado a la cosa debida, si hubiese sido entregado al acreedor), o que el caso fortuito haya sobrevenido por su culpa.

La prueba de la diligencia o cuidado incumbe al que ha debido emplearlo; la prueba del caso fortuito al que lo alega.

Todo lo cual, sin embargo, se entiende sin perjuicio de las disposiciones especiales de las leyes, y de las estipulaciones expresas de las partes.

Arts. 63 y 64 C.C.

Artículo 1605. La obligación de dar contiene la de entregar la cosa; y si ésta es una especie o cuerpo cierto, contiene, además, la de conservarla hasta la entrega, so pena de pagar los perjuicios al acreedor que no se ha constituido en mora de recibir.

Arts. 1739 y 1884 C.C.

Artículo 1606. La obligación de conservar la cosa exige que se emplee en su custodia el debido cuidado.

Artículo 1607. El riesgo del cuerpo cierto cuya entrega se deba, es siempre a cargo del acreedor; salvo que el deudor se constituya en mora de efectuarla, o que se haya comprometido a entregar una misma cosa a dos o más personas por obligaciones distintas; en cualquiera de estos casos será a cargo del deudor el riesgo de la cosa hasta su entrega.

Arts. 1193, 1543, 1561, 1648, 1729 y 1876 C.C.; Art. 929 C.Co.

Artículo 1608. El deudor está en mora:

1° Cuando no ha cumplido la obligación dentro del término estipulado; salvo que la ley, en casos especiales, exija que se requiera al deudor para constituirlo en mora.

2° Cuando la cosa no ha podido ser dada o ejecutada sino dentro de cierto tiempo y el deudor lo ha dejado pasar sin darla o ejecutarla.

3° En los demás casos, cuando el deudor ha sido judicialmente reconvenido por el acreedor.

Arts. 1551, 1615 y 2007 C.C.

Artículo 1609. En los contratos bilaterales ninguno de los contratantes está en mora dejando de cumplir lo pactado, mientras el otro no lo cumpla por su parte, o no se allana a cumplirlo en la forma y tiempo debidos.

Art. 1546 C.C.

Artículo 1610. Si la obligación es de hacer, y el deudor se constituye en mora, podrá pedir el acreedor, junto con la indemnización de la mora, cualquiera de estas tres cosas, a elección suya:

1° Que se apremie al deudor para la ejecución del hecho convenido.

2° Que se le autorice a él mismo para hacerlo ejecutar por un tercero a expensas del deudor.

3° Que el deudor le indemnice de los perjuicios resultantes de la infracción del contrato.

Arts. 426, 428 y 433 C.G.P.

Artículo 1611. [Subrogado. Art. 89 L. 153 de 1887] La promesa de celebrar un contrato no produce obligación alguna, salvo que concurran las circunstancias siguientes:

1ª.) Que la promesa conste por escrito.

2ª.) Que el contrato a que la promesa se refiere no sea de aquellos que las leyes declaran ineficaces por no concurrir los requisitos que establece el artículo 1511[*] del Código Civil.

3ª.) Que la promesa contenga un plazo o condición que fije la época en que ha de celebrarse el contrato.

4ª.) Que se determine de tal suerte el contrato, que para perfeccionarlo solo falte la tradición de la cosa o las formalidades legales.

Los términos de un contrato prometido, solo se aplicarán a la materia sobre que se ha contratado.

[*] Nota: Error de transcripción, debería leerse 1502.

Art. 1502 C.C.; Art. 861 C. Co.: Art. 434 C.G.P.

Artículo 1612. Toda obligación de no hacer una cosa se resuelve en la de indemnizar los perjuicios, si el deudor contraviene y no puede deshacerse lo hecho.

Pudiendo destruir la cosa hecha, y siendo su destrucción necesaria para el objeto que se tuvo en mira al tiempo de celebrar el contrato, será el deudor obligado a ella, o autorizado el acreedor para que la lleve a efectos a expensas del deudor.

Si dicho objeto puede obtenerse cumplidamente por otros medios, en este caso será oído el deudor que se allane a prestarlos.

El acreedor quedará de todos modos indemne.

Arts. 427 y 435 C.G.P.

Artículo 1613. La indemnización de perjuicios comprende el daño emergente y lucro cesante, ya provenga de no haberse cumplido la obligación, o de haberse cumplido imperfectamente, o de haberse retardado el cumplimiento.

Exceptúanse los casos en que la ley la limita expresamente al daño emergente.

Artículo 1614. Entiéndese por daño emergente el perjuicio o la pérdida que proviene de no haberse cumplido la obligación o de haberse cumplido imperfectamente, o de haberse retardado su cumplimiento; y por lucro cesante, la ganancia o provecho que deja de reportarse a consecuencia de no haberse cumplido la obligación, o cumplido imperfectamente, o retardado su cumplimiento.

Artículo 1615. Se debe la indemnización de perjuicios desde que el deudor se ha constituido en mora, o, si la obligación es de no hacer, desde el momento de la contravención.

Art. 1608 C.C.

Artículo 1616. *Si no se puede imputar dolo al deudor, solo es responsable de los perjuicios que se previeron o pudieron preverse al tiempo del contrato; pero si hay dolo, es responsable de todos los perjuicios que fueron consecuencia inmediata o directa de no haberse cumplido la obligación o de haberse demorado su cumplimiento.*

La mora producida por fuerza mayor o caso fortuito, no da lugar a indemnización de perjuicios.

Las estipulaciones de los contratantes podrán modificar estas reglas.

Exeq. C-1008 de 2010: «*Declarar EXEQUIBLE, por los cargos analizados, el inciso primero del artículo 1616 del Código Civil*».
Arts. 15, 63 y 64 C.C.

Artículo 1617. *Si la obligación es de pagar una cantidad de dinero, la indemnización de perjuicios por la mora está sujeta a las reglas siguientes:*

1ª. Se siguen debiendo los intereses convencionales, si se ha pactado un interés superior al legal, o empiezan a deberse los intereses legales, en el caso contrario; quedando, sin embargo, en su fuerza las disposiciones especiales que autoricen el cobro de los intereses corrientes en ciertos casos.

El interés legal se fija en seis por ciento anual.

2ª. El acreedor no tiene necesidad de justificar perjuicios cuando solo cobra intereses; basta el hecho del retardo.

3ª. Los intereses atrasados no producen interés.

4ª. La regla anterior se aplica a toda especie de rentas, cánones y pensiones periódicas.

Exeq. C-485 de 1995.
Exeq. C-376 de 1995.
Art. 2231 y 2235 C.C; Arts. 884-886 C.Co.

TÍTULO 13° De la interpretación de los contratos

Artículo 1618. Conocida claramente la intención de los contratantes, debe estarse a ella más que a lo literal de las palabras.

Arts. 1127, 1540 y 1603 C.C.

Artículo 1619. Por generales que sean los términos de un contrato, solo se aplicarán a la materia sobre que se ha contratado.

Artículo 1620. El sentido en que una cláusula puede producir algún efecto, deberá preferirse a aquel en que no sea capaz de producir efecto alguno.

Artículo 1621. En aquellos casos en que no apareciere voluntad contraria, deberá estarse a la interpretación que mejor cuadre con la naturaleza del contrato.

Las cláusulas de uso común se presumen aunque no se expresen.

Art. 32, 66 y 1501 C.C.

Artículo 1622. Las cláusulas de un contrato se interpretarán unas por otras, dándosele a cada una el sentido que mejor convenga al contrato en su totalidad.

Podrán también interpretarse por las de otro contrato entre las mismas partes y sobre la misma materia.

O por la aplicación práctica que hayan hecho de ellas ambas partes, o una de las partes con aprobación de la otra parte.

Artículo 1623. Cuando en un contrato se ha expresado un caso para explicar la obligación, no se entenderá por solo eso haberse querido restringir la convención a ese caso, excluyendo los otros a que naturalmente se extienda.

Artículo 1624. No pudiendo aplicarse ninguna de las reglas precedentes de interpretación, se interpretarán las cláusulas ambiguas a favor del deudor.

Pero las cláusulas ambiguas que hayan sido extendidas o dictadas por una de las partes, sea acreedora o deudora, se interpretarán contra ella, siempre que la ambigüedad provenga de la falta de una explicación que haya debido darse por ella.

TÍTULO 14º De los modos de extinguirse las obligaciones y primeramente de la solución o pago efectivo

Artículo 1625. Toda obligación puede extinguirse por una convención en que las partes interesadas, siendo capaces de disponer libremente de lo suyo, consientan en darla por nula.

Las obligaciones se extinguen además en todo o en parte:

1º. Por la solución o pago efectivo.

2º. Por la novación.

3º. Por la transacción.

4º. Por la remisión.

5º. Por la compensación.

6º. Por la confusión.

7º. Por la pérdida de la cosa que se debe.

8º. Por la declaración de nulidad o por la rescisión.

9º. Por el evento de la condición resolutoria.

10º. Por la prescripción.

De la transacción y la prescripción se tratará al fin de este libro; de la condición resolutoria se ha tratado en el título «De las obligaciones condicionales».

Arts. 1536, 1543, 1546, 1602, 1626-1686, 1687-1710, 1711-1713; 1714-1723; 1724-1728; 1729-1739, 1740-1756, 1935, 1937, 2512-2517; 2535-2545; 2369-2387 C.C.; Arts. 873-886 C.Co.

CAPÍTULO 1° Del pago efectivo en general

Artículo 1626. El pago efectivo es la prestación de lo que se debe.

Artículo 1627. El pago se hará bajo todos respectos en conformidad al tenor de la obligación; sin perjuicio de lo que en los casos especiales dispongan las leyes.

El acreedor no podrá ser obligado a recibir otra cosa que lo que se le deba, ni aún a pretexto de ser de igual o mayor valor la ofrecida.

Arts. 1648 y 2407 C.C.; Arts. 874 y 882 C.Co.

Artículo 1628. En los pagos periódicos la carta de pago de tres períodos determinados y consecutivos hará presumir los pagos de los anteriores períodos, siempre que hayan debido efectuarse entre los mismos acreedor y deudor.

Arts. 66, 1653 y 2234 C.C.; Art. 879 C.Co.

Artículo 1629. Los gastos que ocasionare el pago serán de cuenta del deudor; sin perjuicio de lo estipulado y de lo que el juez ordenare acerca de las costas judiciales.

CAPÍTULO 2° Por quién puede hacerse el pago

Artículo 1630. Puede pagar por el deudor cualquiera persona a nombre de él, aún sin su conocimiento o contra su voluntad, y aún a pesar del acreedor.

Pero si la obligación es de hacer, y si para la obra de que se trata se ha tomado en consideración la aptitud o talento del deudor, no podrá ejecutarse la obra por otra persona contra la voluntad del acreedor.

Arts. 1568 y 1587 C.C.

Artículo 1631. El que paga sin el conocimiento del deudor no tendrá acción sino para que éste le reembolse lo pagado; y no se entenderá subrogado por la ley en el lugar y derechos del acreedor, ni podrá compeler al acreedor a que le subrogue.

Arts. 1666-1670, 2313 y 2395 C.C.

Artículo 1632. El que paga contra la voluntad del deudor, no tiene derecho para que el deudor le reembolse lo pagado; a no ser que el acreedor le ceda voluntariamente su acción.

Artículo 1633. El pago en que se debe transferir la propiedad, no es válido, sino en cuanto el que paga es dueño de la cosa pagada o la paga con el consentimiento del dueño. Tampoco es válido el pago en que se debe transferir la propiedad, sino en cuanto el que paga tiene facultad de enajenar.

Sin embargo, cuando la cosa pagada es fungible, y el acreedor la ha consumido de buena fe, se valida el pago, aunque haya sido hecho por el que no era dueño o no tuvo facultad de enajenar.

Arts. 663, 752 y 1871 C.C.

CAPÍTULO 3° A quién debe hacerse el pago

Artículo 1634. Para que el pago sea válido, debe hacerse o al acreedor mismo (bajo cuyo nombre se entienden todos los que le hayan sucedido en el crédito aún a título singular), o a la persona que la ley o el juez autoricen a recibir por él, o a la persona diputada por el acreedor para el cobro.

El pago hecho de buena fe a la persona que estaba entonces en posesión del crédito, es válido, aunque después aparezca que el crédito no le pertenecía.

Arts. 1008, 1540, 1640 y 1959 C.C.

Artículo 1635. El pago hecho a una persona diversa de las expresadas en el artículo precedente, es válido, si el acreedor lo ratifica de un modo expreso o tácito, pudiendo legítimamente hacerlo; o si el que ha recibido el pago sucede en el crédito, como heredero del acreedor, o bajo otro título cualquiera.

Cuando el pago hecho a persona incompetente es ratificado por el acreedor, se mirará como válido desde el principio.

Artículo 1636. El pago hecho al acreedor es nulo en los casos siguientes:

1°. Si el acreedor no tiene la administración de sus bienes; salvo en cuanto se probare que la cosa pagada se ha empleado en provecho del acreedor, y en cuanto este provecho se justifique con arreglo al artículo 1747.

2°. Si por el juez se ha embargado la deuda o mandado retener el pago.

3°. Si se paga al deudor insolvente en fraude de los acreedores a cuyo favor se ha abierto concurso.

Arts. 784, 1521, 1540, 1747 y 2490 C.C.

Artículo 1637. Reciben legítimamente los tutores y curadores por sus respectivos representados; los albaceas que tuvieron este encargo especial o la tenencia de los bienes del difunto; [*los maridos por sus mujeres en cuanto tengan la administración de los bienes de éstas*]; los padres de familia por sus hijos, en iguales términos; los recaudadores fiscales o de comunidades o establecimientos públicos, por el fisco o las respectivas comunidades o establecimientos; y las demás personas que por ley especial o decreto judicial estén autorizadas para ello.

Inhib. C 215 de 2017: «(...) el artículo 1637 del Código Civil, en su segmento que dice: "los maridos por sus mujeres en cuanto tengan la administración de los bienes de éstas", fue entonces tácitamente derogado por la Ley 28 de 1932 (...) y esta sustracción de su vigencia estuvo luego reforzada por el Decreto ley 2820 de 1974 (...) la Ley 51 de 1981 aprobatoria de la CEDAW y por la Constitución de 1991. (...) RESUELVE (...) INHIBIRSE de emitir un fallo de fondo respecto de la demanda contra el artículo 1637 (parcial) del Código Civil, por encontrarse derogado».

Arts. 13, 42 y 43 C.P.; Arts. 62, 295, 639, 741, 784, 1353 y 1468 C.C.

Artículo 1638. La diputación para recibir el pago puede conferirse por poder general para la libre administración de todos los negocios del acreedor, o por poder especial para la libre administración del negocio o negocios en que está comprendido el pago, o por un simple mandato comunicado al deudor.

Arts. 2142 y 2156 C.C.

Artículo 1639. Puede ser diputado para el cobro y recibir válidamente el pago, cualquiera persona a quien el acreedor cometa el encargo, aunque al tiempo de conferírsele no tenga la administración de sus bienes ni sea capaz de tenerla.

Art. 2154 C.C.

Artículo 1640. El poder conferido por el acreedor a una persona para demandar en juicio al deudor, no le faculta por sí sólo para recibir el pago de la deuda.

Art. 77 C.G.P.

Artículo 1641. La facultad de recibir por el acreedor no se transmite a los herederos o representantes de la persona diputada por él para este efecto, a menos que lo haya así expresado el acreedor.

Art. 2189 C.C.

Artículo 1642. La persona designada por ambos contratantes para recibir, no pierde esta facultad por la sola voluntad del acreedor; el cual, sin embargo, puede ser autorizado por el juez para revocar este encargo, en todos los casos en que el deudor no tenga interés en oponerse a ello.

Art. 1602 C.C.

Artículo 1643. Si se ha estipulado que se pague al acreedor mismo, o a un tercero, el pago hecho a cualquiera de los dos es igualmente válido. Y no puede el acreedor prohibir que se haga el pago al tercero, a menos que antes de la prohibición haya demandado en juicio al deudor o que pruebe justo motivo para ello.

Artículo 1644. La persona diputada para recibir se hace inhábil por la demencia o la interdicción, por haber pasado a potestad de marido(*), por haber hecho cesión de bienes o haberse trabado ejecución en todos ellos; y en general, por todas las causas que hacen expirar un mandato.

(*) A partir de la vigencia de la Ley 28 de 1932, la mujer tiene plena capacidad jurídica para administrar sus bienes sin permiso marital ni autorización judicial. Art. 2189 C.C.

CAPÍTULO 4° Dónde debe hacerse el pago

Artículo 1645. El pago debe hacerse en el lugar designado por la convención.

Art. 876 C.Co

Artículo 1646. Si no se ha estipulado lugar para el pago, y se trata de un cuerpo cierto, se hará el pago en el lugar en que dicho cuerpo existía al tiempo de constituirse la obligación.

Pero si se trata de otra cosa, se hará el pago en el domicilio del deudor.

Artículo 1647. Si hubiere mudado de domicilio el acreedor o el deudor, entre la celebración del contrato y el pago, se hará siempre éste en el lugar en que sin esa mudanza correspondería, salvo que las partes dispongan de común acuerdo otra cosa.

CAPÍTULO 5° Cómo debe hacerse el pago

Artículo 1648. Si la deuda es de un cuerpo cierto, debe el acreedor recibirlo en el estado en que se halle; a menos que se haya deteriorado y que los deterioros provengan del hecho o culpa del deudor, o de las personas por quienes éste es responsable; o a menos que los deterioros hayan sobrevenido después que el deudor se ha constituido en mora, y no provengan de un caso fortuito a que la cosa hubiese estado igualmente expuesta en poder del acreedor.

En cualquiera de estas dos suposiciones se puede pedir por el acreedor la rescisión del contrato y la indemnización de perjuicios; pero si el acreedor prefiere llevarse la especie o si el deterioro no pareciere de importancia, se concederá solamente la indemnización de perjuicios.

Si el deterioro ha sobrevenido antes de constituirse el deudor en mora, pero no por hecho o culpa suya, sino de otra persona por quien no es responsable, es válido el pago de la cosa en el estado en que se encuentre; pero el acreedor podrá exigir que se le ceda la acción que tenga su deudor contra el tercero, autor del daño.

Arts. 1604-1607, 1616 y 1627 C.C.

Artículo 1649. El deudor no puede obligar al acreedor a que reciba por partes lo que se le deba, salvo el caso de convención contraria; y sin perjuicio de lo que dispongan las leyes en casos especiales.

El pago total de la deuda comprende el de los intereses e indemnizaciones que se deban.

Artículo 1650. Si hay controversia sobre la cantidad de la deuda, o sobre sus accesorios, podrá el juez ordenar, mientras se decide la cuestión, el pago de la cantidad no disputada.

Artículo 1651. Si la obligación es de pagar a plazos, se entenderá dividido el pago en partes iguales; a menos que en el contrato se haya determinado la parte o cuota que haya de pagarse a cada plazo.

Art. 1551 C.C.

Artículo 1652. Cuando concurran entre unos mismos acreedor y deudor diferentes deudas, cada una de ellas podrá ser satisfecha separadamente; y por consiguiente, el deudor de muchos años de una pensión, renta o canon, podrán obligar al acreedor a recibir el pago de un año, aunque no le pague al mismo tiempo los otros.

CAPÍTULO 6° De la imputación del pago

Artículo 1653. Si se deben capital e intereses, el pago se imputará primeramente a los intereses, salvo que el acreedor consienta expresamente que se impute al capital.

Si el acreedor otorga carta de pago del capital sin mencionar los intereses, se presumen éstos pagados.

Arts. 66, 1628, 2234 y 2465 C.C.

Artículo 1654. Si hay diferentes deudas, puede el deudor imputar el pago a la que elija; pero sin el consentimiento del acreedor no podrá preferir la deuda no devengada a la que lo está; y si el deudor no imputa el pago de ninguna en particular, el acreedor podrá hacer la imputación en la carta de pago; y si el deudor lo acepta, no le será lícito reclamar después.

Arts. 1554 y 1557 C.C.; Art. 881 C.Co.

Artículo 1655. Si ninguna de las partes ha imputado el pago, se preferirá la deuda que al tiempo del pago estaba devengada a la que no lo estaba; y no habiendo diferencia bajo este respecto, la deuda que el deudor eligiere.

Art. 881 C.Co.

CAPÍTULO 7° Del pago por consignación

Artículo 1656. Para que el pago sea válido no es menester que se haga con el consentimiento del acreedor; el pago es válido aún contra la voluntad del acreedor, mediante la consignación.

Artículo 1657. La consignación es el depósito de la cosa que se debe, hecho a virtud de la repugnancia o no comparecencia del acreedor a recibirla, y con las formalidades necesarias, en manos de una tercera persona.

Art. 381 C.G.P.

Artículo 1658. [Inc. 1. Subrogado. Art. 13 L. 95 de 1890] La consignación debe ser precedida de oferta; y para que ésta sea válida, reunirá las circunstancias que requiere el artículo 1658 del Código Civil:

1ª. Que sea hecha por una persona capaz de pagar.

2ª. Que sea hecha al acreedor, siendo éste capaz de recibir el pago, o a su legítimo representante.

3ª. Que si la obligación es a plazo, o bajo condición suspensiva, haya expirado el plazo o se haya cumplido la condición.

4ª. Que se ofrezca ejecutar el pago en el lugar debido.

5ª. Que el deudor dirija al juez competente un memorial manifestando la oferta que ha hecho al acreedor, y expresando, además, lo que el mismo deudor debe, con inclusión de los intereses vencidos, si los hubiere, y los demás cargos líquidos; y si la oferta de consignación fuere de cosa, una descripción individual de la cosa ofrecida.

6ª. Que del memorial de oferta se confiera traslado al acreedor o a su representante.

Art. 381 C.G.P.

Artículo 1659. El juez, a petición de parte, autorizará la consignación y designará la persona en cuyo poder deba hacerse.

Artículo 1660. La consignación se hará con citación del acreedor o su legítimo representante, y se extenderá acta o diligencia de ella por ante el mismo juez que hubiere autorizado la consignación.

Si el acreedor o su representante no hubieren concurrido a este acto, se les notificará el depósito con intimación de recibir la cosa consignada.

Artículo 1661. Si el acreedor se hallare ausente del lugar en que deba hacerse el pago, y no tuviere allí legítimo representante, tendrán lugar las disposiciones de los números 1°, 3°, 4° y 5°. del artículo 1658.

La oferta se hará ante el juez; el cual, recibida información de la ausencia del acreedor, y de la falta de persona que lo represente, autorizará la consignación, y designará la persona a la cual debe hacerse.

En este caso se extenderá también acta de la consignación y se notificará el depósito al defensor que debe nombrársele al ausente.

Artículo 1662. Las expensas de toda oferta y consignación válidas serán a cargo del acreedor.

Artículo 1663. El efecto de la consignación válida es extinguir la obligación, hacer cesar, en consecuencia, los intereses y eximir del peligro de la cosa al deudor; todo ello desde el día de la consignación.

Artículo 1664. Mientras la consignación no haya sido aceptada por el acreedor, o el pago declarado suficiente por sentencia que tenga la fuerza de cosa juzgada, puede el deudor retirar la consignación; y retirada, se mirará como de ningún valor ni efecto respecto del consignante de sus codeudores y fiadores.

Artículo 1665. Cuando la obligación ha sido, irrevocablemente extinguida, podrá todavía retirarse la consignación, si el acreedor consiente en ello. Pero en este caso la obligación se mirará como del todo nueva; los codeudores y fiadores permanecerán exentos de ella, y el acreedor no conservará los privilegios o hipotecas de su crédito primitivo. Si por voluntad de las partes se renovaren las hipotecas precedentes, se inscribirán de nuevo, y su fecha será la del día de la nueva inscripción.

Arts. 1687, 1690, 1696 y 1703 C.C.

CAPÍTULO 8° Del pago con subrogación

Artículo 1666. La subrogación es la transmisión de los derechos del acreedor a un tercero, que le paga.

Artículo 1667. Se subroga un tercero en los derechos del acreedor, o en virtud de la ley o en virtud de una convención del acreedor.

Art. 1632 C.C.

Artículo 1668. Se efectúa la subrogación por el ministerio de la ley, y aún contra la voluntad del acreedor, en todos los casos señalados por las leyes y especialmente a beneficio:

1°. El acreedor que paga a otro acreedor de mejor derecho en razón de un privilegio o hipoteca.

2°. Del que habiendo comprado un inmueble, es obligado a pagar a los acreedores a quienes el inmueble está hipotecado.

3°. Del que paga una deuda a que se halla obligado solidaria o subsidiariamente.

4°. Del heredero beneficiario que paga con su propio dinero las deudas de la herencia.

5°. Del que paga una deuda ajena, consintiéndolo expresa o tácitamente el deudor.

6°. Del que ha prestado dinero al deudor para el pago, constando así en escritura pública del préstamo, y constando además en escritura pública del pago, haberse satisfecho la deuda con el mismo dinero.

Arts. 957, 1423, 1579, 1736, 2026, 2255, 2395, 2397, 2403, 2453 y 2489 C.C.

Artículo 1669. Se efectúa la subrogación, en virtud de una convención del acreedor, cuando éste, recibiendo de un tercero el pago de la deuda, le subroga voluntariamente en todos los derechos y acciones que le corresponden como tal acreedor; la subrogación en este caso está sujeta a la regla de la cesión de derechos, y debe hacerse en la carta de pago

Arts. 1631, 1632, 1695, 1959 y ss. C.C.

Artículo 1670. La subrogación, tanto legal como convencional, traspasa al nuevo acreedor todos los derechos, acciones y privilegios, prendas[*] e hipotecas del antiguo, así contra el deudor principal, como contra cualesquiera terceros, obligados solidaria y subsidiariamente a la deuda.

Si el acreedor ha sido solamente pagado en parte, podrá ejercer sus derechos relativamente a lo que se le reste debiendo, con preferencia al que solo ha pagado una parte del crédito.

(*) Art. 3° L. 1676 de 2013.

Artículo 1671. Si varias personas han prestado dinero al deudor para el pago de una deuda, no habrá preferencia entre ellas, cualesquiera que hayan sido las fechas de los diferentes préstamos y subrogaciones.

CAPÍTULO 9° Del pago por cesión de bienes o por acción ejecutiva del acreedor o acreedores

Artículo 1672. La cesión de bienes es el abandono voluntario que el deudor hace de todos los suyos a su acreedor o acreedores, cuando a consecuencia de accidentes inevitables, no se halla en estado de pagar sus deudas.

Art. 2492 C.C.

Artículo 1673. Esta cesión de bienes será admitida por el juez con conocimiento de causa, y el deudor podrá implorarla no obstante cualquiera estipulación en contrario.

Artículo 1674. Para obtener la cesión, incumbe al deudor probar su inculpabilidad en el mal estado de sus negocios, siempre que alguno de los acreedores lo exija.

Artículo 1675. Los acreedores serán obligados a aceptar la cesión, excepto en los siguientes casos:

1°. Si el deudor ha enajenado, empeñado o hipotecado como propios los bienes ajenos a sabiendas.

2°. Si ha sido condenado por hurto o robo, falsificación o quiebra fraudulenta.

3°. Si ha obtenido quitas o esperas de sus acreedores.

4°. Si ha dilapidado sus bienes.

5°. Si no ha hecho una exposición circunstanciada y verídica del estado de sus negocios, o se ha valido de cualquier otro medio fraudulento para perjudicar a sus acreedores.

Artículo 1676. Cuando el deudor hubiere aventurado en el juego una cantidad mayor que la que un prudente padre de familia arriesga por vía de entretenimiento en dicho juego, es un caso en que se presume haber habido dilapidación.

Artículo 1677. La cesión comprenderá todos los bienes, derechos y acciones del deudor, excepto los no embargables.

No son embargables:

1°. [Subrogado. Art. 3 L. 11 de 1984] No es embargable el salario mínimo legal o convencional.

2°. El lecho del deudor, el de su mujer, los de los hijos que viven con él y a sus expensas, y la ropa necesaria para el abrigo de todas estas personas.

3°. *Los libros relativos a la profesión del deudor, hasta el valor de doscientos pesos y a la elección del mismo deudor.*

4°. *Las máquinas e instrumentos de que se sirve el deudor para la enseñanza de alguna ciencia o arte, hasta dicho valor y sujetos a la misma elección.*

5°. Los uniformes y equipos de los militares, según su arma y grado.

6°. Los utensilios del deudor artesano o trabajador del campo, necesarios para su trabajo individual.

7°. Los artículos de alimento y combustible que existan en poder del deudor, hasta concurrencia de lo necesario para el consumo de la familia, durante un mes.

8°. La propiedad de los objetos que el deudor posee fiduciariamente.

9°. Los derechos cuyo ejercicio es enteramente personal, como los de uso y habitación.

Inhib. C-318 de 2007: «(...) la Corte Constitucional encuentra que en el presente caso el numeral 11 del artículo 684 del Código de Procedimiento Civil ha derogado parcialmente las disposiciones demandas mediante acción pública de inconstitucionalidad, cuales son, los numerales 3 y 4 del artículo 1677 del Código Civil (...) RESUELVE (...) Declararse INHIBIDA de emitir un pronunciamiento de fondo en relación con las expresiones demandadas de los numerales 3 y 4 del artículo 1677 del Código Civil».

Arts. 794, 862, 870, 878, 2488 y 2489 C.C.; Art. 594 C.G.P.

Artículo 1678. La cesión de bienes produce los efectos siguientes:

1°. Las deudas se extinguen hasta la cantidad en que sean satisfechas con los bienes cedidos.

2°. Si los bienes cedidos no hubieren bastado para la completa solución de las deudas, y el deudor adquiere después otros bienes, es obligado a completar el pago con estos.

La cesión no transfiere la propiedad de los bienes del deudor a los acreedores, sino solo la facultad de disponer de ellos o de sus frutos hasta pagarse de sus créditos.

Artículo 1679. Podrá el deudor arrepentirse de la cesión antes de la venta de los bienes o de cualquiera parte de ellos, y recobrar los que existan, pagando a sus acreedores.

Artículo 1680. Hecha la cesión de bienes, podrán los acreedores dejar al deudor la administración de ellos, y hacer con él los arreglos que estimaren convenientes, siempre que en ello consienta la mayoría de los acreedores concurrentes.

Artículo 1681. El acuerdo de la mayoría obtenido en la forma prescrita por las leyes de procedimiento, será obligatorio para todos los acreedores que hayan sido citados en la forma debida.

Pero los acreedores privilegiados, prendarios[*] o hipotecarios, no serán perjudicados por el acuerdo de la mayoría si se hubieren abstenido de votar.

[*] Art. 8 de la L. 1676 de 2013.

Artículo 1682. La cesión de bienes no aprovecha a los codeudores solidarios o subsidiarios, ni al que aceptó la herencia del deudor sin beneficio de inventario.

Arts. 1302, 1304, 1568, 1571, 1584 y 2380 C.C.

Artículo 1683. Lo dispuesto acerca de la cesión en los artículos 1677 y siguientes, se aplica al embargo de los bienes por acción ejecutiva de acreedor o acreedores.

CAPÍTULO 10° Del pago con beneficio de competencia

Artículo 1684. Beneficio de competencia es el que se concede a ciertos deudores para no ser obligados a pagar más de lo que buenamente puedan, dejándoseles, en consecuencia, lo indispensable para una modesta subsistencia, según su clase y circunstancias, y con cargo de devolución, cuando mejoren de fortuna.

Art. 445 C.G.P.

Artículo 1685. [Subrogado. Art. 14 L. 95 de 1890] El acreedor es obligado a conceder el beneficio de competencia:

1°. A sus descendientes o ascendientes, no habiendo estos irrogado al acreedor ofensa alguna de las clasificadas entre las causas de desheredación.

2°. A su cónyuge no estando divorciado por su culpa.

3°. A sus hermanos, con tal que no se hayan hecho culpables para con el acreedor de una ofensa igualmente grave que las indicadas como causa de desheredación respecto de los descendientes o ascendientes.

4°. A sus consocios en el mismo caso; pero sólo en las acciones recíprocas que nazcan del contrato de sociedad.

5°. Al donante; pero sólo en cuanto se trate de hacerle cumplir la donación prometida, y

6°. Al deudor de buena fe, que hizo cesión de sus bienes y es perseguido en los que después ha adquirido para el pago completo de las deudas anteriores a la cesión; pero sólo le deben este beneficio los acreedores a cuyo favor se hizo.

Arts. 1266, 1474 y 2380 C.C.

Artículo 1686. No se pueden pedir alimentos y beneficio a un mismo tiempo. El deudor elegirá.

Art. 411 C.C.

TÍTULO 15° De la novación

Artículo 1687. La novación es la sustitución de una nueva obligación a otra anterior, la cual queda por tanto extinguida.

Art. 1665 C.C.

Artículo 1688. El procurador o mandatario no puede novar si no tiene especial facultad para ello, o no tiene la libre administración de los negocios del comitente o del negocio a que pertenece la deuda.

Arts. 1505, 2157-2160 C.C.

Artículo 1689. Para que sea válida la novación es necesario que tanto la obligación primitiva como el contrato de novación, sean válidos, a lo menos naturalmente.

Artículo 1690. La novación puede efectuarse de tres modos:

1°. Sustituyéndose una nueva obligación a otra, sin que intervenga nuevo acreedor o deudor.

2°. Contrayendo el deudor una nueva obligación respecto de un tercero, y declarándole en consecuencia libre de la obligación primitiva el primer acreedor.

3°. Sustituyéndose un nuevo deudor al antiguo, que en consecuencia queda libre.

Esta tercera especie de novación puede efectuarse sin el consentimiento del primer deudor. Cuando se efectúa con su consentimiento, el segundo deudor se llama delegado del primero.

Arts. 1665 y 2408 C.C.

Artículo 1691. Si el deudor no hace más que diputar una persona que haya de pagar por él, o el acreedor una persona que haya de recibir por él, no hay novación.

Tampoco la hay cuando un tercero es subrogado en los derechos del acreedor.

Artículo 1692. Si la antigua obligación es pura y la nueva pende de una condición suspensiva, o si, por el contrario, la antigua pende una condición suspensiva y la nueva es pura, no hay novación, mientras está pendiente la condición; y si la condición llega a fallar o si antes de su cumplimiento se extingue la obligación antigua, no habrá novación.

Con todo, si las partes, al celebrar el segundo contrato convienen en que el primero quede desde luego abolido, sin aguardar el cumplimiento de la condición pendiente, se estará a la voluntad de las partes.

Art. 1530 C.C.

Artículo 1693. Para que haya novación es necesario que lo declaren las partes, o que aparezca indudablemente que su intención ha sido novar, porque la nueva obligación envuelve la extinción de la antigua.

Si no aparece la intención de novar, se mirarán las dos obligaciones como coexistentes, y valdrá la obligación primitiva en todo aquello en que la posterior no se opusiere a ella, subsistiendo en esa parte los privilegios y cauciones de la primera.

Artículo 1694. La sustitución de un nuevo deudor a otro no produce novación, si el acreedor no expresa su voluntad de dar por libre al primitivo deudor. A falta de esta expresión se entenderá que el tercero es solamente diputado por el deudor para hacer el pago, o que dicho tercero se obliga con él solidaria o subsidiariamente, según parezca deducirse del tenor o espíritu del acto.

Art. 1568 y 1573 C.C.

Artículo 1695. Si el delegado es sustituido contra su voluntad al delegante, no hay novación, sino solamente cesión de acciones del delegante a su acreedor; y los efectos de este acto se sujetan a las reglas de la cesión de acciones.

Arts. 1668, 1960-1966 C.C.

Artículo 1696. El acreedor que ha dado por libre al acreedor primitivo[*], no tiene después acción contra él, aunque el nuevo deudor caiga en insolvencia; a menos que en el contrato de novación se haya reservado este caso expresamente, o que la insolvencia haya sido anterior y pública o conocida del deudor primitivo.

[*] Error de transcripción, debería leerse «deudor primitivo».
Art. 1665 C.C.

Artículo 1697. El que delegado por alguien de quién creía ser deudor y no lo era, promete al acreedor de éste pagarle para libertarse de la falsa deuda, es obligado al cumplimiento de su promesa; pero le quedará a salvo su derecho contra el delegante para que pague por él o le reembolse lo pagado.

Artículo 1698. El que fue delegado por alguien que se creía deudor y no lo era, no es obligado al acreedor, y si paga en el concepto de ser verdadera la deuda, se halla para con el delegante en el mismo caso que si la deuda hubiera sido verdadera, quedando a salvo su derecho al delegante para la restitución de lo indebidamente pagado.

Art. 2313 C.C.

Artículo 1699. De cualquier modo que se haga la novación, quedan por ella extinguidos los intereses de la primera deuda, si no se expresa lo contrario.

Artículo 1700. Sea que la novación se opere por la sustitución de un nuevo deudor o sin ella, los privilegios de la primera deuda se extinguen por la novación.

Artículo 1701. Aunque la novación se opere sin la sustitución de un nuevo deudor, las prendas[*] e hipotecas de la obligación primitiva no pasan a la obligación posterior, a menos que el acreedor y el deudor convengan expresamente en la reserva.

Pero la reserva de las prendas[*] e hipotecas de la obligación primitiva no valen, cuando las cosas empeñadas e hipotecadas pertenecen a terceros que no acceden expresamente a la segunda obligación.

Tampoco vale la reserva en lo que la segunda obligación tenga de más que la primera. Si, por ejemplo, la primera deuda no producía intereses, y la segunda los produjere, la hipoteca de la primera no se extenderá a los intereses.

[*] Art. 3° L. 1676 de 2013.

Artículo 1702. Si la novación se opera por la sustitución de un nuevo deudor, la reserva no puede tener efecto sobre los bienes del nuevo deudor, ni aún con su consentimiento.

Y si la novación se opera entre el acreedor y uno de sus deudores solidarios, la reserva no puede tener efecto sino relativamente a éste. Las prendas[*] e hipotecas constituidas por sus codeudores solidarios se extinguen a pesar de toda estipulación contraria; salvo que estos accedan expresamente a la segunda obligación.

[*] Art. 3° L. 1676 de 2013.

Artículo 1703. En los casos y cuantías en que no puede tener efecto la reserva, podrán renovarse las prendas[*] e hipotecas; pero con las mismas formalidades que si se constituyen por primera vez, y su fecha será la que corresponda a la renovación.

[*] Art. 3° L. 1676 de 2013.

Artículo 1704. La novación liberta a los codeudores solidarios o subsidiarios que no han accedido a ella.

Art. 1576 C.C.

Artículo 1705. Cuando la segunda obligación consiste simplemente en añadir o quitar una especie, género o cantidad a la primera, los codeudores subsidiarios y solidarios podrán ser obligados hasta concurrencia de aquello que en ambas obligaciones convienen.

Artículo 1706. Si la nueva obligación se limita a imponer una pena para en caso de no cumplirse la primera, y son exigibles juntamente la primera obligación y la pena, los privilegios, fianzas, prendas[*] e hipotecas subsistirán hasta concurrencia de la deuda principal sin la pena.

Más, si en el caso de infracción es exigible solamente la pena, se extenderá (*sic*) desde que el acreedor exige sólo la pena, y quedarán por el mismo hecho extinguidos los privilegios, prendas[*] e hipotecas de la obligación primitiva, y exonerados los que solidaria o subsidiariamente accedieron a la obligación primitiva y no a la estipulación penal.

[*] Art. 3° L. 1676 de 2013.
Art. 1594 C.C.

Artículo 1707. La simple mutación de lugar para el pago dejará subsistente los privilegios, prendas[*] e hipotecas de la obligación y la responsabilidad de los codeudores solidarios y subsidiarios, pero sin nuevo gravamen.

[*] Art. 3° L. 1676 de 2013.

Artículo 1708. La mera ampliación del plazo de una deuda no constituye novación; pero pone fin a la responsabilidad de los fiadores y extingue las prendas[*] e hipotecas constituidas sobre otros bienes que los del deudor; salvo que los fiadores o los dueños de las cosas empeñadas o hipotecadas accedan expresamente a la ampliación.

[*] Art. 3° L. 1676 de 2013.

Artículo 1709. Tampoco la mera reducción del plazo constituye novación; pero no podrá reconvenirse a los codeudores solidarios o subsidiarios, sino cuando expire el plazo primitivamente estipulado.

Artículo 1710. Si el acreedor ha consentido en la nueva obligación bajo condición de que accediesen a ella los codeudores solidarios o subsidiarios, y si los codeudores solidarios o subsidiarios no accedieren, la novación se tendrá por no hecha.

Art. 1576 C.C.

TÍTULO 16º De la remisión

Artículo 1711. La remisión o condonación de una deuda no tiene valor sino en cuanto al acreedor es hábil para disponer de la cosa que es objeto de ella.

Art. 1187 C.C.

Artículo 1712. La remisión que procede de mera liberalidad, está en todo sujeta a las reglas de la donación entre vivos y necesita de insinuación en los casos en que la donación entre vivos la necesita.

Art. 1443 y 1458 C.C.

Artículo 1713. Hay remisión tácita cuando el acreedor entrega voluntariamente al deudor el título de la obligación, o lo destruye o cancela con ánimo de extinguir la deuda. El acreedor es admitido a probar que la entrega, destrucción o cancelación del título no fue voluntaria o no fue hecha con ánimo de remitir la deuda. Pero a falta de esta prueba, se entenderá que hubo ánimo de condonarla.

La remisión de la prenda[*] o de la hipoteca no basta para que se presuma remisión de la deuda.

[*] Art. 3º L. 1676 de 2013.
Art. 66, 1186 y 1450 C.C.

TÍTULO 17º De la compensación

Artículo 1714. Cuando dos personas son deudoras una de otra, se opera entre ellas una compensación que extingue ambas deudas, del modo y en los casos que van a explicarse.

Artículo 1715. La compensación se opera por el solo ministerio de la ley y aún sin conocimiento de los deudores; y ambas deudas se extinguen recíprocamente hasta la concurrencia de sus valores, desde el momento que una y otra reúnen las calidades siguientes:

1ª. Que sean ambas de dinero o de cosas fungibles o indeterminadas de igual género y calidad.

2ª. Que ambas deudas sean líquidas; y

3ª. Que ambas sean actualmente exigibles.

Las esperas concedidas al deudor impiden la compensación; pero esta disposición no se aplica al plazo de gracia concedido por un acreedor a su deudor.

Artículo 1716. Para que haya lugar a la compensación es preciso que las dos partes sean recíprocamente deudoras.

Así, el deudor principal no puede oponer a su acreedor, por vía de compensación, lo que el acreedor deba al fiador.

Ni requerido el deudor de un pupilo por el tutor o curador, puede oponerle por vía de compensación lo que el tutor o curador le deba a él.

Ni requerido uno de varios deudores solidarios pueden compensar su deuda con los créditos de sus codeudores contra el mismo acreedor; salvo que éstos se los hayan cedido.

Art. 1577 C.C.

Artículo 1717. El mandatario puede oponer al acreedor del mandante, no sólo los créditos de éste, sino sus propios créditos contra el mismo acreedor, prestando caución de que el mandante dará por firme la compensación. Pero no puede compensar con lo que el mismo mandatario debe a un tercero lo que éste debe al mandante, sino con voluntad del mismo mandante.

Arts. 2142 y 2158 C.C.

Artículo 1718. El deudor que acepta sin reserva alguna la cesión que el acreedor haya hecho de sus derechos a un tercero, no podrá oponer en compensación al cesionario los créditos que antes de la aceptación hubiera podido oponer al cedente.

Si la cesión no ha sido aceptada, podrá el deudor oponer al cesionario todos los créditos que antes de notificársele la cesión haya adquirido contra el cedente, aun cuando no hubieren llegado a ser exigibles sino después de la notificación.

Arts. 1960-1963 C.C.

Artículo 1719. Sin embargo de efectuarse la compensación por ministerio de la ley, el deudor que no la alegare, ignorando un crédito que puede oponer a la deuda, conservará junto con el crédito mismo las fianzas, privilegios, prendas[*] e hipotecas constituidas para su seguridad.

[*] Art. 3° L. 1676 de 2013. Art. 282 C.G.P.

Artículo 1720. La compensación no puede tener lugar en perjuicio de los derechos de tercero.

Así, embargado un crédito, no podrá el deudor compensarlo en perjuicio del embargante por ningún crédito suyo adquirido después del embargo.

Art. 593 C.G.P.

Artículo 1721. No puede oponerse compensación a la demanda de restitución de una cosa de que su dueño ha sido injustamente despojado, ni a la demanda de restitución de un depósito, o de un comodato, aun cuando perdida la cosa, sólo subsista la obligación de pagarla en dinero.

Tampoco podrá oponerse compensación a la demanda de indemnización, por un acto de violencia o fraude, ni a la demanda de alimentos no embargables.

Arts. 424-426, 1677, 2207 y 2258 C.C.

Artículo 1722. Cuando hay muchas deudas compensables, deben seguirse para la compensación las mismas reglas que para la imputación del pago.

Art. 1653 C.C.

Artículo 1723. Cuando ambas deudas no son pagaderas en un mismo lugar, ninguna de las partes puede oponer la compensación, a menos que una y otra deuda sean de dinero y que el que opone la compensación tome en cuenta los costos de la remesa.

TÍTULO 18° De la confusión

Artículo 1724. Cuando concurren en una misma persona las calidades de acreedor y deudor, se verifica de derecho una confusión que extingue la deuda y produce iguales efectos que el pago.

Artículo 1725. La confusión que extingue la obligación principal extingue la fianza; pero la confusión que extingue la fianza, no extingue la obligación principal.

Arts. 822 y 2408 C.C.

Artículo 1726. Si el concurso de las dos calidades se verifica solamente en una parte de la deuda, no hay lugar a la confusión ni se extingue la deuda, sino en esa parte.

Artículo 1727. Si hay confusión entre uno de varios deudores solidarios y el acreedor, podrá el primero repetir contra cada uno de sus codeudores por la parte o cuota que respectivamente les corresponda en la deuda. Si por el contrario, hay confusión entre uno de varios acreedores solidarios y el deudor, será obligado el primero a cada uno de sus coacreedores por la parte o cuota que respectivamente les corresponda en el crédito.

Art. 1579 C.C.

Artículo 1728. Los créditos y deudas del heredero que aceptó con beneficio de inventario no se confunden con las deudas y créditos hereditarios.

Arts. 1304 y 1316 C.C.

TÍTULO 19° De la pérdida de la cosa que se debe

Artículo 1729. Cuando el cuerpo cierto que se debe perece, o porque se destruye, o porque deja de estar en el comercio, o porque desaparece y se ignora si existe, se extingue la obligación; salvas empero las excepciones de los artículos subsiguientes.

Arts. 1193, 1561, 1563, 1827, 1876 y 2179 C.C.

Artículo 1730. Siempre que la cosa perece en poder del deudor, se presume que ha sido por hecho o por culpa suya.

Arts. 66 y 1604 C.C.

Artículo 1731. Si el cuerpo cierto perece por culpa o durante la mora del deudor, la obligación de este subsiste, pero varia de objeto; el deudor es obligado al precio de la cosa y a indemnizar al acreedor.

Sin embargo, si el deudor está en mora, y el cuerpo cierto que se debe perece por caso fortuito, que habría sobrevenido igualmente a dicho cuerpo, en poder del acreedor, sólo se deberá la indemnización de los perjuicios de la mora. Pero si el caso fortuito pudo no haber sucedido igualmente en poder del acreedor, se debe el precio de la cosa, y los perjuicios de la mora.

Art. 1608 C.C.

Artículo 1732. Si el deudor se ha constituido responsable de todo caso fortuito, o de alguno en particular, se observará lo pactado.

Artículo 1733. El deudor es obligado a probar el caso fortuito que alega. Si estando en mora pretende que el cuerpo cierto habría perecido igualmente en poder del acreedor, será también obligado a probarlo.

Arts. 64, 1604, 1608 y 1757 C.C.

Artículo 1734. Si reaparece la cosa perdida, cuya existencia se ignoraba, podrá reclamarla el acreedor, restituyendo lo que hubiere recibido en razón de su precio.

Artículo 1735. Al que ha hurtado o robado un cuerpo cierto, no le será permitido alegar que la cosa ha perecido por caso fortuito, aún de aquellos que habrían producido la destrucción o pérdida del cuerpo cierto en poder del acreedor.

Artículo 1736. Aunque por haber perecido la cosa se extinga la obligación del deudor, podrá exigir el acreedor que se le cedan los derechos o acciones que tenga el deudor contra aquéllos por cuyo hecho o culpa haya perecido la cosa.

Artículo 1737. Si la cosa debida se destruye por un hecho voluntario del deudor, que inculpablemente ignoraba la obligación, se deberá solamente el precio sin otra indemnización de perjuicios.

Artículo 1738. En el hecho o culpa del deudor se comprende el hecho o culpa de las personas por quienes fuere responsable.

Arts. 1987, 1999, 2057 y 2071 C.C.

Artículo 1739. La destrucción de la cosa en poder del deudor, después que ha sido ofrecida al acreedor, y durante el retardo de éste en recibirla, no hace responsable al deudor sino por culpa grave o dolo.

Art. 63 C.C.

TÍTULO 20º De la nulidad y la rescisión

Artículo 1740. Es nulo todo acto o contrato a que falta alguno de los requisitos que la ley prescribe para el valor del mismo acto o contrato según su especie y la calidad o estado de las partes.

La nulidad puede ser absoluta o relativa.

Arts. 6, 1500-1504 C.C.; Arts. 899-900 C.Co.

Artículo 1741. La nulidad producida por un objeto o causa ilícita, y la nulidad producida por la omisión de algún requisito o formalidad que las leyes prescriben para el valor de ciertos actos o contratos en consideración a la naturaleza de ellos, y no a la calidad o estado de las personas que los ejecutan o acuerdan, son nulidades absolutas.

Hay así mismo nulidad absoluta en los actos y contratos de personas absolutamente incapaces.

Cualquiera otra especie de vicio produce nulidad relativa, y da derecho a la rescisión del acto o contrato.

Exeq. C-345 de 2017.
Arts. 899 y 900 C.Co.

Artículo 1742. [Subrogado. Art. 2 L. 50 de 1936] La nulidad absoluta puede y debe ser declarada por el juez, aún sin petición de parte, cuando aparezca de manifiesto en el acto o contrato; puede alegarse por todo el que tenga interés en ello; puede así mismo pedirse su declaración por el Ministerio Público en el interés de la moral o de la ley. Cuando no es generada por objeto o causa ilícitos, puede sanearse por la ratificación de las partes *y en todo caso por prescripción extraordinaria.*

Exeq. C-597 de 1998.
Arts. 6, 1525, 2532 y 2541 C.C.

Artículo 1743. *La nulidad relativa no puede ser declarada por el juez o prefecto sino a pedimento de parte; ni puede pedirse su declaración por el Ministerio Público en el solo interés de la ley; ni puede alegarse sino por aquéllos en cuyo beneficio la han establecido las leyes, o por sus herederos o cesionarios; y puede sanearse por el lapso de tiempo o por ratificación de las partes.*

La incapacidad de la mujer casada[*] que ha obrado sin autorización del marido o del juez o prefecto en subsidio, habiendo debido obtenerla, se entiende establecida en beneficio de la misma mujer y del marido.

Exeq. C-345 de 2017.

[*] A partir de la vigencia de la Ley 28 de 1932, la mujer tiene plena capacidad sin permiso marital ni autorización judicial.

Arts. 1484 y 2545 C.C.; Art. 282 C.G.P.

Artículo 1744. Si de parte del incapaz ha habido dolo para inducir al acto o contrato, ni él ni sus herederos o cesionarios podrán alegar nulidad.

Sin embargo, la aserción de mayor edad, o de no existir la interdicción, u otra causa de incapacidad, no inhabilitará al incapaz para obtener el pronunciamiento de nulidad.

Art. 1515 C.C.

Artículo 1745. Los actos y contratos de los incapaces, en que no se ha faltado a las formalidades y requisitos necesarios, no podrán declararse nulos ni rescindirse, sino por las causas en que gozarían de este beneficio las personas que administran libremente sus bienes.

Las corporaciones de derecho público y las personas jurídicas son asimiladas en cuanto a la nulidad de sus actos o contratos a las personas que están bajo tutela o curaduría.

Artículo 1746. La nulidad pronunciada en sentencia que tiene la fuerza de cosa juzgada, da a las partes derecho para ser restituidas al mismo estado en que se hallarían si no hubiese existido el acto o contrato nulo; sin perjuicio de lo prevenido sobre el objeto o causa ilícita.

En las restituciones mutuas que hayan de hacerse los contratantes en virtud de este pronunciamiento, será cada cual responsable de la pérdida de las especies o de su deterioro, de los intereses y frutos, y del abono de las mejoras necesarias, útiles o voluptuarias, tomándose en consideración los casos fortuitos, y la posesión de buena fe o mala fe de las partes; todo ello según las reglas generales y sin perjuicio de lo dispuesto en el siguiente artículo.

Arts. 150, 961-971 y 1525 C.C.

Artículo 1747. Si se declara nulo el contrato celebrado con una persona incapaz sin los requisitos que la ley exige, el que contrató con ella no puede pedir restitución o reembolso de lo que gasto o pago en virtud del contrato, sino en cuanto probare haberse hecho más rica con ello la persona incapaz.

Se entenderá haberse hecho esta más rica, en cuanto las cosas pagadas o las adquiridas por medio de ellas le hubieren sido necesarias; o en cuanto las cosas pagadas o las adquiridas por medio de ellas, que no le hubieren sido necesarias, subsistan y se quisiere retenerlas.

Arts. 963, 964, 1504, 1527, 1545, 1636, 2243 y 2309 C.C.

Artículo 1748. La nulidad judicialmente pronunciada da acción reivindicatoria contra terceros poseedores, sin perjuicio de las excepciones legales.

Arts. 946, 1933 y 1934 C.C.

Artículo 1749. Cuando dos o más personas han contratado con un tercero, la nulidad declarada a favor de una de ellas no aprovechara a las otras.

Artículo 1750. El plazo para pedir la rescisión durará cuatro años.

Este cuatrienio se contará, en el caso de violencia, desde el día en que ésta hubiere cesado; en el caso de error o de dolo, desde el día de la celebración del acto o contrato.

Cuando la nulidad proviene de una incapacidad legal, se contará el cuatrienio desde el día en que haya cesado esta incapacidad.

A las personas jurídicas que por asimilación a los menores tengan derecho para pedir la declaración de nulidad, se les duplicará el cuatrienio y se contará desde la fecha del contrato.

Todo lo cual se entiende en los casos en que las leyes especiales no hubieren designado otro plazo.

Arts. 1484, 1487, 1838 y 1954 C.C.

Artículo 1751. Los herederos mayores de edad gozaran del cuatrienio entero si no hubiere principiado a correr; y gozaran del residuo, en caso contrario. A los herederos menores empieza a correr el cuatrienio o su residuo desde que hubieren llegado a edad mayor.

Pero en este caso no se podrá pedir la declaración de nulidad, pasados treinta años desde la celebración del acto o contrato.

Artículo 1752. La ratificación necesaria para sanear la nulidad cuando el vicio del contrato es susceptible de este remedio, puede ser expresa o tácita.

Artículo 1753. Para que la ratificación expresa sea válida, deberá hacerse con las solemnidades a que por la ley está sujeto el acto o contrato que se ratifica.

Artículo 1754. La ratificación tácita es la ejecución voluntaria de la obligación contratada.

Artículo 1755. Ni la ratificación expresa ni la tácita serán válidas si no emanan de la parte o partes que tienen derecho de alegar la nulidad.

Artículo 1756. No vale la ratificación expresa o tácita del que no es capaz de contratar.

TÍTULO 21° De la prueba de las obligaciones

Artículo 1757. Incumbe probar las obligaciones o su extinción al que alega aquellas o ésta.
[Inciso 2. Derogado. Art. 698 C.P.C.]

Arts. 1320, 1604, 1733, 2242, 2249 y 2316 C.C.

Artículo 1758. [Derogado. Art. 698 C.P.C.]

Artículo 1759. [Derogado. Art. 698 C.P.C.]

Artículo 1760. La falta de instrumento público no puede suplirse por otra prueba en los actos y contratos en que la ley requiere esa solemnidad; y se mirarán como no ejecutados o celebrados aun cuando en ellos se prometa reducirlos a instrumento público, dentro de cierto plazo, bajo una cláusula penal; esta cláusula no tendrá efecto alguno.

Fuera de los casos indicados en este artículo, el instrumento defectuoso por incompetencia del funcionario o por otra falta en la forma, valdrá como instrumento privado si estuviere firmado por las partes.

Arts. 243, 256 y 259 C.G.P.; Arts. 12 y 13 Dec. 960 de 1970.

Artículos 1761-1765 [Derogados. Art. 698 C.P.C.]

Artículo 1766. *Las escrituras privadas, hechas por los contratantes para alterar lo pactado en escritura pública, no producirán efecto contra terceros.*

Tampoco lo producirán las contraescrituras públicas, cuando no se ha tomado razón de su contenido al margen de la escritura matriz, cuyas disposiciones se alteran en la contraescritura, y del traslado en cuya virtud ha obrado el tercero.

Exeq. C-071 de 2004.
Arts. 243 y 254 C.G.P.

Artículos 1767-1770 [Derogados. Art. 698 C.P.C]

TÍTULO 22º De las capitulaciones matrimoniales y de la sociedad conyugal

CAPÍTULO 1º Reglas generales[*]

[*] Por la L. 54 de 1990, la UNIÓN MARITAL DE HECHO tiene su propio régimen patrimonial.

Artículo 1771. Se conocen con el nombre de capitulaciones matrimoniales las convenciones que celebran los esposos antes de contraer matrimonio, relativas a los bienes que aportan a él, y a las donaciones y concesiones que se quieran hacer el uno al otro, de presente o futuro.

Arts. 28, 162, 198 y 1463 C.C.; Arts. 40, 41, 42 y 43 L. 33 de 1992.

Artículo 1772. Las capitulaciones matrimoniales se otorgarán por escritura pública; pero cuando no ascienden a más de mil pesos los bienes aportados al matrimonio por ambos esposos juntamente, y en las capitulaciones matrimoniales no se constituyen derechos sobre bienes raíces, bastará que consten en escritura privada, firmada por las partes y por tres testigos domiciliados en el territorio.

De otra manera no valdrán.

Arts. 1463, 1741 y 1760 C.C.

Artículo 1773. Las capitulaciones matrimoniales no contendrán estipulaciones contrarias a las buenas costumbres ni a las leyes. No serán, pues, en detrimento de los derechos y obligaciones que las leyes señalan a cada cónyuge respecto del otro o de los descendientes comunes.

Arts. 1523 C.C.

Artículo 1774. A falta de pacto escrito se entenderá, por el mero hecho del matrimonio, contraída la sociedad conyugal con arreglo a las disposiciones de este título.

Art. 66 C.C.; Arts. 1 y ss. L. 54 de 1990.

Artículo 1775. [Modificado. Art. 61 Dec. 2820 de 1974] El artículo 1775 del Código Civil quedará así:

Cualquiera de los cónyuges siempre que sea capaz, podrá renunciar a los gananciales que resulten a la disolución de la sociedad conyugal, sin perjuicio de terceros.

Arts. 15 y 1837 C.C.

Artículo 1776. [Derogado. Art. 9 L. 28 de 1932].

Artículo 1777. El menor hábil para contraer matrimonio podrá hacer en las capitulaciones matrimoniales, con aprobación de la persona o personas cuyo consentimiento le haya sido necesario para el matrimonio, todas las estipulaciones de que sería capaz si fuese mayor; menos las que tengan por objeto renunciar los gananciales, o enajenar bienes raíces, o gravarlos con hipotecas o servidumbres. Para las estipulaciones de estas clases será siempre necesario que la justicia autorice al menor. El que se halla bajo curaduría por otra causa que la menor edad, necesitará de la autorización de su curador para las capitulaciones matrimoniales, y en lo demás estará sujeto a las mismas reglas que el menor.

No se podrá pactar que la sociedad conyugal tenga principio antes o después de contraerse el matrimonio; toda estipulación en contrario es nula.

Arts. 117, 1523, 1741 y 1837; Arts. 1 y ss. L. 27 de 1977.

Artículo 1778. Las capitulaciones matrimoniales no se entenderán irrevocablemente otorgadas sino desde el día de la celebración del matrimonio; ni celebrado, podrán alterarse, aun con el consentimiento de todas las personas que intervinieron en ellas.

Artículo 1779. No se admitirán en juicio escrituras que alteren o adicionen las capitulaciones matrimoniales, a no ser que se hayan otorgado antes del matrimonio y con las mismas solemnidades que las capitulaciones primitivas.

Ni valdrán contra terceros las adiciones o alteraciones que se hagan en ellas, aun cuando se hayan otorgado en el tiempo y con los requisitos debidos; a menos que se ponga un extracto o minuta de las escrituras posteriores, al margen del protocolo de la primera escritura.

Artículo 1780. Las capitulaciones matrimoniales designarán los bienes que los esposos aportan al matrimonio, con expresión de su valor y una razón circunstanciada de las deudas de cada uno.

Las omisiones o inexactitudes en que bajo este respecto se incurra, no anularán las capitulaciones; pero el notario ante quien se otorgaren, hará saber a las partes la disposición precedente y lo mencionará en la escritura, bajo la pena que por su negligencia le impongan las leyes.

CAPÍTULO 2º Del haber de la sociedad conyugal y de sus cargas

Artículo 1781. El haber de la sociedad conyugal se compone:

1º. De los salarios y emolumentos de todo género de empleos y oficios devengados durante el matrimonio.

2º. De todos los frutos, réditos, pensiones, intereses y lucros de cualquiera naturaleza que provengan, sea de los bienes sociales, sea de los bienes propios de cada uno de los cónyuges y que se devenguen durante el matrimonio.

3º. Del dinero que cualquiera de los cónyuges aportare al matrimonio, o durante él adquiriere, obligándose la sociedad a la restitución de igual suma[*].

4º. De las cosas fungibles y especies muebles que cualquiera de los cónyuges aportare al matrimonio, o durante él adquiere *(sic)*; quedando obligada la sociedad a restituir su valor según el que tuvieron al tiempo del aporte o de la adquisición.

Pero podrán los cónyuges eximir de la comunión cualquiera parte de sus especies muebles, designándolas en las capitulaciones, o en una lista firmada por ambos y por tres testigos domiciliados en el territorio[*].

5º. De todos los bienes que cualquiera de los cónyuges adquiera durante el matrimonio a título oneroso.

6º. De los bienes raíces que la mujer aporta al matrimonio, apreciados para que la sociedad le restituya su valor en dinero.

Se expresará así en las capitulaciones matrimoniales o en otro instrumento público otorgado al tiempo del aporte, designándose el valor, y se procederá en lo demás como en el contrato de venta de bienes raíces.

Si se estipula que el cuerpo cierto que la mujer aporta, puede restituirse en dinero a elección de la misma mujer o del marido, se seguirán las reglas de las obligaciones alternativas[**].

[*] Exeq. C-278 de 2014.

[**] Exeq. Cond. C-461 de 2013: *«Declarar EXEQUIBLE el numeral 6° del artículo 1781 del Código Civil, en el entendido de que tal potestad se predica de cualquiera de los contrayentes».*

Arts. 655, 656, 663, 715, 1556 a 1561, 1784 y 1828 C.C.; Art. 1, 2, 3, 4, 6 y 7 L. 28 de 1932; Art. 1 L. 54 de 1990; Art. 1 y ss. L. 258 de 1996.

Artículo 1782. Las adquisiciones hechas por cualquiera de los cónyuges, a título de donación, herencia o legado, se agregarán a los bienes del cónyuge donatario, heredero o legatario; y las adquisiciones hechas por ambos cónyuges simultáneamente, a cualquiera de estos títulos, no aumentarán el haber social sino el de cada cónyuge.

Art. 1842 C.C.

Artículo 1783. No obstante lo dispuesto en el artículo precedente, no entrarán a componer el haber social:

1°. El inmueble que fuere debidamente subrogado a otro inmueble propio de alguno de los cónyuges;

2°. Las cosas compradas con valores propios de uno de los cónyuges destinados a ello en las capitulaciones matrimoniales o en una donación por causa de matrimonio;

3°. Todos los aumentos materiales que acrecen a cualquiera especie de uno de los cónyuges, formando un mismo cuerpo con ella, por aluvión, edificación, plantación o cualquiera otra causa.

Arts. 1789 y 1802 C.C.

Artículo 1784. El terreno contiguo a una finca propia de uno de los cónyuges y adquirido por él durante el matrimonio, a cualquier título que lo haga comunicable, según el artículo 1781, se entenderá pertenecer a la sociedad; a menos que con él y la antigua finca se haya formado una heredad o edificio de que el terreno últimamente adquirido no puede desmembrarse sin daño; pues entonces la sociedad y el dicho cónyuge serán condueños del todo a prorrata de los respectivos valores al tiempo de la incorporación.

Arts. 66 y 1781 C.C.

Artículo 1785. La propiedad de las cosas que uno de los cónyuges poseía con otras personas proindiviso, y de que durante el matrimonio se hiciere dueño, por cualquier título oneroso, pertenecerá proindiviso a dicho cónyuge, y a la sociedad, a prorrata del valor de la cuota que pertenecía al primero, y de lo que haya costado la adquisición del resto.

Artículo 1786. Las minas denunciadas por uno de los cónyuges o por ambos se agregarán al haber social.

Artículo 1787. La parte del tesoro que, según la ley, pertenece al que lo encuentra, se agregará al haber del cónyuge que lo encuentre; y la parte del tesoro que, según la ley, pertenece al dueño del terreno en que se encuentra, se agregará al haber de la sociedad, si el terreno perteneciere a ésta, o al haber del cónyuge que fuere dueño del terreno.

Arts. 700 y 701 C.C.

Artículo 1788. Las cosas donadas o asignadas a cualquier otro título gratuito, se entenderán pertenecer exclusivamente al cónyuge donatario o asignatario; y no se atenderá a si las donaciones u otros actos gratuitos, a favor de un cónyuge, han sido hechos por consideración al otro.

Art. 1842 C.C.

Artículo 1789. Para que un inmueble se entienda subrogado a otro inmueble de uno de los cónyuges, es necesario que el segundo se haya permutado por el primero, o que, vendido el segundo durante el matrimonio, se haya comprado con su precio el primero; y que en la escritura de permuta o en las escrituras de venta y de compra se exprese el ánimo de subrogar.

Puede también subrogarse un inmueble a valores propios de uno de los cónyuges, y que no consistan en bienes raíces; mas para que valga la subrogación, será necesario que los valores hayan sido destinados a ello, en conformidad al número 2º del artículo 1783, y que en la escritura de compra del inmueble aparezca la inversión de dichos valores y el ánimo de subrogar.

Art. 1783 C.C.

Artículo 1790. Si se subroga una finca a otra, y el precio de venta de la antigua finca excediere al precio de compra de la nueva, la sociedad deberá este exceso al cónyuge subrogante; y si, por el contrario, el precio de compra de la nueva finca excediere al precio de venta de la antigua, el cónyuge subrogante deberá este exceso a la sociedad.

Si permutándose dos fincas, se recibe un saldo en dinero, la sociedad deberá este saldo al cónyuge subrogante; y si, por el contrario, se pagare un saldo, lo deberá dicho cónyuge a la sociedad.

La misma regla se aplicará al caso de subrogarse un inmueble a valores.

Pero no se entenderá haber subrogación, cuando el saldo en favor o en contra de la sociedad excediere a la mitad del precio de la finca que se recibe, la cual pertenecerá entonces al haber social, quedando la sociedad obligada al cónyuge por el precio de la finca enajenada o por los valores invertidos, y conservando éste el derecho de llevar a efecto la subrogación, comprando otra finca.

Artículo 1791. [Derogado. Art. 9 L. 28 de 1932].

Artículo 1792. La especie adquirida durante la sociedad no pertenece a ella aunque se haya adquirido a título oneroso, cuando la causa o título de la adquisición ha precedido a ella.

Por consiguiente:

1º. No pertenecerán a la sociedad las especies que uno de los cónyuges poseía a título de señor antes de ella, aunque la prescripción o transacción con que las haya hecho verdaderamente suyas se complete o verifique durante ella;

2º. Ni los bienes que se poseían antes de ella por un título vicioso, pero cuyo vicio se ha purgado durante ella por la ratificación, o por otro remedio legal;

3º. Ni los bienes que vuelven a uno de los cónyuges por la nulidad o resolución de un contrato, o por haberse revocado una donación;

4º. Ni los bienes litigiosos y de que durante la sociedad ha adquirido uno de los cónyuges la posesión pacífica;

5º. Tampoco pertenecerá a la sociedad el derecho de usufructo que se consolida con la propiedad que pertenece al mismo cónyuge: los frutos sólo pertenecerán a la sociedad.

6°. Lo que se paga a cualquiera de los cónyuges por capitales de créditos constituidos antes del matrimonio, pertenecerá al cónyuge acreedor.

Lo mismo se aplicará a los intereses devengados por uno de los cónyuges antes del matrimonio, y pagados después.

Arts. 823, 1510-1516, 1526, 1740-1756, 1769-1772, 1969-1972 C.C.

Artículo 1793. Se reputan adquiridos durante la sociedad los bienes que durante ella debieron adquirirse por uno de los cónyuges, y que de hecho no se adquirieron sino después de disuelta la sociedad, por no haberse tenido noticia de ellos o por haberse embarazado injustamente su adquisición o goce.

Los frutos que sin esta ignorancia, o sin este embarazo hubieran debido percibirse por la sociedad, y que después de ella se hubieren restituido a dicho cónyuge o a sus herederos, se mirarán como pertenecientes a la sociedad.

Arts. 714-718 C.C.

Artículo 1794. Las donaciones remuneratorias, hechas a uno de los cónyuges o a ambos, por servicios que no deban acción contra la persona servida, no aumentan el haber social; pero las que se hicieren por servicios que hubieran dado acción contra dicha persona, aumentan el haber social, hasta concurrencia de lo que hubiera habido acción a pedir por ellos y no más; salvo que dichos servicios se hayan prestado antes de la sociedad, pues en tal caso no se adjudicarán a la sociedad dichas donaciones en parte alguna.

Arts. 1490 C.C.

Artículo 1795. Toda cantidad de dinero y de cosas fungibles, todas las especies, créditos, derechos y acciones que existieren en poder de cualquiera de los cónyuges al tiempo de disolverse la sociedad, se presumirán pertenecer a ella, a menos que aparezca o se pruebe lo contrario.

Ni la declaración de uno de los cónyuges que afirme ser suya o debérsele una cosa, ni la confesión del otro, ni ambas juntas, se estimarán suficiente prueba, aunque se hagan bajo juramento.

La confesión, no obstante, se mirará como una donación revocable, que confirmada por la muerte del donante, se ejecutará, en su parte de gananciales o en sus bienes propios, en lo que hubiere lugar.

Sin embargo, se mirarán como pertenecientes a la mujer[*] sus vestidos, y todos los muebles de uso personal necesario.

(*) Por el Dec. 2820 de 1974 se otorgaron iguales derechos y obligaciones a mujeres y varones, por lo que la expresión «mujer» se extiende a ambos cónyuges. Arts. 66, 1191, 1196, 1800, 1801 y 2502 C.C.; Art. 523 C.G.P.; Art. 67 Dec. 2820 de 1974.

Artículo 1796. La sociedad es obligada al pago:

1º. De todas las pensiones e intereses que corran, sea contra la sociedad, sea contra cualquiera de los cónyuges y que se devenguen durante la sociedad.

2º. [Modificado. Art. 62 Dec. 2820 de 1974] El ordinal 2º del artículo 1796 del Código Civil quedará así:

De las deudas y obligaciones contraídas durante su existencia por el marido o la mujer, y que no fueren personales de aquél o ésta, como lo serían las que se contrajeren por el establecimiento de los hijos de un matrimonio anterior.

La sociedad, por consiguiente, es obligada con la misma limitación, al lasto de toda fianza, hipoteca o prenda constituida por cualquiera de los cónyuges.

3º. De todas las deudas personales de cada uno de los cónyuges, quedando el deudor obligado a compensar a la sociedad lo que ésta invierta en ello.

4º. De todas las cargas y reparaciones usufructuarias de los bienes sociales de cada cónyuge.

5º. Del mantenimiento de los cónyuges; del mantenimiento, educación y establecimiento de los descendientes comunes, y de toda carga de familia.

Se mirarán como carga de familia los alimentos que uno de los cónyuges esté por ley obligado a dar a sus descendientes o ascendientes, aunque no lo sean de ambos cónyuges; pero podrá el juez o prefecto moderar este gasto, si le pareciere excesivo, imputando el exceso al haber del cónyuge.

Si la mujer se reserva en las capitulaciones matrimoniales el derecho de que se le entregue por una vez o periódicamente una cantidad de dinero de que pueda disponer a su arbitrio, será de cargo de la sociedad este pago, siempre que en las capitulaciones matrimoniales no se haya impuesto expresamente al marido.

Arts. 179, 411 y 419 C.C.; Art. 12 Dec. 2820 de 1974.

Artículo 1797. Vendida alguna cosa del marido o de la mujer, la sociedad deberá el precio al cónyuge vendedor, salvo en cuanto dicho precio se haya invertido en la subrogación de que habla el artículo 1789, o en otro negocio personal del cónyuge de quien era la cosa vendida, como en el pago de sus deudas personales, o en el establecimiento de sus descendientes de un matrimonio anterior.

Artículo 1798. El marido o la mujer deberá a la sociedad el valor de toda donación que hiciere de cualquiera parte del haber social, a menos que sea de poca monta, atendidas las fuerzas del haber social o que se haga para un objeto de eminente piedad o beneficencia y sin causar un grave menoscabo a dicho haber.

Art. 1825 C.C.; Arts. 2, 3 y 4 Dec. 1712 de 1989.

Artículo 1799. Si el marido o la mujer dispone, por causa de muerte, de una especie que pertenece a la sociedad, el asignatario de dicha especie podrá perseguirla sobre la sucesión del testador, siempre que la especie, en la división de los gananciales, se haya adjudicado a los herederos del testador; pero en caso contrario, sólo tendrá derecho para perseguir su precio sobre la sucesión del testador.

Arts. 1008, 1168 y 1401 C.C.

Artículo 1800. Las expensas ordinarias y extraordinarias de alimentos, establecimientos, matrimonio y gastos médicos de un descendiente común, se imputarán a los gananciales, a menos que se probare que el marido o la mujer han querido que se paguen de sus bienes propios.

Lo anterior se aplica al caso en que el descendiente común no tuviere bienes propios; pues teniéndolos, se imputarán las expensas extraordinarias a sus bienes en cuanto le hubieren sido efectivamente útiles, a menos que se probare que el marido o la mujer, o ambos de consuno, quisieron pagarlas de sus bienes propios.

Arts. 257 y 411 y ss., 1256, 1795 y 1825 C.C.; Art. 12 L. 1934 de 2018.

Artículo 1801. En general, los precios, saldos, costos judiciales y expensas de toda clase que se hicieren en la adquisición o cobro de los bienes, derechos o créditos que pertenezcan a cualquiera de los cónyuges, se presumirán erogados por la sociedad, a menos de prueba contraria, y se le deberán abonar.

Por consiguiente:

El cónyuge que adquiere bienes a título de herencia, debe recompensa a la sociedad por todas las deudas y cargas hereditarias o testamentarias que él cubra, y por todos los costos de la adquisición; salvo en cuanto pruebe haberlos cubierto con los mismos bienes hereditarios o con lo suyo.

> Arts. 66 y 1008 C.C.

Artículo 1802. Se le debe asimismo recompensa por las expensas de toda clase que se hayan hecho en los bienes de cualquiera de los cónyuges, en cuanto dichas expensas hayan aumentado el valor de los bienes, y en cuanto subsistiere este valor a la fecha de la disolución de la sociedad; a menos que este aumento de valor exceda al de las expensas, pues en tal caso se deberá sólo el importe de éstas.

> Arts. 965, 966, 1783 y 1825 C.C.

Artículo 1803. En general, se debe recompensa a la sociedad por toda erogación gratuita y cuantiosa a favor de un tercero que no sea descendiente común.

Artículo 1804. Cada cónyuge deberá así mismo recompensa a la sociedad por los perjuicios que le hubiere causado con dolo o culpa grave, y por el pago que ella hiciere de las multas y reparaciones pecuniarias a que fuere condenado por algún delito.

> Arts. 63, 1825 y 2341 C.C.

CAPÍTULO 3º De la administración ordinaria de los bienes de la sociedad conyugal

Artículos 1805 a 1813. [Derogados. Art. 9 L. 28 de 1932] Artículo 9: «Quedan derogadas las disposiciones contrarias a la presente ley».

CAPÍTULO 4º De la administración extraordinaria de la sociedad conyugal[*]

[*] El art. 5 L. 28 de 1932 otorgó plena capacidad y representación a la mujer para la administración y disposiciones de los bienes de la sociedad conyugal, como bien para administrar y disponer libremente de sus propios bienes. Análogamente, el Dec. 2820 de 1974 otorgó iguales derechos y obligaciones a mujeres y varones. En consecuencia, el CAPÍTULO 4º del TÍTULO 32º del C.C.

debe entenderse que aplica a aquellos casos en los cuales la sociedad conyugal va a ser administrada por uno solo de los cónyuges, sea varón o mujer.

Artículo 1814. La mujer que en el caso de interdicción del marido, o por larga ausencia de éste sin comunicación con su familia, hubiere sido nombrada curadora del marido, o curadora de sus bienes, tendrá por el mismo hecho la administración de la sociedad conyugal.

Artículo 1815. La mujer que tenga la administración de la sociedad, administrará con iguales facultades que el marido, y podrá, además, ejecutar por sí sola los actos para cuya legalidad es necesario al marido el consentimiento de la mujer; obteniendo autorización especial del juez o prefecto en los casos en que el marido hubiera estado obligado a solicitarla.

Pero no podrá sin autorización especial de la justicia, previo conocimiento de causa, enajenar los bienes raíces de su marido, ni gravarlos con hipotecas o censos, ni hacer subrogaciones en ellos, ni aceptar, sino con beneficio de inventario, una herencia deferida a su marido.

Todo acto o contravención a estas restricciones será nulo, y la hará responsable en sus bienes, de la misma manera que el marido lo sería en los suyos abusando de sus facultades administrativas.

Arts. 749, 1282, 1307 y 1789 C.C.

Artículo 1816. Todos los actos y contratos de la mujer administradora, que no le estuvieren vedados por el artículo precedente, se mirarán como actos y contratos del marido, y obligarán, en consecuencia, a la sociedad y al marido; salvo en cuanto apareciere o se probare que dichos actos y contratos se hicieron en negocio personal de la mujer.

Artículo 1817. La mujer administradora podrá dar en arriendo los bienes del marido, y éste o sus descendientes estarán obligados al cumplimiento del arriendo por un espacio de tiempo que no pase de los límites señalados en el Inciso 1º del artículo 1813[*].

Este arrendamiento, sin embargo, podrá durar más tiempo, si la mujer, para estipularlo así, hubiere sido especialmente autorizada por la justicia, previa información de utilidad.

[*] El art. 1813 C.C. fue derogado por el art. 9 L. 28 de 1932, pero establecía la limitación en cinco años para inmuebles urbanos y ocho para inmuebles rurales.

Artículo 1818. La mujer que no quisiere tomar sobre sí la administración de la sociedad conyugal, ni someterse a la dirección de un curador, podrá pedir la separación de bienes; y en este caso se observarán las disposiciones del título IX, capítulo III, libro I, sustituyéndose la aprobación de la justicia a la del marido en los casos en que allí se requiere esta última.

Artículo 1819. Cesando la causa de la administración extraordinaria de que hablan los artículos precedentes, recobrará el marido sus facultades administrativas, previo decreto judicial.

CAPÍTULO 5° De la disolución de la sociedad conyugal y partición de gananciales

Artículo 1820. [Modificado. Art. 25 L. 1 de 1976] El artículo 1820 del Código Civil quedará así:

La sociedad conyugal se disuelve:

1ª. Por la disolución del matrimonio.

2ª. Por la separación judicial de cuerpos, salvo que fundándose en el mutuo consentimiento de los cónyuges y siendo temporal ellos manifiesten su voluntad de mantenerla.

3ª. Por la sentencia de separación de bienes.

4ª. Por la declaración de nulidad del matrimonio, salvo en el caso de que la nulidad haya sido declarada con fundamento en lo dispuesto por el numeral 12 del artículo 140 de este código. En este evento, no se forma sociedad conyugal.

5ª. Por mutuo acuerdo de los cónyuges capaces, elevado a escritura pública, en cuyo cuerpo se incorporará el inventario de bienes y deudas sociales y su liquidación.

No obstante, los cónyuges responderán solidariamente ante los acreedores con título anterior al registro de la escritura de disolución y liquidación de la sociedad conyugal.

Para ser oponible a terceros, la escritura en mención deberá registrarse conforme a la ley.

Lo dispuesto en este numeral es aplicable a la liquidación de la sociedad conyugal disuelta por divorcio o separación de cuerpos judicialmente decretados.

Art. 140 C.C.; Arts. 1, 2 y 7 L. 54 de 1990.

Artículo 1821. Disuelta la sociedad, se procederá inmediatamente a la confección de un inventario y tasación de todos los bienes que usufructuaba o de que era responsable, en el término y en forma prescritos para la sucesión por causa de muerte.

Arts. 1310 y 1312 C.C.; Art. 34, L. 63 de 1936.

Artículo 1822. [Derogado. Art. 698 C.P.C.].

Artículo 1823. [Derogado. Art. 70 Dec. 2820 de 1974].

Artículo 1824. Aquel de los dos cónyuges o sus herederos, que dolosamente hubiere ocultado o distraído alguna cosa de la sociedad, perderá su porción en la misma cosa y será obligado a restituirla doblada.

Arts. 63, 1288 y 1313 C.C.

Artículo 1825. Se acumulará imaginariamente al haber social todo aquello de que los cónyuges sean respectivamente deudores a la sociedad, por vía de recompensa o indemnización, según las reglas arriba dadas.

Arts. 1798, 1800, 1802 y 1804 C.C.

Artículo 1826. Cada cónyuge, por sí o por sus herederos, tendrá derecho a sacar de la masa las especies o cuerpos ciertos que le pertenezcan, y los precios, saldos y recompensas que constituyan el resto de su haber.

La restitución de las especies o cuerpos ciertos deberá hacerse tan pronto como fuere posible, después de la terminación del inventario y avalúo; y el pago del resto del haber, dentro de un año contado desde dicha terminación. Podrá el juez o prefecto, sin embargo, ampliar o restringir este plazo a petición de los interesados, previo conocimiento de causa.

Art. 1398 C.C.

Artículo 1827. Las pérdidas o deterioros ocurridos en dichas especies o cuerpos ciertos, deberá sufrirlos el dueño, salvo que se deban a dolo o culpa grave del otro cónyuge, en cuyo caso deberá este resarcirlos.

Por el aumento que provenga de causas naturales e independientes de la industria humana, nada se deberá a la sociedad.

Arts. 63, 64, 1543, 1604, 1729 y 1781 C.C.

Artículo 1828. Los frutos pendientes al tiempo de la restitución, y todos los percibidos desde la disolución de la sociedad, pertenecerán al dueño de las respectivas especies.

Acrecerán al haber social los frutos que de los bienes sociales se perciban desde la disolución de la sociedad.

Arts. 714-718, 840, 1395, 1396 y 1543 C.C.

Artículo 1829. La mujer[*] hará antes que el marido las deducciones que hablan los artículos precedentes; y las que consistan en dinero, sea que pertenezcan a la mujer o al marido, se ejecutarán sobre el dinero y muebles de la sociedad, y subsidiariamente sobre los inmuebles de la misma.

La mujer[*], no siendo suficientes los bienes de la sociedad, podrá hacer las deducciones que le correspondan sobre los bienes propios del marido, elegidos de común acuerdo. No acordándose elegirá el juez o prefecto.

[*] Por el Dec. 2820 de 1974 se otorgaron iguales derechos y obligaciones a mujeres y varones, por lo que la expresión «mujer» se extiende a ambos cónyuges.

Artículo 1830. Ejecutadas las antedichas deducciones, el residuo se dividirá por mitad entre los dos cónyuges.

Artículo 1831. No se imputará a la mitad de gananciales del cónyuge sobreviviente las asignaciones testamentarias que le haya hecho el cónyuge difunto, salgo que este lo haya así ordenado; pero en tal caso podrá el cónyuge sobreviviente repudiarlas, si prefiere atenerse al resultado de la partición.

Art. 1234 C.C.

Artículo 1832. La división de bienes sociales se sujetará a las reglas dadas para la participación de los bienes hereditarios.

Arts. 1374-1410 C.C.

Artículo 1833. La mujer[*] no es responsable de las deudas de la sociedad, sino hasta la concurrencia de su mitad de gananciales.

Mas, para gozar de este beneficio, deberá probar el exceso de la contribución que se le exige, sobre su mitad de gananciales, sea por el inventario y tasación, sea por otros documentos auténticos[**].

^(*) Por el Dec. 2820 de 1974 se otorgaron iguales derechos y obligaciones a mujeres y varones, por lo que la expresión «mujer» se extiende a ambos cónyuges.

^(**) Mediante sentencia SU-214 de la Corte Constitucional, se autorizó el matrimonio entre parejas del mismo sexo.

Arts. 1238 y 1837 C.C.; Art. 2 L. 28 de 1932; Art. 6 Dec. 2820 de 1974.

Artículo 1834. El marido^(*) es responsable del total de las deudas de la sociedad; salva su acción contra la mujer^(*) para el reintegro de la mitad de estas deudas según el artículo precedente^(**).

^(*) Por el Dec. 2820 de 1974 se otorgaron iguales derechos y obligaciones a mujeres y varones, por lo que las expresiones «marido» y «mujer» se extiende a ambos cónyuges.

^(**) Mediante sentencia SU-214 de 2016, la Corte Constitucional autorizó el matrimonio entre parejas del mismo sexo.

Artículo 1835. Aquel de los cónyuges que, por el efecto de una hipoteca o prenda^(*) constituida sobre una especie que le ha cabido en la división de la masa social, paga una deuda de la sociedad, tendrá acción contra el otro cónyuge para el reintegro de todo lo que pagare.

^(*) Art. 3° L. 1676 de 2013.

Artículo 1836. Los herederos de cada cónyuge gozan de los mismos derechos y están sujetos a las mismas acciones que el cónyuge que representan.

Arts. 1155, 1411 y 1580 C.C.; Arts. 1 y ss. Dec. 1729 de 1989.

CAPÍTULO 6° De la renuncia de los gananciales hecha por parte de la mujer, después de la disolución de la sociedad

Artículo 1837. [Modificado. Art. 64 Dec. 2820 de 1974] El artículo 1837 del Código Civil quedará así:

Los cónyuges incapaces y sus herederos en el mismo caso, sólo podrán renunciar a los gananciales con autorización judicial.

Arts. 1775, 1777, 1837 a 1841 C.C.

Artículo 1838. Podrá la mujer renunciar mientras no haya entrado en su poder ninguna parte del haber social a título de gananciales.

Hecha una vez la renuncia, no podrá rescindirse, amenos de robarse que la mujer o sus herederos han sido inducidos a renunciar por engaño o por un justificable error acerca del verdadero estado de los negocios sociales.

Esta acción rescisoria prescribirá en cuatro años contados desde la disolución de la sociedad.

Arts. 1287, 1291, 1292, 1294, 1299, 1300, 1509, 1510 a 1516, 1750 C.C.

Artículo 1839. [Derogado. Art. 70 Dec. 2820 de 1974].

Artículo 1840. La mujer[*] que renuncia conserva sus derechos y obligaciones a las recompensas e indemnizaciones arriba expresadas.

[*] Por el Dec. 2820 de 1974 se otorgaron iguales derechos y obligaciones a mujeres y varones, por lo que la expresión «mujer» se extiende a ambos cónyuges. Art. 1837 C.C.

Artículo 1841. Efectos respecto de los herederos. Si solo una parte de los herederos de la mujer[*] renuncia, las porciones de los que renuncian acrecen a la porción del marido.

[*] Por el Dec. 2820 de 1974 se otorgaron iguales derechos y obligaciones a mujeres y varones, por lo que la expresión «mujer» se extiende a ambos cónyuges. Arts. 1206 y 1837 C.C.

CAPÍTULO 7º De la dote y las donaciones por causa de matrimonio

Artículo 1842. Las donaciones que un esposo hace a otro antes de celebrarse el matrimonio y en consideración a él, y las donaciones que un tercero hace a cualquiera de los esposos antes o después de celebrarse el matrimonio, y en consideración a él, se llaman en general donaciones por causa de matrimonio.

Arts. 112, 150, 1194 a 1205, 1443 a 1446, 1463, 1771 a 1780, 1782 y 1788 C.C.

Artículo 1843. Las promesas que un esposo hace al otro antes de celebrarse el matrimonio y en consideración a él, o que un tercero hace a uno de los esposos en consideración al matrimonio, se sujetarán a las mismas reglas que las donaciones del presente, pero deberán constar por escritura pública, o por confesión de un tercero.

Arts. 112, 150, 1171, 1194, 1443 a 1446, 1463, 1760, 1782 y 1788 C.C.

Artículo 1844. Ninguno de los esposos podrá hacer donación al otro por causa de matrimonio, sino hasta el valor de la cuarta parte de los bienes de su propiedad que aportare.

Art. 112, 1194, 1463 y 1458 C.C.

Artículo 1845. Las donaciones por causa de matrimonio, sea que se califiquen de dote, arras o con cualquiera otra denominación, admiten plazos, condiciones y cualesquiera otras estipulaciones lícitas, y están sujetas a las reglas generales de las donaciones, en todo lo que no se oponga a las disposiciones especiales de este título.

En todas ellas se entiende la condición de celebrarse o hacerse celebrado el matrimonio.

Art. 112, 150, 1194, 1443 1446, 1447-1493 C.C.

Artículo 1846. Declarada la nulidad del matrimonio, podrán revocarse todas las donaciones que por causa del mismo matrimonio se hayan hecho al que lo contrajo de mala fe, con tal que del a donación y de su causa haya constancia por escritura pública.

En la escritura del esposo donante se presume siempre la causa de matrimonio aunque no lo exprese.

Carecerá de esta acción revocatoria el cónyuge putativo que también contrajo de mala fe.

Art. 66, 112, 140, 148, 150, 164, 1194, 1488, 1760 y 1848 C.C.

Artículo 1847. En las donaciones entre vivos o asignaciones testamentarias por causa de matrimonio, no se entenderá la condición resolutoria de faltar el donatario o asignatario sin dejar sucesión, ni otra alguna, que no se exprese en el respectivo instrumento, o que la ley no prescriba.

Arts. 1546 C.C.

Artículo 1848. Si por el hecho de uno de los cónyuges se disuelve el matrimonio antes de consumarse, podrán revocarse las donaciones que por causa de matrimonio se le hayan hecho en los términos del artículo 1846.

Carecerá de esta acción revocatoria el cónyuge por cuyo hecho se disolviere el matrimonio.

Art. 160-164 C.C.

TÍTULO 23° De la compraventa

Artículo 1849. La compraventa es un contrato en que una de las partes se obliga a dar una cosa y la otra a pagarla en dinero. Aquélla se dice vender y ésta comprar. El dinero que el comprador da por la cosa vendida se llama precio.

Art. 1498 C.C.; Arts. 905 y ss. C.Co.

Artículo 1850. Cuando el precio consiste parte en dinero y parte en otra cosa, se entenderá permuta si la cosa vale más que el dinero; y venta en el caso contrario.

Art. 1955 C.C.

CAPÍTULO 1° De la capacidad para el contrato de venta

Artículo 1851. Son hábiles para el contrato de venta todas las personas que la ley no declara inhábiles para celebrarlo o para celebrar todo contrato

Artículo 1852. Es nulo el contrato de venta [*entre cónyuges no divorciados, y*] entre el padre y el hijo de familia.

Inexeq. C-068 de 1999: «*Declárase INEXEQUIBLES: el artículo 1852 del Código Civil, en la expresión "entre cónyuges no divorciados y"; (...) por las razones expuestas en la parte motiva de esta providencia*».
Arts. 1196, 1526 y 1741 C.C.; Art. 96 C.Co.

Artículo 1853. Se prohíbe a los administradores de establecimientos públicos vender parte alguna de los bienes que administran, y cuya enajenación no está comprendida en sus facultades administrativas ordinarias; salvo el caso de expresa autorización de la autoridad competente.

Artículo 1854. Al empleado público se prohíbe comprar los bienes públicos o particulares que se vendan por su ministerio; y a los magistrados de la Suprema Corte, jueces, prefectos y secretarios de unos y de otros, los bienes en cuyo litigio han intervenido, y que se vendan a consecuencia del litigio, aunque la venta se haga en pública subasta.

Queda exceptuado de esta disposición el empleado con jurisdicción coactiva que, conociendo de alguna ejecución y teniendo, por consiguiente, el doble carácter de juez o de prefecto y acreedor, hiciere postura a las cosas puestas en subasta, en su calidad de acreedor, cuya circunstancia debe expresarse con claridad.

Art. 1741 C.C.; Art. 452 C.G.P.

Artículo 1855. No es lícito a los tutores y curadores comprar parte alguna de los bienes de sus pupilos, sino con arreglo a lo prevenido en el título «De la administración de los tutores y curadores».

Artículo 1856. Los mandatarios, los síndicos de los concursos, y los albaceas, están sujetos en cuanto a la compra o venta de las cosas que hayan de pasar por sus manos en virtud de estos encargos, a lo dispuesto en el artículo 2170.

CAPÍTULO 2° Forma y requisitos del contrato de venta

Artículo 1857. La venta se reputa perfecta desde que las partes han convenido en la cosa y en el precio, salvo las excepciones siguientes:

La venta de los bienes raíces y servidumbres y la de una sucesión hereditaria, no se reputan perfectas ante la ley, mientras no se ha otorgado escritura pública.

Los frutos y flores pendientes, los árboles cuya madera se vende, los materiales de un edificio que va a derribarse, los materiales que naturalmente adhieren al suelo, como piedras y sustancias minerales de toda clase, no están sujetos a esta excepción.

Art. 656, 749, 1457, 1760, 1967, 1968 C.C.; Art. 256 C.G.P.

Artículo 1858. Si los contratantes estipularen que la venta de otras cosas que las enumeradas en el inciso 2 del artículo precedente, no se repute perfecta hasta el otorgamiento de escritura pública o privada, podrá cualquiera de las partes retractarse mientras no se otorgue la escritura o no haya principiado la entrega de la cosa vendida.

Artículo 1859. Si se vende con arras, esto es, dando una cosa en prenda[*] de la celebración o ejecución del contrato, se entiende que cada uno de los contratantes podrá retractarse; el que ha dado las arras, perdiéndoles, y el que las ha recibido, restituyéndolas dobladas.

[*] Art. 3° L. 1676 de 2013.
Art. 1979 C.C.; Art. 866 C.Co.

Artículo 1860. Si los contratantes no hubieren fijado plazo dentro del cual puedan retractarse, perdiendo las arras, no habrá lugar a la retractación después de los dos meses subsiguientes a la convención, ni después de otorgada escritura pública de la venta o de principiada la entrega.

Artículo 1861. Si expresamente se dieren arras como parte del precio, o como señal de quedar convenidos los contratantes, quedará perfecta la venta, sin perjuicio de lo prevenido en el artículo 1857, inciso 2°.

No constando alguna de estas expresiones por escrito, se presumirá de derecho que los contratantes se reservan la facultad de retractarse según los dos artículos precedentes.

Art. 66 C.C.

Artículo 1862. Las costas de la escritura de venta serán divisibles entre el vendedor y el comprador, a menos que las partes contratantes estipulen otra cosa.

Art. 1881 C.C.; Art. 223 Dec. 960 de 1970

Artículo 1863. La venta puede ser pura y simple, o bajo condición suspensiva o resolutoria.

Puede hacerse a plazo para la entrega de las cosas o del precio.

Puede tener por objeto dos o más cosas alternativas.

Bajo todos estos respectos se rige por las reglas generales de los contratos, en lo que no fueren modificadas por las de este título.

Arts. 1536, 1551 y 1556 C.C.

CAPÍTULO 3° Del precio

Artículo 1864. El precio de la venta debe ser determinado por los contratantes.

Podrá hacerse esta determinación por cualesquiera medios o indicaciones que lo fijen.

Si se trata de cosas fungibles y se vende al corriente de plaza, se entenderá el del día de la entrega, a menos de expresarse otra cosa.

Arts. 663, 1518 y 2054 C.C.

Artículo 1865. Podrá asimismo dejarse el precio al arbitrio de un tercero; y si el tercero no lo determinare, podrá hacerlo por él cualquiera otra persona en que se convinieren los contratantes, en caso de no convenirse, no habrá venta.

No podrá dejarse el precio al arbitrio de uno de los contratantes.

Arts. 1535, 2054 y 2055 C.C.; Arts. 920 y 921 C.Co.

CAPÍTULO 4° De la cosa vendida

Artículo 1866. Pueden venderse todas las cosas corporales, o incorporales, cuya enajenación no esté prohibida por ley.

Arts. 1518, 1520, 1521 y 1523 C.C.

Artículo 1867. Es nula la venta de todos los bienes presentes o futuros o de unos y otros, ya se venda el total o una cuota; pero será válida la venta de todas las especies, géneros y cantidades que se designen por escritura pública, aunque se extienda a cuanto el vendedor posea o espere adquirir, con tal que no comprenda objetos ilícitos.

Las cosas no comprendidas en esta designación se entenderá que no lo son en la venta; toda estipulación contraria es nula.

Arts. 15, 16, 1518 y 1526 C.C.

Artículo 1868. Si la cosa es común de dos o más personas proindiviso, entre las cuales no intervenga contrato de sociedad, cada una de ellas podrá vender su cuota, aún sin el consentimiento de las otras.

Art. 1401 C.C.

Artículo 1869. La venta de cosas que no existen, pero se espera que existan, se entenderá hecha bajo la condición de existir, salvo que se exprese lo contrario, o que por la naturaleza del contrato aparezca que se compró la suerte.

Arts. 1518 y 2475 C.C.

Artículo 1870. La venta de una cosa que al tiempo de perfeccionarse el contrato se supone existente y no existe, no produce efecto alguno.

Si faltaba una parte considerable de ella al tiempo de perfeccionarse el contrato, podrá el comprador, a su arbitrio, desistir del contrato, o darlo por subsistente, abonando el precio a justa tasación.

El que vendió a sabiendas lo que en el todo o en una parte considerable no existía, resarcirá los perjuicios al comprador de buena fe.

Arts. 1613, 1965 y 2475 C.C.

Artículo 1871. *La venta de cosa ajena vale, sin perjuicios de los derechos del dueño de la cosa vendida*, mientras no se extingan por el lapso de tiempo.

Exeq. C-174 de 2001: «*Segundo. Declararse inhibida para decidir respecto de la constitucionalidad del artículo 1871 del Código Civil, salvo respecto de las expresiones «la venta de cosa ajena vale, sin perjuicios de los derechos del dueño de la cosa vendida» que se declaran EXEQUIBLES*».
Arts. 752, 1491, 1633 y 2320 C.C.

Artículo 1872. La compra de cosa propia no vale; el comprador tendrá derecho a que se le restituya lo que hubiere dado por ella.

Los frutos naturales, pendientes al tiempo de la venta, y todos los frutos, tanto naturales como civiles, que después produzca la cosa, pertenecerán al comprador, a menos que se haya estipulado entregar la cosa al cabo de cierto tiempo o en el evento de cierta condición; pues en estos casos no pertenecerán los frutos al comprador, sino vencido el plazo, o cumplida la condición.

Todo lo dicho en este artículo puede ser modificado por estipulaciones expresas de los contratantes.

Arts. 714-718 C.C.

CAPÍTULO 5° De los efectos inmediatos del contrato de venta

Artículo 1873. Si alguien vende separadamente una misma cosa a dos personas, el comprador que haya entrado en posesión será preferido al otro;

si ha hecho la entrega a los dos, aquel a quien se haya hecho primero será preferido; si no se ha entregado a ninguno, el título más antiguo prevalecerá.

Arts. 754 y 756 C.C.

Artículo 1874. La venta de cosa ajena, ratificada después por el dueño, confiere al comprador los derechos de tal desde la fecha de la venta.

Arts. 742, 767 y 955 C.C.

Artículo 1875. Vendida y entregada a otro una cosa ajena, si el vendedor adquiere después el dominio de ella, se mirará al comprador como verdadero dueño desde la fecha de la tradición.

Por consiguiente, si el vendedor la vendiere a otra persona después de adquirido el dominio, subsistirá el dominio de ella en el primer comprador.

Arts. 742 y 743 C.C.

Artículo 1876. La pérdida, deterioro o mejora de la especie o cuerpo cierto que se vende, pertenece al comprador, desde el momento de perfeccionarse al contrato, aunque no se haya entregado la cosa; salvo que se venda bajo condición suspensiva y que se cumpla la condición, pues entonces, pereciendo totalmente la especie mientras pende la condición, la pérdida será del vendedor, y la mejora o deterioro pertenecerá al comprador.

Arts. 1543, 1607, 1729, 2057 y 2110 C.C; Art. 929 C.Co.

Artículo 1877. Si se vende una cosa de las que suelen venderse a peso, cuenta o medida, pero señalada de modo que no pueda confundirse con otra porción de la misma cosa, como todo el trigo contenido en cierto granero, la pérdida, deterioro o mejora pertenecerá al comprador, aunque dicha cosa no se haya pesado, contado ni medido, con tal que se haya ajustado el precio.

Si de las cosas que suelen venderse a peso, cuenta o medida, solo se vende una parte indeterminada, como diez hectolitros de trigo de los contenidos en cierto granero, la pérdida, deterioro o mejora no pertenecerá al comprador, sino después de haberse ajustado el precio y de haberse pesado, contado o medido dicha parte.

Arts. 754, 1729-1739 C.C.

Artículo 1878. Si avenidos vendedor y comprador en el precio, señalaren día para el peso, cuenta o medida, y el uno o el otro no compareciere en él, será éste obligado a resarcir al otro los perjuicios que de su negligencia resultaren; y el vendedor o comprador que no faltó a la cita, podrá, si le conviniere, desistir del contrato.

Artículo 1879. Si se estipula que se vende a prueba, se entiende no haber contrato mientras el comprador no declara que le agrada la cosa de que se trata, y la pérdida, deterioro o mejora pertenece entretanto al vendedor.

Sin necesidad de estipulación expresa se entiende hacerse a prueba la venta de todas las cosas que se acostumbra vender de ese modo.

CAPÍTULO 6° De las obligaciones del vendedor y primeramente de la obligación de entregar

Artículo 1880. Las obligaciones del vendedor se reducen en general a dos: la entrega o tradición, y el saneamiento de la cosa vendida.

La tradición se sujetará a las reglas dadas en el Título 6 del Libro 2.

Art. 1486 C.C.; Art. 922 C.Co.

Artículo 1881. Al vendedor tocan naturalmente los costos que se hicieren para poner la cosa en disposición de entregarla, y al comprador los que se hicieren para transportarla después de entregada.

Artículo 1882. El vendedor es obligado a entregar la cosa vendida inmediatamente después del contrato, o a la época prefijada en él.

Si el vendedor, por hecho o culpa suya ha retardado la entrega, podrá el comprador, a su arbitrio, perseverar en el contrato o desistir de él y en ambos casos con derecho para ser indemnizado de los perjuicios según las reglas generales.

Todo lo cual se entiende si el comprador ha pagado o está pronto a pagar el precio íntegro o ha estipulado pagar a plazo.

Pero si después del contrato hubiere menguado considerablemente la fortuna del comprador, de modo que el vendedor se halle en peligro inminente de perder el precio, no se podrá exigir la entrega aunque se haya estipulado plazo para el pago del precio, sino pagando o asegurando el pago.

Arts. 754, 1546, 1551, 1608 y 1929 C.C.

Artículo 1883. Si el comprador se constituye en mora de recibir, abonará al vendedor el alquiler de los almacenes, graneros o vasijas en que se contenga lo vendido, y el vendedor quedará descargado del cuidado ordinario de conservar la cosa, y sólo será ya responsable del dolo o de la culpa grave.

Artículo 1884. El vendedor es obligado a entregar lo que reza el contrato.

Art. 1605 C.C.

Artículo 1885. La venta de una vaca, yegua u otra hembra, comprende naturalmente la del hijo que lleva en el vientre o que amamanta; pero no la del que puede pacer y alimentarse por sí solo.

Art. 716 C.C.

Artículo 1886. En la venta de una finca se comprenden naturalmente todos los accesorios que, según los artículos 658 y siguientes, se reputan inmuebles.

Artículo 1887. Un predio rústicos puede venderse con relación a su cabida, o como una especie o cuerpo cierto.

Se vende con relación a su cabida, siempre que ésta se expresa de cualquier modo en el contrato, salvo que las partes declaren que no entienden hacer diferencia en el precio, aunque la cabida real resulte mayor o menor que la cabida que reza el contrato.

Es indiferente que se fije directamente un precio total, o que éste se deduzca de la cabida o número de medidas que se expresa, y del precio de cada medida.

Es así mismo indiferente que se exprese una cabida total o las cabidas de las varias porciones de diferentes calidades y precios que contengan el predio, con tal que de estos datos resulte el precio total y la cabida total.

Lo mismo se aplica a la enajenación de dos o más predios por una sola venta. En todos los demás casos se entenderá venderse el predio o predios como un cuerpo cierto.

Arts. 1889 y 2036 C.C.

Artículo 1888. Si se vende el predio con relación a su cabida, y la cabida real fuere mayor que la cabida declarada, deberá el comprador aumentar proporcionalmente el precio; salvo que el precio de la cabida que sobre, alcance en más de una décima parte del precio de la cabida real; pues en este caso podrá el comprador, a su arbitrio, o aumentar proporcionalmente el precio, o desistir del contrato; y si desiste, se le resarcirán los perjuicios según las reglas generales.

Y si la cabida real es menor que la cabida declarada, deberá el vendedor completarla; y si esto no le fuere posible o no se le exigiere, deberá sufrir una disminución proporcional del precio; pero si el precio de la cabida que falte, alcanza a más de una décima parte del precio de la cabida completa, podrá el comprador, a su arbitrio, o aceptar la disminución del precio, o desistir del contrato en los términos del precedente inciso.

Arts. 1613 y 2036 C.C.

Artículo 1889. Si el predio se vende como un cuerpo cierto, no habrá derecho por parte del comprador ni del vendedor para pedir rebaja o aumento del precio, sea cual fuere la cabida del predio.

Sin embargo, si se vende con señalamiento de linderos, estará obligado el vendedor a entregar todo lo comprendido en ellos, y si no pudiere o no se le exigiere, se observará lo prevenido en el inciso del artículo precedente.

Art. 2036 C.C.

Artículo 1890. Las acciones dadas en los dos artículos precedentes expiran al cabo de un año contado desde la entrega.

Art. 2535 C.C.

Artículo 1891. Las reglas dadas en los artículos referidos se aplican a cualquier todo o conjunto de efectos o mercaderías.

Artículo 1892. Además de las acciones dadas en dichos artículos compete a los contratantes la de lesión enorme en su caso.

Arts. 1946 y 1947 C.C.

CAPÍTULO 7° De la obligación de saneamiento y primeramente del saneamiento por evicción

Artículo 1893. La obligación de saneamiento comprende dos objetos: amparar al comprador en el dominio y posesión pacífica de la cosa vendida, y responder de los defectos ocultos de ésta, llamados vicios redhibitorios.

Arts. 1402, 1403, 1479, 1974 C.C.; Arts. 932-942 C.Co. L. 1480 de 2011 (Estatuto del Consumidor).

Artículo 1894. Hay evicción de la cosa comprada, cuando el comprador es privado del todo o parte de ella, por sentencia judicial.

Art. 940 C.Co.

Artículo 1895. El vendedor es obligado a sanear al comprador todas las evicciones que tengan una causa anterior a la venta, salvo en cuanto se haya estipulado lo contrario.

Art. 1403 C.C.

Artículo 1896. La acción de saneamiento es indivisible.

Puede, por consiguiente, intentarse insolidum contra cualquiera de los herederos del vendedor. Pero desde que a la obligación de amparar al comprador en la posesión, sucede la de indemnizarle en dinero, se divide la acción; y cada heredero es responsable solamente a prorrata de su cuota hereditaria. La misma regla se aplica a los vendedores que por un solo acto de venta hayan enajenado la cosa.

Arts. 1568 y 1581 C.C.

Artículo 1897. Aquel a quien se demanda una cosa comprada podrá intentar contra el tercero de quien su vendedor la hubiere adquirido, la acción de saneamiento que contra dicho tercero competiría al vendedor, si éste hubiere permanecido en posesión de la cosa.

Artículo 1898. Es nulo todo pacto en que se exima al vendedor del saneamiento de evicción, siempre que en ese pacto haya habido mala fe de parte suya.

Artículo 1899. El comprador a quien se demanda la cosa vendida por causa anterior a la venta, deberá citar al vendedor para que comparezca a defenderla.

Esta citación se hará en el término señalado por las leyes de procedimiento.

Si el comprador omitiere citarle, y fuere evicta la cosa, el vendedor no será obligado al saneamiento; y si el vendedor citado no compareciere a defender la cosa vendida, será responsable de la evicción; a menos que el comprador haya dejado de oponer alguna defensa o excepción suya, y por ello fuere evicta la cosa.

Arts. 64 y 65 C.C.

Artículo 1900. Lo dispuesto en el artículo anterior y en los siguientes a éste, es aplicable también al comprador que para poder excluir la cosa comprada de una ejecución o un concurso de acreedores contra un tercero, o para recobrar la posesión de la misma cosa, cuando la ha perdido sin culpa, tiene que presentarse como demandante en el juicio correspondiente.

Artículo 1901. [Derogado. Art. 698 C.P.C.].

Artículo 1902. Si el vendedor no opone medio alguno de defensa, y se allana al saneamiento, podrá, con todo, el comprador sostener por sí mismo la defensa; y si es vencido, no tendrá derecho para exigir del vendedor el reembolso de las costas en que hubiere incurrido defendiéndose, ni el de los frutos percibidos durante dicha defensa y satisfechos al dueño.

Artículo 1903. Cesará la obligación de sanear en los casos siguientes:

1° Si el comprador y el que demanda la cosa como suya se someten al juicio de árbitros, sin consentimiento del vendedor, y los árbitros fallaren contra el comprador.

2° Si el comprador perdió la posesión por su culpa, y de ello se siguió la evicción.

Artículo 1904. El saneamiento de evicción, a que es obligado el vendedor, comprende:

1° La restitución del precio, aunque la cosa al tiempo de la evicción valga menos.

2° La de las costas legales del contrato de venta que hubieren sido satisfechas por el comprador.

3° La del valor de los frutos que el comprador hubiere sido obligado a restituir al dueño, sin perjuicio de lo dispuesto en el artículo 1902.

4° La de las costas que el comprador hubiere sufrido a consecuencia y por efecto de la demanda, sin perjuicio de lo dispuesto en el mismo artículo.

5° El aumento de valor que la cosa evicta haya tomado en poder del comprador, aún por causas naturales, o por el mero transcurso del tiempo.

Todo con las limitaciones que siguen.

Artículo 1905. Si el menor valor de la cosa proviniere de deterioros de que el comprador haya sacado provecho, se hará el debido descuento en la restitución de precio.

Artículo 1906. El vendedor será obligado a reembolsar al comprador el aumento de valor que provenga de las mejoras necesarias o útiles, hechas por el comprador, salvo en cuanto el que obtuvo la evicción haya sido condenado a abonarlas.

Arts. 966 y 967 C.C.

Artículo 1907. El aumento de valor debido a causas naturales o al tiempo, no se abonará en lo que excediere a la cuarta parte del precio de la venta; a menos de probarse en el vendedor mala fe, en cuyo caso será obligado a pagar todo el aumento del valor, de cualesquiera causas que provenga.

Artículo 1908. En las ventas forzadas, hechas por autoridad de la justicia, el vendedor no es obligado, por causa de la evicción que sufriere la cosa vendida, sino a restituir el precio que haya producido la venta.

Arts. 741 y 1922 C.C.

Artículo 1909. La estipulación que exime al vendedor de la obligación de sanear la evicción, no le exime de la obligación de restituir el precio recibido.

Y estará obligado a restituir el precio íntegro, aunque se haya deteriorado la cosa o disminuido de cualquier modo su valor, aún por hecho o negligencia del comprador, salvo en cuanto éste haya sacado provecho del deterioro.

Cesará la obligación de restituir el precio si el que compró lo hizo a sabiendas de ser ajena la cosa, o si expresamente tomó sobre sí el peligro de la evicción especificándolo.

Si la evicción no recae sobre toda la cosa vendida, y la parte evicta es tal, que se ha de presumir que no se habría comprado la cosa sin ella, habrá derecho a pedir la rescisión de la venta.

Art. 1403 C.C.

Artículo 1910. En virtud de esta rescisión, el comprador será obligado a restituir al vendedor la parte no evita, y para esta restitución será considerado como poseedor de buena fe, a menos de prueba contraria; y el vendedor además de restituir el precio, abonará el valor de los frutos que el comprador hubiere sido obligado a restituir con la parte evicta, y todo otro perjuicio que de la evicción resultare al comprador.

Artículo 1911. En caso de no ser de tanta importancia la parte evicta, o en el de no pedirse la rescisión de la venta, el comprador tendrá derecho para exigir el saneamiento de la evicción parcial, con arreglo a los artículos 1904 y siguientes.

Artículo 1912. Si la sentencia negare la evicción, el vendedor no será obligado a la indemnización de los perjuicios que la demanda hubiere causado al comprador, sino en cuanto la demanda fuere imputable a hecho o culpa del vendedor.

Artículo 1913. La acción de saneamiento por evicción prescribe en cuatro años; mas por lo tocante a la sola restitución del precio, prescribe según las reglas generales.

Se contará el tiempo desde la fecha de la sentencia de evicción; o si ésta no hubiere llegado a pronunciarse, desde la restitución de la cosa.

Arts. 1402, 1750 y 2545 C.C.

CAPÍTULO 8° Del saneamiento de vicios redhibitorios

Artículo 1914. Se llama acción redhibitoria la que tiene el comprador para que se rescinda la venta o se rebaje proporcionalmente el precio por los vicios ocultos de la cosa vendida, raíz o mueble, llamados redhibitorios.

Art. 954 C.Co.

Artículo 1915. Son vicios redhibitorios los que reúnen las calidades siguientes:

1ª. Haber existido al tiempo de la venta.

2ª. Ser tales, que por ellos la cosa vendida no sirva para su uso natural, o sólo sirva imperfectamente, de manera que sea de presumir que conociéndolos el comprador no la hubiera comprado o la hubiera comprado a mucho menos precio.

3ª. No haberlos manifestado el vendedor, y ser tales que el comprador haya podido ignorarlos sin negligencia grave de su parte, o tales que el comprador no haya podido fácilmente conocerlos en razón de su profesión u oficio.

Arts. 63 y 1925 C.C.

Artículo 1916. Si se ha estipulado que el vendedor no estuviere obligado al saneamiento por los vicios ocultos de la cosa, estará sin embargo obligado a sanear aquéllos de que tuvo conocimiento y de que no dio noticia al comprador.

Artículo 1917. Los vicios redhibitorios dan derecho al comprador para exigir o la rescisión de la venta, o la rebaja del precio, según mejor le pareciere.

Artículo 1918. Si el vendedor conocía los vicios y no los declaró, o si los vicios eran tales que el vendedor haya debido conocerlos por razón de su profesión u oficio, será obligado no sólo a la restitución o a la rebaja del precio, sino a la indemnización de perjuicios; pero si el vendedor no conocía los vicios, ni eran tales que por su profesión u oficio debiera conocerlos, sólo será obligado a la restitución o la rebaja del precio.

Artículo 1919. Si la cosa viciosa ha perecido después de perfeccionado el contrato de venta, no por eso perderá el comprador el derecho que hubiere tenido a la rebaja del precio, aunque la cosa haya perecido en su poder y por su culpa.

Pero si ha perecido por un efecto del vicio inherente a ella, se seguirán las reglas del artículo precedente.

Artículo 1920. Las partes pueden por el contrato hacer redhibitorios los vicios que naturalmente no lo son.

Artículo 1921. Vendiéndose dos o más cosas juntamente, sea que se haya ajustado un precio por el conjunto o por cada una de ellas, sólo habrá lugar a la acción redhibitoria por la cosa viciosa y no por el conjunto; a menos que aparezca que no se habría comprado el conjunto sin esa cosa; como cuando se compra un tiro, yunta o pareja de animales, o un juego de muebles.

Artículo 1922. La acción redhibitoria no tiene lugar en las ventas forzadas hechas por autoridad de la justicia. Pero si el vendedor, no pudiendo o no debiendo ignorar los vicios de la cosa vendida, no los hubiere declarado a petición del comprador, habrá lugar a la acción redhibitoria y a la indemnización de perjuicios.

Arts. 1613 y 1908 C.C.

Artículo 1923. La acción redhibitoria durará seis meses respecto de las cosas muebles y un año respecto de los bienes raíces, en todos los casos en que las leyes especiales o las estipulaciones de los contratantes no hubieren ampliado o restringido este plazo. El tiempo se contará desde la entrega real.

Artículo 1924. Habiendo prescrito la acción redhibitoria, tendrá todavía derecho el comprador para pedir la rebaja del precio y la indemnización de perjuicios, según las reglas precedentes.

Art. 1926 C.C.

Artículo 1925. Si los vicios ocultos no son de la importancia que se expresa en el número 2 del artículo 1915, no tendrá derecho el comprador para la rescisión de la venta, sino sólo para la rebaja del precio.

Art. 1926 C.C.

Artículo 1926. La acción para pedir rebaja del precio, sea en el caso del artículo 1915 o en el artículo 1925, prescribe en un año para los bienes muebles y en diez y ocho meses para los bienes raíces.

Arts. 1915 y 1925 C.C.

Artículo 1927. Si la compra se ha hecho para remitir la cosa a lugar distante, la acción de rebaja del precio prescribirá en un año contado desde la entrega al consignatario, con más el término de emplazamiento que corresponda a la distancia.

Pero será necesario que el comprador, en el tiempo intermedio entre la venta y la remesa, haya podido ignorar el vicio de la cosa, sin negligencia de su parte.

CAPÍTULO 9° De las obligaciones del comprador

Artículo 1928. La principal obligación del comprador es la de pagar el precio convenido.

Artículo 1929. El precio deberá pagarse en el lugar y el tiempo estipulados, o en el lugar y el tiempo de la entrega, no habiendo estipulación en contrario.

Con todo, si el comprador fuere turbado en la posesión de la cosa, o probare que existe contra ella una acción real de que el vendedor no le haya dado noticia antes de perfeccionarse el contrato, podrá depositar el precio con autoridad de la justicia, y durará el depósito hasta que el vendedor haga cesar la turbación o afiance las resultas del juicio.

Art. 1882 C.C.; Art. 943 y 947 C.Co.

Artículo 1930. Si el comprador estuviere constituido en mora de pagar el precio en el lugar y tiempo dichos, el vendedor tendrá derecho para exigir el precio o la resolución de la venta, con resarcimiento de perjuicios.

Arts. 1546, 1608, 1617 y 1935 C.C.

Artículo 1931. [Derogado. Art. 2 L. 45 de 1930] [Subrogado. Art. 1 L. 45 de 1930] La cláusula de no transferirse el dominio de los bienes raíces sino en virtud de la paga del precio, no producirá otro efecto que el de la demanda alternativa enunciada en el artículo 1930 del Código Civil, y pagando el comprador el precio, subsistirán en todo caso las enajenaciones que hubiere constituido sobre el mismo, en el tiempo intermedio.

La cláusula de no transferir el dominio de los bienes muebles sino en virtud de la paga del precio, en las condiciones que el vendedor y el comprador tengan a bien estipular, será válida, sin perjuicio de los derechos de los terceros poseedores de buena fe.

Art. 1937 C.C.; Arts. 952, 953, 960 C.Co.

Artículo 1932. La resolución de la venta por no haberse pagado el precio dará derecho al vendedor para retener las arras, o exigirlas dobladas, y además para que se le restituyan los frutos, ya en su totalidad si ninguna parte del precio se le hubiere pagado, ya en la proporción que corresponda a la parte del precio que no hubiere sido pagada.

El comprador, a su vez, tendrá derecho para que se le restituya la parte que hubiere pagado del precio.

Para el abono de las expensas al comprador, y de los deterioros al vendedor, se considerará al primero como poseedor de mala fe, a menos que pruebe haber sufrido en su fortuna, y sin culpa de su parte, menoscabos tan grandes que le hayan hecho imposible cumplir lo pactado.

Exeq. C-1194 de 2008.
Arts. 63, 1545, 1604, 1861 C.C.

Artículo 1933. La resolución por no haberse pagado el precio, no da derecho al vendedor contra terceros poseedores, sino en conformidad a los artículos 1547 y 1548.

Art. 1748 C.C.

Artículo 1934. Si en la escritura de ventas se expresa haberse pagado el precio, no se admitirá prueba alguna en contrario sino la nulidad o falsificación de la escritura, y sólo en virtud de esta prueba habrá acción contra terceros poseedores.

CAPÍTULO 10° Del pacto comisorio

Artículo 1935. Por el pacto comisorio se estipula expresamente que, no pagándose el precio al tiempo convenido, se resolverá el contrato de venta.

Entiéndese siempre esta estipulación en el contrato de venta, y cuando se expresa, toma el nombre de pacto comisorio, y produce los efectos que van a indicarse.

Art. 1546 C.C.

Artículo 1936. Por el pacto comisorio no se priva el vendedor de la elección de acciones que le concede el artículo 1930.

Art. 1546 y 1930 C.C.

Artículo 1937. Si se estipula que por no pagarse el precio al tiempo convenido, se resuelva ipso facto el contrato de venta, el comprador podrá, sin embargo, hacerlo subsistir, pagando el precio, lo más tarde, en las veinticuatro horas subsiguientes a la notificación judicial de la demanda.

Art. 374 C.G.P.

Artículo 1938. El pacto comisorio prescribe al plazo prefijado por las partes si no pasare de cuatro años, contados desde la fecha del contrato.

Transcurridos estos cuatro años, prescribe necesariamente, sea que se haya estipulado un plazo más largo o ninguno.

Art. 2545 C.C.

CAPÍTULO 11º Del pacto de retroventa

Artículo 1939. Por el pacto de retroventa el vendedor se reserva la facultad de recobrar la cosa vendida, reembolsando al comprador la cantidad determinada que se estipulare, o en defecto de esta estipulación lo que le haya costado la compra.

Artículo 1940. El pacto de retroventa, en sus efectos contra terceros, se sujeta a lo dispuesto en los artículos 1547 y 1548.

Art. 1944 C.C.

Artículo 1941. El vendedor tendrá derecho a que el comprador le restituya la cosa vendida con sus accesiones naturales.

Tendrá, asimismo, derecho a ser indemnizado de los deterioros imputables a hecho o culpa del comprador.

Será obligado al pago de las expensas necesarias, pero no de las invertidas en mejoras útiles o voluptuarias que se hayan hecho sin su consentimiento.

Arts. 713, 714, 716, 965, 966 y 967 C.C.

Artículo 1942. El derecho que nace del pacto de retroventa no puede cederse.

Nral. 2º Art. 1521 C.C.

Artículo 1943. El tiempo en que se podrá intentar la acción de retroventa no podrá pasar de cuatro años contados desde la fecha del contrato.

Pero en todo caso tendrá derecho el comprador a que se le dé noticia anticipada, que no bajará de seis meses para los bienes raíces, ni de quince días para las cosas muebles; y si la cosa fuere fructífera y no diere frutos sino de tiempo en tiempo y a consecuencia de trabajos e inversiones preparatorias, no podrá exigirse la restitución demandada sino después de la próxima percepción de frutos.

CAPÍTULO 12º De otros pactos accesorios al contrato de venta

Artículo 1944. Si se pacta que presentándose dentro de cierto tiempo (que no podrá pasar de un año) persona que mejore la compra se resuelva el contrato, se cumplirá lo pactado; a menos que el comprador o la persona a quien éste hubiere enajenado la cosa, se allane a mejorar en los mismos términos la compra.

La disposición del artículo 1940 se aplica al presente contrato.

Resuelto el contrato tendrá lugar las prestaciones mutuas, como en el caso del pacto de retroventa.

Arts. 713, 714, 716, 965, 966 y 967 C.C.
Art. 374 C.G.P.

Artículo 1945. Pueden agregarse al contrato de venta cualesquiera otros pactos accesorios lícitos, y se regirán por las reglas generales de los contratos.

CAPÍTULO 13º De la rescisión de la venta por lesión enorme

Artículo 1946. El contrato de compraventa podrá rescindirse por lesión enorme.

Artículo 1947. El vendedor sufre lesión enorme cuando el precio que recibe es inferior a la mitad del justo precio de la cosa que vende; y el comprador a su vez sufre lesión enorme, cuando el justo precio de la cosa que compra es inferior a la mitad del precio que paga por ella.

El justo precio se refiere al tiempo del contrato.

Exeq. C-222 de 1994

Artículo 1948. El comprador contra quien se pronuncia la rescisión podrá, a su arbitrio, consentir en ella, o completar el justo precio con deducción de una décima parte[*]; y el vendedor, en el mismo caso, podrá a su arbitrio consentir en la rescisión, o restituir el exceso del precio recibido sobre el justo precio aumentado en una décima parte[*].

No se deberán intereses o frutos sino desde la fecha de la demanda, ni podrá pedirse cosa alguna en razón de las expensas que haya ocasionado el contrato.

[*] Exeq.: C-236 de 2014.

Artículo 1949. [Subrogado Art. 32 L. 57 de 1887]. No habrá lugar a la acción rescisoria por lesión enorme en las ventas de bienes muebles, ni en las que se hubieren hecho por ministerio de la justicia.

Artículo 1950. Si se estipulare que no podrá intentarse la acción rescisoria por lesión enorme, no valdrá la estipulación; y si por parte del vendedor se expresare la intención de donar el exceso, se tendrá esta cláusula por no escrita.

Arts. 1523, 1526 y 1741 C.C.

Artículo 1951. Perdida la cosa en poder del comprador, no habrá derecho por una ni por otra parte para la rescisión del contrato.

Lo mismo será si el comprador hubiere enajenado la cosa; salvo que la haya vendido por más de lo que había pagado por ella, pues en tal caso podrá el primer vendedor reclamar este exceso, pero sólo hasta concurrencia del justo valor de la cosa, con deducción de una décima parte.

Artículo 1952. El vendedor no podrá pedir cosa alguna en razón de los deterioros que haya sufrido la cosa, excepto en cuanto el comprador se hubiere aprovechado de ellos.

Artículo 1953. El comprador que se halle en el caso de restituir la cosa, deberá previamente purificarla de las hipotecas u otros derechos reales que haya constituido en ella.

Artículo 1954. La acción rescisoria por lesión enorme expira en cuatro años, contados desde la fecha de contrato.

TÍTULO 24° De la permutación

Artículo 1955. La permutación o cambio es un contrato en que las partes se obligan mutuamente a dar una especie o cuerpo cierto por otro.

Art. 1850 C.C.

Artículo 1956. El cambio se reputa perfecto por el mero consentimiento, excepto que una de las cosas que se cambian o ambas sean bienes raíces o derechos de sucesión hereditaria, en cuyo caso, para la perfección del contrato ante la ley, será necesaria escritura pública.

Art. 1500 C.C.

Artículo 1957. No pueden cambiarse las cosas que no pueden venderse. Ni son hábiles para el contrato de permutación las personas que no son hábiles para el contrato de venta.

Arts. 1521, 1851, 1852, 1866, 1869, 1870 y 1871 C.C.

Artículo 1958. Las disposiciones relativas a la compraventa se aplicarán a la permutación en todo lo que no se oponga a la naturaleza de este contrato; cada permutante será considerado como vendedor de la cosa que da, y el justo precio de ella a la fecha del contrato se mirará como el precio que paga por lo que recibe en cambio.

Arts. 1880-1954 C.C.

TÍTULO 25° De la cesión de derechos

CAPÍTULO 1° De los créditos personales

Artículo 1959. [Subrogado Art. 33 L. 57 de 1887] La cesión de un crédito, a cualquier título que se haga, no tendrá efecto entre el cedente y el cesionario sino en virtud de la entrega del título. Pero si el crédito que se cede no consta en documento, la cesión puede hacerse otorgándose uno por el cedente al cesionario, y en este caso la notificación de que trata el artículo 1961 debe hacerse con exhibición de dicho documento.

Arts. 761 y 1634 C.C.

Artículo 1960. La cesión no produce efecto contra el deudor ni contra terceros, mientras no ha sido notificada por el cesionario al deudor o aceptada por éste.

Artículo 1961. La notificación debe hacerse con exhibición del título, que llevará anotado el traspaso del derecho con la designación del cesionario y bajo la firma del cedente.

Artículo 1962. La aceptación consistirá en un hecho que la suponga, como la litis contestación con el cesionario, un principio de pago al cesionario, etc.

Artículo 1963. No interviniendo la notificación o aceptación sobredichas podrá el deudor pagar al cedente, o embargarse el crédito por acreedores del cedente; y en general, se considerará existir el crédito en manos del cedente respecto del deudor y terceros.

Artículo 1964. La cesión de un crédito comprende sus fianzas, privilegios e hipotecas; pero no traspasa las excepciones personales del cedente.

Art. 1718 C.C.

Artículo 1965. El que cede un crédito a título oneroso, se hace responsable de su existencia al tiempo de la cesión, esto es, de que verdaderamente le pertenecía en ese tiempo; pero no se hace responsable de la solvencia del deudor, si no se compromete expresamente a ello; ni en tal caso se entenderá que se hace responsable de la solvencia futura, sino sólo de la presente, salvo que se comprenda expresamente la primera; ni se extenderá la responsabilidad sino hasta concurrencia del precio o emolumento que hubiere reportado de la cesión, a menos que expresamente se haya estipulado otra cosa.

Art. 890 C.Co.

Artículo 1966. Las disposiciones de este título no se aplicarán a las letras de cambio, pagarés a la orden, acciones al portador, y otras especies de transmisión que se rigen por el Código de Comercio o por leyes especiales.

Arts. 619-821 C.Co.

CAPÍTULO 2º Del derecho de herencia

Artículo 1967. El que cede a título oneroso un derecho de herencia o legado, sin especificar los efectos de que se compone, no se hace responsable sino de su calidad de heredero o de legatario.

Arts. 665, 1008, 1011 y 1857 C.C.

Artículo 1968. Si el heredero se hubiere aprovechado de los frutos o percibido créditos, o vendido efectos hereditarios, será obligado a reembolsar su valor al cesionario.

El cesionario por su parte será obligado a indemnizar al cedente de los costos necesarios o prudenciales que haya hecho el cedente en razón de la herencia.

Cediéndose una cuota hereditaria se entenderá cederse al mismo tiempo las cuotas hereditarias que por el derecho de acrecer sobrevengan a ella, salvo que se haya estipulado otra cosa.

Se aplicarán las mismas reglas al legatario.

Arts. 1011, 1155, 1162 y 1206 C.C.

CAPÍTULO 3º De los derechos litigiosos

Artículo 1969. Se cede un derecho litigioso cuando el objeto directo de la cesión es el evento incierto de la litis, del que no se hace responsable el cedente.

Se entiende litigioso un derecho, para los efectos de los siguientes artículos, desde que se notifica judicialmente la demanda.

Artículo 1970. Es indiferente que la cesión haya sido a título de venta o de permutación, y que sea el cedente o cesionario el que persigue el derecho.

Artículo 1971. El deudor no será obligado a pagar al cesionario sino el valor de lo que éste haya dado por el derecho cedido, con los intereses desde la fecha en que se haya notificado la cesión al deudor.

Se exceptúa de la disposición de este artículo las cesiones enteramente gratuitas; las que se hagan por el ministerio de la justicia, y las que van comprendidas en la enajenación de una cosa de que el derecho litigioso forma una parte o accesión.

Exceptúanse así mismo las cesiones hechas:

1.) A un coheredero o copropietario por un coheredero o copropietario, de un derecho que es común a los dos.

2.) A un acreedor, en pago de lo que le debe el cedente.

3.) Al que goza de un inmueble como poseedor de buena fe, usufructuario o arrendatario, cuando el derecho cedido es necesario para el goce tranquilo y seguro del inmueble.

Art. 68 C.G.P.

Artículo 1972. El deudor no puede oponer al cesionario el beneficio que por el artículo precedente se le concede, después de transcurridos nueve días de la notificación del decreto en que se manda ejecutar la sentencia.

TÍTULO 26º Del contrato de arrendamiento

Artículo 1973. El arrendamiento es un contrato en que las dos partes se obligan recíprocamente, la una a conceder el goce de una cosa, o a ejecutar una obra o prestar un servicio, y la otra a pagar por este goce, obra o servicio un precio determinado.

Arts. 775, 1496, 1497, 1498 y 1499 C.C.

CAPÍTULO 1º Del arrendamiento de cosas

Artículo 1974. Son susceptibles de arrendamiento todas las cosas corporales o incorporales, que pueden usarse sin consumirse; excepto aquellas que la ley prohíbe arrendar, y los derechos estrictamente personales, como los de habitación y uso.

Puede arrendarse aún la cosa ajena, y el arrendatario de buena fe tendrá acción de saneamiento contra el arrendador, en caso de evicción.

Arts. 878, 1893-1913 C.C.; Nral. 2º Art. 20 C.Co.; Arts. 518 a 524 (arrendamiento de locales comerciales); Ley 820 de 2003 (Régimen de Arrendamiento de Vivienda Urbana).

Artículo 1975. El precio puede consistir ya en dinero; ya en frutos naturales de la cosa arrendada; y en este segundo caso puede fijarse una cantidad determinada o una cuota de los frutos de cada cosecha.

Llámase renta cuando se paga periódicamente.

Arts. 717 y 2000 C.C.

Artículo 1976. El precio podrá determinarse de los mismos modos que en el contrato de venta.

Arts. 1864 y 1865 C.C.

Artículo 1977. En el arrendamiento de cosas, la parte que da el goce de ellas se llama arrendador, y la parte que da el precio arrendatario.

Artículo 1978. La entrega de la cosa que se da en arriendo podrá hacerse bajo cualquiera de las formas de tradición reconocidas por la ley.

Art. 754 C.C.

Artículo 1979. Si se pactare que el arrendamiento no se repute perfecto mientras no se firme escritura, podrá cualquiera de las partes arrepentirse hasta que así se haga o hasta que se haya procedido a la entrega de la cosa arrendada; si intervinieren arras, se seguirán bajo este respecto las mismas reglas que en el contrato de compraventa.

Arts. 1858-1861 C.C.

Artículo 1980. Si se ha arrendado separadamente una misma cosa a dos personas, el arrendatario a quien se haya entregado la cosa será preferido; si se ha entregado a los dos, la entrega posterior no valdrá; si a ninguno, el título anterior prevalecerá.

Art. 1873 C.C.

Artículo 1981. Los arrendamientos de bienes de la Unión, o de establecimientos públicos de ésta, se sujetarán a las disposiciones del presente capítulo, salvo lo estatuido en los códigos o en las leyes especiales.

Art. 13 L. 80 de 1993.

CAPÍTULO 2º De las obligaciones del arrendador en el arrendamiento de cosas

Artículo 1982. El arrendador es obligado:
1.) A entregar al arrendatario la cosa arrendada.
2.) A mantenerla en estado de servir para el fin a que ha sido arrendada.

3.) A librar al arrendatario de toda turbación o embarazo en el goce de la cosa arrendada.

Artículo 1983. Si el arrendador, por hecho o culpa suya o de sus agentes o dependientes, se ha puesto en la imposibilidad de entregar la cosa, el arrendatario tendrá derecho para desistir del contrato, con indemnización de perjuicios.

Habrá lugar a esta indemnización aun cuando el arrendador haya creído erróneamente y de buena fe que podía arrendar la cosa; salvo que la imposibilidad haya sido conocida del arrendatario, o provenga de fuerza mayor o caso fortuito.

Arts. 64, 1546, 1604, 1613, 1614 y 1615 C.C.

Artículo 1984. Si el arrendador, por hecho o culpa suya o de sus agentes o dependientes, es constituido en mora de entregar, tendrá derecho el arrendatario a indemnización de perjuicios.

Si por el retardo se disminuyere notablemente para el arrendatario la utilidad del contrato, sea por haberse deteriorado la cosa o por haber cesado las circunstancias que lo motivaron, podrá el arrendatario desistir del contrato, quedándole a salvo la indemnización de perjuicios, siempre que el retardo no provenga de fuerza mayor o caso fortuito.

Arts. 64, 1604, 1608, 1613, 1614 y 1615 C.C.

Artículo 1985. La obligación de mantener la cosa arrendada en buen estado consiste en hacer, durante el arriendo, todas las reparaciones necesarias, a excepción de las locativas, las cuales corresponden generalmente al arrendatario.

Pero será obligado el arrendador aún a las reparaciones locativas, si los deterioros que las han hecho necesarias provinieron de fuerza mayor o caso fortuito, o de la mala calidad de la cosa arrendada.

Las estipulaciones de los contratantes podrán modificar estas obligaciones.

Arts. 64, 1602, 1998, 2028 y 2029 C.C.

Artículo 1986. El arrendador, en virtud de la obligación de librar al arrendatario de toda turbación o embarazo, no podrá, sin el consentimiento del arrendatario, mudar la forma de la cosa arrendada, ni hacer en ella obras o trabajos algunos que puedan turbarle o embarazarle el goce de ella.

Con todo, si se trata de reparaciones que no pueden sin grave inconveniente diferirse, será el arrendatario obligado a sufrirlas, aun cuando le priven del goce de una parte de la cosa arrendada; pero tendrá derecho a que se le rebaje entre tanto el precio o renta, a proporción de la parte que fuere.

Y si estas reparaciones recaen sobre tan gran parte de la cosa, que el resto no aparezca suficiente para el objeto con que se tomó en arriendo, podrá el arrendatario dar por terminado el arrendamiento. El arrendatario tendrá, además, derecho para que se le abonen los perjuicios, si las reparaciones procedieren de causa que existía ya al tiempo del contrato y no era entonces conocida por el arrendatario, pero lo era por el arrendador, o era tal que el arrendador tuviese antecedentes para temerla, o debiese por su profesión conocerla.

Lo mismo será cuando las reparaciones hayan de embarazar el goce de la cosa demasiado tiempo, de manera que no pueda subsistir el arrendamiento sin grave molestia o perjuicio del arrendatario.

Art. 2024 C.C.

Artículo 1987. Si fuera de los casos previstos en el artículo precedente, el arrendatario es turbado en su goce por el arrendador o por cualquiera persona a quien éste pueda vedarlo, tendrá derecho a indemnización de perjuicios.

Arts. 1604, 1613, 1614 y 1738 C.C.

Artículo 1988. Si el arrendatario es turbado en su goce por vías de hecho de terceros, que no pretenden derecho a la cosa arrendada, el arrendatario a su propio nombre perseguirá la reparación del daño.

Y si es turbado o molestado en su goce por terceros que justifiquen algún derecho sobre la cosa arrendada, y la causa de este derecho hubiere sido anterior al contrato, podrá el arrendatario exigir una disminución proporcionada en el precio o renta del arriendo para el tiempo restante.

Y si el arrendatario, por consecuencia de los derechos que ha justificado un tercero, se hallare privado de tanta parte de la cosa arrendada, que sea de presumir que sin esa parte no habría contratado, podrá exigir que cese el arrendamiento.

Además, podrá exigir indemnización de todo perjuicio, si la causa del derecho justificado por el tercero fue o debió ser conocida del arrendador al tiempo del contrato, pero no lo fue del arrendatario, o siendo conocida de éste, intervino estipulación especial de saneamiento con respecto a ella.

Pero si la causa del referido derecho no era ni debía ser conocida del arrendador al tiempo del contrato, no será obligado el arrendador a abonar el lucro cesante.

Arts. 984, 1613, 1894-1999, 2017, 2018 y 2021 C.C.

Artículo 1989. La acción de terceros que pretendan derecho a la cosa arrendada, se dirigirá contra el arrendador.

El arrendatario será sólo obligado a notificarle la turbación o molestia que reciba de dichos terceros, por consecuencia de los derechos que alegan y si lo omitiere o dilatare culpablemente, abonará los perjuicios que de ello se sigan al arrendador.

Art. 1899 C.C.

Artículo 1990. El arrendatario tiene derecho a la terminación del arrendamiento y aún a la rescisión del contrato, según los casos, si el mal estado o calidad de la cosa le impide hacer de ella el uso para que ha sido arrendada, sea que el arrendador conociese o no el mal estado o calidad de la cosa al tiempo del contrato; y aún en el caso de haber empezado a existir el vicio de la cosa después del contrato, pero sin culpa del arrendatario.

Si el impedimento para el goce de la cosa es parcial, o si la cosa se destruye en parte, el juez o prefecto decidirá, según las circunstancias, si debe tener lugar la terminación del arrendamiento, o concederse una rebaja del precio o renta.

Artículo 1991. Tendrá además derecho el arrendatario, en el caso del artículo precedente, para que se le indemnice el daño emergente, si el vicio de la cosa ha tenido una causa anterior al contrato.

Y si el vicio era conocido del arrendador al tiempo del contrato, o si era tal que el arrendador debiera por los antecedentes preverlo, o por su profesión conocerlo, se incluirá en la indemnización el lucro cesante.

Arts. 1613, 1614, 1914-1918 C.C.

Artículo 1992. El arrendatario no tendrá derecho a la indemnización de perjuicios que se le concede por el artículo precedente, si contrató a sabiendas del vicio y no se obligó el arrendador a sanearlo; o si el vicio era tal, que no pudo sin grave negligencia de su parte ignorarlo; o si renunció expresamente a la acción de saneamiento por el mismo vicio, designándolo.

Arts. 1914-1916 y 1920 C.C.

Artículo 1993. El arrendador es obligado a reembolsar al arrendatario el costo de las reparaciones indispensables no locativas, que el arrendatario hiciere en la cosa arrendada, siempre que el arrendatario no las haya hecho necesarias por su culpa, y que haya dado noticia al arrendador lo más pronto, para que las hiciese por su cuenta. Si la noticia no pudo darse en tiempo, o si el arrendador no trató de hacer oportunamente las reparaciones, se abonará al arrendatario su costo razonable, probada la necesidad.

Arts. 965 y 966 C.C.

Artículo 1994. El arrendador no es obligado a reembolsar el costo de las mejoras útiles, en que no ha consentido con la expresa condición de abonarlas; pero el arrendatario podrá separar y llevarse los materiales sin detrimento de la cosa arrendada; a menos que el arrendador esté dispuesto a abonarle lo que valdrían los materiales, considerándolos separados.

Arts. 965 y 966 C.C.

Artículo 1995. En todos los casos en que se debe indemnización al arrendatario, no podrá ser éste expelido o privado de la cosa arrendada, sin que previamente se le pague o se le asegure el importe por el arrendador.

Pero no se extiende esta regla al caso de extinción involuntaria del derecho del arrendador sobre la cosa arrendada.

Art. 2000 C.C.; Art. 310 C.G.P.

CAPÍTULO 3º De las obligaciones del arrendatario en el arrendamiento de cosas

Artículo 1996. El arrendatario es obligado a usar de la cosa según los términos o el espíritu del contrato; y no podrá, en consecuencia, hacerla servir a otros objetos que los convenidos, o a falta de convención expresa, a aquellos a que la cosa es naturalmente destinada, o que deban presumirse de las circunstancias del contrato o de la costumbre del país.

Si el arrendatario contraviene a esta regla, podrá el arrendador reclamar la terminación del arriendo con indemnización de perjuicios, o limitarse a esta indemnización, dejando subsistir el arriendo.

Arts. 1603, 1546 y 2031 C.C.

Artículo 1997. El arrendatario empleará en la conservación de la cosa el cuidado de un buen padre de familia.

Faltando a esta obligación, responderá de los perjuicios; y aún tendrá derecho el arrendador para poner fin al arrendamiento, en el caso de un grave y culpable deterioro.

Arts. 63, 1604, 1613, 1614 y 2030 C.C.

Artículo 1998. El arrendatario es obligado a las reparaciones locativas. Se entienden por reparaciones locativas las que según la costumbre del país son de cargo de los arrendatarios, y en general las de aquellas especies de deterioro que ordinariamente se producen por culpa del arrendatario o de sus dependientes, como descalabros de paredes o cercas, albañales y acequias, rotura de cristales, etc.

Arts. 8, 1985, 2028 y 2029 C.C.; Art. 13, L. 153 de 1887.

Artículo 1999. El arrendatario es responsable no sólo de su propia culpa sino de las de su familia, huéspedes y dependientes.

Arts. 1738 y 2347 C.C.

Artículo 2000. El arrendatario es obligado al pago del precio o renta.

Podrá el arrendador, para seguridad de este pago y de las indemnizaciones a que tenga derecho, retener todos los frutos existentes de la cosa arrendada, y todos los objetos con que el arrendatario la haya amueblado, guarnecido o provisto, y que le pertenecieren; y se entenderá que le pertenecen, a menos de prueba contraria.

Arts. 1975 y 1995 C.C.

Artículo 2001. Si entregada la cosa al arrendatario hubiere disputa acerca del precio o renta, y por una o por otra parte no se produjere prueba legal de lo estipulado a este respecto, se estará al justiprecio de peritos, y los costos de esta operación se dividirán entre el arrendador y el arrendatario por partes iguales.

Art. 519 C.Co.

Artículo 2002. El pago del precio o renta se hará en los períodos estipulados, o a falta de estipulación, conforme a la costumbre del país, y no habiendo estipulación ni costumbre fija, según las reglas que siguen:

La renta de predios urbanos se pagará por meses, la de predios rústicos por años.

Si una cosa mueble o semoviente se arrienda por cierto número de años, meses, días, cada una de las pensiones periódicas se deberá inmediatamente después de la expiración del respectivo año, mes o día. Si se arrienda por una sola suma, se deberá ésta luego que termine el arrendamiento.

Arts. 8, 2034, 2009 y 2044 C.C.; Art. 13, L. 153 de 1887

Artículo 2003. Cuando por culpa del arrendatario se pone término al arrendamiento, será el arrendatario obligado a la indemnización de perjuicios, y especialmente al pago de la renta por el tiempo que falte hasta el día en que desahuciando hubiera podido hacer cesar el arriendo, o en que el arriendo hubiera terminado sin desahucio.

Podrá, con todo, eximirse de este pago proponiendo, bajo su responsabilidad, persona idónea que le sustituya por el tiempo que falte, y prestando, al efecto, fianza u otra seguridad competente.

Arts. 63, 1604 y 2013 C.C.

Artículo 2004. El arrendatario no tiene la facultad de ceder el arriendo ni de subarrendar, a menos que se le haya expresamente concedido; pero en este caso no podrá el cesionario o subarrendatario usar o gozar de la cosa en otros términos que los estipulados con el arrendatario directo.

Art. 523 C.Co.; Art. 17 L. 820 de 2003.

Artículo 2005. El arrendatario es obligado a restituir la cosa al fin del arrendamiento.

Deberá restituir en el estado en que le fue entregada, tomándose en consideración el deterioro ocasionado por el uso y goce legítimo.

Si no constare el estado en que le fue entregada, se entenderá haberla recibido en regular estado de servicio, a menos que pruebe lo contrario.

En cuanto a los daños y pérdidas sobrevenidos durante su goce, deberá probar que no sobrevinieron por su culpa, ni por culpa de sus huéspedes, dependientes o subarrendatarios, y a falta de esta prueba será responsable.

Arts. 63, 1604 y 1757 C.C.

Artículo 2006. La restitución de la cosa raíz se verificará desocupándola enteramente, poniéndola a disposición del arrendador y entregándole las llaves, si las tuviere la cosa.

Artículo 2007. Para que el arrendatario sea constituido en mora de restituir la cosa arrendada, será necesario requerimiento del arrendador, aun cuando haya precedido desahucio; y si requerido no la restituyere, será condenado al pleno resarcimiento de todos los perjuicios de la mora, y a lo demás que contra él competa como injusto detentador.

Arts. 1608, 1613 y 1614 C.C.

CAPÍTULO 4º De la expiración del arrendamiento de cosas

Artículo 2008. El arrendamiento de cosas expira de los mismos modos que los otros contratos, y especialmente:

1. Por la destrucción total de la cosa arrendada.

2. Por la expiración del tiempo estipulado para la duración del arriendo.

3. Por la extinción del derecho del arrendador, según las reglas que más adelante se expresarán.

4. Por sentencia de juez o de prefecto en los casos que la ley ha previsto.

Arts. 1602 y 1729 C.C.

Artículo 2009. Si no se ha fijado tiempo para la duración del arriendo, o si el tiempo no es determinado por el servicio especial a que se destina la cosa arrendada o por la costumbre, ninguna de las dos partes podrá hacerlo cesar sino desahuciando a la otra, esto es, noticiándoselo anticipadamente.

La anticipación se ajustará al período o medida del tiempo que regula los pagos. Si se arrienda a tanto por día, semana, mes, el desahucio será respectivamente de un día, de una semana, de un mes.

El desahucio empezará a correr al mismo tiempo que el próximo período.

Lo dispuesto en este artículo no se extiende al arrendamiento de inmuebles de que se trata en los capítulos 5° y 6° de este título.

Arts. 8, 2002, 2014 y 2066 C.C.; Art. 13 L. 153 de 1887.

Artículo 2010. El que ha dado noticia para la cesación del arriendo, no podrá después revocarla sin el consentimiento de la otra parte.

Artículo 2011. Si se ha fijado tiempo forzoso para una de las partes, y voluntario para la otra, se observará lo estipulado, y la parte que puede hacer cesar el arriendo a su voluntad, estará, sin embargo, sujeta a dar la noticia anticipada que se ha dicho.

Art. 1602 C.C.

Artículo 2012. Si en el contrato se ha fijado tiempo para la duración del arriendo, o si la duración es determinada por el servicio especial a que se destinó la cosa arrendada, o por la costumbre, no será necesario desahucio.

Art. 8° C.C.; Art. 13 L. 153 de 1887.

Artículo 2013. Cuando el arrendamiento debe cesar en virtud del desahucio de cualquiera de las partes, o por haberse fijado su duración en el contrato, el arrendatario será obligado a pagar la renta de todos los días que falten para que cese, aunque voluntariamente restituya la cosa antes del último día.

Arts. 1554 y 2003 C.C.

Artículo 2014. Terminado el arrendamiento por desahucio, o de cualquier otro modo, no se entenderá en caso alguno que la aparente aquiescencia del arrendador a la retención de la cosa por el arrendatario, es una renovación del contrato.

Si llegado el día de la restitución no se renueva expresamente el contrato, tendrá derecho el arrendador para exigirla cuando quiera.

Con todo, si la cosa fuere raíz, y el arrendatario, con el beneplácito del arrendador, hubiere pagado la renta de cualquier espacio de tiempo subsiguiente a la terminación, o si ambas partes hubieren manifestado por cualquier hecho, igualmente inequívoco, su intención de perseverar en el arriendo, se entenderá renovado el contrato bajo las mismas condiciones que antes, pero no por más tiempo que el de tres meses en los predios urbanos y el necesario para utilizar las labores principiadas y coger los frutos pendientes en los predios rústicos, sin perjuicio de que a la expiración de este tiempo vuelva a renovarse el arriendo de la misma manera.

Art. 717 C.C.

Artículo 2015. Renovado el arriendo, las fianzas, como las prendas[*] o hipotecas constituidas por terceros, no se extenderán a las obligaciones resultantes de su renovación.

[*] Art. 3° Ley 1676 de 2013 sobre garantías mobiliarias.
Art. 1701, 1703 y 1704 C.C.

Artículo 2016. Extinguiéndose el derecho del arrendador sobre la cosa arrendada, por una causa independiente de su voluntad, expirará el arrendamiento aún antes de cumplirse el tiempo que para su duración se hubiere estipulado.

Si, por ejemplo, el arrendador era usufructuario o propietario fiduciario de la cosa, expira el arrendamiento por la llegada del día en que debe cesar el usufructo o pasar la propiedad al fideicomisario; sin embargo de lo que se haya estipulado entre el arrendador y el arrendatario sobre la duración del arriendo, y sin perjuicio de lo dispuesto en el artículo 853, inciso 2o.

Artículo 2017. Cuando el arrendador ha contratado en una calidad particular que hace incierta la duración de su derecho, como la del usufructuario o la del propietario fiduciario, y en todos los casos en que su derecho esté sujeto a una condición resolutoria, no habrá lugar a indemnización de perjuicios por la cesación del arriendo en virtud de la resolución del derecho. Pero si teniendo una calidad de esa especie, hubiere arrendado como propietario absoluto, será obligado a indemnizar al arrendatario; salvo que éste haya contratado a sabiendas de que el arrendador no era propietario absoluto.

Arts. 794, 823, 1536, 1544, 1613 y 1614 C.C.

Artículo 2018. En el caso de expropiación por causa de utilidad pública, se observarán las reglas siguientes:

1. Se dará al arrendatario el tiempo preciso para utilizar las labores principiadas y coger los frutos pendientes.

2. Si la causa de la expropiación fuere de tanta urgencia que no dé lugar a ello, o si el arrendamiento se hubiere estipulado por cierto número de años, todavía pendientes a la fecha de la expropiación, y así constare por escritura pública, se deberá al arrendatario indemnización de perjuicios por la nación o por quien haga la expropiación.

Si sólo una parte de la cosa arrendada ha sido expropiada, habrá lugar a la regla del artículo 1988, inciso 3o.

Art. 58 C.P.

Artículo 2019. Extinguiéndose el derecho del arrendador por hecho o culpa suyos, como cuando vende la cosa arrendada de que es dueño, o siendo usufructuario de ella hace cesión del usufructo al propietario, o pierde la propiedad por no haber pagado el precio de venta, será obligado a indemnizar al arrendatario en todos los casos en que la persona que le sucede en el derecho, no esté obligada a respetar el arriendo.

Arts. 63, 1604, 1613 y 1614 C.C.

Artículo 2020. Estarán obligados a respetar el arriendo:

1. Todo aquel a quien se transfiere el derecho del arrendador por un título lucrativo[*].

2. Todo aquel a quien se transfiere el derecho del arrendador a título oneroso, si el arrendamiento ha sido contraído por escritura pública, exceptuados los acreedores hipotecarios.

3. Los acreedores hipotecarios, si el arrendamiento ha sido otorgado por escritura pública inscrita en el registro de instrumentos públicos, antes de la inscripción hipotecaria.

El arrendatario de bienes raíces podrá requerir por sí solo la inscripción de dicha escritura.

[*] Título lucrativo es sinónimo de título gratuito: un negocio en el que una de las partes recibe algo sin dar o hacer algo como contraprestación.
Arts. 851, 1497 y 2023 y 2461 C.C.

Artículo 2021. Entre los perjuicios que el arrendatario sufra por la extinción del derecho de su autor, y que, según los artículos precedentes, deban resarcírsele, se contarán los que el subarrendatario sufriere por su parte.

El arrendatario directo reclamará la indemnización de estos perjuicios a su propio nombre, o cederá su acción al subarrendatario.

El arrendatario directo deberá reembolsar al subarrendatario las pensiones anticipadas.

Arts. 1613, 1614 y 2004 C.C.

Artículo 2022. El pacto de no enajenar la cosa arrendada, aunque tenga la cláusula de nulidad de la enajenación, no dará derecho al arrendatario sino para permanecer en el arriendo hasta su terminación natural.

Artículo 2023. Si por el acreedor o acreedores del arrendador se trabare ejecución y embargo de la cosa arrendada, subsistirá el arriendo, y se sustituirán el acreedor o acreedores en los derecho y obligaciones del arrendador.

Si se adjudicare la cosa al acreedor o acreedores, tendrá lugar lo dispuesto en el artículo 2020.

Art. 2489 C.C.

Artículo 2024. Podrá el arrendador hacer cesar el arrendamiento en todo o parte, cuando la cosa arrendada necesita de reparaciones que en todo o parte impidan su goce, y el arrendatario tendrá entonces los derechos que le conceden las reglas dadas en el artículo 1986.

Artículo 2025. El arrendador no podrá en caso alguno, a menos de estipulación contraria, hacer cesar el arrendamiento a pretexto de necesitar la cosa arrendada para sí.

Art. 22 Ord. 8° Lit. a) L. 820 de 2003 «sobre arrendamiento de vivienda urbana».

Artículo 2026. La insolvencia declarada del arrendatario no pone fin necesariamente al arriendo.

El acreedor o acreedores podrán sustituirse al arrendatario, prestando fianza a satisfacción del arrendador.

No siendo así, el arrendador tendrá derecho para dar por concluido el arrendamiento; y le competerá acción de perjuicios contra el arrendatario, según las reglas generales.

Art. 2489 C.C.
Arts. 21, 38 Nral. 2° y 50 Nral. 4° L. 1116 de 2006

Artículo 2027. Los arrendamientos hechos por tutores o curadores, por el padre de familia como administrador de los bienes del hijo, o por el marido como administrador de los bienes de su mujer[*], se sujetarán (relativamente a su duración después de terminada la tutela o curaduría, o la administración marital o paternal), a los artículos 496[*] y 1813[*].

[*] Véanse L. 28 de 1932 y Decreto 2820 de 1974. Art. 496 derogado por Art. 119 L. 1306 de 2009; Art. 1813 derogado por Art. 9° Ley 28 de 1932.

CAPÍTULO 5° Reglas particulares al arrendamiento de casas, almacenes u otros edificios

Artículo 2028. Las reparaciones llamadas locativas a que es obligado el inquilino o arrendatario de casa, se reducen a mantener el edificio en el estado que lo recibió; pero no es responsable de los deterioros que provengan del tiempo y uso legítimos, o de fuerza mayor, o de caso fortuito, o de la mala calidad del edificio, por su vetustez, por la naturaleza del suelo, o por defectos de construcción.

Arts. 1985 y 1998 C.C.

Artículo 2029. Será obligado especialmente el inquilino:

1. A conservar la integridad interior de las paredes, techos, pavimentos y cañerías, reponiendo las piedras, ladrillos y tejas que durante el arrendamiento se quiebren o se desencajen.

2. A reponer los cristales quebrados en las ventanas, puertas y tabiques.

3. A mantener en estado de servicio las puertas, ventanas y cerraduras.

Se entenderá que ha recibido el edificio en buen estado, bajo todos estos respectos, a menos que se pruebe lo contrario.

Arts. 1985 y 1998 C.C.

Artículo 2030. El inquilino es, además, obligado a mantener las paredes, pavimentos y demás partes interiores del edificio medianamente aseadas; a mantener limpios los pozos, acequias y cañerías, y a deshollinar las chimeneas.

La negligencia grave bajo cualquiera de estos respectos dará derecho al arrendador para indemnización de perjuicios, y aún para hacer cesar inmediatamente el arriendo en casos graves.

Arts. 63, 1997 y 1998 C.C.

Artículo 2031. El arrendador tendrá derecho para expeler al inquilino que empleare la casa o edificio en un objeto ilícito, o que teniendo facultad de subarrendar, subarriende a personas de notoria mala conducta, que, en este caso, podrán ser igualmente expelidas.

Art. 1996 C.C.

Artículo 2032. Si se arrienda una casa o aposento amueblado, se entenderá que el arriendo de los muebles es por el mismo tiempo que el edificio, a menos de estipulación contraria.

Artículo 2033. El que da en arriendo un almacén o tienda, no es responsable de la pérdida de las mercaderías que allí se introduzcan, sino en cuanto la pérdida hubiere sido por su culpa.

Será especialmente responsable del mal estado del edificio; salvo que haya sido manifiesto o conocido del arrendatario.

Arts. 63, 1990 y 1991 C.C.
Arts. 20 Nral. 2, 518-524 C. Co.

Artículo 2034. El desahucio, en los casos en que tenga lugar, deberá darse con anticipación de un período entero de los designados por la convención o la ley para el pago de la renta.

Arts. 2002 y 2009 C.C.

Artículo 2035. [Derogado. Art. 43 L. 820 de 2003]

CAPÍTULO 6° Reglas particulares, relativas al arrendamiento de predios rústicos

Artículo 2036. El arrendador es obligado a entregar el predio rústico en los términos estipulados. Si la cabida fuere diferente de la estipulada, habrá lugar al aumento o disminución del precio o renta, o a la rescisión del contrato, según lo dispuesto en el título *De la compraventa*.

Arts. 1887-1888 C.C.

Artículo 2037. El colono o arrendatario rústico es obligado a gozar del fundo como buen padre de familia, y si así no lo hiciere, tendrá derecho el arrendador para atajar el mal uso o la deterioración del fundo, exigiendo al efecto fianza u otra seguridad competente, y aún para hacer cesar inmediatamente el arriendo, en casos graves.

Art. 63 C.C.

Artículo 2038. El colono es particularmente obligado a la conservación de los árboles y bosques, limitando el goce de ellos a los términos estipulados.

No habiendo estipulación, se limitará el colono a usar del bosque en los objetos que conciernan al cultivo y beneficio del mismo fundo; pero no podrá cortarlo para la venta de madera, leña o carbón.

Art. 716 C.C.

Artículo 2039. La facultad que tenga el colono para sembrar o plantar, no incluye la de derribar los árboles para aprovecharse del lugar ocupado por ellos; salvo que así se haya expresado en el contrato.

Dec. Único Reglamentario 1076 de 2015, del Sector Ambiente y Desarrollo Sostenible.

Artículo 2040. El colono cuidará de que no se usurpe ninguna parte del terreno arrendado, y será responsable de su omisión en avisar al arrendador, siempre que le hayan sido conocidos la extensión y linderos de la heredad.

Arts. 1988 y 1989 C.C.

Artículo 2041. El colono no tendrá derecho para pedir rebaja de precio o renta, alegando casos fortuitos extraordinarios que han deteriorado o destruido la cosecha.

Exceptúase el colono aparcero, pues en virtud de la especie de sociedad que media entre el arrendador y él, toca al primero una parte proporcional de la pérdida que por caso fortuito sobrevenga al segundo antes o después de percibirse los frutos; salvo que el accidente acaezca durante la mora del colono aparcero en contribuir con su cuota de frutos.

Artículo 2042. Siempre que se arriende un predio con ganados y no hubiere acerca de ellos estipulación especial contraria, pertenecerán al arrendatario todas las utilidades de dichos ganados, y los ganados mismos, con la obligación de dejar en el predio, al fin del arriendo, igual número de cabezas de las mismas edades y calidades.

Si al fin del arriendo no hubiere en el predio suficientes animales de las edades y calidades dichas para efectuar la restitución, pagará la diferencia en dinero.

El arrendador no será obligado a recibir animales que no estén aquerenciados al predio.

Arts. 1565 y 1566 C.C.

Artículo 2043. No habiendo tiempo fijo para la duración del arriendo, deberá darse el desahucio con anticipación de un año, para hacerlo cesar.

El año se entenderá del modo siguiente:

El día del año en que principió la entrega del fundo al colono, se mirará como el día inicial de todos los años sucesivos, y el año de anticipación se contará desde este día inicial, aunque el desahucio se haya dado algún tiempo antes.

Las partes podrán acordar otra regla, si lo juzgaren conveniente.

Arts. 1602, 2002 y 2009 C.C.

Artículo 2044. Si nada se ha estipulado sobre el tiempo del pago, se observará la costumbre del lugar.

Art. 8° C.C.; Art. 13 L. 153 de 1887.

CAPÍTULO 7° Del arrendamiento de criados domésticos

Artículos 2045-2052. [Subrogados. Arts. 22 y ss. C.S.T.]

CAPÍTULO 8° De los contratos para la confección de una obra material

Artículo 2053. Si el artífice suministra la materia para la confección de una obra material, el contrato es de venta; pero no se perfecciona sino por la aprobación del que ordenó la obra.

Por consiguiente, el peligro de la cosa no pertenece al que ordenó la obra sino desde su aprobación, salvo que se haya constituido en mora de declarar si la aprueba o no. Si la materia es suministrada por la persona que encargó la obra, el contrato es de arrendamiento.

Si la materia principal es suministrada por el que ha ordenado la obra, poniendo el artífice lo demás, el contrato es de arrendamiento; en el caso contrario, de venta.

El arrendamiento de obra se sujeta a las reglas generales del contrato de arrendamiento, sin perjuicio de las especiales que siguen.

> Arts. 1608, 1849 y 1973 C.C.

Artículo 2054. Si no se ha fijado precio, se presumirá que las partes han convenido en el que ordinariamente se paga por la misma especie de obra, y a falta de éste, por el que se estimare equitativo a juicio de peritos.

> Art. 8° C.C.
> Art. 13 L. 153 de 1887

Artículo 2055. Si se ha convenido en dar a un tercero la facultad de fijar el precio, y muriere éste antes de procederse a la ejecución de la obra, será nulo el contrato; si después de haberse procedido a ejecutar la obra, se fijará el precio por peritos.

> Arts. 1740 y 1865 C.C.

Artículo 2056. Habrá lugar a reclamación de perjuicios, según las reglas generales de los contratos, siempre que por una o por otra parte no se haya ejecutado lo convenido, o se haya retardado su ejecución.

Por consiguiente, el que encargó la obra, aún en el caso de haberse estipulado un precio único y total por ella, podrá hacerla cesar, reembolsando al artífice todos los costos, y dándole lo que valga el trabajo hecho, y lo que hubiera podido ganar en la obra.

> Arts. 1546, 1604, 1613 y 1614 C.C.

Artículo 2057. La pérdida de la materia recae sobre su dueño.

Por consiguiente, la pérdida de la materia suministrada por el que ordenó la obra, pertenece a éste; y no es responsable el artífice sino cuando la materia perece por su culpa o por culpa de las personas que le sirven.

Aunque la materia no perezca por su culpa, ni por la de dichas personas, no podrá el artífice reclamar el precio o salario, si no es en los casos siguientes:

1. Si la obra ha sido reconocida y aprobada.

2. Si no ha sido reconocida y aprobada por mora del que encargó la obra.

3. Si la cosa perece por vicio de la materia suministrada por el que encargó la obra, salvo que el vicio sea de aquéllos que el artífice, por su oficio, haya debido conocer; o que conociéndolo, no haya dado aviso oportuno.

Arts. 1604, 1607, 1729, 1738 y 1991 C.C.

Artículo 2058. El reconocimiento puede hacerse parcialmente cuando se ha convenido en que la obra se apruebe por partes.

Artículo 2059. Si el que encargó la obra alegare no haberse ejecutado debidamente, se nombrarán por las dos partes peritos que decidan.

Siendo fundada la alegación del que encargó la obra, el artífice podrá ser obligado, a elección del que encargó la obra, a hacerla de nuevo o a la indemnización de perjuicios.

La restitución de los materiales podrá hacerse con otros de igual calidad o en dinero.

Arts. 1604 y 1610 C.C.; Arts. 426 y 433 C.G.P.

Artículo 2060. Los contratos para construcción de edificios, celebrados con un empresario que se encarga de toda la obra por un precio único prefijado, se sujetan además a las reglas siguientes:

1. El empresario no podrá pedir aumento de precio, a pretexto de haber encarecido los jornales o los materiales, o de haberse hecho agregaciones o modificaciones en el plan primitivo; salvo que se haya ajustado un precio particular por dichas agregaciones o modificaciones.

2. Si circunstancias desconocidas, como un vicio oculto del suelo, ocasionaren costos que no pudieron preverse, deberá el empresario hacerse autorizar para ellos por el dueño; y si éste rehúsa, podrá ocurrir al juez o prefecto para que decida si ha debido o no preverse el recargo de obra, y fije el aumento de precio que por esta razón corresponda.

3. Si el edificio perece o amenaza ruina, en todo o parte, en los diez años subsiguientes a su entrega, por vicio de la construcción, o por vicio del suelo que el empresario o las personas empleadas por él hayan debido conocer en razón de su oficio, o por vicio de los materiales, será responsable el empresario; si los materiales han sido suministrados por el dueño, no habrá lugar a la responsabilidad del empresario sino en conformidad al artículo 2041, inciso final[*].

4. El recibo otorgado por el dueño, después de concluida la obra, sólo significa que el dueño la aprueba, como exteriormente ajustada al plan y a las

reglas del arte, y no exime al empresario de la responsabilidad que por el inciso precedente se le impone.

5. Si los artífices u obreros empleados en la construcción del edificio han contratado con el dueño directamente por sus respectivas pagas, se mirarán como contratistas independientes, y tendrán acción directa contra el dueño; pero si han contratado con el empresario, no tendrán acción contra el dueño sino subsidiariamente y hasta concurrencia de lo que éste debía al empresario.

[*] La remisión correcta es al Art. 2057, Nral. 3°; Art. 2351 C.C.; Art. 8° L. 1796 de 2016; Art. 34 C.S.T.

Artículo 2061. Las reglas 3, 4, y 5 del precedente artículo, se extienden a los que se encargan de la construcción de un edificio en calidad de arquitectos.

Artículo 2062. Todos los contratos para la construcción de una obra se resuelven por la muerte del artífice o del empresario; y si hay trabajos o materiales preparados que puedan ser útiles para la obra de que se trata, el que la encargó será obligado a recibirlos y a pagar su valor; lo que corresponda en razón de los trabajos hechos se calculará proporcionalmente, tomando en consideración el precio estipulado para toda la obra.

Por la muerte del que encargó la obra no se resuelve el contrato.

CAPÍTULO 9° Del arrendamiento de servicios inmateriales

Artículo 2063. Las obras inmateriales o en que predomina la inteligencia sobre la obra de mano, como una composición literaria, o la corrección tipográfica de un impreso, se sujetan a las disposiciones especiales de los artículos 2054, 2055, 2056 y 2059.

Artículo 2064. Los servicios inmateriales que consisten en una larga serie de actos, como los de los escritores asalariados para la prensa, secretarios de personas privadas, preceptores, ayas, histriones y cantores, se sujetan a las reglas especiales que siguen.

Artículo 2065. Respecto de cada una de las obras parciales en que consista el servicio, se observará lo dispuesto en el artículo 2063.

Artículo 2066. Cualquiera de las dos partes podrá poner fin al servicio cuando quiera, o con el desahucio que se hubiere estipulado. Si la retribución consiste en pensiones periódicas, cualquiera de las dos partes deberá dar noticia a la otra de su intención de poner fin al contrato, aunque en este no se haya estipulado desahucio, y la anticipación será de medio período a lo menos.

Art. 2009 C.C.

Artículo 2067. Si para prestar el servicio se ha hecho mudar de residencia al que lo presta, se abonarán por la otra parte los gastos razonables de ida y vuelta.

Artículo 2068. Si el que presta el servicio se retira intempestivamente, o su mala conducta da motivo para despedirle, no podrá reclamar cosa alguna en razón de desahucio o de gastos de viaje.

Artículo 2069. Los artículos precedentes se aplican a los servicios que según el artículo 2144 se sujetan a las reglas del mandato, en lo que no tuvieren de contrario a ellas.

CAPÍTULO 10° El arrendamiento de transporte

Artículo 2070. El arrendamiento de transporte es un contrato en que una parte se compromete, mediante cierto flete o precio, a transportar o hacer transportar una persona o cosa de un paraje a otro.

El que se encarga de transportar se llama generalmente acarreador, y toma los nombres de arriero, carretero, barquero, naviero, según el modo de hacer el transporte.

El que ejerce la industria de hacer ejecutar transportes de personas o cargas, se llama empresario de transportes.

La persona que envía o despacha la carga se llama consignante, y la persona a quien se envía consignatario.

Arts. 981 y ss. C.Co.

Artículo 2071. Las obligaciones que aquí se imponen al acarreador, se entienden impuestas al empresario de transporte, como responsable de la idoneidad y buena conducta de las personas que emplea.

Art. 1738 C.C.

Artículo 2072. El acarreador es responsable del daño o perjuicio que sobrevenga a la persona, por la mala calidad del carruaje, barca o navío en que se verifica el transporte.

Es asimismo responsable de la destrucción y deterioro de la carga, a menos que se haya estipulado lo contrario, o que se pruebe vicio de la carga, fuerza mayor o caso fortuito.

Y tendrá lugar la responsabilidad del acarreador, no sólo por su propio hecho, sino por el de sus agentes o sirvientes.[*]

[*] Inexeq.: C-390 de 2017. La expresión «sirvientes» en lo sucesivo debe ser sustituida por la expresión «empleados o trabajadores».
Arts. 1604, 1613 y 1614 C.C

Artículo 2073. El acarreador es obligado a la entrega de la cosa en el paraje y tiempo estipulados, salvo que pruebe fuerza mayor o caso fortuito.

No podrá alegarse por el acarreador la fuerza mayor o caso fortuito que pudo con mediana prudencia o cuidado evitarse.

Arts. 64 y 1604 C.C.

Artículo 2074. El precio de la conducción de una mujer no se aumenta por el hecho de parir en el viaje, aunque el acarreador haya ignorado que estaba encinta.

Artículo 2075. El que ha contratado con el acarreador para el transporte de una persona o carga, es obligado a pagar el precio o flete del transporte y el resarcimiento de daños ocasionados por hecho o culpa del pasajero o de su familia o sirvientes[*], o por el vicio de la carga.

[*] Inexeq.: C-383 de 2017. La expresión «sirvientes» se sustituye por la expresión «trabajadores o empleados».
Arts. 1604, 1613 y 1614 C.C.

Artículo 2076. Si por cualquiera causa dejaren de presentarse en el debido tiempo el pasajero o carga, el que ha tratado con el acarreador para el transporte, será obligado a pagar la mitad del precio o flete.

Igual pena sufrirá el acarreador que no se presentare en el paraje y tiempo convenidos.

Artículo 2077. La muerte del acarreador o del pasajero no pone fin al contrato; las obligaciones se transmiten a los respectivos herederos, sin perjuicio de lo dispuesto generalmente sobre fuerza mayor o caso fortuito.

Arts. 64, 1155 y 1604 C.C.

Artículo 2078. Las reglas anteriores se observarán sin perjuicio de las especiales para los mismos objetos, contenidas en las leyes particulares, relativas a cada especie de tráfico y en el Código de Comercio[*].

[*] El numeral 11 del artículo 20 del C.Co. dispone que son mercantiles las empresas de transporte de personas o de cosas, a título oneroso, cualesquiera que fueren la vía y el medio utilizados. El Título IV del Libro Cuarto del Código de Comercio reglamenta el contrato de transporte.

TÍTULO 27° De la sociedad

Artículos 2079 al 2141. [Derogados. Art. 242 L. 222 de 1995]

TÍTULO 28° Del mandato

CAPÍTULO 1° Definiciones y reglas generales

Artículo 2142. El mandato es un contrato en que una persona confía la gestión de uno o más negocios a otra, que se hace cargo de ellos por cuenta y riesgo de la primera.

La persona que concede el encargo se llama comitente o mandante, y la que lo acepta apoderado, procurador, y en general mandatario.

Arts. 2145, 2146 y 2147 C.C.; Arts. 1262 y ss C.Co.

Artículo 2143. El mandato puede ser gratuito o remunerado. La remuneración es determinada por convención de las partes, antes o después del contrato, por la ley o por el juez.

Art. 2155 C.C.; Arts. 1264 y 1265 C.Co.

Artículo 2144. Los servicios de las profesiones y carreras que suponen largos estudios, o a que está unida la facultad de representar y obligar a otra persona, respecto de terceros, se sujetan a las reglas del mandato.

Art. 2069 C.C.

Artículo 2145. El negocio que interesa al mandatario solo, es un mero consejo que no produce obligación alguna.

Artículo 2146. Si el negocio interesa juntamente al que hace el encargo y al que lo acepta, o a cualquiera de estos dos o a ambos y un tercero, o a un tercero exclusivamente, habrá verdadero mandato; si el mandante obra sin autorización del tercero, se producirá entre estos dos el cuasicontrato de la agencia oficiosa.

Arts. 2304-2312 C.C; Art. 842 C.Co.

Artículo 2147. La simple recomendación de negocios ajenos no es, en general, mandato; el juez decidirá según las circunstancias, si los términos de la recomendación envuelven mandato. En caso de duda se entenderá recomendación.

Artículo 2148. El mandatario que ejecuta de buena fe un mandato nulo o que por una necesidad imperiosa sale de los límites de su mandato, se convierte en un agente oficioso.

Arts. 1740, 1741, 2157 y 2304-2312 C.C

Artículo 2149. El encargo que es objeto del mandato puede hacerse por escritura pública o privada, por cartas, verbalmente o de cualquier otro modo inteligible, y aún por la aquiescencia tácita de una persona a la gestión de sus negocios por otra.

Artículo 2150. El contrato de mandato se reputa perfecto por la aceptación del mandatario. La aceptación puede ser expresa o tácita.

Aceptación tácita es todo acto en ejecución del mandato.

Aceptado el mandato no podrá disolverse el contrato sino por mutua voluntad de las partes.

Arts. 28 y 2151 C.C.

Artículo 2151. Las personas que por su profesión u oficio se encargan de negocios ajenos, están obligadas a declarar lo más pronto posible si aceptan o no el encargo que una persona ausente les hace; y transcurrido un término razonable, su silencio se mirará como aceptación.

Aún cuando se excusen del encargo, deberán tomar las providencias conservativas urgentes que requiera el negocio que se les encomienda.

Arts. 66 y 2176 C.C.; Art. 1275 C.Co.

Artículo 2152. Puede haber uno o más mandantes, y uno o más mandatarios.

Arts. 2153 y 2198 C.C.; Arts. 1272 y 1276 C.Co.

Artículo 2153. Si se constituyen dos o más mandatarios, y el mandante no ha dividido la gestión, podrán dividirla entre sí los mandatarios; pero si se les ha prohibido obrar separadamente, lo que hicieren de este modo será nulo.

Art. 2198 C.C.; Arts. 1272 y 1276 C.Co.

Artículo 2154. Si se constituye mandatario a un menor no habilitado de edad[*], o a una mujer casada[**], los actos ejecutados por el mandatario serán válidos respecto de terceros, en cuanto obliguen a estos y al mandante; pero las obligaciones del mandatario para con el mandante y terceros, no podrán tener efecto sino según las reglas relativas a los menores y a las mujeres casadas[**].

[*] La habilitación de edad fue derogada por la Ley 27 de 1997.
[**] A partir de la vigencia de la Ley 28 de 1932, la mujer tiene plena capacidad.
Arts. 1502-1505 y 1747 C.C.

Artículo 2155. El mandatario responde hasta de la culpa leve en el cumplimiento de su encargo.

Esta responsabilidad recae más estrictamente sobre el mandatario remunerado.

Por el contrario, si el mandatario ha manifestado repugnancia al encargo, y se ha visto en cierto modo forzado a aceptarlo, cediendo a las instancias del mandante, será menos estricta la responsabilidad que sobre él recaiga.

Arts. 63 y 1604 C.C.

Artículo 2156. Si el mandato comprende uno o más negocios especialmente determinados, se llama especial; si se da para todos los negocios del mandante, es general; y lo será igualmente si se da para todos, con una o más excepciones determinadas.

La administración está sujeta en todos casos a las reglas que siguen.

Art. 28 C.C.

CAPÍTULO 2º De la administración del mandato

Artículo 2157. El mandatario se ceñirá rigurosamente a los términos del mandato, fuera de los casos en que las leyes le autoricen a obrar de otro modo.

Arts. 2159, 2173-2176, 2180, 2186 y 2187 C.C.; Arts. 1263, 1266 y 1267 C.Co.

Artículo 2158. El mandato no confiere naturalmente al mandatario más que el poder de efectuar los actos de administración, como son pagar las deudas y cobrar los créditos del mandante, perteneciendo unos y otros al giro administrativo ordinario; perseguir en juicio a los deudores, intentar las acciones posesorias e interrumpir las prescripciones, en lo tocante a dicho giro; contratar las reparaciones de las cosas que administra, y comprar los materiales necesarios para el cultivo o beneficio de las tierras, minas, fábricas u otros objetos de industria que se le hayan encomendado.

Para todos los actos que salgan de estos límites, necesitará de poder especial.

Arts. 1468, 1688, 2157, 2159, 2165 y 2471 C.C.; Arts. 1263 y 1273 C.Co.; Art. 74 C.G.P.

Artículo 2159. Cuando se da al mandatario la facultad de obrar del modo que más conveniente le parezca, no por eso se entenderá autorizado para alterar la sustancia del mandato, ni para los actos que exigen poderes o cláusulas especiales.

Por la cláusula de libre administración se entenderá solamente que el mandatario tiene la facultad de ejecutar aquellos actos que las leyes designan como autorizados por dicha cláusula.

Arts. 1638 y 1688 C.C.

Artículo 2160. La recta ejecución del mandato comprende no sólo la sustancia del negocio encomendado, sino los medios por los cuales el mandante ha querido que se lleve a cabo.

Se podrán, sin embargo, emplear medios equivalentes, si la necesidad obligare a ello, y se obtuviere completamente de ese modo el objeto del mandato.

Arts. 1266 y 1267 C.Co.

Artículo 2161. El mandatario podrá delegar el encargo si no se le ha prohibido; pero no estando expresamente autorizado para hacerlo, responderá de los hechos del delegado como de los suyos propios.

Esta responsabilidad tendrá lugar aún cuando se le haya conferido expresamente la facultad de delegar, si el mandante no le ha designado la persona, y el delegado era notoriamente incapaz o insolvente.

Arts. 2162-2164 C.C.; Art. 75 C.G.P.

Artículo 2162. La delegación no autorizada o no ratificada expresa o tácitamente por el mandante, no da derecho a terceros contra el mandante por los actos del delegado.

Art. 2186 C.C.

Artículo 2163. Cuando la delegación a determinada persona ha sido autorizada expresamente por el mandante, se constituye entre el mandante y el delegado un nuevo mandato que sólo puede ser revocado por el mandante, y no se extingue por la muerte u otro accidente que sobrevenga al anterior mandatario.

Art. 2161 C.C.

Artículo 2164. El mandante podrá, en todos casos, ejercer contra el delegado las acciones del mandatario que le ha conferido el encargo.

Artículo 2165. En la inhabilidad del mandatario para donar no se comprenden naturalmente las ligeras gratificaciones que se acostumbra hacer a las personas de servicio.

Artículo 2166. La aceptación que expresa el mandatario de lo que se debe al mandante, no se mirará como aceptación de éste sino cuando la cosa o cantidad que se entrega ha sido suficientemente designada en el mandato, y lo que el mandatario ha recibido corresponde en todo a la designación.

Artículo 2167. La facultad de transigir no comprende la de comprometer ni viceversa.

El mandatario no podrá deferir al juramento decisorio sino a falta de toda otra prueba.

Arts. 2470 y 2471 C.C.; Art. 4 L. 1563 de 2012.

Artículo 2168. El poder especial para vender comprende la facultad de recibir el precio.

Artículo 2169. La facultad de hipotecar no comprende la de vender ni viceversa.

Artículo 2170. No podrá el mandatario por sí ni por interpuesta persona, comprar las cosas que el mandante le ha ordenado vender, ni vender de lo suyo al mandante lo que éste le ha ordenado comprar, si no fuere con aprobación expresa del mandante.

Art. 1856 C.C.

Artículo 2171. Encargado de tomar dinero prestado, podrá prestarlo él mismo al interés designado por el mandante, o a falta de esta designación, al interés corriente; pero facultado para colocar dinero a interés, no podrá tomarlo prestado para sí sin aprobación del mandante.

Art. 2172 C.C.; Art. 1271 C.Co.

Artículo 2172. No podrá el mandatario colocar a interés dineros del mandante sin su expresa autorización.

Colocándolos a mayor interés que el designado por el mandante, deberá abonárselo íntegramente, salvo que se la haya autorizado para apropiarse el exceso.

Artículo 2173. En general, podrá el mandatario aprovecharse de las circunstancias para realizar su encargo con mayor beneficio o menor gravamen que los designados por el mandante, con tal que bajo otros respectos no se aparte de los términos del mandato. Se le prohibe apropiarse lo que exceda al beneficio o minore el gravamen designado en el mandato.

Por el contrario, si negociare con menos beneficio o más gravamen que los designados en el mandato, le será imputable la diferencia.

Arts. 2157, 2174 y 2175 C.C.

Artículo 2174. Las facultades concedidas al mandatario se interpretarán con alguna más latitud, cuando no está en situación de poder consultar el mandante.

Art. 1267 C.Co.

Artículo 2175. El mandatario debe abstenerse de cumplir el mandato cuya ejecución sería manifiestamente perniciosa al mandante.

Art. 1274 C.Co.

Artículo 2176. El mandatario que se halle en imposibilidad de obrar con arreglo a sus instrucciones, no es obligado a constituirse agente oficioso; le basta tomar las providencias conservativas que las circunstancias exijan.

Pero si no fuere posible dejar de obrar sin comprometer gravemente al mandante, el mandatario tomará el partido que más se acerque a sus instrucciones, y que más convenga al negocio.

Compete al mandatario probar la fuerza mayor o caso fortuito que la imposibilitó de llevar a efecto las órdenes del mandante.

Arts. 64, 1604, 2146, 2151, 1732 y 1733 C.C.; Art. 1 L. 95 de 1890.

Artículo 2177. El mandatario puede, en el ejercicio de su cargo, contestar *(sic)*[*] a su propio nombre o al del mandante; si contrata a su propio nombre no obliga respecto de terceros al mandante.

[*] Léase «contratar» en vez de «contestar».
Art. 1505 C.C.

Artículo 2178. El mandatario puede, por un pacto especial tomar sobre su responsabilidad la solvencia de los deudores y todas las incertidumbres y embarazos del cobro. Constitúyese entonces principal deudor para con el mandante, y son de su cuenta hasta los casos fortuitos y la fuerza mayor.

Arts. 64, 1604, 1732 y 1733 C.C.; Art. 1 L. 95 de 1890.

Artículo 2179. Las especies metálicas que el mandatario tiene en su poder, por cuenta del mandante, perecen para el mandatario aún por fuerza mayor o caso fortuito, salvo que estén contenidas en cajas o sacos cerrados y sellados sobre los cuales recaiga el accidente o la fuerza, o que por otros medios inequívocos pueda probarse incontestablemente la identidad.

Arts. 64, 1604, 1607, 1729, 1730 y 1732 C.C.

Artículo 2180. El mandatario que ha excedido los límites de su mandato es solo responsable al mandante, y no es responsable a terceros sino:

1. Cuando no les ha dado suficiente conocimiento de sus poderes.

2. Cuando se ha obligado personalmente.

Arts. 1507, 2157 y 2186 C.C.

Artículo 2181. El mandatario es obligado a dar cuenta de su administración.

Las partidas importantes de su cuenta serán documentadas si el mandante no le hubiere relevado de esta obligación.

La relevación de rendir cuentas no exonera al mandatario de los cargos que contra él justifique el mandante.

Art. 2312 C.C.; Arts. 1268-1270 C.Co.

Artículo 2182. Debe al mandante los intereses corrientes de dinero de este que haya empleado en utilidad propia.

Debe, asimismo, los intereses del saldo que de las cuentas resulte en contra suya, desde que haya sido constituido en mora.

Art. 1608 C.C.

Artículo 2183. El mandatario es responsable tanto de lo que ha recibido de terceros, en razón del mandato (aún cuando no se deba al mandante), como de lo que ha dejado de recibir por su culpa.

Art. 63 C.C.

CAPÍTULO 3° De las obligaciones del mandante

Artículo 2184. El mandante es obligado:

1. A proveer al mandatario de lo necesario para la ejecución del mandato.

2. A reembolsarle los gastos razonables causados por la ejecución del mandato.

3. A pagarle la remuneración estipulada o usual.

4. A pagarle las anticipaciones de dinero con los intereses corrientes.

5. A indemnizarle de las pérdidas en que haya incurrido sin culpa, o por causa del mandato.

No podrá el mandante disculparse de cumplir estas obligaciones, alegando que el negocio encomendado al mandatario no ha tenido buen éxito o que pudo desempeñarse a menos costo; salvo que le pruebe culpa.

Arts. 63 y 2185 C.C.; Art. 1286 C.Co.

Artículo 2185. El mandante que no cumple por su parte aquello a que es obligado, autoriza al mandatario para desistir de su encargo.

Artículo 2186. El mandante cumplirá las obligaciones que a su nombre ha contraído el mandatario dentro de los límites del mandato.

Será, sin embargo, obligado el mandante si hubiere ratificado expresa o tácitamente cualesquiera obligaciones contraídas a su nombre.

Arts. 742, 744, 1505-1507, 2157 y 2162 C.C.

Artículo 2187. Cuando por los términos del mandato o por la naturaleza del negocio apareciere que no debió ejecutarse parcialmente, la ejecución parcial no obligará al mandante sino en cuanto le aprovechare.

El mandatario responderá de la inejecución del resto en conformidad al artículo 2193.

Arts. 2173 y 2193 C.C.

Artículo 2188. Podrá el mandatario retener los efectos que se le hayan entregado por cuenta del mandante para la seguridad de las prestaciones a que este fuere obligado por su parte.

Art. 2417 C.C.; Art. 1277 C.Co.

CAPÍTULO 4º De la terminación del mandato

Artículo 2189. El mandato termina:

1. Por el desempeño del negocio para que fue constituido.

2. Por la expiración del término o por el evento de la condición prefijados para la terminación del mandato.

3. Por la revocación del mandante.

4. Por la renuncia del mandatario.

5. Por la muerte del mandante o del mandatario.

6. Por la quiebra o insolvencia del uno o del otro.

7. Por la interdicción del uno o del otro.

8. [Derogado. Art. 70 Dec. 2820 de 1974][*].

9. Por las cesaciones de las funciones del mandante, si el mandato ha sido dado en ejercicio de ellas.

[*] Art. 70 Dec. 2820 de 1974: «Deróganse los artículos (...) 2189 ordinal 8o. (...) del Código Civil (...)».

Arts. 1644, 2190, 2192, 2194 y 2196 C.C.; Arts. 1279-1286 C.Co.; Art. 76 C.G.P.; Art. 16 L. 1116 de 2006.

Artículo 2190. La revocación del mandante puede ser expresa o tácita. La tácita es el encargo del mismo negocio a distinta persona.

Si el primer mandato es general y el segundo especial subsiste el primer mandato para los negocios no comprendidos en el segundo.

Arts. 1279-1282 C.Co.

Artículo 2191. El mandante puede revocar el mandato a su arbitrio, y la revocación expresa o tácita, produce su efecto desde el día que el mandatario ha tenido conocimiento de ella.

Arts. 1279-1282 C.Co.

Artículo 2192. El mandante que revoca tendrá derecho para exigir del mandatario la restitución de los instrumentos que haya puesto en sus manos para la ejecución del mandato; pero de las piezas que pueden servir al mandatario para justificar sus actos, deberá darle copia firmada de su mano si el mandatario lo exigiere.

Artículo 2193. La renuncia del mandatario no pondrá fin a sus obligaciones, sino después de transcurrido el tiempo razonable para que el mandante pueda proveer a los negocios encomendados.

De otro modo se hará responsable de los perjuicios que la renuncia cause al mandante; a menos que se halle en la imposibilidad de administrar por enfermedad u otra causa, o sin grave perjuicio de sus intereses propios.

Art. 2187 C.C.

Artículo 2194. Sabida la muerte natural del mandante, cesará el mandatario en sus funciones; pero si de suspenderlas se sigue perjuicio a los herederos del mandante, será obligado a finalizar la gestión principiada.

Arts. 1284 y 1285 C.Co.

Artículo 2195. No se extingue por la muerte del mandante el mandato destinado a ejecutarse después de ella. Los herederos suceden en este caso en los derechos y obligaciones del mandante.

Artículo 2196. Los herederos del mandatario que fueren hábiles para la administración de sus bienes, darán aviso inmediatamente de su fallecimiento al mandante; y harán en favor de éste lo que puedan y las circunstancias exijan: la omisión a este respecto los hará responsables de los perjuicios.

A igual responsabilidad estarán sujetos los albaceas, los tutores y curadores, y todos aquéllos que sucedan en la administración de los bienes del mandatario que ha fallecido o se ha hecho incapaz.

Artículo 2197. Si la mujer ha contraído un mandato antes del matrimonio, subsiste el mandato; pero el marido podrá revocarlo a su arbitrio[*].

[*] A partir de la vigencia de la Ley 28 de 1932, la mujer casada es plenamente capaz.
Dec. 2820 de 1974.

Artículo 2198. Si son dos o más los mandatarios, y por la constitución del mandato están obligados a obrar conjuntamente, la falta de uno de ellos, por cualquiera de las faltas antedichas, pondrá fin al mandato.

Arts. 2152 y 2153 C.C.

Artículo 2199. En general, todas las veces que el mandato expira por una causa ignorada del mandatario, lo que éste haya hecho en ejecución del mandato será valido, y dará derecho a terceros de buena fe, contra el mandante.

Quedará así mismo obligado el mandante, como si subsistiera el mandato, a lo que el mandatario, sabedor de la causa que lo haya hecho expirar, hubiere pactado con terceros de buena fe; pero tendrá derecho a que el mandatario le indemnice.

Cuando el hecho que ha dado causa a la expiración del mandato, hubiere sido notificado al público por periódicos o carteles, y en todos los casos en que no pareciere probable la ignorancia del tercero, podrá el juez en su prudencia, absolver al mandante.

Art. 2365 C.C.

TÍTULO 29º Del comodato o préstamo de uso

Artículo 2200. El comodato o préstamo de uso es un contrato en que la una de las partes entrega a la otra gratuitamente una especie mueble o raíz, para que haga uso de ella, y con cargo de restituir la misma especie después de terminar el uso.

Este contrato no se perfecciona sino por la tradición de la cosa.

Arts. 655, 656, 665, 754, 775, 870, 1495, 1497 y 1500 C.C.

Artículo 2201. El comodante conserva sobre la cosa prestada todos los derechos que antes tenía, pero no su ejercicio, en cuanto fuere incompatible con el uso concedido al comodatario.

Arts. 775 y 786 C.C.

Artículo 2202. El comodatario no puede emplear la cosa sino en el uso convenido, o falta de convención en el uso ordinario de las de su clase.

En el caso de contravención podrá el comodante exigir la reparación de todo perjuicio, y la restitución inmediata, aún cuando para la restitución se haya estipulado plazo.

Arts. 1546, 1551, 1603, 1613, 1614 y 1996 C.C.

Artículo 2203. El comodatario es obligado a emplear el mayor cuidado en la conservación de la cosa, y responde hasta de la culpa levísima.

Es, por tanto, responsable de todo deterioro que no provenga de la naturaleza o del uso legítimo de la cosa; y si este deterioro es tal, que la cosa no sea ya susceptible de emplearse en su uso ordinario, podrá el comodante exigir el precio anterior de la cosa, abandonando su propiedad al comodatario.

Pero no es responsable de caso fortuito, si no es:

1. Cuando ha empleado la cosa en un uso indebido, o ha demorado su restitución, a menos de aparecer o probarse que el deterioro o pérdida por el caso fortuito habría sobrevenido igualmente sin el uso ilegítimo o la mora.

2. Cuando el caso fortuito ha sobrevenido por culpa suya, aunque levísima.

3. Cuando en la alternativa de salvar de un accidente la cosa prestada o la suya, ha preferido deliberadamente la suya.

4. Cuando expresamente se ha hecho responsable de casos fortuitos.

Arts. 63, 64, 1604 y 1732 C.C.; Art. 1 L. 95 de 1890.

Artículo 2204. Sin embargo de lo dispuesto en el artículo precedente, si el comodato fuere en pro de ambas partes, no se extenderá la responsabilidad del comodatario sino hasta la culpa leve, y si en pro del comodante, sólo hasta la culpa lata.

Arts. 63 y 1604 C.C.

Artículo 2205. El comodatario es obligado a restituir la cosa prestada en el tiempo convenido, o a falta de convención, después del uso para que ha sido prestada.

Pero podrá exigirse la restitución aún antes del tiempo estipulado en tres casos:

1. Si muere el comodatario, a menos que la cosa haya sido prestada para un servicio particular que no pueda diferirse o suspenderse.

2. Si sobreviene al comodante una necesidad imprevista y urgente de la cosa.

3. Si ha terminado o no tiene lugar el servicio para el cual se ha prestado la cosa.

Arts. 94, 1551, 1721, 2211, 2220 y 2257 C.C.

Artículo 2206. La restitución deberá hacerse al comodante o a la persona que tenga derecho para recibirla a su nombre, según las reglas generales.

Si la cosa ha sido prestada por un incapaz que usaba de ella con permiso de su representante legal, será válida su restitución al incapaz.

Arts. 62, 1504 y 2257 C.C.

Artículo 2207. El comodatario no podrá excusarse de restituir la cosa, reteniéndola para seguridad de lo que le deba el comodante.

Arts. 1721, 2218, 2257, 2258 y 2417 C.C.

Artículo 2208. El comodatario no tendrá derecho para suspender la restitución, alegando que la cosa prestada no pertenece al comodante; salvo que haya sido perdida, hurtada o robada a su dueño, o que se embargue judicialmente en manos del comodatario.

Si se ha prestado una cosa perdida, hurtada o robada, el comodatario que lo sabe y no lo denuncia al dueño, dándole un plazo razonable para reclamarla, se hará responsable de los perjuicios que de la restitución se sigan al dueño.

Y si el dueño no la reclamare oportunamente podrá hacerse la restitución al comodante.

El dueño, por su parte, tampoco podrá exigir la restitución sin el consentimiento del comodante o sin decreto de juez.

Arts. 1551, 1613, 1614, 2257 y 2415 C.C.

Artículo 2209. El comodatario es obligado a suspender la restitución de toda especie de armas ofensivas y de toda otra cosa de que sepa se trata de hacer un uso criminal, pero deberá ponerlas a disposición del juez.

Lo mismo se observará cuando el comodante ha perdido el juicio, y carece de curador.

Art. 2257 C.C.; Art. 2 L. 1306 de 2009.

Artículo 2210. Cesa la obligación de restituir desde que el comodatario descubre que él es el verdadero dueño de la cosa prestada.

Con todo, si el comodante le disputa el dominio deberá restituir; a no ser que se halle en estado de probar breve y sumariamente que la cosa prestada le pertenece.

Arts. 669 y 2257 C.C.

Artículo 2211. Las obligaciones y derechos que nacen del comodato, pasan a los herederos de ambos contrayentes, pero los del comodatario no tendrán derecho a continuar en el uso de la cosa prestada, sino en el caso excepcional del artículo 2205, número 1o.

Arts. 1155 y 2205 C.C.

Artículo 2212. Si los herederos del comodatario no teniendo conocimiento del préstamo, hubieren enajenado la cosa prestada, podrá el comodante (no pudiendo o no queriendo hacer uso de la acción reivindicatoria o siendo esta ineficaz), exigir de los herederos que le paguen el justo precio de la cosa prestada, o que le cedan las acciones que en virtud de la enajenación les competa, según viere convenirle.

Si tuvieron conocimiento del préstamo, resarcirán todo perjuicio, y aún podrán ser perseguidos criminalmente, según las circunstancias del hecho.

Arts. 946, 1155, 1613, 1614 y 2255 C.C.

Artículo 2213. Si la cosa no perteneciere al comodante, y el dueño la reclamare antes de terminar el comodato, no tendrá el comodatario acción de perjuicios contra el comodante; salvo que éste haya sabido que la cosa era ajena, y no lo haya advertido al comodatario.

Arts. 63, 769 y 946 C.C.

Artículo 2214. Si la cosa ha sido prestada a muchos, todos son solidariamente responsables.

Arts. 1568 y 1583 C.C.

Artículo 2215. El comodato no se extingue por la muerte del comodante.

Art. 94 C.C.

Artículo 2216. El comodante es obligado a indemnizar al comodatario de las expensas que sin su previa noticia haya hecho, para la conservación de la cosa, bajo las condiciones siguientes:

1. Si las expensas no han sido de las ordinarias de conservación, como la de alimentar al caballo.

2. Si han sido necesarias y urgentes, de manera que no haya sido posible consultar al comodante, y se presuma fundadamente que teniendo éste la cosa en su poder no hubiera dejado de hacerlas.

Arts. 66, 965 y 968 C.C.

Artículo 2217. El comodante es obligado a indemnizar al comodatario de los perjuicios que le haya ocasionado la mala calidad o condición del objeto prestado, con tal que la mala calidad o condición reúna estas tres circunstancias:

1. Que haya sido de tal naturaleza que probablemente hubiese de ocasionar los perjuicios.

2. Que haya sido conocida, y no declarada por el comodante.

3. Que el comodatario no haya podido, con mediano cuidado, conocerla o precaver los perjuicios.

Arts. 63, 769, 1613, 1614, 1991, 1992 y 2228 C.C.

Artículo 2218. El comodatario podrá retener la cosa prestada mientras no se efectúa la indemnización de que se trata en los dos artículos precedentes; salvo que el comodante caucione el pago de la cantidad en que se le condenare.

Arts. 65, 961, 970, 2207 y 2417 C.C.

Artículo 2219. El comodato toma el título de precario si el comodante se reserva la facultad de pedir la cosa prestada en cualquier tiempo.

Art. 28 C.C.

Artículo 2220. Se entiende precario cuando no se presta la cosa para un servicio particular, ni se fija tiempo para su restitución.

Constituye también precaria *(sic)* la tenencia de una cosa ajena, sin previo contrato y por ignorancia o mera tolerancia del dueño.

Arts. 66, 775, 786, 2205 y 2520 C.C.

TÍTULO 30º Del mutuo o préstamo de consumo

Artículo 2221. El mutuo o préstamo de consumo es un contrato en que una de las partes entrega a la otra cierta cantidad de cosas fungibles con cargo de restituir otras tantas del mismo género y calidad.

Arts. 28, 663, 740, 1495, 1500 y 1565 C.C.; Arts. 1163-1169 C.Co.

Artículo 2222. No se perfecciona el contrato de mutuo sino por la tradición, y la tradición transfiere el dominio.

Arts. 669, 740, 754 y 1500 C.C.

Artículo 2223. Si se han prestado cosas fungibles que no sean dinero, se deberán restituir igual cantidad de cosas del mismo género y calidad, sea que el precio de ellas haya bajado o subido en el intervalo. Y si esto no fuere posible y no lo exigiere el acreedor, podrá el mutuario pagar lo que valgan en el tiempo y lugar en que ha debido hacerse el pago.

Arts. 663 y 1565 C.C.; Art. 1165 C.Co.

Artículo 2224. Si se ha prestado dinero, sólo se debe la suma numérica enunciada en el contrato.

Podrá darse una clase de moneda por otra, aún a pesar del mutuante, siempre que las dos sumas se ajusten a la relación establecida por la ley entre las dos clases de moneda; pero el mutuante no será obligado a recibir en plata menuda o cobre, sino hasta el límite que las leyes especiales hayan fijado o fijaren.

Lo dicho en este artículo se entiende sin perjuicio de convención contraria.

Arts. 15 y 1501 C.C.

Artículo 2225. Si no se hubiere fijado término para el pago no habrá derecho de exigirlo dentro de los diez días subsiguientes a la entrega.

Art. 1551 C.C.; Art. 1164 C.Co.

Artículo 2226. Si se hubiere pactado que el mutuario pague cuando le sea posible, podrá el juez, atendidas las circunstancias, fijar un término.

Art. 1551 C.C.; Art. 1164 C.Co.; Arts. 577 y ss C.G.P.

Artículo 2227. Si hubiere prestado el que no tenía derecho de enajenar, se podrán reivindicar las especies mientras conste su identidad.

Desapareciendo la identidad, el que las recibió de mala fe será obligado al pago inmediato, con el máximo de los intereses que la ley permite estipular; pero el mutuario de buena fe sólo será obligado al pago con los intereses estipulados, y después del término concedido en el artículo 2225.

Arts. 769, 946, 1871 y 2225 C.C.

Artículo 2228. El mutuante es responsable de los perjuicios que experimenta el mutuario, por la mala calidad o los vicios ocultos de la cosa prestada, bajo las condiciones expresadas en el artículo 2217.

Si los vicios ocultos eran tales que, conocidos, no se hubiera probablemente celebrado el contrato, podrá el mutuario pedir que se rescinda.

Arts. 1613, 1614, 1914, 1915 y 2217 C.C.

Artículo 2229. Podrá el mutuario pagar toda la suma prestada, aún antes del término estipulado, *salvo que se hayan pactado intereses*.

Exeq. Cond. C-252 de 1998: «*Decláranse EXEQUIBLES, en los términos de esta sentencia, la expresión acusada del artículo 2229 del Código Civil (...) Es entendido que los intereses correspondientes no pueden estar en ningún caso por encima de los topes legales*».
Arts. 1554, 1649 y 2379 C.C.; Art. 884 C.Co.; Art. 120, Nral. 4, Dec. 663 de 1993.

Artículo 2230. Se puede estipular intereses en dinero o cosas fungibles.

Arts. 663 y 717 C.C.; Arts. 884 y 1163 C.Co.; Art. 180 C.G.P.; Art. 68 L. 45 de 1990.

Artículo 2231. El interés convencional que exceda de una mitad al que se probare haber sido interés corriente al tiempo de la convención, será reducido por el juez a dicho interés corriente, si lo solicitare el deudor.

Arts. 1601, 1617 y 2466 C.C.; Arts. 884, 1163 y 1168 C.Co.; Art. 180 C.G.P.; Art. 68 L. 45 de 1990.

Artículo 2232. *Si en la convención se estipulan intereses sin expresarse la cuota, se entenderán fijados los intereses legales*[*].

El interés legal se fija en un seis por ciento anual[**].

[*] Exeq. C-364 de 200.
[**] Exeq. C-485 de 1995.
Arts. 66, 1495, 1501 y 1617 C.C.; Arts. 1163 y 1168 C.Co.

Artículo 2233. Si se han pagado intereses, aunque no estipulados, no podrán repetirse ni imputarse al capital.

Art. 1653 C.C.

Artículo 2234. Si se han estipulado intereses, y el mutuante ha dado carta de pago por el capital, sin reservar expresamente los intereses, se presumirán pagados.

Art. 66, 1628 y 1653 C.C.; Art. 1163 C.Co.

Artículo 2235. *Se prohíbe estipular intereses de intereses.*

Exeq. C-364 de 200.
Arts. 6, 15 y 1617 C.C.; Art. 1 D. 1454 de 1989; Arts. 886 y 1168 C.Co.

TÍTULO 31° Del depósito y el secuestro

Artículo 2236. Llámase en general depósito el contrato en que se confía una cosa corporal a una persona que se encarga de guardarla y de restituir en especie.

La cosa depositada se llama también depósito.

Arts. 28, 653, 775, 786 y 1495 C.C.; Arts. 1170-1191 C.Co.

Artículo 2237. El contrato se perfecciona por la entrega que el depositante hace de la cosa al depositario.

Art. 1500 C.C.

Artículo 2238. Se podrá hacer la entrega de cualquier modo que transfiera la tenencia de lo que se deposite.

Podrán también convenir las partes en que una de ellas retenga como depósito lo que estaba en su poder por otra causa.

Arts. 775 y 786 C.C.

Artículo 2239. El depósito es de dos maneras: depósito propiamente dicho y secuestro.

Arts. 2240-2281 C.C.; Arts. 1170-1191 C.Co.

CAPÍTULO 1° Del depósito propiamente dicho

Artículo 2240. El depósito propiamente dicho es un contrato en que una de las partes entrega a la otra una cosa corporal o (sic) mueble para que la guarde, y la restituya en especie, a voluntad del depositante.

Arts. 28, 653, 655, 1495 y 1500 C.C.

Artículo 2241. El error acerca de la identidad personal del uno o del otro contratante, acerca de la sustancia, calidad o cantidad de la cosa depositada, no invalida el contrato.

El depositario, sin embargo, habiendo padecido error acerca de la persona del depositante, o descubriendo que la guarda de la cosa depositada le acarrea peligro, podrá restituir inmediatamente el depósito.

Arts. 1508, 1511 y 1512 C.C.

Artículo 2242. Cuando según las reglas generales deba otorgarse este contrato por escrito, y se hubiere omitido esta formalidad, será creído el depositario sobre su palabra, sea en orden al hecho mismo del depósito, sea en cuanto a la cosa depositada o al hecho de la restitución.

Arts. 1500 y 1757 C.C.

Artículo 2243. Este contrato no puede tener pleno efecto sino entre personas capaces de contratar.

Si no lo fuere el depositante, el depositario contraerá, sin embargo, todas las obligaciones de tal.

Y si no lo fuere el depositario, el depositante tendrá sólo acción para reclamar la cosa depositada, mientras está en poder del depositario, y a falta de esta circunstancia, tendrá sólo acción personal contra el depositario hasta concurrencia de aquello en que por el depósito se hubiere hecho más rico, quedándole a salvo el derecho que tuviere contra terceros poseedores, y sin perjuicio de las penas que las leyes impongan al depositario en caso de dolo.

Arts. 63, 666, 762, 1502-1504, 1515 y 1747 C.C.

Artículo 2244. El depósito propiamente dicho es gratuito.

Si se estipula remuneración por la simple custodia de una cosa, el depósito degenera en arrendamiento de servicio, y el que presta el servicio es responsable hasta de la culpa leve; pero bajo todo otro respecto, está sujeto a las obligaciones del depositario y goza de los derechos de tal.

Arts. 63, 1497, 1501, 1604 y 1973 C.C.; Art. 1170 C.Co.

Artículo 2245. Por el mero depósito no se confiere al depositario la facultad de usar la cosa depositada sin el permiso de depositante.

Este permiso podrá a veces presumirse, y queda al arbitrio del juez calificar las circunstancias que justifiquen la presunción, como las relaciones de amistad y confianza entre las partes.

Se presume más fácilmente este permiso en las cosas que no se deterioran sensiblemente por el uso.

Arts. 66 y 2420, C.C.; Arts. 1172 y 1179 C.Co.

Artículo 2246. En el depósito de dinero si no es en arca cerrada, cuya llave tiene el depositante, o con otras precauciones que hagan imposible tomarlo sin factura, se presumirá que se permite emplearlo, y el depositario será obligado a restituir otro tanto en la misma moneda.

Arts. 66, 2179, 2221 y 2253 C.C.; Art. 1173 C.Co.

Artículo 2247. Las partes podrán estipular que el depositario responda de toda especie de culpa.

A falta de estipulación responderá solamente de la culpa grave.

Pero será responsable de la leve en los casos siguientes:

1. Si se ha ofrecido espontáneamente o ha pretendido se le prefiera a otra persona para depositario.

2. Si tiene algún interés personal en el depósito, sea porque se le permita usar de él en ciertos casos, sea porque se le conceda remuneración.

Arts. 63, 1501, 1604, 2244 y 2263 C.C.; Art. 1171 C.Co.

Artículo 2248. La obligación de guardar la cosa comprende la de respetar los sellos y cerraduras del bulto que la contiene.

Art. 2249 C.C.

Artículo 2249. Si se han roto los sellos o forzado las cerraduras por culpa del depositario, se estará a la declaración del depositante en cuanto al número y calidad de las especies depositadas; pero no habiendo culpa del depositario, será necesaria, en caso de desacuerdo, la prueba.

Se presume culpa del depositario en todo caso de fractura o forzamiento.

Arts. 63, 66, 1604, 1757 y 2248 C.C.

Artículo 2250. El depositario no debe violar el secreto de un depósito de confianza, ni podrá ser obligado a revelarlo.

Artículo 2251. La restitución es a voluntad del depositante.

Si se fija tiempo para la restitución, esta cláusula será sólo obligatoria para el depositario, que en virtud de ella no podrá devolver el depósito antes del tiempo estipulado; salvo en los casos determinados que las leyes expresan.

Arts. 1721, 2252 y 2280 C.C.; Art. 1174 C.Co.

Artículo 2252. La obligación de guardar la cosa dura hasta que el depositante la pida; pero el depositario podrá exigir que el depositante disponga de ella cuando se cumpla el término estipulado para la duración del depósito, o cuando, aún sin cumplirse el término, peligre el depósito en su poder o le cause perjuicio.

Y si el depositante no dispone de ella, podrá consignarse a sus expensas con las formalidades legales.

Arts. 1551, 1608, 1656-1665, 2251 y 2280 C.C.

Artículo 2253. El depositario es obligado a la restitución de la misma cosa o cosas individuales que se han confiado en depósito, aunque consistan en dinero o cosas fungibles, salvo el caso del artículo 2206[*].

La cosa depositada debe restituir con todas sus accesiones y frutos.

[*] Debió hacerse referencia al artículo 2246.

Arts. 663, 713-739, 2240 y 2246, C.C.; Art. 1174 C.Co.

Artículo 2254. El depositario que no se ha constituido en mora de restituir, no responde naturalmente de fuerza mayor o caso fortuito; pero si a consecuencia del accidente recibe el precio de la cosa depositada u otra en lugar de ella, es obligado a restituir al depositante lo que se le haya dado.

Arts. 64, 1501, 1604, 1607 y 1608 C.C.

Artículo 2255. Si los herederos, no teniendo noticia del depósito, han vendido la cosa depositada, el depositante (no pudiendo o no queriendo hacer uso de la acción reivindicatoria o siendo esta ineficaz) podrá exigirles que le restituyan lo que hayan recibido por dicha cosa, o que le cedan las acciones que en virtud de la enajenación les competan.

Arts. 752, 946, 1155, 1871 y 2212 C.C.

Artículo 2256. Los costos del transporte que sean necesarios para la restitución del depósito serán de cargo del depositante.

Art. 1178 C.Co.

Artículo 2257. Las reglas de los artículos 2205 hasta 2210, se aplican al depósito.

Arts. 2205-2210 C.C.

Artículo 2258. El depositario no podrá, sin el consentimiento del depositante, retener la cosa depositada, a título de compensación, o en seguridad de lo que el depositante le deba; sino sólo en razón de las expensas y perjuicios de que habla el siguiente artículo.

Arts. 961, 1721, 2207, 2259, 2417 y 2421 C.C.; Art. 1177 C.Co.; Art. 310 C.G.P.

Artículo 2259. El depositante debe indemnizar al depositario de las expensas que haya hecho para la conservación de la cosa, y que probablemente hubiera hecho él mismo, teniéndola en su poder; como también de los perjuicios que sin culpa suya le haya ocasionado el depósito.

Arts. 961, 965, 1604, 1613, 1614, 2216 y 2277 C.C.; Art. 456 C.G.P.

CAPÍTULO 2º Del depósito necesario

PARÁGRAFO 1º

Artículo 2260. El depósito propiamente dicho se llama necesario, cuando la elección del depositario no depende de la libre voluntad del depositante, como en el caso de un incendio, ruina, saqueo u otra calamidad semejante.

Arts. 28, 64 y 2240 C.C.

Artículo 2261. Acerca del depósito necesario es admisible toda especie de prueba.

Art. 165 C.G.P.

Artículo 2262. El depósito necesario de que se hace cargo un adulto que no tiene la libre administración de sus bienes, pero que está en su sana razón, constituye un cuasicontrato, que obliga al depositario sin la autorización de su representante legal.

Arts. 34, 62, 432, 1504 y 2302 C.C.

Artículo 2263. La responsabilidad del depositario se extiende hasta la culpa leve.

Arts. 63, 1604 y 2247 C.C.

Artículo 2264. En lo demás, el depósito necesario está sujeto a las mismas reglas que el voluntario.

Arts. 2240-2259 C.C.

PARÁGRAFO 2º

Artículo 2265. Los efectos que el que se aloja en una posada introduce en ella, entregándolos al posadero, o a sus dependientes, se miran como depositados bajo la custodia del posadero. Este depósito se asemeja al necesario, y se le aplican los artículos 2261 y siguientes.

Arts. 2261-2264 y 2347 C.C.; Art. 1195 C.Co.

Artículo 2266. El posadero es responsable de todo daño que se cause a dichos efectos por culpa suya o de sus dependientes, o de los extraños que visitan la posada, y hasta de los hurtos y robos; pero no de fuerza mayor o caso fortuito, salvo que se le pueda imputar a culpa o dolo.

Arts. 63, 64, 1604 y 2347 C.C.; Art. 1196 C.Co.; Art. 239 y 241 Nral. 5 C.Pen.

Artículo 2267. El posadero es, además, obligado a la seguridad de los efectos que el alojado conserva alrededor de sí. Bajo este respecto es responsable del daño causado, o del hurto o robo cometido por los [*sirvientes*] de la posada, o por personas extrañas que no sean familiares o visitantes del alojado.

Inexeq. C-001 de 2018: «*Declarar INEXEQUIBLE la expresión "sirvientes" contenida en el artículo 2267 del Código Civil, la cual en lo sucesivo debe sustituirse por las expresiones "trabajadores" o "empleados"*».
Arts. 2270, 2271 y 2347 C.C.; Art. 1196 C.Co.; Art. 239 y 241 Nral. 5 C.Pen.

Artículo 2268. El alojado que se queja de daño, hurto o robo, deberá probar el número, calidad y valor de los efectos desaparecidos.

Art. 167 C.G.P.; Art. 239 y 241 Nral. 5 C.Pen.

Artículo 2269. El viajero que trajere consigo efectos de gran valor, de los que no entran ordinariamente en el equipaje de personas de su clase, deberá hacerlo saber al posadero, y aún mostrárselos, si lo exigiere, para que se emplee especial cuidado en su custodia; y de no hacerlo así, podrá el juez desechar en esta parte la demanda.

Art. 2267 C.C.; Art. 1195 C.Co.

Artículo 2270. Si el hecho fuere, de algún modo, imputable a negligencia del alojado, será absuelto el posadero.

Art. 2267 C.C.; Art. 1196 C.Co.

Artículo 2271. Cesará también la responsabilidad del posadero, cuando se ha convenido exonerarle de ella.

Art. 1604 C.C.

Artículo 2272. Lo dispuesto en los artículos precedentes se aplica a los administradores de fondas, cafés, casas de billar o de baños, y otros establecimientos semejantes.

Arts. 1172-1179 y 1192-1199 C.Co.

CAPÍTULO 3° Del secuestro

Artículo 2273. El secuestro es el depósito de una cosa que se disputan dos o más individuos, en manos de otro que debe restituir al que obtenga una decisión a su favor.

El depositario se llama secuestre.

Arts. 28, 775, 786, 958, 2240 y 2279 C.C.; Arts. 478, 480, 481, 595-597, 601 y 602 C.G.P.

Artículo 2274. Las reglas del secuestro son las mismas que las del depósito propiamente dicho, salvas las disposiciones que se expresan en los siguientes artículos y en las leyes de procedimiento.

Arts. 2240-2259 C.C.

Artículo 2275. Pueden ponerse en secuestro no sólo cosas muebles, sino bienes raíces.

Arts. 655 y 656 C.C.

Artículo 2276. El secuestro es convencional o judicial.

El convencional se constituye por el solo consentimiento de las personas que se disputan el objeto litigioso.

El judicial se constituye por decreto de juez, y no ha menester otra prueba.

Art. 28 C.C.; Arts. 478, 480, 481, 595-597, 601 y 602 C.G.P.

Artículo 2277. Los depositantes contraen para con el secuestre las mismas obligaciones que el depositante respecto del depositario en el depósito propiamente dicho, por lo que toca a los gastos y daños que le haya causado el secuestro.

Arts. 961 y 2259 C.C.

Artículo 2278. Perdiendo la tenencia podrá el secuestre reclamarla contra toda persona, incluso cualquiera de los depositantes, que la haya tomado sin el consentimiento del otro, o sin decreto del juez, según el caso fuere.

Arts. 775, 950, 984 y 2342 C.C.

Artículo 2279. El secuestro de un inmueble tiene relativamente a su administración, las facultades y deberes de mandatario, y deberá dar cuenta de sus actos al futuro adjudicatario.

Arts. 656 y 2157-2183 C.C.

Artículo 2280. Mientras no recaiga sentencia de adjudicación, pasada en autoridad de cosa juzgada, no podrá el secuestre exonerarse de su cargo, sino por una necesidad imperiosa, de que dará aviso a los depositantes, si el secuestro fuere convencional, o al juez en el caso contrario, para que disponga su relevo.

Podrá también cesar antes de dicha sentencia, por voluntad unánime de las partes, si el secuestro fuere convencional, o por decreto de juez, en el caso contrario.

Arts. 2251 y 2276 C.C.; Art. 303 C.G.P.

Artículo 2281. Pronunciada y ejecutoriada dicha sentencia, debe el secuestre restituir el depósito al adjudicatario.

Art. 456 C.G.P.

TÍTULO 32° De los contratos aleatorios

Artículo 2282. Los principales contratos aleatorios son:
1. El juego.
2. La apuesta; y
3. La Constitución de renta vitalicia.

CAPÍTULO 1° Del juego y de la apuesta

Artículo 2283. El juego y apuesta no producen acción ni excepción.
El que gana no puede exigir pago.
Si el que pierde paga, tiene, en todo caso, acción para repetir lo pagado.

[*] El texto corresponde a la sustitución efectuada por el Art. 95, L. 153 de 1887.
A partir del régimen de monopolio y regulación de la explotación de los juegos
de suerte y azar, la presente disposición debe entenderse circunscrita en sus
efectos a los juegos y apuestas no autorizados.
Art. 336 C.P.; Art. 1525 C.C. L. 643 de 2001; Arts. 38, 84, 162 y 205 C. Pol.

Artículo 2284. Hay dolo en el que hace la apuesta, si sabe de cierto que
se ha de verificar o se ha verificado el hecho de que se trata.

Art. 63 C.C.

Artículo 2285. Lo pagado por personas que no tienen la libre administración de sus bienes, podrá repetirse, en todos casos, por los respectivos padres
de familia, [maridos], tutores o curadores.

[*] Aparte derogado tácitamente por la ley 28 de 1932.
Art. 1504 C.C.

Artículo 2286. Sin embargo de lo dispuesto en el artículo 2283, producirán acción los juegos de fuerza o destreza corporal, como el de armas, carreras
a pie o a caballo, pelota, bola y otros semejantes, con tal que en ellos no se
contravenga a las leyes de policía.

En caso de contravención desechará el juez la demanda en el todo.

CAPÍTULO 2° De la constitución de renta vitalicia

Artículo 2287. La constitución de renta vitalicia es un contrato aleatorio
en que una persona se obliga, a título oneroso, a pagar a otra una renta o
pensión periódica, durante la vida de cualquiera de estas dos personas de un
tercero.

Art. 1498 C.C.; Arts. 24-11, 100, 101 y 284 E.T.

Artículo 2288. La renta vitalicia podrá constituirse a favor de dos o más
personas que gocen de ella simultáneamente, con derecho de acrecer o sin
él, o sucesivamente, según el orden convenido, con tal que todas existan al
tiempo del contrato.

Art. 1206 C.C

Artículo 2289. Se podrá también estipular que la renta vitalicia se deba, durante la vida de varios individuos, que se designará. No podrá designarse para este objeto persona alguna que no exista al tiempo del contrato.

Artículo 2290. El precio de la renta vitalicia, o lo que se paga por el derecho de percibirla, puede consistir en dinero, o en cosas raíces o muebles.
La pensión no podrá ser sino en dinero.

Art. 1523 C.C

Artículo 2291. Es libre a los contratantes establecer la pensión que quieran, a titulo de renta vitalicia. La ley no determina proporción alguna entre la renta y el precio.

Artículo 2292. El contrato de renta vitalicia deberá precisamente otorgarse por escritura pública, y no se perfeccionará sino por la entrega del precio.

Arts. 1500 y 1760 C.C.; Art. 243 C.G.P.; Arts. 12 y 13 Dec. 960 de 1970.

Artículo 2293. Es nulo el contrato si antes de perfeccionarse muere la persona de cuya existencia pende la duración de la renta, o al tiempo del contrato adolecía de una enfermedad que le haya causado la muerte dentro de los treinta días subsiguientes.

Arts. 94, 1740, 2289 y 2292 C.C.

Artículo 2294. El acreedor no podrá pedir la rescisión del contrato, aún en el caso de no pagársele la pensión, ni podrá pedirla el deudor aún ofreciendo restituir el precio, y restituir o devengar las pensiones devengadas, salvo que los contratantes hayan estipulado otra cosa.

Arts. 1501, 1546 y 2295 C.C.

Artículo 2295. En caso de no pagarse la pensión podrá procederse contra los bienes del deudor para el pago de lo atrasado, y obligarle a prestar seguridades para el pago futuro.

Arts. 65 y 2488 C.C.; Art. 422 y ss C.G.P.

Artículo 2296. Si el deudor no presta las seguridades estipuladas podrá el acreedor pedir que se anule contrato.

Arts. 65 y 2295 C.C.

Artículo 2297. Si el tercero, de cuya existencia pende la duración de la renta, sobrevive a la persona que debe gozarla, se transmite el derecho de ésta a los que la sucedan por causa de muerte.

Arts. 1008 y 2289 C.C.

Artículo 2298. Para exigir el pago de la renta vitalicia será necesario probar la existencia de la persona de cuya vida depende.

Art. 165 C.G.P.

Artículo 2299. Muerta la persona de cuya existencia pende la duración de la renta vitalicia, se deberá la de todo el año corriente, si en el contrato se ha estipulado que se pagase con anticipación, y a falta de esta estipulación se deberá solamente la parte que corresponda al número de días corridos.

Arts. 1418 y 1501 C.C.

Artículo 2300. La renta vitalicia no se extingue por prescripción alguna; salvo que haya dejado de percibirse y demandarse por más de treinta años continuos[*].

[*] El artículo 1º de la Ley 50 de 1936 redujo las prescripciones treintenarias a veinte años y, posteriormente, el artículo 1º de la Ley 791 de 2002 redujo las prescripciones veintenarias a diez años.

Art. 2535 C.C.

Artículo 2301. Cuando se constituye una renta vitalicia gratuitamente no hay contrato aleatorio.

Se sujetará, por tanto, a las reglas de las donaciones y legados, sin perjuicio de regirse por los artículos precedentes en cuanto le fueren aplicables.

Arts. 1162-1205, 1443-1493, 1497 y 1498 C.C.

TÍTULO 33º De los cuasicontratos

Artículo 2302. [Derogado. Art. 45. L. 57 de 1887] [Sustituido. Art. 34. L. 57 de 1887] Las obligaciones que se contraen sin convención, nacen o de la ley o del hecho voluntario de las partes. Las que nacen de la ley se expresan en ella.

Si el hecho de que nacen es lícito, constituye un cuasicontrato.

Si el hecho es ilícito, y cometido con intención de dañar, constituye un delito.

Si el hecho es culpable, pero cometido sin intención de dañar, constituye un cuasidelito o culpa.

> Arts. 28, 1449, 2341 C.C.

Artículo 2303. Hay tres principales cuasicontratos: la agencia oficiosa, el pago de lo no debido, y la comunidad.

CAPÍTULO 1º De la agencia oficiosa o gestión de negocios ajenos

Artículo 2304. La agencia oficiosa o gestión de negocios ajenos, llamada comúnmente gestión de negocios, es un contrato[*] por el cual el que administra sin mandato los bienes de alguna persona, se obliga para con ésta, y la obliga en ciertos casos.

> [*] El artículo 2304 define de forma impropia la agencia oficiosa al calificarla como «contrato». Es un cuasicontrato.
> Arts. 2146, 2148 y 2176. C.C; Art. 57 C.G.P.

Artículo 2305. Las obligaciones del agente oficioso o gerente son las mismas que las del mandatario.

> Arts. 742, 2158-2183 C.C.; Arts. 1262 y 1263 C.Co.

Artículo 2306. Debe, en consecuencia, emplear en la gestión los cuidados de un buen padre de familia; pero su responsabilidad podrá ser mayor o menor en razón de las circunstancias que le hayan determinado a la gestión.

Si se ha hecho cargo de ella para salvar de un peligro inminente los intereses ajenos, sólo es responsable del dolo o de la culpa grave; y si ha tomado voluntariamente la gestión es responsable hasta de la culpa leve; salvo que se haya ofrecido a ella, impidiendo que otros lo hiciesen, pues en este caso responderá de toda culpa.

> Arts. 63 y 1604 C.C.

Artículo 2307. Debe, así mismo, encargarse de todas las dependencias del negocio, y continuar en la gestión hasta que el interesado pueda tomarla o encargarla a otro.

Si el interesado fallece, deberá continuar en la gestión hasta que los herederos dispongan.

Artículo 2308. Si el negocio ha sido bien administrado, cumplirá el interesado las obligaciones que el gerente ha contraído en la gestión, y le reembolsará las expensas útiles o necesarias.

El interesado no es obligado a pagar salario alguno al gerente.

Si el negocio ha sido mal administrado, el gerente es responsable de los perjuicios.

Arts. 965, 966, 2395 y 2400 C.C.

Artículo 2309. El que administra un negocio ajeno contra la expresa prohibición del interesado no tiene demanda contra él, sino en cuanto esa gestión le hubiere sido efectivamente útil, y existiere la utilidad al tiempo de la demanda, por ejemplo, si de la gestión ha resultado la extinción de una deuda que, sin ella, hubiere debido pagar el interesado.

El juez, sin embargo, concederá en este caso al interesado el plazo que pida para el pago de la demanda, y que por las circunstancias del demandado parezca equitativo.

Arts. 1551, 1632, 1747, 2395 y 2400 C.C.

Artículo 2310. El que creyendo hacer su propio negocio hace el de otra persona, tiene derecho para ser reembolsado hasta concurrencia de la utilidad efectiva que hubiere resultado a dicha persona, y que existiere al tiempo de la demanda.

Artículo 2311. El que creyendo hacer el negocio de una persona hace el de otra, tiene respecto de ésta los mismos derechos y obligaciones que habría tenido si se hubiese propuesto servir al verdadero interesado.

Artículo 2312. El gerente no puede intentar acción alguna contra el interesado, sin que preceda una cuenta regular de la gestión, con documentos justificativos o pruebas equivalentes.

Art. 2181 C.C.; Art. 379 C.G.P.

CAPÍTULO 2° Del pago de lo no debido

Artículo 2313. Si el que por error ha hecho un pago, prueba que no lo debía, tiene derecho para repetir lo pagado.

Sin embargo, cuando una persona, a consecuencia de un error suyo, ha pagado una deuda ajena, no tendrá derecho de repetición contra el que, a consecuencia del pago, ha suprimido o cancelado un título necesario para el cobro de su crédito, pero podrá intentar contra el deudor las acciones del acreedor.

Arts. 1187, 1190, 1542, 1552, 1621, 1697, 1698 y 2401 C.C.

Artículo 2314. No se podrá repetir lo que se ha pagado para cumplir una obligación puramente natural, de las enumeradas en el artículo 1527.

Art. 1527 C.C.

Artículo 2315. Se podrá repetir aun lo que se ha pagado por error de derecho, cuando el pago no tenía por fundamento ni aun una obligación puramente natural.

Arts. 1509 C.C.

Artículo 2316. Si el demandado confiesa el pago, el demandante debe probar que no era debido.

Si el demandado niega el pago, toca al demandante probarlo; y probado, se presumirá indebido.

Arts. 66 y 1757 C.C.; Art. 191 C.G.P.

Artículo 2317. Del que da lo que no debe no se presume que lo dona, a menos de probarse que tuvo perfecto conocimiento de lo que hacía, tanto en el hecho como en el derecho.

Art. 66, 768, 1450, 1454, 1509 y 1510 C.C.

Artículo 2318. El que ha recibido dinero o cosa fungible que no se le debía, es obligado a la restitución de otro tanto del mismo género y calidad.

Si ha recibido de mala fe debe también los intereses corrientes.

Arts. 663 y 768 C.C.

Artículo 2319. El que ha recibido de buena fe no es responsable de los deterioros o pérdidas de la especie que se le dio en el falso concepto de debérsele, aunque hayan sobrevenido por negligencia suya; salvo en cuanto le hayan hecho más rico.

Pero desde que sabe que la cosa fue pagada indebidamente, contrae todas las obligaciones del poseedor de mala fe.

Arts. 768, 963 y 2321 C.C.

Artículo 2320. El que de buena fe ha vendido la especie que se le dio como debida, sin serlo, es sólo obligado a restituir el precio de la venta, y a ceder a las acciones que tenga contra el comprador que no le haya pagado íntegramente.

Si estaba de mala fe cuando hizo la venta, es obligado como todo poseedor que dolosamente ha dejado de poseer.

Arts. 768, 955, 1871 y 1957 C.C.

Artículo 2321. El que pagó lo que no debía, no puede perseguir la especie poseída por un tercero de buena fe, a título oneroso; pero tendrá derecho para que el tercero que la tiene por cualquier título lucrativo, se la restituya, si la especie es reivindicable, y existe en su poder.

Las obligaciones del donatario que restituye son las mismas que las de su autor, según el artículo 2319.

Art. 947, 955 y 2319 C.C.

CAPÍTULO 3º Del cuasicontrato de comunidad

Artículo 2322. La comunidad de una cosa universal o singular, entre dos o más personas, sin que ninguna de ellas haya contratado sociedad, o celebrado otra convención relativa a la misma cosa, es una especie de cuasicontrato.

Arts. 16-27, L. 95 de 1890.

Artículo 2323. El derecho de cada uno de los comuneros sobre la cosa común, es el mismo que el de los socios en el haber social.

Artículo 2324. Si la cosa es universal, como una herencia, cada uno de los comuneros es obligado a las deudas de la cosa común, como los herederos en las deudas hereditarias.

Art. 1411 C.C.

Artículo 2325. A las deudas contraídas en pro de la comunidad durante ella, no es obligado sino el comunero que las contrajo; el cual tendrá acción contra la comunidad para el reembolso de lo que hubiere pagado por ella.

Si la deuda ha sido contraída por los comuneros colectivamente, sin expresión de cuotas, todos ellos, no habiendo estipulado solidaridad, son obligados al acreedor por partes iguales; salvo el derecho de cada uno contra los otros, para que se le abone lo que haya pagado de más sobre la cuota que le corresponda.

Arts. 1003, 1415, 1421, 1583 y 2350 C.C.

Artículo 2326. Cada comunero debe a la comunidad lo que saca de ella, incluso los intereses corrientes de los dineros comunes que haya empleado en sus negocios particulares, y es responsable hasta de la culpa leve por los daños que haya causado en las cosas y negocios comunes.

Art. 63, 1604 C.C.

Artículo 2327. Cada comunero debe contribuir a las obras y reparaciones de la comunidad proporcionalmente a su cuota.

Artículo 2328. Los frutos de la cosa común deben dividirse entre los comuneros a prorrata de sus cuotas.

Arts. 714-718 C.C.

Artículo 2329. En las prestaciones a que son obligados entre sí los comuneros, la cuota del insolvente gravará a los otros.

Art. 1404 C.C.

Artículo 2330. Cada uno de los que poseen en común una tierra labrantía, tiene opción a que se le señale para su uso particular una porción proporcional a la cuota de su derecho; y ninguno de los comuneros podrá inquietar a los otros en las porciones que se les señalaren.

Artículo 2331. Cada uno de los que poseen en común un terreno a propósito para la cría o manutención solamente de bestias, puede mantener en él un número de animales proporcional a la cuota de su derecho.

Artículo 2332. Cada uno de los que poseen en común un bosque, puede sacar de él la madera y la leña que necesite para su propio uso; pero no podrá explotarlo de otro modo, ni permitir a otros individuos hacer uso de tal bosque sino con la aquiescencia de todos los interesados.

Art. 217 Dec. 2811 de 1974.

Artículo 2333. Cuando varios individuos tengan terrenos de pastos, contiguos, que no puedan dividirse por cercas, y por ello no pueda evitarse que las bestias de los unos pasen a los terrenos de los otros, cualquiera de los interesados puede pedir al juez declare tales terrenos sujetos a las reglas de los terrenos comunes, para el solo efecto de mantenimiento de bestias y ganados.

Arts. 16-27 L. 95 de 1890.

Artículo 2334. [Derogado. Art. 1134 L. 105 de 1931] [Subrogado. Art. 467 C.P.C.] Todo comunero puede pedir la división material de la cosa común, o su venta para que se distribuya el producto.

La demanda deberá dirigirse contra los demás comuneros, y a ella se acompañará la prueba de que demandante y demandado son condueños. Si se trata de bienes sujetos a registro, se presentará también certificado del registrador de instrumentos públicos sobre la situación jurídica del bien y su tradición, que comprenda un período de veinte años si fuere posible.

Art. 1374 C.C.; Arts. 406 y 407 C.G.P.

Artículo 2335. La división de las cosas comunes, y los derechos y las obligaciones que de ella resultan, se sujetarán a las disposiciones de los artículos siguientes, y en todo aquello a que por éstas no se provea, se observarán las reglas de la partición de la herencia.

Arts. 1374-1410 C.C.

Artículo 2336. Cuando alguno o algunos de los comuneros solicite la venta de la cosa común, *los otros comuneros o cualquiera de ellos pueden comprar los derechos* de los solicitantes, pagándoles la cuota que les corresponda, según el avalúo de la cosa.

Exeq. C-791 de 2006.
Arts. 406-414 C.G.P.

Artículo 2337. Cuando haya de llevarse a efecto la venta de una cosa común, se dividirá para ello en lotes si lo solicitare una tercera parte de los comuneros, siempre que esta división facilite la venta y dé probabilidades de mayor rendimiento.

Artículo 2338. Cuando haya de dividirse un terreno común, el juez hará avaluarlo por peritos, y el valor total se distribuirá entre todos los interesados en proporción de sus derechos; verificado lo cual, se procederá a adjudicar a cada interesado una porción de terreno del valor que le hubiere correspondido, observándose las reglas siguientes:

1. El valor de cada suerte de terreno se calculará por su utilidad y no por su extensión; no habiendo, por tanto, necesidad de ocurrir a la mensura, sino cuando ésta pueda servir de dato para calcular mejor el valor.

2. Si hay habitaciones, labores u otras mejoras hechas en particular por alguno de los comuneros, se procurará, en cuanto sea posible, adjudicar a éstos las porciones en que se hallen las habitaciones, labores o mejoras que les pertenezcan, sin subdividir la porción de cada uno.

3. Si algunos de los comuneros pidieren se les adjudiquen las suertes en un solo globo, así se verificará.

4. Si los interesados no han consignado antes de empezarse el repartimiento, la cuota que les corresponda para cubrir los gastos presupuestos para la operación, se deducirá dicha cuota de las suertes respectivas y se separará una porción de terreno equivalente para el expresado gasto.

Art. 35 L. 57 de 1887

Artículo 2339. El cauce común de desagüe de una laguna o pantano, que pertenezca a diversos individuos, o se extienda sobre sus terrenos, es cosa de comunidad entre ellos, y cuando alguno o algunos de los interesados quieran limpiar o profundizar dicho cauce, o abrir uno nuevo para desecar mejor los terrenos, todos deben contribuir para los gastos, en proporción de los beneficios que les resulten según el dictamen de peritos, y no haciéndolo, tendrán derecho los que ejecutan la obra, a ser indemnizados con la mitad del mayor valor que por tal obra adquieren los terrenos de los que no hayan contribuido; para saber este mayor valor se harán avaluar los terrenos por peritos antes de procederse a la operación.

Artículo 2340. La comunidad termina:

1. Por la reunión de las cuotas de todos los comuneros en una sola persona.

2. Por la destrucción de la cosa común.

3. Por la división del haber común.

Art. 37 L. 30 de 1888.

TÍTULO 34° Responsabilidad común por los delitos y las culpas

Artículo 2341. El que ha cometido un delito o culpa, que ha inferido daño a otro, es obligado a la indemnización, sin perjuicio de la pena principal que la ley imponga por la culpa o el delito cometido.

Arts. 63, 1494, 1613, 1614, y 2302 C.C.; Arts. 94, 95 y 97 C.Pen.

Artículo 2342. Puede pedir esta indemnización no sólo el que es dueño o poseedor de la cosa sobre la cual ha recaído el daño o su heredero, sino el usufructuario, el habitador, o el usuario, si el daño irroga perjuicio a su derecho de usufructo, habitación o uso. Puede también pedirla, en otros casos, el que tiene la cosa, con obligación de responder de ella; pero sólo en ausencia del dueño.

Arts. 669, 762, 775, 823, 840, 870, 950, 972, 978, 1155 y 1988 C.C.

Artículo 2343. Es obligado a la indemnización el que hizo el daño y sus herederos.

El que recibe provecho del dolo ajeno, sin haber tenido parte en él, solo es obligado hasta concurrencia de lo que valga el provecho que hubiere reportado.

Arts. 63, 338, 418, 1155, 1411 y 1515 C.C.

Artículo 2344. Si de un delito o culpa ha sido cometido por dos o más personas, cada una de ellas será solidariamente responsable de todo perjuicio procedente del mismo delito o culpa, salvas las excepciones de los artículos 2350 y 2355.

Todo fraude o dolo cometido por dos o más personas produce la acción solidaria del precedente inciso.

Arts. 63, 983, 1515, 1568, 1580, 2302, 2350 y 2355 C.C.; Arts. 94, 95 y 97 C.Pen.

Artículo 2345. El ebrio es responsable del daño causado por su delito o culpa.

Artículo 2346. Los menores de diez años y los dementes[*] no son capaces de cometer delito o culpa; pero de los daños por ellos causados serán responsables las personas a cuyo cargo estén dichos menores o dementes[*], si a tales personas pudieren imputárseles negligencia.

[*] El artículo 2 de la Ley 1306 de 2009 establece que el término «demente» debe ser sustituido por «persona con discapacidad mental».
Arts. 62, 63, 1738, 1999, 2302 y 2347 C.C.; Arts. 139 y 142 L. 1098 de 2006.; Arts. 25 Nral. 2 y 33 C.Pen.

Artículo 2347. [Modificado. Dec. 2820 de 1974] Toda persona es responsable, no sólo de sus propias acciones para el efecto de indemnizar el daño sino del hecho de aquellos que estuvieren a su cuidado.

Así, los padres son responsables solidariamente del hecho de los hijos menores que habiten en la misma casa[*].

Así, el tutor o curador es responsable de la conducta del pupilo que vive bajo su dependencia y cuidado.

[Inc. 4° Derogado. Art. 70 Dec. 2820 de 1974]

Así, los directores de colegios y escuelas responden del hecho de los discípulos mientras están bajo su cuidado, y los artesanos y empresarios del hecho de sus aprendices, o dependientes, en el mismo caso.

Pero cesará la responsabilidad de tales personas, si con la autoridad y el cuidado que su respectiva calidad les confiere y prescribe, no hubieren podido impedir el hecho.

[*] Art. 65 Dec. 2820 de 1974.
Arts. 62, 1738, 1999 y 2075 C.C.; Art. 90 C.P.

Artículo 2348. Los padres serán siempre responsables del daño causado por las culpas o los delitos cometidos por sus hijos menores, y que conocidamente provengan de mala educación o de hábitos viciosos que les han dejado adquirir.

Arts. 288, 1738 y 2302 C.C.

Artículo 2349. Los [amos] responderán del daño causado por sus [criados o sirvientes], con ocasión de servicio prestado por éstos a aquéllos; pero no responderán si se probare o apareciere que en tal ocasión *los [criados o sirvientes]* se han comportado de un modo impropio, que los *[amos]* no tenían medio de prever o impedir empleando el cuidado ordinario y la autoridad competente; en este caso recaerá toda responsabilidad del daño sobre dichos *[criados o sirvientes]*.

Inexeq. C-1235 de 2005: «*Declarar INEXEQUIBLE las expresiones "amos", "criados" y "sirvientes", incluidas en el artículo 2349 del Código Civil, las que se sustituyen por las expresiones "empleadores" y "trabajadores", respectivamente».*

Arts. 1738 y 2347 C.C.

Artículo 2350. El dueño de un edificio es responsable de los daños que ocasione su ruina, acaecida por haber omitido las reparaciones necesarias, o por haber faltado de otra manera al cuidado de un buen padre de familia.

No habrá responsabilidad si la ruina acaeciere por caso fortuito, como avenida, rayo o terremoto.

Si el edificio perteneciere a dos o más personas pro indiviso, se dividirá entre ellas la indemnización, a prorrata de sus cuotas de dominio.

Arts. 63, 64, 669, 988, 1003, 2325 y 2344 C.C.

Artículo 2351. Si el daño causado por la ruina de un edificio proviniere de un vicio de construcción, tendrá lugar la responsabilidad prescrita en la regla 3a. del artículo 2060.

Arts. 1613, 1614 y 2060 C.C.

Artículo 2352. Las personas obligadas a la reparación de los daños causados por las que de ellas dependen, tendrán derecho para ser indemnizadas sobre los bienes de éstas, si los hubiere, y si el que causó el daño lo hizo sin orden de la persona a quien debía obediencia, y era capaz de cometer delito o culpa, según el artículo 2346.

Arts. 653, 1613, 1614, 2302 y 2346 C.C.

Artículo 2353. El dueño de un animal es responsable de los daños causados por el mismo animal, aún después que se haya soltado o extraviado, salvo que la soltura, extravío o daño no puede imputarse a culpa del dueño o del dependiente, encargado de la guarda o servicio del animal.

Lo que se dice del dueño se aplica a toda persona que se sirva de un animal ajeno; salva su acción contra el dueño si el daño ha sobrevenido por una calidad o vicio del animal, que el dueño, con mediano cuidado o prudencia, debió conocer o prever, y de que no le dio conocimiento.

Arts. 63 y 687 C.C.

Artículo 2354. El daño causado por un animal fiero, de que no se reporta utilidad para la guarda o servicio de un predio, será siempre imputable al que lo tenga; y si alegare que no le fue posible evitar el daño, no será oído.

Arts. 66 y 687 C.C.

Artículo 2355. El daño causado por una cosa que cae o se arroja de la parte superior de un edificio, es imputable a todas las personas que habitan la misma parte del edificio, y la indemnización se dividirá entre todas ellas, a menos que se pruebe que el hecho se debe a la culpa o mala intención de alguna persona exclusivamente, en cuyo caso será responsable ésta sola.

Si hubiere alguna cosa que de la parte de un edificio, o de otro paraje elevado, amenace caída o daño, podrá ser obligado a removerla el dueño del edificio o del sitio, o su inquilino, o la persona a quien perteneciere la cosa, o que se sirviere de ella, y cualquiera del pueblo tendrá derecho para pedir la remoción.

Arts. 63, 762, 775, 988, 1568, 1590 y 2344 C.C.

Artículo 2356. Por regla general todo daño que pueda imputarse a malicia o negligencia de otra persona, debe ser reparado por ésta.

Son especialmente obligados a esta reparación:

1. El que dispara imprudentemente un arma de fuego.

2. El que remueve las losas de una acequia o cañería, o las descubre en calle o camino, sin las precauciones necesarias para que no caigan los que por allí transiten de día o de noche.

3. El que obligado a la construcción o reparación de un acueducto o fuente, que atraviesa un camino, lo tiene en estado de causar daño a los que transitan por el camino.

Arts. 63 y 66 C.C.

Artículo 2357. La apreciación del daño está sujeta a reducción, si el que lo ha sufrido se expuso a él imprudentemente.

Artículo 2358. Las acciones para la reparación del daño proveniente de delito o culpa que puedan ejercitarse contra los que sean punibles por el delito o la culpa, se prescriben dentro de los términos señalados en el Código Penal para la prescripción de la pena principal.

Las acciones para la reparación del daño que puedan ejercitarse contra terceros responsables, conforme a las disposiciones de este capítulo, prescriben en tres años contados desde la perpetración del acto.

Arts. 2302, 2347, 2352 y 2545 C.C.; Arts. 83, 98 y 99 C.Pen.

Artículo 2359. Por regla general se concede acción en todos los casos de daño contingente, que por imprudencia o negligencia de alguno amenace a personas indeterminadas; pero si el daño amenazare solamente a personas determinadas, sólo alguna de éstas podrá intentar la acción.

Arts. 63 y 1005 C.C.; Art. 88 C.P.; L. 472 de 1998.

Artículo 2360. Si las acciones populares a que dan derecho los artículos precedentes, se declararen fundadas, será el actor indemnizado de todas las costas de la acción, y se le pagarán lo que valgan el tiempo y la diligencia empleados en ella, sin perjuicio de la remuneración específica que conceda la ley en casos determinados.

Arts. 1005 y 2359 C.C.; Art. 88 C.P.; Art. 38 L. 472 de 1998.; Art. 365 y 366 C.G.P.

TÍTULO 35° De la fianza

CAPÍTULO 1° De la constitución y requisitos de la fianza

Artículo 2361. La fianza es una obligación accesoria, en virtud de la cual una o más personas responden de una obligación ajena, comprometiéndose para con el acreedor a cumplirla en todo o parte, si el deudor principal no la cumple.

La fianza puede constituirse no sólo a favor del deudor principal, sino de otro fiador.

Art. 65 C.C.

Artículo 2362. La fianza puede ser convencional, legal o judicial.

La primera es constituida por contrato, la segunda es ordenada por la ley, la tercera por decreto de juez.

La fianza legal y la judicial se sujetan a las mismas reglas que la convencional, salvo en cuanto la ley que la exige o el Código Judicial dispongan otra cosa.

Arts. 834 y 1354 C.C.

Artículo 2363. El obligado a rendir una fianza no puede sustituir a ella una hipoteca o prenda(*), o recíprocamente, contra la voluntad del acreedor.

Si la fianza es exigida por la ley o decreto de juez, puede sustituir a ella una prenda* o hipoteca suficiente.

(*) Art. 3 L. 1676 de 2013.
Art. 2462 C.C.

Artículo 2364. La obligación a que accede la fianza puede ser civil o natural.

Art. 1527 C.C.

Artículo 2365. Puede afianzarse no sólo una obligación pura y simple, sino condicional y a plazo.

Podrá también afianzarse una obligación futura; y en este caso podrá el fiador retractarse mientras la obligación principal no exista, quedando, con todo, responsable al acreedor y a terceros de buena fe, como el mandante en el caso del artículo 2199.

Artículo 2366. La fianza puede otorgarse hasta o desde cierto día o bajo condición suspensiva o resolutoria.

Art. 1536 C.C.

Artículo 2367. El fiador puede estipular con el deudor una remuneración pecuniaria por el servicio que le presta.

Artículo 2368. [Modificado. Art. 66 Dec. 2820 de 1974] No pueden ser fiadores los incapaces de ejercer sus derechos.

Art. 1504 C.C.

Artículo 2369. El fiador no puede obligarse a más de lo que debe el deudor principal pero puede obligarse a menos.

Puede obligarse a pagar una suma de dinero en lugar de otra cosa de valor igual o mayor.

Afianzando un hecho ajeno se afianza sólo la indemnización en que el hecho por su inejecución se resuelva.

La obligación de pagar una cosa que no sea dinero en lugar de otra cosa, o de una suma de dinero, no constituye fianza.

Artículo 2370. El fiador no puede obligarse en términos más gravosos que el principal deudor, no sólo con respecto a la cuantía sino al tiempo, al lugar, a la condición o al modo del pago, o a la pena impuesta por la inejecución del contrato a que exceda la fianza, pero puede obligarse en términos menos gravosos.

Podrá, sin embargo, obligarse de un modo más eficaz, por ejemplo, con una hipoteca, aun cuando la obligación principal no la tenga.

La fianza que excede bajo cualquiera de los respectos indicados en el inciso primero, deberá reducirse a los términos de la obligación principal.

En caso de duda se aceptará la interpretación más favorable a la conformidad de las dos obligaciones principal y accesoria.

Artículo 2371. Se puede afianzar sin orden y aún sin noticia, y contra la voluntad del principal deudor.

Arts. 1631, 1632 y 2394 C.C.

Artículo 2372. Se puede afianzar a una persona jurídica y a la herencia yacente.

Arts. 633 y 1297 C.C.

Artículo 2373. La fianza no se presume, ni debe extenderse a más que el tenor de lo expreso; pero se supone comprender todos los accesorios de la deuda, como los intereses, las costas judiciales del primer requerimiento hecho al principal deudor, las de la intimación que en consecuencia se hiciera al fiador, y todas las posteriores a esta intimación; pero no las causadas en el tiempo intermedio entre el primer requerimiento y la intimación antedicha.

Art. 1553 C.C.

Artículo 2374. Es obligado a prestar fianza a petición del acreedor:

1. El deudor que lo haya estipulado.

2. El deudor cuyas facultades disminuyan en términos de poner en peligro manifiesto el cumplimiento de su obligación.

3. El deudor de quien haya motivo de temer que se ausente del territorio, con ánimo de establecerse en otra parte, mientras no deje bienes suficientes para la seguridad de sus obligaciones.

Arts. 1553 y 1882 C.C.

Artículo 2375. Siempre que el fiador dado por el deudor cayere en insolvencia, será obligado el deudor a prestar nueva fianza.

Art. 1553 C.C.

Artículo 2376. El obligado a prestar fianza debe dar un fiador capaz de obligarse como tal; que tenga bienes más que suficientes para hacerla efectiva, y que esté domiciliado o elija domicilio en algún Estado o territorio de la Unión.

Para calificar la suficiencia de los bienes sólo se tomarán en cuenta los inmuebles, excepto en materia comercial, o cuando la deuda afianzada es módica.

Pero no se tomarán en cuenta los inmuebles embargados o litigiosos, o que no existan en el territorio, o que se hallen sujetos a hipotecas gravosas o a condiciones resolutorias.

Si el deudor estuviere encargado de deudas que pongan en peligro aún los inmuebles no hipotecados a ellas, tampoco se contará con éstos.

Artículo 2377. El fiador es responsable hasta de la culpa leve, en todas las prestaciones a que fuere obligado.

Art. 63 C.C.

Artículo 2378. Los derechos y obligaciones de los fiadores son transmisibles a sus herederos.

CAPÍTULO 2° De los efectos de la fianza entre el acreedor y el fiador

Artículo 2379. El fiador podrá hacer el pago de la deuda aún antes de ser reconvenido por el acreedor, en todos los casos en que pudiera hacerlo el deudor principal.

Arts. 154, 2229 y 2398 C.C.

Artículo 2380. El fiador puede oponer al acreedor cualesquiera excepciones reales, como las de dolo, violencia o cosa juzgada; pero no las personales del deudor, como su incapacidad de obligarse, cesión de bienes, o el derecho que tenga de no ser privado de lo necesario para subsistir.

Son excepciones reales las inherentes a la obligación principal.

Arts. 1504, 1577, 1682, 1684, 1685, 1964, 2404 y 2516 C.C.

Artículo 2381. Cuando el acreedor ha puesto al fiador en el caso de no poder subrogarse en sus acciones contra el deudor principal, o contra los otros fiadores, el fiador tendrá derecho para que se le rebaje de la demanda del acreedor todo lo que dicho fiador hubiera podido obtener del deudor principal o de los otros fiadores por medio de la subrogación legal.

Arts. 1708, 2390 y 2406 C.C.

Artículo 2382. Aunque el fiador no sea reconvenido, podrá requerir al acreedor, desde que sea exigible la deuda, para que proceda contra el deudor principal; y si el acreedor después de este requerimiento, lo retardare, no será responsable el fiador por la insolvencia del deudor principal, sobrevenida durante el retardo.

Artículo 2383. El fiador reconvenido goza del beneficio de excusión, en virtud del cual podrá exigir que antes de proceder contra él se persiga la deuda en los bienes de deudor principal, y en las hipotecas o prendas[*] prestadas por éste para la seguridad de la misma deuda.

[*] Art. 3 L. 1676 de 2013
Art. 2454 C.C.

Artículo 2384. Para gozar del beneficio de excusión son necesarias las condiciones siguientes:

1ª. Que no se haya renunciado expresamente.

2ª. Que el fiador no se haya obligado como deudor solidario.

3ª. Que la obligación principal produzca acción.

4ª. Que la fianza no haya sido ordenada por el juez.

5ª. Que se oponga el beneficio luego que sea requerido el fiador; salvo que el deudor, al tiempo del requerimiento, no tenga bienes y después los adquiera.

6ª. Que se señalen al acreedor los bienes del deudor principal.

Arts. 1504, 1527 y 1568 C.C.

Artículo 2385. No se tomarán en cuenta para la excusión:

1°. Los bienes existentes fuera del territorio o del domicilio del deudor.

2°. Los bienes embargados o litigiosos, o los créditos de dudoso o difícil cobro.

3°. Los bienes cuyo dominio está sujeto a una condición resolutoria.

4°. Los bienes hipotecados a favor de deudas preferentes en la parte que pareciere necesaria para el pago completo de éstas.

Por la renuncia del fiador principal no se entenderá que renuncia el subfiador.

Art. 1536 C.C.

Artículo 2386. El acreedor tendrá derecho para que el fiador le anticipe los costos de la excusión.

El juez, en caso necesario, fijará la cuantía de la anticipación, y nombrará la persona en cuyo poder se consigne, que podrá ser el acreedor mismo.

Si el fiador prefiere hacer la excusión por sí mismo, dentro de un plazo razonable, será oído.

Artículo 2387. Cuando varios deudores principales se han obligado solidariamente, y uno de ellos ha dado fianza, el fiador reconvenido tendrá derecho no sólo para que se haga la excusión en los bienes de este deudor, sino de sus codeudores.

Artículo 2388. El beneficio de excusión no puede oponerse sino una sola vez.

Si la excusión de los bienes designados una vez por el fiador, no produjere efecto, o no bastare, no podrá señalar otros; salvo que hayan sido posteriormente adquiridos por el deudor principal.

Artículo 2389. Si los bienes excutidos no produjeren más que un pago parcial de la deuda, será sin embargo el acreedor obligado a aceptarlo, y no podrá reconvenir al fiador sino por la parte insoluta.

Artículo 2390. Si el acreedor es omiso o negligente en la excusión, y el deudor cae entretanto en insolvencia, no será responsable el fiador sino en lo que exceda al valor de los bienes que para la excusión hubiere señalado.

Si el fiador, expresa e inequívocamente, no se hubiere obligado a pagar sino lo que el acreedor no pudiere obtener del deudor, se entenderá que el acreedor es obligado a la excusión, y no será responsable el fiador de la insolvencia del deudor, concurriendo las circunstancias siguientes:

1ª. Que el acreedor haya tenido medios suficientes para hacerse pagar.

2ª. Que haya sido negligente en servirse de ellos.

Artículo 2391. El subfiador goza del beneficio de excusión, tanto respecto del fiador como del deudor principal.

Arts. 2361, 2383, y 2405 C.C.

Artículo 2392. Si hubiere dos o más fiadores de una misma deuda que no se hayan obligado solidariamente al pago, se entenderá dividida la deuda entre ellos, por partes iguales, y no podrá el acreedor exigir a ninguno sino la cuota que le quepa.

La insolvencia de un fiador gravará a los otros; pero no se mirará como insolvente aquel cuyo subfiador no lo está.

El fiador que inequívocamente haya limitado su responsabilidad a una suma o cuota determinada, no será responsable sino hasta concurrencia de dicha suma o cuota.

Arts. 1568 y 2405 C.C.

Artículo 2393. La división prevenida en el artículo anterior tendrá lugar entre los fiadores de un mismo deudor, y por una misma deuda, aunque se hayan rendido separadamente las fianzas.

CAPÍTULO 3° De los efectos de la fianza entre el fiador y el deudor

Artículo 2394. El fiador tendrá derecho para que el deudor principal le obtenga el relevo, o le caucione las resultas de la fianza, o consigne medios de pago en los casos siguientes:

1°. Cuando el deudor principal disipa o aventura temerariamente sus bienes.

2°. Cuando el deudor principal se obligó a obtenerle el relevo de la fianza dentro de cierto plazo, y se ha vencido este plazo.

3°. Cuando se ha vencido el plazo o cumplido la condición que hace inmediatamente exigible la obligación principal en todo o parte.

4°. Si hubieren transcurrido diez años desde el otorgamiento de la fianza; a menos que la obligación principal se haya contraído por un tiempo determinado más largo, o sea de aquellas que no están sujetas a extinguirse en tiempo determinado, como la de los tutores y curadores, la del usufructuario, la de la renta vitalicia, la de los empleados en la recaudación o administración de rentas públicas.

5°. Si hay temor fundado de que el deudor principal se fugue, no dejando bienes raíces suficientes para el pago de la deuda.

Los derechos aquí concedidos al fiador no se extienden al que afianzó contra la voluntad del deudor.

Arts. 1632, 2371 y 2374 C.C.

Artículo 2395. El fiador tendrá acción contra el deudor principal, para el reembolso de lo que haya pagado por él, con intereses y gastos, aunque la fianza haya sido ignorada del deudor.

Tendrá también derecho a indemnización de perjuicios, según las reglas generales.

Pero no podrá pedir el reembolso de gastos inconsiderados, ni de los que haya sufrido antes de notificar al deudor principal la demanda intentada contra dicho fiador.

Arts. 1617, 1668, 2231, 2308, 2309 y 2400 C.C.

Artículo 2396. Cuando la fianza se ha otorgado por encargo de un tercero, el fiador que ha pagado tendrá acción contra el mandante; sin perjuicio de la que le competa contra el principal deudor.

Artículo 2397. Si hubiere muchos deudores principales y solidarios, el que los ha afianzado a todos podrá demandar a cada uno de ellos el total de la deuda, en los términos del artículo 2395; pero el fiador particular de uno de ellos solo contra el podrá repetir por el todo; y no tendrá contra los otros sino las acciones que le correspondan, como subrogado en las del deudor a quien ha afianzado.

Art. 1571 C.C.

Artículo 2398. El fiador que pagó antes de expirar el plazo de la obligación principal no podrá reconvenir al deudor, sino después de expirado el plazo.

Arts. 1709 y 2379 C.C.

Artículo 2399. El fiador, a quien el acreedor ha condonado la deuda en todo o parte, no podrá repetir contra el deudor por la cantidad condonada, a menos que el acreedor le haya cedido su acción al efecto.

Arts. 1711-1713 C.C.

Artículo 2400. Las acciones concedidas por el artículo 2395, no tendrán lugar en los casos siguientes:

1°. Cuando la obligación del principal deudor es puramente natural, y no se ha valido por la ratificación o por el lapso de tiempo.

2°. Cuando el fiador se obligó contra la voluntad del deudor principal; salvo en cuanto se haya extinguido la deuda, y sin perjuicio del derecho del fiador para repetir contra quien hubiere lugar, según las reglas generales.

3°. Cuando por no haber sido válido el pago del fiador, no ha quedado extinguida la deuda.

Arts. 1527, 1632 y 2309 C.C.

Artículo 2401. El deudor que pagó sin avisar al fiador, será responsable para con éste de lo que, ignorando la extinción de la deuda, pagare de nuevo; pero tendrá acción contra el acreedor por el pago indebido.

Art. 2313 C.C.

Artículo 2402. Si el fiador pagó sin haberlo avisado al deudor, podrá éste oponerle todas las excepciones de que el mismo deudor hubiera podido servirse contra el acreedor al tiempo del pago.

Si el deudor, ignorando por la falta de aviso la extinción de la deuda, le pagare de nuevo, no tendrá el fiador recurso alguno contra él, pero podrá intentar contra el acreedor la acción del deudor por el pago indebido.

Art. 2313 C.C.

CAPÍTULO 4° De los efectos de la fianza entre los cofiadores

Artículo 2403. El fiador que paga más de lo que proporcionalmente le corresponde, es subrogado por el exceso en los derechos del acreedor contra los cofiadores.

Arts. 1666-1671 C.C.

Artículo 2404. Los cofiadores no podrán oponer al que ha pagado, las excepciones puramente personales del deudor principal.

Tampoco podrán oponer al cofiador que ha pagado, las excepciones puramente personales que correspondían a éste contra el acreedor, y de que no quiso valerse.

Artículo 2405. El subfiador, en caso de insolvencia del fiador por quien se obligó, es responsable de las obligaciones de éste para con los otros fiadores.

Arts. 2391 y 2392 C.C.

CAPÍTULO 5° De la extinción de la fianza

Artículo 2406. La fianza se extingue en todo o parte, por los mismos medios que las otras obligaciones, según las reglas generales, y además:

1°. Por el relevo de la fianza en todo o parte, concedido por el acreedor al fiador.

2°. En cuanto el acreedor por hecho o culpa suya ha perdido las acciones en que el fiador tenía el derecho de subrogarse.

3°. Por la extinción de la obligación principal en todo o parte.

Arts. 1625 y 2381 C.C.

Artículo 2407. Si el acreedor acepta voluntariamente del deudor principal, en descargo de la deuda, un objeto distinto del que este deudor estaba obligado a darle en pago, queda irrevocablemente extinguida la fianza, aunque después sobrevenga evicción del objeto.

Arts. 1690 y 1894 C.C.

Artículo 2408. Se extingue la fianza por la confusión de las calidades de acreedor y fiador, o de deudor y fiador; pero en este segundo caso la obligación del subfiador subsistirá.

Arts. 1724-1728 C.C.

TÍTULO 36° Del contrato de prenda

Artículo 2409. Por el contrato de empeño o prenda[*] se entrega una cosa mueble a un acreedor para la seguridad de su crédito.

La cosa entregada se llama prenda[*].

El acreedor que la tiene se llama acreedor prendario[**].

[*] [**] Art. 3 L. 1676 de 2013.
Arts. 65 y 786 C.C.; Art. 1200 C.Co.

Artículo 2410. El contrato de prenda[*] supone siempre una obligación principal a que accede.

[*] Art. 3 L. 1676 de 2013.

Artículo 2411. Este contrato no se perfecciona sino por la entrega de la prenda[*] al acreedor.

[*] Art. 3 L. 1676 de 2013.
Art. 1204 C.Co.

Artículo 2412. No se puede empeñar una cosa sino por persona que tenga facultad de enajenarla.

Arts. 1504 y 2158 C.C; Art. 1201 C.Co.

Artículo 2413. La prenda[*] puede constituirse no sólo por el deudor, sino por un tercero cualquiera que hace este servicio al deudor.

[*] Art. 3 L. 1676 de 2013.
Art. 2158 C.C.

Artículo 2414. [Derogado. Art. 91 L. 1676 de 2013]

Artículo 2415. Si la prenda[*] no pertenece al que la constituye, sino a un tercero que no ha consentido en el empeño, subsiste sin embargo el contrato, mientras no la reclama su dueño; a menos que el acreedor sepa haber sido hurtada, o tomada por fuerza o perdida, en cuyo caso se aplicará a la prenda lo prevenido en el artículo 2208.

[*] Art. 3 L. 1676 de 2013
Arts. 1871 y 2454 C.C.; Art. 1201 C.Co.

Artículo 2416. Si el dueño reclama la cosa empeñada sin su consentimiento, y se verificare la restitución, el acreedor podrá exigir que se le entregue otra prenda[*] de valor igual o mayor, o se le otorgue otra caución competente; y en defecto de una y otra, se le cumpla inmediatamente la obligación principal, aunque haya plazo pendiente para el pago.

> [*] Art. 3 L. 1676 de 2013
> Arts. 65, 1553 y 2375 C.C.

Artículo 2417. No se podrá tomar al deudor cosa alguna contra su voluntad para que sirva de prenda[*], sino por el ministerio de la justicia.

No se podrá retener una cosa del deudor en seguridad de la deuda, sin su consentimiento; excepto en los casos que las leyes expresamente designan.

> [*] Art. 3 L. 1676 de 2013
> Arts. 2000, 2188, 2218 y 2258 C.C.

Artículo 2418. Si el acreedor pierde la tenencia de la prenda[*], tendrá acción para recobrarla, contra toda persona en cuyo poder se halle, sin exceptuar al deudor que la ha constituido.

Pero el deudor podrá retener la prenda[*] pagando la totalidad de la deuda, para cuya seguridad fue constituida.

Efectuándose este pago, no podrá el acreedor reclamarla, alegando otros créditos, aunque reúnan los requisitos enumerados en el artículo 2426.

> [*] Art. 3 L. 1676 de 2013

Artículo 2419. El acreedor es obligado a guardar y conservar la prenda[*], como buen padre de familia, y responde de los deterioros que la prenda haya sufrido por su hecho o culpa.

> [*] Art. 3 L. 1676 de 2013

Artículo 2420. El acreedor no puede servirse de la prenda[*] sin el consentimiento del deudor. Bajo este respecto sus obligaciones son las mismas que las del mero depositario.

> [*] Art. 3 L. 1676 de 2013

Artículo 2421. El deudor no podrá reclamar la restitución de la prenda[*], en todo o parte, mientras no haya pagado la totalidad de la deuda en capital e intereses, los gastos necesarios en que haya incurrido el acreedor para la conservación de la prenda, y los perjuicios que le hubiere ocasionado la tenencia.

Con todo, si el deudor pidiere que se le permita reemplazar la prenda por otra, sin perjuicio del acreedor, será oído.

Y si el acreedor abusa de ella, perderá su derecho de prenda, y el deudor podrá pedir la restitución inmediata de la cosa empeñada.

(*) Art. 3 L. 1676 de 2013
Art. 1205 C.Co

Artículo 2422. El acreedor prendario(*) tendrá derecho de pedir que la prenda del deudor moroso se venda en pública subasta, para que con el producido se le pague; o que, a falta de postura admisible, sea apreciada por peritos y se le adjudique en pago, hasta concurrencia de su crédito; sin que valga estipulación alguna en contrario, y sin perjuicio de su derecho para perseguir la obligación principal por otros medios.

[Inciso segundo Derogado. Art. 91 L. 1676 de 2013]

(*) Art. 3 L. 1676 de 2013
Art. 2424 y 2448 C.C.

Artículo 2423. A la licitación de la prenda(*) que se subasta podrán ser admitidos el acreedor y el deudor.

(*) Art. 3 L. 1676 de 2013

Artículo 2424. Mientras no se ha consumado la venta y la adjudicación prevenidas en el artículo 2422, podrá el deudor pagar la deuda, con tal que sea completo el pago, y se incluyan en él los gastos que la venta o la adjudicación hubieren ya ocasionado.

Artículo 2425. [Modificado. Art. 91 L. 1676 de 2013] Si el valor de la cosa empeñada no excediere de veinte (20) salarios mínimos legales mensuales vigentes podrá el juez, a petición del acreedor, adjudicársela por su tasación, sin que se proceda a subastarla.

Artículo 2426. Satisfecho el crédito en todas sus partes deberá restituir la prenda(*).

Pero podrá el acreedor retenerla si tuviere contra el mismo deudor otros créditos, con tal que reúnan los requisitos siguientes:

1°. Que sean ciertos y líquidos.

2°. Que se hayan contraído después que la obligación para la cual se ha constituido la prenda.

3°. Que se hayan hecho exigibles antes del pago de la obligación anterior.

(*) Art. 3 L. 1676 de 2013

Artículo 2427. [Derogado. Art. 91 L. 1676 de 2013].

Artículo 2428. El acreedor es obligado a restituir la prenda(*) con los aumentos que haya recibido de la naturaleza o del tiempo. Si la prenda ha dado frutos podrá imputarlos al pago de la deuda, dando cuenta de ellos y respondiendo del sobrante.

(*) Art. 3 L. 1676 de 2013.
Arts. 714-718 y 2253 C.C.

Artículo 2429. Si el deudor vendiere la cosa empeñada, el comprador tendrá derecho para pedir al acreedor su entrega, pagando o consignando el importe de la deuda por la cual se contrajo expresamente el empeño.

Se concede igual derecho a la persona a quien el deudor hubiere conferido un título oneroso para el goce o tenencia de la prenda.

En ninguno de estos casos podrá el primer acreedor excusarse de la restitución, alegando otros créditos, aún con los requisitos enumerados en el artículo 2426.

Arts. 775, 2418 y 2440 C.C.

Artículo 2430. La prenda(*) es indivisible. En consecuencia el heredero que ha pagado su cuota de la deuda, no podrá pedir la restitución de una parte de la prenda, mientras exista una parte cualquiera de la deuda; y recíprocamente, el heredero que ha recibido su cuota del crédito, no puede remitir la prenda, ni aún en parte, mientras sus coherederos no hayan sido pagados.

(*) Art. 3 L. 1676 de 2013.
Art. 1583 C.C.

Artículo 2431. Se extingue el derecho de prenda(*) por la destrucción completa de la cosa empeñada.

Se extingue, asimismo, cuando la propiedad de la cosa empeñada pasa al acreedor por cualquier título.

Y cuando, en virtud de una condición resolutoria, se pierde el dominio que el que dio la cosa en prenda tenía sobre ella; pero el acreedor de buena fe tendrá contra el deudor que no le hizo saber la condición el mismo derecho que en el caso del artículo 2416.

(*) Art. 3 L. 1676 de 2013.

Arts. 1186 y 1724 C.C.

TÍTULO 37° De la hipoteca

Artículo 2432. La hipoteca es un derecho de prenda constituido sobre inmuebles que no dejan por eso de permanecer en poder del deudor.

Arts. 65 y 665 C.C.

Artículo 2433. La hipoteca es indivisible.

En consecuencia, cada una de las cosas hipotecadas a una deuda, y cada parte de ellas son obligadas al pago de toda la deuda y de cada parte de ella.

Art. 17 L. 675 de 2001

Artículo 2434. La hipoteca deberá otorgarse por escritura pública.

Podrá ser una misma la escritura pública de la hipoteca y la del contrato a que accede.

Art. 243 C.G.P.

Artículo 2435. La hipoteca deberá además ser inscrita en el registro de instrumentos públicos; sin este requisito no tendrá valor alguno; ni se contará su fecha sino desde la inscripción.

Arts. 756 y 2456 C.C.

Artículo 2436. Los contratos hipotecarios celebrados fuera de la república o de un territorio darán hipoteca sobre bienes situados en cualquier punto de ella o del respectivo territorio, con tal que se inscriban en el competente registro.

Artículo 2437. Si la constitución de la hipoteca adolece de nulidad relativa, y después se valida por el lapso de tiempo o la ratificación, la fecha de la hipoteca será siempre la fecha de la inscripción.

Art. 1741 C.C.

Artículo 2438. La hipoteca podrá otorgarse bajo cualquiera condición, y desde o hasta cierto día.

Otorgada bajo condición suspensiva o desde día cierto, no valdrá sino desde que se cumpla la condición o desde que llega el día; pero cumplida la condición o llegado el día, será su fecha la misma de la inscripción.

Podrá así mismo otorgarse en cualquier tiempo, antes o después de los contratos a que acceda; y correrá desde que se inscriba.

Arts. 1139, 1530 y 1536 C.C.

Artículo 2439. No podrá constituir hipoteca sobre sus bienes sino la persona que sea capaz de enajenarlos, y con los requisitos necesarios para su enajenación.

Pueden obligarse hipotecariamente los bienes propios para la seguridad de una obligación ajena; pero no habrá acción personal contra el dueño, si éste no se ha sometido expresamente a ella.

Arts. 1504, 1521, 2169, 2412, y 2454 C.C.

Artículo 2440. El dueño de los bienes gravados con hipoteca podrá siempre enajenarlos o hipotecarlos, no obstante cualquiera estipulación en contrario.

Artículo 2441. El que sólo tiene sobre la cosa que se hipoteca un derecho eventual, limitado o rescindible, no se entiende hipotecarla sino con las condiciones y limitaciones a que está sujeto el derecho; aunque así no lo exprese.

Si el derecho está sujeto a una condición resolutoria, tendrá lugar lo dispuesto en el artículo 1548.

Art. 752 C.C.

Artículo 2442. El comunero puede antes de la división de la cosa común, hipotecar su cuota; pero verificada la división, la hipoteca afectará solamente los bienes que en razón de dicha cuota se adjudiquen, si fueren hipotecables. Si no lo fueren, caducará la hipoteca.

Podrá, con todo, subsistir la hipoteca sobre los bienes adjudicados a los otros partícipes, si estos consistieren en ello, y así constare por escritura pública, de que se tome razón al margen de la inscripción hipotecaria.

Arts. 779, 1401 y 1868 C.C.

Artículo 2443. La hipoteca no podrá tener lugar sino sobre bienes raíces que se posean en propiedad o usufructo o sobre naves.

Las reglas particulares relativas a la hipoteca de las naves, pertenecen al Código de Comercio.

Arts. 1570-1577 C.Co.

Artículo 2444. La hipoteca de bienes futuros sólo da al acreedor el derecho de hacerla inscribir sobre los inmuebles que el deudor adquiera en lo sucesivo, y a medida que los adquiera.

Art. 1518 C.C.

Artículo 2445. La hipoteca constituida sobre bienes raíces afecta los muebles que por accesión a ellos se reputan inmuebles, según el artículo 658; pero deja de afectarlos desde que pertenecen a terceros.

La hipoteca se extiende a todos los aumentos y mejoras que reciba la cosa hipotecada.

Arts. 658 y 659 C.C.

Artículo 2446. También se extiende la hipoteca a las pensiones devengadas por el arrendamiento de los bienes hipotecados, y a la indemnización debida por los aseguradores de los mismos bienes.

Artículo 2447. La hipoteca sobre un usufructo, o sobre minas y canteras no se extiende a los frutos percibidos, ni a las sustancias minerales, una vez separadas del suelo.

Artículo 2448. El acreedor hipotecario tiene, para hacerse pagar sobre las cosas hipotecadas, los mismos derechos que el acreedor prendario[*] sobre la prenda.

[*] Art. 3 L. 1676 de 2013

Artículo 2449. [Subrogado. Art. 29 L. 95 de 1980] El ejercicio de la acción hipotecaria no perjudica la acción personal del acreedor para hacerse pagar sobre los bienes del deudor que no le han sido hipotecados, y puede ejercitarlas ambas conjuntamente, aún respecto de los herederos del deudor difunto; pero aquélla no comunica a ésta el derecho de preferencia que corresponde a la primera.

Artículo 2450. El dueño de la finca perseguida por el acreedor hipoteca-rio, podrá abandonársela, y mientras no se haya consumado la adjudicación, podrá también recobrarla, pagando la cantidad a que fuere obligada la finca, y además las costas y gastos que este abandono hubiere causado al acreedor.

Artículo 2451. Si la finca se perdiere o deteriorare, en términos de no ser suficiente para la seguridad de la deuda, tendrá derecho el acreedor a que se mejore la hipoteca, a no ser que consienta en que se le dé otra seguridad equivalente; y en defecto de ambas cosas, podrá demandar el pago inmediato de la deuda líquida, aunque esté pendiente el plazo, o implorar las providen-cias conservativas que el caso admita, si la deuda fuere ilíquida, condicional o indeterminado.

Arts. 1553, 2375 y 2416 C.C.

Artículo 2452. La hipoteca da al acreedor el derecho de perseguir la finca hipotecada, sea quien fuere el que la posea, y a cualquier título que la haya adquirido.

Sin embargo, esta disposición no tendrá lugar contra el tercero que haya adquirido la finca hipotecada en pública subasta ordenada por el juez.

Más, para que esta excepción surta efecto a favor del tercero, deberá ha-cerse la subasta con citación personal, en el término de emplazamiento de los acreedores que tengan constituidas hipotecas sobre la misma finca; los cuales serán cubiertos sobre el precio del remate, en el orden que corresponda.

El juez, entretanto, hará consignar el dinero.

Arts. 665, 2020 y 2499 C.C.

Artículo 2453. El tercer poseedor reconvenido para el pago de la hipoteca constituida sobre la finca que después pasó a sus manos con este gravamen, no tendrá derecho para que se persiga primero a los deudores personalmente obligados.

Haciendo el pago se subroga en los derechos del acreedor en los mismos términos que el fiador.

Si fuere desposeído de la finca o la abandonare, será plenamente indem-nizado por el deudor, con inclusión de las mejoras que haya hecho en ella.

Arts. 1668 y 2395 C.C.

Artículo 2454. El que hipoteca un inmueble suyo por una deuda ajena, no se entenderá obligado personalmente si no se hubiere estipulado.

Sea que se haya obligado personalmente, o no, se le aplicará la regla del artículo precedente.

La fianza se llama hipotecaria cuando el fiador se obliga con hipoteca.

La fianza hipotecaria está sujeta en cuanto a la acción personal a las reglas de la simple fianza.

Arts. 2361, 2383 y 2415 C.C.

Artículo 2455. La hipoteca podrá limitarse a una determinada suma, con tal que así se exprese inequívocamente, pero no se extenderá en ningún caso a más del duplo del importe conocido o presunto, de la obligación principal, aunque así se haya estipulado.

El deudor tendrá derecho para que se reduzca la hipoteca a dicho importe; y reducida, se hará a su costa una nueva inscripción, en virtud de la cual no valdrá la primera sino hasta la cuantía que se fijare en la segunda.

Artículo 2456. El registro de la hipoteca deberá hacerse en los términos prevenidos en el título «Del registro de instrumentos públicos».

Art. 2435 C.C.

Artículo 2457. La hipoteca se extingue junto con la obligación principal.

Se extingue, asimismo, por la resolución del derecho del que la constituyó, o por el evento de la condición resolutoria, según las reglas legales. Se extingue, además, por la llegada del día hasta el cual fue constituida.

Y por la cancelación que el acreedor acordare por escritura pública, de que se tome razón al margen de la inscripción respectiva.

Arts. 1536, 1544, 1551, 1625 y 1760 C.C.

TÍTULO 38° De la anticresis

Artículo 2458. La anticresis[*] es un contrato por el que se entrega al acreedor una finca raíz para que se pague con sus frutos.

[*] Art. 3 L. 1676 de 2013
Arts. 1221-125 C.Co.

Artículo 2459. La cosa raíz puede pertenecer al deudor o a un tercero que consienta en la anticresis[*].

(*) Art. 3 L. 1676 de 2013

Artículo 2460. El contrato de anticresis[*] se perfecciona por la tradición del inmueble.

(*) Art. 3 L. 1676 de 2013
Arts. 756 y 1500 C.C.

Artículo 2461. La anticresis[*] no da al acreedor, por sí sola, ningún derecho real sobre la cosa entregada.

Se aplica al acreedor anticrético lo dispuesto a favor del arrendatario, en el caso del artículo 2020.

No valdrá la anticresis en perjuicio de los derechos reales, ni de los arrendamientos anteriormente constituidos sobre la finca.

(*) Art. 3 L. 1676 de 2013

Artículo 2462. Podrá darse al acreedor en anticresis[*] el inmueble anteriormente hipotecado al mismo acreedor; y podrá, asimismo, hipotecarse al acreedor, con las formalidades y efectos legales, el inmueble que se le ha dado en anticresis.

(*) Art. 3 L. 1676 de 2013

Artículo 2463. El acreedor que tiene anticresis[*], goza de los mismos derechos que el arrendatario para el abono de mejoras, perjuicios y gastos, y está sujeto a las mismas obligaciones que el arrendatario, relativamente a la conservación de la cosa.

(*) Art. 3 L. 1676 de 2013
Arts. 1995, 1996 y 2007 C.C.

Artículo 2464. El acreedor no se hace dueño del inmueble a falta de pago; ni tendrá preferencia en él sobre los otros acreedores, sino la que le diere el contrato accesorio de hipoteca, si lo hubiere. Toda estipulación en contrario es nula.

Artículo 2465. Si el crédito produjere intereses, tendrá derecho el acreedor para que la imputación de los frutos se haga primeramente a ellos.

Arts. 714 y 1653 C.C.

Artículo 2466. Las partes podrán estipular que los frutos se compensen con los intereses, en su totalidad, o hasta concurrencia de valores.

Los intereses que estipularen estarán sujetos, en caso de lesión enorme, a la misma reducción que en el caso de mutuo.

Art. 2231 C.C.

Artículo 2467. El deudor no podrá pedir la restitución de la cosa dada en anticresis[*], sino después de la extinción total de la deuda, pero el acreedor podrá restituir en cualquier tiempo, y perseguir el pago de su crédito por los otros medios legales; sin perjuicio de lo que se hubiere estipulado en contrario.

[*] Art. 3 L. 1676 de 2013

Artículo 2468. En cuanto a la anticresis judicial o prenda pretoria[*], se estará a lo prevenido en el Código Judicial.

[*] Art. 3 L. 1676 de 2013

TÍTULO 39° De la transacción

Artículo 2469. La transacción es un contrato en que las partes terminan extrajudicialmente un litigio pendiente o precaven un litigio eventual.

No es transacción el acto que sólo consiste en la renuncia de un derecho que no se disputa.

Art. 312 C.G.P

Artículo 2470. No puede transigir sino la persona capaz de disponer de los objetos comprendidos en la transacción.

Arts. 1502-1504 C.C.

Artículo 2471. Todo mandatario necesita de poder especial para transigir.

En este poder se especificarán los bienes, derechos y acciones sobre que se quiera transigir.

Art. 2158 C.C.

Artículo 2472. La transacción puede recaer sobre la acción civil que nace de un delito; pero sin perjuicio de la acción criminal.

Artículo 2473. No se puede transigir sobre el estado civil de las personas.

Arts. 15, 1523 y 1526 C.C.

Artículo 2474. La transacción sobre alimentos futuros de las personas a quienes se deba por ley, no valdrá sin aprobación judicial; ni podrá el juez aprobarla, si en ella se contraviene a lo dispuesto en los artículos 424 y 425.

Artículo 2475. No vale la transacción sobre derechos ajenos o sobre derechos que no existen.

Arts. 1869 y 1870 C.C.

Artículo 2476. Es nula en todas sus partes la transacción obtenida por títulos falsificados, y en general por dolo o violencia.

Arts. 1513-1515 C.C.

Artículo 2477. Es nula en todas sus partes la transacción celebrada en consideración a un título nulo, a menos que las partes hayan tratado expresamente sobre la nulidad del título.

Artículo 2478. Es nula asimismo la transacción, si, al tiempo de celebrarse, estuviere ya terminado el litigio por sentencia pasada en autoridad de cosa juzgada, y de que las partes o alguna de ellas no haya tenido conocimiento al tiempo de transigir.

Art. 303 C.G.P.

Artículo 2479. La transacción se presume haberse aceptado por consideración a la persona con quien se transige.

Si se cree, pues, transigir con una persona, y se transige con otra, podrá rescindirse la transacción.

De la misma manera si se transige con el poseedor aparente de un derecho, no puede alegarse esta transacción contra la persona a quien verdaderamente compete el derecho.

Arts. 66 y 1512 C.C.

Artículo 2480. El error acerca de la identidad del objeto sobre que se quiere transigir, anula la transacción.

Arts. 746, 1510 y 1511 C.C.

Artículo 2481. El error de cálculo no anula la transacción, solo da derecho a que se rectifique el cálculo.

Artículo 2482. Si constare por títulos auténticos que una de las partes no tenía derecho alguno al objeto sobre que se ha transigido, y estos títulos al tiempo de la transacción eran desconocidos de la parte cuyos derechos favorecen, podrá la transacción rescindirse; salvo que no haya recaído sobre un objeto en particular, sino sobre toda la controversia entre las partes, habiendo varios objetos de desavenencia entre ellas.

En este caso el descubrimiento posterior de títulos desconocidos no sería causa de rescisión, sino en cuanto hubieren sido extraviados u ocultados dolosamente por la parte contraria.

Si el dolo fuere solo relativo a uno de los objetos sobre que se ha transigido, la parte perjudicada podrá pedir la restitución de su derecho sobre dicho objeto.

Arts. 63 y 1510 C.C.

Artículo 2483. La transacción produce el efecto de cosa juzgada en última instancia; pero podrá impetrarse la declaración de nulidad o la rescisión, en conformidad a los artículos precedentes.

Arts. 765 y 1750 C.C.

Artículo 2484. La transacción no surte efecto sino entre los contratantes.

Si son muchos los principales interesados en el negocio sobre el cual se transige, la transacción consentida por el uno de ellos no perjudica ni aprovecha a los otros; salvo, empero, los efectos de la novación en el caso de solidaridad.

Arts. 1397, 1583, 1704 y 1749 C.C.

Artículo 2485. Si la transacción recae sobre uno o más objetos específicos, la renuncia general de todo derecho, acción o pretensión, deberá sólo entenderse de los derechos, acciones o pretensiones relativas al objeto u objetos sobre que se transige.

Artículo 2486. Si se ha estipulado una pena contra el que deja de ejecutar la transacción, habrá lugar a la pena, sin perjuicio de llevarse a efecto la transacción en todas sus partes.

Arts. 1592-1601 C.C.

Artículo 2487. Si una de las partes ha renunciado el derecho que le correspondía por un título, y después adquiere otro título sobre el mismo objeto, la transacción no la priva del derecho posteriormente adquirido.

TÍTULO 40° De la prelación de créditos

Artículo 2488. Toda obligación personal da al acreedor el derecho de perseguir su ejecución sobre todos los bienes raíces o muebles del deudor, sean presente o futuros, exceptuándose solamente los no embargables designados en el artículo 1677.

Arts. 654-656 C.C.

Artículo 2489. Sobre las especies identificables que pertenezcan a otras personas por razón de dominio, y existan en poder del deudor insolvente, conservarán sus derechos los respectivos dueños, sin perjuicio de los derechos reales que sobre ellos competan al deudor, como usufructuario o prendario, o del derecho de retención que le concedan las leyes; en todos los cuales podrán subrogarse los acreedores.

Podrán, así mismo, subrogarse en los derechos del deudor, como arrendador o arrendatario, según lo dispuesto en los artículos 2023 y 2026.

[Inciso 3. Derogado. Art. 698 C.P.C]

Arts. 1668 y 2023 C.C.

Artículo 2490. Son nulos todos los actos ejecutados por el deudor relativamente a los bienes de que ha hecho cesión, o de que se ha abierto concurso a los acreedores.

Arts. 1521, 1633, 1636 y 1672 C.C.

Artículo 2491. En cuanto a los actos ejecutados antes de la cesión de bienes o a la apertura del concurso, se observarán las disposiciones siguientes:

1. Los acreedores tendrán derecho para que se rescindan los contratos onerosos, y las hipotecas, prendas[*] y anticresis[**] que el deudor haya otorgado en perjuicio de ellos, siendo de mala fe el otorgante y el adquirente, esto es, conociendo ambos el mal estado de los negocios del primero.

2. Los actos y contratos no comprendidos en el número precedente, inclusos las remisiones y pactos de liberación a título gratuito, serán rescindibles, probándose la mala fe del deudor y el perjuicio de los acreedores.

3. Las acciones concedidas en este artículo a los acreedores, expiran en un año, contado desde la fecha del acto o contrato.

(*) (**) Art. 3 L. 1676 de 2013

Artículo 2492. Los acreedores, con las excepciones indicadas en el artículo 1677, podrán exigir que se vendan todos los bienes del deudor hasta concurrencia de sus créditos, incluso los intereses y los costos de la cobranza, para que con el producto se les satisfaga íntegramente, si fueren suficientes los bienes, y en caso de no serlo, a prorrata, cuando no haya causas especiales para preferir ciertos créditos, según la clasificación que sigue.

Art. 1672 C.C.

Artículo 2493. Las causas de preferencia son solamente el privilegio y la hipoteca.

Estas causas de preferencia son inherentes a los créditos, para cuya seguridad se han establecido, y pasan con ellos a todas las personas que los adquieren por cesión, subrogación o de otra manera.

Artículo 2494. Gozan de privilegio los créditos de la primera, segunda y cuarta clase.

Arts. 2495, 2497, 2499 y 2502 C.C.; Art. 134 C.I.A.

Artículo 2495. La primera clase de crédito comprende los que nacen de las causas que en seguida se enumeran:

1. Las costas judiciales que se causen en el interés general de los acreedores.

2. Las expensas funerales necesarios del deudor difunto(*).

3. Los gastos de la enfermedad de que haya fallecido el deudor.

Si la enfermedad hubiere durado más de seis meses, fijará el juez, según las circunstancias, la cantidad hasta la cual se extienda la preferencia.

4. [Subrogado. Art. 1 L. 165 de 1941 y Art. 36 L. 50 de 1990] Los salarios, sueldos y todas las prestaciones provenientes del contrato de trabajo(**) (***)

5. Los artículos necesarios de subsistencia, suministrados al deudor y a su familia durante los últimos tres meses.

El juez, a petición de los acreedores, tendrá la facultad de tasar este cargo si le pareciere exagerado.

6. Los créditos del fisco y los de las municipalidades por impuestos fiscales o municipales devengados[****].

Exeq. C-019 del 2007: «EXEQUIBLE, por los cargos examinados en esta sentencia, el Num. 6 del Art. 2495 del Código Civil».

[*] Según el artículo 134 del Código de la Infancia y Adolescencia, los créditos por alimentos a favor de los niños, niñas y los adolescentes gozan de prelación sobre todos los demás.

[**] Según los artículos 126 y 270 de la ley 100 de 1993, los créditos causados o exigibles por concepto de bonos, cuotas partes, cotizaciones e intereses a que hubiera lugar en el Sistema General de Pensiones y el Sistema de Seguridad Social en Salud, tienen el mismo privilegio que los créditos por concepto de salarios, prestaciones sociales e indemnizaciones laborales de los que se hace referencia en el presente artículo.

[***] Según el artículo 1277 del Código de Comercio, el pago de créditos al mandatario, derivados del mandato ejecutado, tienen el mismo privilegio que los créditos concepto de salarios, prestaciones sociales e indemnizaciones laborales de los que se hace referencia en el presente artículo.

[****] Según los artículos 1132 y 1154 del Código de Comercio, el crédito del damnificado y los créditos del beneficiario contra el asegurador (en los seguros de vida), gozan de prelación después de los créditos del fisco.

Artículo 2496. Los créditos enumerados en el artículo precedente afectan todos los bienes del deudor; y no habiendo lo necesario para cubrirlo íntegramente, preferirán unos a otros en el orden de su numeración, cualquiera que sea su fecha, y los comprendidos en cada número concurrirán a prorrata.

Los créditos enumerados en el artículo precedente no pasarán en caso alguno contra terceros poseedores.

Artículo 2497. A la segunda clase de créditos pertenecen los de las personas que en seguida se enumeran:

1. El posadero sobre los efectos del deudor, introducidos por éste en la posada, mientras permanezcan en ella, y hasta concurrencia de lo que se deba por alojamiento, expensas y daños.

2. El acarreador o empresario de transportes sobre los efectos acarreados que tenga en su poder o en el de sus agentes o dependientes, hasta concurrencia de lo que se deba por acarreo, expensas y daños; con tal que dichos efectos sean de la propiedad del deudor. Se presume que son de la propiedad del deudor, los efectos introducidos por él en la posada, o acarreados de su cuenta.

3. El acreedor prendario sobre la prenda[*] [**] [***] [****].

[*] Art. 3 L. 1676 de 2013.

[**] Según el artículo 43 de la ley 1116 de 2006, los créditos amparados por negocios fiduciarios se asimilan a los créditos de segunda y tercera clase del Código Civil, dependiendo de la naturaleza de los bienes objeto del contrato.

[***] Según el parágrafo 3 del artículo 125 de la ley 388 de 1997 «*Los valores o créditos que por concepto de cuotas hubieren cancelado los promitentes compradores, se tendrán como créditos privilegiados de segunda clase, en los términos del artículo 10 del Decreto 2610 de 1979, siempre que la promesa de contrato haya sido válidamente celebrada y se tenga certeza de su otorgamiento*».

[****] El artículo 1555 del Código de Comercio establece que los créditos navales se pagarán con el producto de la nave, de forma preferente a otros acreedores. Arts. 1204, 1207, 1211, 1226-1244 C.Co.

Artículo 2498. Afectando a una misma especie crédito de la primera y créditos de la segunda, excluirán éstos a aquéllos; pero si fueren insuficientes los demás bienes para cubrir los créditos de la primera clase, tendrán éstos la preferencia en cuanto al déficit, y concurrirán en dicha especie, en el orden y forma que se expresan en el inciso primero del artículo 2495.

Artículo 2499. La tercera clase de créditos comprende los hipotecarios.

A cada finca gravada con hipoteca podrá abrirse, a petición de los respectivos acreedores, o de cualquiera de ellos, un concurso particular para que se les pague inmediatamente con ella, según el orden de las fechas de sus hipotecas.

Las hipotecas de una misma fecha que gravan una misma finca, preferirán unas a otras en el orden de su inscripción.

En este concurso se pagarán primeramente las costas judiciales causadas en él.[*]

[*] Según el artículo 43 de la ley 1116 de 2006, los créditos amparados por negocios fiduciarios se asimilan a los créditos de segunda y tercera clase del Código Civil, dependiendo de la naturaleza de los bienes objeto del contrato. Arts. 2432, 2443-2446 C.C.; Arts. 1570, 1904, 1226-1244 C.Co

Artículo 2500. Los créditos de la primera clase no se extenderán a las fincas hipotecadas, sino en el caso de no poderse cubrir en su totalidad con los otros bienes del deudor.

El déficit se dividirá entonces entre las fincas hipotecadas a proporción de los valores de éstas, y lo que a cada una quepa se cubrirá con ella, en el orden y forma que se expresan en el artículo 2495.

Artículo 2501. Los acreedores hipotecarios no estarán obligados a aguardar las resultas del concurso general para proceder a ejercer sus acciones contra las respectivas fincas; bastará que consignen una cantidad prudencial para el pago de los créditos de la primera clase, en la parte que sobre ellos recaiga, y que restituyan a la masa lo que sobrare después de cubiertas sus acciones.

Artículo 2502. La cuarta clase de créditos comprende:

1° Los del fisco contra los recaudadores, administradores y rematadores de rentas y bienes fiscales.

2° Los de los establecimientos de caridad o de educación, costeados con fondos públicos y los del común de los corregimientos contra los recaudadores, administradores y rematadores de sus bienes y rentas.

3° [Derogado. Art. 70 Dec. 2820 de 1974]

4° Los de los hijos de familia por los bienes de su propiedad que administra el padre sobre los bienes de éste.

5° Los de las personas que están bajo tutela y curaduría, contra sus respectivos tutores o curadores.

6° [Derogado. Art. 70 Dec. 2820 de 1974]

7° [Adicionado. Art. 124 L. 1116 de 2006] Los de los proveedores de materias primas o insumos necesarios para la producción o transformación de bienes o para la prestación de servicios.

Artículo 2503. Los créditos enumerados en el artículo precedente prefieren indistintamente unos a otros según las fechas de sus causas, es a saber:

La fecha del nombramiento de administradores y recaudadores, o la del remate respecto de los créditos de los números 1° y 2°.

La del respectivo matrimonio en los créditos de los números 3° y 6°.

La del nacimiento del hijo en los del número 4°.

La del discernimiento de la tutela por curatela en los del número 5°.

Artículo 2504. Las preferencias de los números 3°, 4°, 5° y 6° se entienden constituidas a favor de los bienes raíces o derechos reales en ellos, que la mujer hubiere aportado al matrimonio, o de los bienes raíces o derechos reales en ellos, que pertenezcan a los respectivos hijos de familia, y personas en tutela o curaduría y hayan entrado en poder del marido, padre, tutor o curador; y a favor de todos los bienes en que se justifique el derecho de las mismas personas por inventarios solemnes, testamentos, actos de partición, sentencias de adjudicación escrituras públicas de capitulaciones matrimoniales, de donación, venta o permuta, u otros de igual autenticidad.

Se extiende asimismo la preferencia de cuarta clase a los derechos y acciones de la mujer contra el marido, o de los hijos de familia y personas en tutela o curaduría, contra sus padres, tutores o curadores, por culpa o dolo en la administración de los respectivos bienes, probándose los cargos de cualquier modo fehaciente.

Artículo 2505. [Modificado. Art. 67 Dec. 2820 de 1974] La confesión del padre, de la madre, del tutor o curador fallidos, no hará prueba por sí sola contra los acreedores.

Art. 1795 C.C.

Artículo 2506. Las preferencias de los créditos de la cuarta clase afectan todos los bienes del deudor, pero no dan derecho contra terceros poseedores, y solo tienen lugar después de cubiertos los créditos de las tres primeras clases de cualquiera fecha que estos sean.

Artículo 2507. Las preferencias de la primera clase a que estaban afectos los bienes del deudor difunto, afectarán de la misma manera los bienes del heredero, salvo que éste haya aceptado con beneficio de inventario, o que los acreedores gocen del beneficio de separación, pues en ambos casos afectarán solamente los bienes inventariados o separados.

La misma regla se aplicará a los bienes de la cuarta clase, los cuales conservarán su fecha sobre todos los bienes del heredero, cuando no tengan lugar los beneficios del inventario o de separación y sólo la conservarán en los bienes inventariados o separados, cuando tengan lugar los respectivos beneficios.

Arts. 1155, 1302, 1304 y 1435 C.C.

Artículo 2508. La ley no reconoce otras causas de preferencia que las instituidas en los artículos precedentes.

Artículo 2509. La quinta y última clase comprende los bienes que no gozan de preferencia.

Los créditos de la quinta clase se cubrirán a prorrata sobre el sobrante de la masa concursada, sin consideración a su fecha.

Artículo 2510. Los créditos preferentes que no puedan cubrirse en su totalidad por los medios indicados en los artículos anteriores, pasarán por el déficit a la lista de los bienes de la quinta clase, en los cuales concurrirán a prorrata.

Artículo 2511. Los intereses correrán hasta la extinción de la deuda, y se cubrirán con la preferencia que corresponda a sus respectivos capitales.

Art. 1653 C.C.

TÍTULO 41° De la prescripción

CAPÍTULO 1° De la prescripción en general

Artículo 2512. La prescripción es un modo de adquirir las cosas ajenas, o de extinguir las acciones o derechos ajenos, por haberse poseído las cosas y no haberse ejercido dichas acciones y derechos durante cierto lapso de tiempo, y concurriendo los demás requisitos legales.

Se prescribe una acción o derecho cuando se extingue por la prescripción.

Arts. 28 y 673 C.C.; Art. 1 L. 791 de 2002; Art. 110 L. 1306 de 2009.

Artículo 2513. El que quiera aprovecharse de la prescripción debe alegarla; el juez no puede declararla de oficio.

[Adicionado. Art. 2 L. 791 de 2002] Agréguese un inciso segundo al artículo 2513 del Código Civil, del siguiente tenor:

Inc. 2. La prescripción tanto la adquisitiva como la extintiva, podrá invocarse por vía de acción o por vía de excepción, por el propio prescribiente, o por sus acreedores o cualquiera otra persona que tenga interés en que sea declarada, inclusive habiendo aquel renunciado a ella.

Art. 282 C.G.P.

Artículo 2514. La prescripción puede ser renunciada expresa o tácitamente; pero sólo después de cumplida.

Renúnciase tácitamente, cuando el que puede alegarla manifiesta por un hecho suyo que reconoce el derecho del dueño o del acreedor; por ejemplo, cuando cumplidas las condiciones legales de la prescripción, el poseedor de la cosa la toma en arriendo, o el que debe dinero paga intereses o pide plazos.

Art. 1740 C.C.

Artículo 2515. No puede renunciar la prescripción sino el que puede enajenar.

Artículo 2516. El fiador podrá oponer al acreedor la prescripción renunciada por el principal deudor.

Art. 2380 C.C.

Artículo 2517. Las reglas relativas a la prescripción se aplican igualmente en favor y en contra de la Nación, del territorio, de las municipalidades, de los establecimientos y corporaciones y de los individuos particulares que tienen la libre administración de lo suyo.

Art. 2519 C.C.

CAPÍTULO 2º De la prescripción con que se adquieren las cosas

Artículo 2518. Se gana por prescripción el dominio de los bienes corporales, raíces o muebles, que están en el comercio humano, y se han poseído con las condiciones legales.

Se ganan de la misma manera los otros derechos reales que no están especialmente exceptuados.

Arts. 654 a 663, 664-668, 669 a 673, 753, 762 y 939 C.C.

Artículo 2519. Los bienes de uso público no se prescriben en ningún caso.

Arts. 674-684 C.C.

Artículo 2520. La omisión de actos de mera facultad, y la mera tolerancia de actos de que no resulta gravamen, no confieren posesión, ni dan fundamento a prescripción alguna.

Así, el que durante muchos años dejó de edificar en un terreno suyo, no por eso confiere a su vecino el derecho de impedirle que edifique.

Del mismo modo, el que tolera que el ganado de su vecino transite por sus tierras eriales, o paste en ellas, no por eso se impone la servidumbre de este tránsito o pasto.

Se llaman actos de mera facultad los que cada cual puede ejecutar en lo suyo, sin necesidad del consentimiento de otro.

Arts. 76, 939 y 2220 C.C.

Artículo 2521. Si una cosa ha sido poseída sucesivamente y sin interrupción por dos o más personas, el tiempo del antecesor puede o no agregarse al tiempo del sucesor, según lo dispuesto en el artículo 778.

La posesión principiada por una persona difunta continúa en la herencia yacente, que se entiende poseer a nombre del heredero.

Arts. 762 a 781, 782-792 y 1034 C.C.

Artículo 2522. Posesión no interrumpida es la que no ha sufrido ninguna interrupción natural o civil.

Arts. 780, 867 C.C.

Artículo 2523. La interrupción es natural:

1°. Cuando sin haber pasado la posesión a otras manos, se ha hecho imposible el ejercicio de actos posesorios, como cuando una heredad ha sido permanentemente inundada.

2°. Cuando se ha perdido la posesión por haber entrado en ella otra persona.

La interrupción natural de la primera especie no produce otro efecto que el de descontarse su duración; pero la interrupción natural de la segunda especie hace perder todo el tiempo de la posesión anterior; a menos que se haya recobrado legalmente la posesión, conforme a lo dispuesto en el título De las acciones posesorias, pues en tal caso no se entenderá haber habido interrupción para el desposeído.

Arts. 780, 789, 791 y 792 C.C.; Arts. 94 y 95 C.G.P.

Artículo 2524. [Derogado. Art. 698 C.P.C.]

Artículo 2525. Si la propiedad pertenece en común a varias personas, todo lo que interrumpe la prescripción respecto de una de ellas, la interrumpe también respecto de las otras.

Arts. 779, 780, 943, 1586, 1749 y 2540 C.C.

Artículo 2526. Contra un título inscrito no tendrá lugar la prescripción adquisitiva de bienes raíces, o derechos reales constituidos en éstos, sino en virtud de otro título inscrito, ni empezará a correr sino desde la inscripción del segundo.

Arts. 764, 787 y 980 C.C.

Artículo 2527. La prescripción adquisitiva es ordinaria o extraordinaria.

Artículo 2528. Para ganar la prescripción ordinaria se necesita posesión regular no interrumpida, durante el tiempo que las leyes requieren.

Arts. 762-781 y 980 C.C.

Artículo 2529. [Modificado. Art. 4 L. 791 de 2002] El inciso primero del artículo 2529 del Código Civil quedará así:

Inc. 1. El tiempo necesario a la prescripción ordinaria es de tres (3) años para los muebles y de cinco (5) años para bienes raíces.

Cada dos días se cuentan entre ausentes por uno solo para el cómputo de los años[*].

Se entienden presentes para los efectos de la prescripción, los que viven en el territorio, y ausentes los que residan en país extranjero[*].

[*] Exeq. C-204 de 2001.
Art. 12 L. 200 de 1936; Art. 4 L. 45 de 1973; Art. 51 L. 9 de 1989.

Artículo 2530. [Modificado. Art. 3 L. 791 de 2002] El artículo 2530 del Código Civil quedará así:

La prescripción ordinaria puede suspenderse sin extinguirse; en ese caso, cesando la causa de la suspensión, se le cuenta al poseedor el tiempo anterior a ella, si alguno hubo.

La prescripción se suspende a favor de los incapaces y, en general, de quienes se encuentran bajo tutela o curaduría.

Se suspende la prescripción entre el heredero beneficiario y la herencia.

Igualmente se suspende entre quienes administran patrimonios ajenos como tutores, curadores, albaceas o representantes de personas jurídicas, y los titulares de aquellos.

No se contará el tiempo de prescripción en contra de quien se encuentre en imposibilidad absoluta de hacer valer su derecho, mientras dicha imposibilidad subsista.

Art. 2541 C.C.

Artículo 2531. El dominio de cosas comerciales, que no ha sido adquirido por la prescripción ordinaria, puede serlo por la extraordinaria, bajo las reglas que van a expresarse:

1ª. Para la prescripción extraordinaria no es necesario título alguno.

2ª. Se presume en ella de derecho la buena fe sin embargo de la falta de un título adquisitivo de dominio.

3ª. Pero la existencia de un título de mera tenencia, hará presumir mala fe, y no dará lugar a la prescripción, a menos de concurrir estas dos circunstancias:

[Modificado. Art. 5 L. 791 de 2002] El numeral primero del ordinal 3 del artículo 2531 del Código Civil quedará así:

1°. Que el que se pretende dueño no pueda probar que en los últimos diez (10) años se haya reconocido expresa o tácitamente su dominio por el que alega la prescripción.

2°. Que el que alegue la prescripción pruebe haber poseído sin violencia, clandestinidad, ni interrupción por el mismo espacio de tiempo.

Art. 2539 C.C.; Art. 1 L. 791 de 2002.

Artículo 2532. [Modificado. Art. 6 L. 791 de 2002]: El artículo 2532 del Código Civil quedará así:

El lapso de tiempo necesario para adquirir por esta especie de prescripción, es de diez (10) años contra todo (sic) persona y no se suspende a favor de las enumerados en el artículo 2530.

Exeq. Cond. C-466 de 2014: «Declarar EXEQUIBLE (...) el artículo 2532 del Código Civil, en el entendido que la usucapión extraordinaria se suspende a favor de las víctimas de desplazamiento forzado, que por esta circunstancia se han visto ante la imposibilidad absoluta de ejercer su derecho de propiedad, en los términos del artículo 2530 del Código Civil».

Arts. 1742 y 1743; Art. 51 L. 9 de 1989; Art. 1 L. 791 de 2002.

Artículo 2533. [Modificado. Art. 7 L. 791 de 2002] El artículo 2533 del Código Civil quedará así:

Los derechos reales se adquieren por prescripción de la misma manera que el dominio, y están sujetos a las mismas reglas, salvo las excepciones siguientes:

1ª. El derecho de herencia se adquiere por la prescripción extraordinario (*sic*) de diez (10) años.

2ª. El derecho de servidumbre se adquiere según el artículo 939.

Arts. 665, 939, 1032, 1267 y 1326 C.C.; Art. 1 L. 791 de 2002.

Artículo 2534. La sentencia judicial que declara una prescripción hará las veces de escritura pública para la propiedad de bienes raíces o de derechos reales constituidos en ellos; pero no valdrá contra terceros sin la competente inscripción.

Arts. 17 y 758 C.C.

CAPÍTULO 3° De la prescripción como medio de extinguir las acciones judiciales

Artículo 2535. La prescripción que extingue las acciones y derechos ajenos exige solamente cierto lapso de tiempo durante el cual no se hayan ejercido dichas acciones.

Se cuenta este tiempo desde que la obligación se haya hecho exigible.

Artículo 2536. [Modificado. Art. 8 L. 791 de 2002] El artículo 2536 del Código Civil quedará así:

La acción ejecutiva se prescribe por cinco (5) años. Y la ordinaria por diez (10).

La acción ejecutiva se convierte en ordinaria por el lapso de cinco (5) años, y convertida en ordinaria durará solamente otros cinco (5).

Una vez interrumpida o renunciada una prescripción, comenzará a contarse nuevamente el respectivo término.

Art. 2544 C.C.

Artículo 2537. La acción hipotecaria y las demás que proceden de una obligación accesoria, prescriben junto con la obligación a que acceden.

Art. 2457 C.C.

Artículo 2538. Toda acción por la cual se reclama un derecho se extingue por la prescripción adquisitiva del mismo derecho.

Artículo 2539. La prescripción que extingue las acciones ajenas, puede interrumpirse, ya natural, ya civilmente.

Se interrumpe naturalmente por el hecho de reconocer el deudor la obligación, ya expresa, ya tácitamente.

Se interrumpe civilmente por la demanda judicial; salvo los casos enumerados en el artículo 2524.

Arts. 2531 y 2543 C.C.; Arts. 94 y 95 C.G.P.

Artículo 2540. [Modificado. Art. 9 L. 791 de 2002] El artículo 2540 del Código Civil quedará así:

La interrupción que obra a favor de uno o varios coacreedores, no aprovecha a los otros, ni la que obra en perjuicio de uno o varios codeudores, perjudica a los otros, a menos que haya solidaridad, y no se haya esta renunciado en los términos del artículo 1573, o que la obligación sea indivisible.

Arts. 943, 1573 y 1586 C.C.

Artículo 2541. La prescripción que extingue las obligaciones se suspende en favor de las personas enumeradas en el número 1° del artículo 2530.

[Modificado. Art. 10 L. 791 de 2002] El inciso segundo del artículo 2541 del Código Civil quedará así:

Inc. 2: Transcurrido diez años no se tomarán en cuenta las suspensiones mencionadas, en el inciso precedente.

Art. 1742 C.C.

CAPÍTULO 4° De ciertas acciones que prescriben en corto tiempo

Artículo 2542. Prescriben en tres años los gastos judiciales enumerados en el título VII, libro I del código judicial de la unión[*], incluso los honorarios de los defensores; los de médicos y cirujanos; los de directores o profesores de colegios y escuelas; los de ingenieros y agrimensores, y en general de los que ejercen cualquiera profesión liberal.

[*] Entiéndase las respectivas normas del Código General del Proceso.

Artículo 2543. Prescribe en dos años la acción de los mercaderes, proveedores y artesanos, por el precio de los artículos que despachan al menudeo.

[*La de los dependientes y criados por sus salarios*].

La de toda clase de personas por el precio de servicios que se prestan periódica o accidentalmente, como posaderos, acarreadores, mensajeros, barberos, etc.

Inhib. C-607 de 2006: «...*el término de prescripción contenido en el inciso segundo del artículo 2543 del Código Civil fue sustituido por la previsión general del artículo 488 del Código Sustantivo del Trabajo (...) RESUELVE (...) declararse INHIBIDA para emitir pronunciamiento de fondo respecto de la expresión "criados" contenida en el inciso segundo de artículo 2543 del Código Civil, por las razones expuestas en la parte considerativa de esta Sentencia*».
Art. 498, 2524, 2539 C.C.; Art. 488 C.S.T.

Artículo 2544. [Modificado. Art. 11 L. 791 de 2002] El artículo 2544 del Código Civil quedará así:

Las prescripciones mencionadas en los dos artículos anteriores, no admiten suspensión alguna.

Interrúmpense:

1°. Desde que el deudor reconoce la obligación, expresamente o por conducto (*sic*) concluyente.

2°. Desde que interviene requerimiento.

En ambos casos se volverá a contar el mismo término de prescripción.

Art. 2536 C.C.

Artículo 2545. Las prescripciones de corto tiempo a que están sujetas las acciones especiales, que nacen de ciertos actos o contratos, se mencionan en los títulos respectivos, y corren también contra toda persona; salvo que expresamente se establezca otra regla.

Art. 1743 C.C.

TÍTULO 42° De los notarios públicos en los territorios[*]

[*] Las disposiciones comprendidas en los Art. 2546 a 2638 C.C. fueron sustituidas por el Estatuto de Notariado (Dec. 960 de 1970), el cual ha sido, a su vez, modificado parcialmente por la L. 588 de 2000, y compilado por el Dec. 1069 de 2015 (Decreto Único Reglamentario del Sector Justicia y del Derecho)

Artículos 2546 a 2636. [Derogados. Art. 232 Dec. 960 de 1970] Art. 232: «Deróganse el Título 42 del Libro 4º del Código Civil, y las disposiciones que lo han adicionado o subrogado, relativas a las materias reguladas por el presente estatuto».

Art. 131 C.P.

TÍTULO 43º Del registro de instrumentos públicos(*)

(*) El Dec. 1250 de 1970 estableció un nuevo régimen registral, el cual fue derogado por la L. 1579 de 2012, actual «Estatuto de Registro de Instrumentos Públicos».

Artículos 2637 a 2682. [Derogados. Art. 96 Dec. 1250 de 1970] Art. 96: «Este ordenamiento deroga el Título 43 del Libro Cuarto del Código Civil (...) y las demás disposiciones relacionadas con el Registro de Instrumentos Públicos, que resulten contrarias con lo aquí previsto».

Art. 131 C.P.

TÍTULO 44º Observancia de este Código

Artículo 2683. El presente Código comenzará a regir desde su publicación, y quedarán desde entonces derogadas todas las leyes y disposiciones sustantivas anteriores en materia civil de la competencia de la Unión, sean o no contrarias a las que se contienen en este código.

En consecuencia, las controversias y los pleitos acerca de actos ejecutados, de derechos adquiridos, de obligaciones contraídas, o de contratos celebrados desde dicha publicación, relativos a las expresadas materias, se decidirán con arreglo a las disposiciones de este código; pero las controversias y los pleitos sobre actos, derechos, obligaciones y contratos anteriores a la publicación del presente código, se decidirán con arreglo a las leyes sustantivas que estaban vigentes cuando se ejecutó el acto, se adquirió el derecho, se contrajo la obligación o celebró el contrato.

Artículo 2684. La cita de las disposiciones de los Códigos nacionales se hará así: «artículo, capítulo o título tal, C. C. (Código Civil); C. Co. (Código de Comercio); C. P. (Código Penal); C. A. (Código Administrativo); C. F. (Código Fiscal); C. M. (Código Militar); C. J. (Código Judicial); C.Fo. (Código de Fomento)»; y así de los demás que puedan expedirse en lo sucesivo, suprimiéndose en las citas las palabras puestas aquí entre paréntesis.

El artículo 1° de la Ley 57 de 1887 dispuso: «Regirán en la República, noventa días después de la publicación de esta ley, con las adiciones y reformas de que ella trata, los códigos siguientes: El Civil de la Nación, sancionado el 26 de mayo de 1873 (...)», el cual estaba contenido en la Ley 84 de 1873. Ley 57 se promulgó mediante publicación en el Diario Oficial Año XXIII, N. 7019 del 20 de abril de 1887, página 1. Por su parte, al publicarse la Ley 84 en el Diario Oficial (Año IX, N. 2867 del 31 de mayo de 1873, pág. 514) se dejó consignada la siguiente nota: «Esta ley, por ser demasiado extensa, será publicada más tarde», publicación que jamás se hizo.

CÓDIGO CIVIL
SUPLEMENTO

LEY 57 DE 1887
(abril 15)
Sobre adopción de Códigos y unificación de la legislación nacional

EL CONSEJO NACIONAL LEGISLATIVO

DECRETA:

Art. 1°. Regirán en la República, noventa días después de la publicación de esta Ley, con las adiciones y reformas de que ella trata, los Códigos siguientes:

El Civil de la Nación, sancionado el 26 de mayo de 1873;

El de Comercio del extinguido Estado de Panamá, sancionado el 12 de octubre de 1869; y el Nacional sobre la misma materia, edición de 1884 que versa únicamente sobre comercio marítimo;

El Penal del extinguido Estado de Cundinamarca, sancionado el 16 de octubre de 1858;

El Judicial de la Nación, sancionado en 1872, y reformado por la Ley 76 de 1873, edición de 1874;

El Fiscal de la Nación, y las Leyes y Decretos con fuerza de la Ley relativo a la organización y administración de las rentas nacionales; y

El Militar nacional y las Leyes que lo adicionan y reforman.

Art. 2°. Los términos Territorio, Prefecto, Unión, Estados Unidos de Colombia, Presidente del Estado, que se emplean en el Código Civil, se entenderán dichos con referencia a las nuevas entidades o funcionarios constitucionales, según el caso lo requiera.

Art. 3°. En el Código de Comercio de Panamá se entenderá República donde se habla de Estado de Panamá, y las referencias que en dicho Código se hacen a Leyes del mismo Estado, se entenderán hechas a las correspondientes disposiciones de los Códigos Nacionales.

ADICIONES Y REFORMAS AL CÓDIGO CIVIL

TÍTULO PRELIMINAR

Art. 4°. Con arreglo al artículo 52 de la Constitución de la República, declárase incorporado en el Código Civil el Título III (Art. 19-52) de la misma Constitución.

[*] Artículo derogado tácitamente desde la promulgación de la Constitución Política de 1991.

CAPÍTULO I. De la Ley

Art. 5°. Cuando haya incompatibilidad entre una disposición constitucional y una legal, preferirá aquélla.

Si en los Códigos que se adoptan se hallaren algunas disposiciones incompatibles entre sí, se observarán en su aplicación las reglas siguientes:

1ª La disposición relativa a un asunto especial prefiere a la que tenga carácter general;

2ª Cuando las disposiciones tengan una misma especialidad o generalidad, y se hallen en un mismo Código, preferirá la disposición consignada en artículo posterior; y si estuvieren en diversos Códigos preferirán, por razón de éstos, en el orden siguiente: Civil, de Comercio, Penal, Judicial, Administrativo, Fiscal, de Elecciones, Militar, de Policía, de Fomento, de Minas, de Beneficencia y de Instrucción Pública.

CAPÍTULO II. Definición de varias palabras de uso frecuente en las leyes

Artículo 6°. [Derogado. Art. 31 L. 1 de 1976]

Art. 31 L. 1 de 1976: «*Esta Ley rige desde el día de su promulgación y deroga todas las normas que le sean contrarias, en especial los artículos 6 de la Ley 57 de 1887 y 52 de la Ley 153 del mismo año*».

Artículos 7° y 8°. [Derogados. Art. 30 L. 45 de 1936]

Art. 30 L. 45 de 1936: «*Deróganse los artículos 52, 56, 57, 58, 59, 1046, 1047, 1048, 1050, 1042 y 1253 del Código Civil; 7° y 8° de la Ley 57 de 1887; 53, 54, 56, 58 (causas 3ª, 4ª. y 5ª.), 59, 66, 67, 70, 71, 72, 74 y 86 de la Ley 153 de 1887, y las demás disposiciones contrarias a la presente Ley*».

LIBRO PRIMERO. DE LAS PERSONAS

TÍTULO I. Del principio y fin de las Personas

CAPÍTULO I

Art. 9°. La existencia de las personas termina con la muerte.

CAPÍTULO II. De la presunción de muerte por desaparecimiento

Artículo 10. [Derogado. Art. 698 C.P.C.]

Art. 698 C.P.C.: «Deróganse (...) artículo 10 de la Ley 57 de 1887 (...)».

TÍTULO II. Del Matrimonio

Artículo 11. [Modificado. Art. 1 L. 57 de 1990] Puede contraerse el matrimonio no sólo estando presentes ambos contrayentes, sino también por apoderado especial constituido ante notario público por el contrayente que se encuentre ausente, debiéndose mencionar en el poder *el nombre del varón o la mujer* con quien ha de *celebrarse* el matrimonio. El poder es revocable, pero la revocación no surtirá efecto si no es notificada *al otro contrayente* antes de celebrar el matrimonio.

Art. 12. Son válidos para todos los efectos civiles y políticos, los matrimonios que se celebren conforme al rito católico.

TÍTULO III. De la nulidad del matrimonio y sus efectos

Art. 13. El matrimonio civil es nulo:
1° Cuando no se ha celebrado ante el juez y los testigos competentes.
2° Cuando se ha contraído por personas que están entre sí en el primer grado de la línea recta de afinidad legítima.

Art. 14. Mientras que una mujer no hubiere cumplido diez y ocho años, no será lícito al tutor o curador que haya administrado o administre sus bienes, casarse con ella sin que la cuenta de la administración haya sido aprobada por el juez con las formalidades legales.

Igual prohibición habrá para el matrimonio entre los descendientes del tutor o curador y el pupilo o pupila.

En consecuencia, los jueces no autorizarán los matrimonios en que se contravenga a lo dispuesto en este artículo.

El hombre que se case católicamente, mediando el impedimento expresado en este artículo, quedará privado de la administración de los bienes de la mujer.

Art. 15. Las nulidades a que se contraen los números 7°, 8°, 9°, 11 y 12 del artículo 140 del Código y el número 2 del artículo 13 de esta Ley, no son subsanables, y el juez deberá declarar, aun de oficio, nulos los matrimonios que se hayan celebrado en contravención a aquellas disposiciones prohibitivas.

Art. 16. Fuera de las causas de nulidad de matrimonios civiles enumeradas en el artículo 140 del Código y en el 13 de esta Ley, no hay otras que invaliden el contrato matrimonial. Las demás faltas que en su celebración se cometan, someterán a los culpables a las penas que el Código Penal establezca.

Art. 17. La nulidad de los matrimonios católicos se rige por las Leyes de la Iglesia, y de las demandas de esta especie corresponde conocer a la autoridad eclesiástica. Dictada sentencia firme de nulidad por el Tribunal eclesiástico, surtirá todos los efectos civiles y políticos, previa inscripción en el correspondiente libro de registro de instrumentos públicos.

Art. 18. Lo dispuesto en el artículo anterior sobre causas de nulidad se aplica igualmente a los juicios de divorcio.

Art. 19. La disposición contenida en el artículo 12 tendrá efecto retroactivo. Los matrimonios católicos, celebrados en cualquier, tiempo, surtirán todos los efectos civiles y políticos desde la promulgación de la presente Ley.

La mujer que al tiempo de la expedición de esta Ley se halle casada católica mas no civilmente, podrá conservar la administración de sus bienes, y celebrar con el marido, dentro del término de un año, capitulaciones matrimoniales.

TÍTULO IV. De los hijos legítimos concebidos en matrimonio

CAPÍTULO ÚNICO. Reglas especiales para el caso de divorcio y nulidad del matrimonio

Art. 20. No se reputará hijo del marido el concebido durante el divorcio o la separación legal de los cónyuges, a menos de probarse que el marido, por actos positivos, le reconoció como suyo, o que durante el divorcio hubo reconciliación privada entre los cónyuges.

TÍTULO V. De los hijos naturales

Art. 21. El hijo ilegítimo que no ha sido reconocido voluntariamente con las formalidades legales, podrá pedir que su padre o madre lo reconozcan para el solo objeto de exigir alimentos.

TÍTULO VI. De las pruebas del estado civil

CAPÍTULO ÚNICO. Disposiciones generales

Artículo 22. [Modificado. Art. 27 L. 92 de 1938] A partir de la vigencia de la presente Ley solo tendrán el carácter de pruebas principales, del estado civil respecto de los nacimientos, matrimonios, defunciones, reconocimientos y adopciones que se verifiquen con posterioridad a ella, las copias auténticas de las partidas del registro del estado civil, expedidas por los funcionarios de que trata la presente Ley.

Art. 23. Los artículos 546, 547, 548, 550, 552 y 552 se extienden al sordomudo.

TÍTULO VIII. Personas jurídicas

Art. 24. Son personas jurídicas las iglesias y asociaciones religiosas de la Religión Católica.

Art. 25. La Iglesia Católica y las particulares correspondientes a la misma Iglesia, como personas jurídicas, serán representadas en cada Diócesis por los respectivos legítimos prelados, o por las personas o funcionarios que estos designen.

Art. 26. Las asociaciones religiosas cuya existencia esté autorizada por la respectiva Superioridad Eclesiástica, serán representadas conforme a sus constituciones o reglas. La misma Superioridad Eclesiástica determinará la persona a quien, conforme a los estatutos, corresponde representar a determinada asociación religiosa.

Art. 27. Las personas jurídicas pueden adquirir bienes de todas clases, por cualquier título, con el carácter de enajenables.

LIBRO TERCERO. DE LA SUCESIÓN POR CAUSA DE MUERTE, Y DE LAS DONACIONES ENTRE VIVOS

TÍTULO I. Reglas relativas a la sucesión intestada

Art. 28. Los hijos legítimos excluyen a todos los otros herederos, menos a los hijos naturales legalmente reconocidos, sin perjuicio de la porción conyugal que corresponda al marido o mujer sobreviviente.

Cuando concurran hijos legítimos y naturales, el acervo líquido se dividirá por mitad, una mitad para los hijos legítimos exclusivamente, y para los mismos hijos legítimos y para los naturales, por partes iguales conjuntamente entre todos ellos[*].

[*] El artículo 4 de la Ley 92 de 1982 establece que «*Los hijos legítimos, adoptivos y extramatrimoniales, excluyen a todos los otros herederos y recibirán entre ellos iguales cuotas, sin perjuicio de la porción conyugal*».

TÍTULO II. De las asignaciones testamentarias

CAPÍTULO I. De las asignaciones a título singular

Art. 29. Si la elección de una cosa entre muchas se diere expresamente a la persona obligada o al legatario, podrá respectivamente aquélla o este ofrecer o elegir a su arbitrio.

Art. 30. Si a varias personas se legan distintas cuotas de una misma cosa, se seguirán para la división de esta las reglas del capítulo V, título IV, libro III del Código.

CAPÍTULO II. De las donaciones revocables

Art. 31. El otorgamiento de las donaciones revocables se sujeta a las reglas del artículo 1056.

LIBRO CUARTO

TÍTULO I. Compraventa

CAPÍTULO ÚNICO. Rescisión de la venta por lesión enorme

Art. 32. No habrá lugar a la acción rescisoria por lesión enorme en las ventas de bienes muebles, ni en las que se hubieren hecho por ministerio de la justicia.

TÍTULO II. De la cesión de derechos

CAPÍTULO ÚNICO. De los créditos personales

Art. 33. La cesión de un crédito, a cualquier título que se haga, no tendrá efecto entre el cedente el cesionario sino en virtud de la entrega del título. Pero si el crédito que se cede no consta en documento, la cesión puede hacerse otorgándose uno por el cedente al cesionario, y en este caso la notificación de que trata el artículo 1961, debe hacerse con exhibición de dicho documento.

TÍTULO III. De los cuasicontratos

Art. 34. Las obligaciones que se contraen sin convención, nacen o de la Ley o del hecho voluntario de las partes. Las que nace de la Ley se expresan en ella.

Si el hecho de que nacen es lícito, constituyen un cuasicontrato.

Si el hecho es ilícito y cometido con intención de dañar, constituye un delito.

Si el hecho es culpable, pero cometido sin intención de dañar, constituye un cuasi delito o culpa.

CAPÍTULO I. Del cuasicontrato de comunidad

Art. 35. Lo dispuesto en los artículos 2338 y anteriores del capítulo que versa sobre el cuasicontrato de comunidad, no implica la necesidad de ocurrir a la autoridad judicial para llevar a efecto la división de la cosa común, o la venta de ella, con el fin de dividir su producto, siempre que todos los comuneros acuerden lo uno o lo otro unánimemente, y que dicho acuerdo no se interrumpa en su ejecución. Pero si entre los comuneros hubiere menores, se cumplirá lo que dispone el artículo 485, y además se someterá a la aprobación del juez la división practicada, en lo que dice relación con los intereses del menor. El juez para dictar el Decreto respectivo tendrá en consideración las reglas que prescribe el artículo 2338, y podrá exigir las comprobaciones que estime necesarias.

Cuando la división se refiera a bienes raíces, se hará constar en escritura pública.

(...)

DISPOSICIÓN FINAL

Art. 45. Deróganse los artículos 10, 24, 51, 60, 94, 114, 139, 146, 147, 318, 328, 329, 332, 643, 644, 645, 647, 651, 1045, 1151, 1182, 1197, 1949, 2302 y 2598 del Código; y los incisos 2o del artículo 52, 2o del artículo 105, los marcados con los números 4o y 10, 13 y 14 del artículo 140, el inciso que sigue al marcado con el número 14, en el mismo artículo 140, y el inciso 1o del artículo 1175, todos del Código de que se trata.

LEY 153 DE 1887
(agosto 24)
Que adiciona y reforma los Códigos nacionales, la ley 61 de 1886 y la 57 de 1887

El Consejo Nacional Legislativo

DECRETA

PARTE PRIMERA. Reglas generales sobre validez y aplicación de las leyes

ART. 1. Siempre que se advierta incongruencia en las leyes, u ocurrencia oposición entre ley anterior y ley posterior, o trate de establecerse el tránsito legal de derecho antiguo a derecho nuevo, las autoridades de la república, y especialmente las judiciales, observarán las reglas contenidas en los artículos siguientes.

ART. 2. La ley posterior prevalece sobre la ley anterior. En caso de que una ley posterior sea contraria a otra anterior, y ambas preexistentes al hecho que se juzga, se aplicarán la ley posterior.

ART. 3. Estímese insubsistente una disposición legal por declaración expresa del legislador, o por incompatibilidad con disposiciones especiales posteriores, o por existir una ley nueva que regula íntegramente la materia a que la anterior disposición se refería.

ART. 4. Los principios de derecho natural y las reglas de jurisprudencia servirán para ilustrar la Constitución en casos dudosos. La doctrina constitucional es, a su vez, norma para interpretar las leyes.

ART. 5. Dentro de la equidad natural y la doctrina constitucional, la crítica y la hermenéutica servirán para fijar el pensamiento del legislador y aclarar o armonizar disposiciones legales oscuras o incongruentes.

ART. 6. [Derogado. Art. 40 Acto Legislativo 3 de 1910]

Art. 40 Acto Legislativo 3 de 1910: «En todo caso de incompatibilidad entre la Constitución y la ley se aplicarán preferencia las disposiciones constitucionales».

ART. 7. El título III de la Constitución sobre derechos civiles y garantías sociales tiene también fuerza legal, y, dentro de las leyes posteriores a la Constitución, la prioridad que le corresponde como parte integrante y primordial del Código Civil.

Los derechos fundamentales consagrados en la Constitución Política de 1991 tienen categoría supralegal.
Art. 4º C. P. La Constitución es norma de normas. En todo caso de incompatibilidad entre Constitución y la ley u otra norma jurídica, se aplicarán las disposiciones constitucionales (...).

ART. 8. Cuando no hay ley exactamente aplicable al caso controvertido, se aplicarán las leyes que regulen casos o materias semejantes, y en su defecto, la doctrina constitucional y las reglas generales de derecho.

ART. 9. La Constitución es ley reformatoria y derogatoria de la legislación preexistente. Toda disposición legal anterior a la Constitución y que sea claramente contraria a su letra o a su espíritu, se desechará como insubsistente.

ART. 10. [Subrogado. Art. 4 L. 169 de 1896] Tres decisiones uniformes dadas por la Corte Suprema como Tribunal de Casación sobre un mismo punto de derecho constituyen doctrina probable, y los Jueces podrán aplicarla en casos análogos, lo cual no obsta para que la Corte variara la doctrina en caso de que juzgue erróneas las decisiones anteriores.

ART. 11. Los decretos de carácter legislativo expedidos por el gobierno a virtud de autorización constitucional, tienen completa fuerza de leyes.

ART. 12. Las órdenes y demás actos ejecutivos del gobierno [*expedidos en ejercicio de la potestad reglamentaria*], tienen fuerza obligatoria, y serán aplicados mientras no sean contrarios a la Constitución, a las leyes [*ni a la doctrina legal más probable*].

Inexeq. C-37 de 2000: «*Segundo: Declarar INEXEQUIBLES las expresiones "expedidos en ejercicio de la potestad reglamentaria" y "ni a la doctrina legal más probable", contenidas en el artículo 12 de la Ley 153 de 1887*».

ART. 13. La costumbre, siendo general y conforme con la *moral cristiana*, constituye derecho, a falta de legislación positiva.

Exeq. C-224 de 1994: «DECLÁRASE EXEQUIBLE el artículo 13 de la ley 153 de 1887, entendiéndose que la expresión "moral cristiana" significa "moral general" o "moral social", como se dice en la parte motiva de esta sentencia».

ART. 14. Una ley derogada no revivirá por solas las referencias que a ella se hagan, ni por haber sido abolida la ley que la derogó. Una disposición derogada solo recobrará su fuerza en la forma en que aparezca reproducida en una ley nueva.

ART. 15. Todas las leyes españolas están abolidas.

ART. 16. La legislación canónica es independiente de la civil, y no forma parte de ésta; pero será solemnemente respetada por las autoridades de la República.

ART. 17. Las meras expectativas no constituyen derecho contra la ley nueva que las anule o cercene.

ART. 18. Las leyes que por motivos de moralidad, salubridad o utilidad pública restrinjan derechos amparados por la ley anterior, tienen efecto general inmediato.

Si la ley determinare expropiaciones, su cumplimiento requiere previa indemnización, que se hará con arreglo a las leyes preexistentes.

Si la ley estableciere nuevas condiciones para el ejercicio de una industria, se concederá a los interesados el término que la ley señale, y si no lo señala, el de seis meses.

ART. 19. Las leyes que establecen para la administración de un estado civil condiciones distintas de las que exigía una ley anterior, tienen fuerza obligatoria desde la fecha en que empiecen a regir.

ART. 20. El estado civil de las personas adquirido conforme a la ley vigente en la fecha de su constitución, subsistirá aunque aquella ley fuere abolida; pero los derechos y obligaciones anexos al mismo estado, las consiguientes relaciones recíprocas de autoridad o dependencia entre los cónyuges, entre padres e hijos, entre guardadores y pupilos, y los derechos de usufructo y administración de bienes ajenos, se regirán por la ley nueva, sin perjuicio de que los actos y contratos válidamente celebrados bajo el imperio de la ley anterior tengan cumplido efecto.

ART. 21. El matrimonio podrá por ley posterior, declararse celebrado desde época pretérita, y válido en sus efectos civiles, a partir de un hecho sancionado por la costumbre religiosa y general del país; en cuanto este beneficio retroactivo no vulnere derechos adquiridos bajo el imperio de la anterior legislación.

ART. 22. Las pruebas del estado civil legitimado desde época pretérita por la ley posterior se subordinarán al mismo principio que se reconoce como determinante de la legitimidad de aquel estado.

ART. 23. La capacidad de la mujer para administrar sus bienes se regirá inmediatamente por la ley posterior. Pero si esta restringe dicha capacidad, no será efectiva la restricción sino cumplido el término de un año, salvo que la ley misma disponga otra cosa.

ART. 24. Los hijos declarados legítimos bajo el imperio de una ley, no perderá su carácter por virtud de ley posterior.

ART. 25. Los derechos de los hijos ilegítimos o naturales se sujetan a la ley posterior en cuanto su aplicación no perjudique a la sucesión legítima.

ART. 26. El que bajo el imperio de una ley tenga la administración de bienes ajenos, o el que ejerza válidamente el cargo de guardador, conservará el título que adquirió antes, aunque una nueva exija, para su adquisición, nuevas condiciones; pero el ejercicio de funciones, remuneración que corresponde al guardador, incapacidades y excusas supervinientes, se regirán por la ley nueva.

ART. 27. La existencia y los derechos de las personas jurídicas están sujetos a las reglas establecidas en los artículos 19 y 20, respecto al estado civil de las personas[*].

[*] El artículo 27 fue reformado por el artículo 6 de la Ley 100 de 1888.

ART. 28. Todo derecho real adquirido bajo una ley y en conformidad con ella, subsiste bajo el imperio de otra; pero en cuanto a su ejercicio y cargas, y en lo tocante a su extinción, prevalecerán las disposiciones de la nueva ley.

ART. 29. La posesión, constituida bajo una ley anterior, no se retiene, pierde o recupera bajo el imperio de una ley posterior, sino por los medios o los requisitos señalados en la nueva ley.

ART. 30. Los derechos deferidos bajo una condición que, atendidas las disposiciones de una ley posterior, debe reputarse fallida si no se realiza dentro de cierto plazo, subsistirán bajo el imperio de la ley nueva y por el tiempo que señalare la precedente, a menos que este tiempo, en la parte de su extensión que corriere después de la expedición de la ley nueva, exceda del plazo íntegro que ésta señala, pues en tal caso, si dentro del plazo así contado no se cumpliere la condición, se mirará como fallida.

ART. 31. Siempre que una nueva ley prohíba la constitución de varios usufructos sucesivos, y expirado el primero antes de que ella empiece a regir, hubiere empezado a disfrutar la cosa alguno de los usufructuarios subsiguientes, continuará éste disfrutándola bajo el imperio de la nueva ley por todo el tiempo a que le autorizare su título; pero caducará el derecho de usufructuarios posteriores, si los hubiere.

La misma regla se aplicará a los derechos de uso o habitación sucesivos y a los fideicomisos.

ART. 32. Las servidumbres naturales y voluntarias constituidas válidamente bajo el imperio de una antigua ley, se sujetarán en su ejercicio y conservación a las reglas que establecieren leyes nuevas.

ART. 33. Cualquiera tendrá derecho a aprovecharse de las servidumbres naturales que autorizare a imponer una nueva ley; pero para hacerlo tendrá que abonar al dueño del predio sirviente los perjuicios que la constitución de la servidumbre le irrogare, renunciando éste por su parte las utilidades que de la reciprocidad de la servidumbre pudieran resultarle; pero podrá recobrar su derecho a tales utilidades siempre que pague la indemnización antedicha.

ART. 34. Las solemnidades externas de los testamentos se regirán por la ley coetánea a su otorgamiento; pero las disposiciones contenidas en ellos estarán subordinadas a la ley vigente en la época en que fallezca el testador.

En consecuencia, prevalecerán sobre las leyes anteriores a la muerte del testador las que al tiempo en que murió regulaban la incapacidad o indignidad de los herederos o asignatarios, las legítimas, mejoras, porción conyugal y desheredaciones.

ART. 35. Si el testamento contuviere disposiciones que según la ley bajo la cual se otorgó no debían llevarse a efecto, lo tendrá, sin embargo, siempre que ellas no se hallen en oposición con la ley vigente al tiempo de morir el testador.

ART. 36. En las sucesiones forzosas o intestadas el derecho de representación de los llamados a ellas se regirá por la ley bajo la cual se hubiere verificado su apertura.

Pero si la sucesión se abre bajo el imperio de una ley, y en testamento otorgado bajo el imperio de otra se hubiere llamado voluntariamente a indeterminada persona que, faltando el asignatario directo, haya de suceder en todo a parte de la herencia por derecho propio o de representación, se determinará esta persona por las reglas a que estaba sujeto aquel derecho según la ley bajo la cual se otorgó el testamento.

ART. 37. En la adjudicación y partición de una herencia o legado se observarán las reglas que regían al tiempo de su delación.

ART. 38. En todo contrato se entenderán incorporadas las leyes vigentes al tiempo de su celebración.

Exceptúanse de esta disposición:

1. Las leyes concernientes al modo de reclamar en juicio los derechos que resultaren del contrato, y

2. Las que señalan penas para el caso de infracción de lo estipulado; la cual infracción será castigada con arreglo a la ley bajo la cual se hubiere cometido.

ART. 39. Los actos o contratos válidamente celebrados bajo el imperio de una ley podrán probarse bajo el imperio de otra, por los medios que aquella establecía para su justificación; pero la forma en que debe rendirse la prueba estará subordinada a la ley vigente al tiempo en que se rindiere.

ART. 40. [Modificado Art. 624 C.G.P.] Las leyes concernientes a la sustanciación y ritualidad de los juicios prevalecen sobre las anteriores desde el momento en que deben empezar a regir.

Sin embargo, los recursos interpuestos, la práctica de pruebas decretadas, las audiencias convocadas, las diligencias iniciadas, los términos que hubieren comenzado a correr, los incidentes en curso y las notificaciones que se estén surtiendo, se regirán por las leyes vigentes cuando se interpusieron los recursos, se decretaron las pruebas, se iniciaron las audiencias o diligencias, empezaron a correr los términos, se promovieron los incidentes o comenzaron a surtirse las notificaciones.

La competencia para tramitar el proceso se regirá por la legislación vigente en el momento de formulación de la demanda con que se promueva, salvo que la ley elimine dicha autoridad.

ART. 41. La prescripción iniciada bajo el imperio de una ley, y que no se hubiere completado aún al tiempo de promulgarse otra que la modifique, podrá ser regida por la primera o la segunda, a voluntad del prescribiente; *pero eligiéndose la última, la prescripción no empezará a contarse sino desde la fecha en que la ley nueva hubiere empezado a regir.*

Exeq. C-398 de 2006: «*Declarar EXEQUIBLE el aparte demandado del artículo 41 de la Ley 153 de 1887, por los cargos analizados*».

ART. 42. Lo que una ley posterior declara absolutamente imprescriptible no podrá ganarse por tiempo bajo el imperio de ella, aunque el prescribiente hubiere principiado a poseerla conforme a una ley anterior que autorizaba la prescripción.

ART. 43. La ley preexistente prefiere a la ley ex post facto en materia penal. Nadie podrá ser juzgado o penado sino por ley que haya sido promulgada antes del hecho que da lugar al juicio. Esta regla solo se refiere a las leyes que definen y castigan los delitos, *pero no a aquellas que establecen los tribunales y determinan el procedimiento, las cuales se aplicarán con arreglo al artículo 40.*

Exeq. C-200 de 2002: «*Segundo.- Declarar EXEQUIBLE la frase "pero no a aquellas que establecen los tribunales y determinan el procedimiento, las cuales se aplicarán con arreglo al artículo 40", contenida el artículo 43 de la Ley 153 de 1887».*

ART. 44. En materia penal la ley favorable o permisiva prefiere en los juicios a la odiosa o restrictiva, aun cuando aquella sea posterior al tiempo en que se cometió el delito.

Esta regla favorece a los reos condenados que estén sufriendo su condena.

ART. 45. La precedente disposición tiene las siguientes aplicaciones:

La nueva ley que quita explícita o implícitamente el carácter de delito a un hecho que antes lo tenía, envuelve indulto y rehabilitación.

Si la ley nueva minora de un modo fijo la pena que antes era también fija, se declarará la correspondiente rebaja de pena.

Si la ley nueva reduce el máximum de la pena y aumenta el mínimum, se aplicará de las dos leyes la que invoque el interesado.

Si la ley nueva disminuye la pena corporal y aumenta la pecuniaria, prevalecerá sobre la ley antigua.

Los casos dudosos se resolverán por interpretación benigna.

ART. 46. La providencia que hace cesar o rebaja, con arreglo a una nueva ley, la penalidad de los que sufren la condena, será administrativa y no judicial.

ART. 47. La facultad que los reos condenados hayan adquirido a obtener por derecho, y no como gracia, rebaja de pena, conforme a la ley vigente en la época en que se dio la sentencia condenatoria, subsistirá bajo una nueva ley en cuanto a las condiciones morales que determinan el derecho y a la parte de la condena a que el derecho se refiere; pero se regirán por la ley nueva en cuanto a las autoridades que deban conceder la rebaja y a las formalidades que han de observarse para pedirla.

ART. 48. Los jueces o magistrados que rehusaren juzgar pretextando silencio, oscuridad o insuficiencia de la ley, incurrirán en responsabilidad por denegación de justicia.

ART. 49. Queda reformado en los términos de las precedentes disposiciones el artículo 5o. de la ley 57 de 1887, y derogado el 13 del Código Civil.

PARTE SEGUNDA. LEGISLACIÓN CIVIL

I. DE LAS PERSONAS

1. ESTADO CIVIL-MATRIMONIO

ART. 50. Los matrimonios celebrados en la República en cualquier tiempo conforme al rito católico, se reputan legítimos, y surten, desde que se administró el sacramento, los efectos civiles y políticos que la ley señala al matrimonio, en cuanto este beneficio no afecte derechos adquiridos por actos o contratos realizados por ambos cónyuges, o por uno de ellos, con terceros, con arreglo a las leyes civiles que rigieron en el respectivo Estado o territorio antes del 15 de abril de 1887.

Queda así explicado el artículo 19 de la ley 57 de 1887, con arreglo al 21 de la presente.

ART. 51. De los juicios de nulidad y de divorcio de matrimonios, católicos celebrados en cualquier tiempo, conocerán, exclusivamente, los tribunales eclesiásticos, con arreglo a las leyes canónicas, y la sentencia firme que recaiga producirá todos los efectos civiles, con arreglo a lo dispuesto en la ley 57, artículos 17 y 18.

2. LEGITIMACIÓN DE HIJOS

ART. 52. [Derogado. Art. 31 L. 1 de 1976]

Art. 31 L. 1 de 1976: «*Esta Ley rige desde el día de su promulgación y deroga todas las normas que le sean contrarias, en especial los artículos 6 de la Ley 57 de 1887 y 52 de la Ley 153 del mismo año*».

Artículos 53 y 54. [Derogados. Art. 30 L. 45 de 1936]

Art. 30 L. 45 de 1936: «*Deróganse los artículos 52, 56, 57, 58, 59, 1046, 1047, 1048, 1050, 1042 y 1253 del Código Civil; 7° y 8° de la Ley 57 de 1887; 53, 54, 56, 58 (causas 3ª, 4ª. y 5ª.), 59, 66, 67, 70, 71, 72, 74 y 86 de la Ley 153 de 1887, y las demás disposiciones contrarias a la presente Ley*».

ART. 55. El reconocimiento es un acto libre y voluntario del padre o de la madre que reconoce.

ART. 56. [Derogado. Art. 30 L. 45 de 1936]

Art. 30 L. 45 de 1936: «Deróganse los artículos 52, 56, 57, 58, 59, 1046, 1047, 1048, 1050, 1042 y 1253 del Código Civil; 7° y 8° de la Ley 57 de 1887; 53, 54, 56, 58 (causas 3ª, 4ª. y 5ª.), 59, 66, 67, 70, 71, 72, 74 y 86 de la Ley 153 de 1887, y las demás disposiciones contrarias a la presente Ley».

ART. 57. El reconocimiento del hijo natural debe ser notificado y aceptado o repudiado de la misma manera que lo sería la legitimación, según el título 11 del Código Civil.

(*) El Art. 30 L. 45 de 1936 derogó todas las disposiciones contrarias a la mencionada Ley.

ART. 58. El reconocimiento podrá ser impugnado por toda persona que pruebe tener interés actual en ello.

En la impugnación deberá probarse alguna de las causas que en seguida se expresan:

1a. y 2a. La primera y segunda de las que se señalan para impugnar la legitimación en el artículo 248 del Código Civil.

[Causas 3a., 4a. y 5a., Derogado. Art. 30 L. 45 de 1936]

Art. 30 L. 45 de 1936: «Deróganse los artículos 52, 56, 57, 58, 59, 1046, 1047, 1048, 1050, 1042 y 1253 del Código Civil; 7° y 8° de la Ley 57 de 1887; 53, 54, 56, 58 (causas 3ª, 4ª. y 5ª.), 59, 66, 67, 70, 71, 72, 74 y 86 de la Ley 153 de 1887, y las demás disposiciones contrarias a la presente Ley».

ART. 59. [Derogado. Art. 30 L. 45 de 1936]

Art. 30 L. 45 de 1936: «Deróganse los artículos 52, 56, 57, 58, 59, 1046, 1047, 1048, 1050, 1042 y 1253 del Código Civil; 7° y 8° de la Ley 57 de 1887; 53, 54, 56, 58 (causas 3ª, 4ª. y 5ª.), 59, 66, 67, 70, 71, 72, 74 y 86 de la Ley 153 de 1887, y las demás disposiciones contrarias a la presente Ley».

ART. 60. Las obligaciones de los hijos legítimos(*) para con sus padres, expresadas en los artículos 250 y 251 del Código, se extienden al hijo natural con respecto al padre o a la madre que le haya reconocido con las formalidades legales, y si ambos le han reconocido de este modo, estará especialmente sometido al padre.

(*) El Art. 1 L. 29 de 1982 establece que los hijos son legítimos, extramatrimoniales y adoptivos y tendrán iguales derechos y obligaciones.

ART. 61. Es obligado a cuidar personalmente de los hijos naturales[*] el padre o la madre que los haya reconocido, en los mismos términos que lo sería el padre o la madre legítimos según el artículo 253 del Código.

Pero la persona casada no podrá tener a un hijo natural en su casa sin el consentimiento de su mujer o marido.

[*] El Art. 1 L. 29 de 1982 establece que los hijos son legítimos, extramatrimoniales y adoptivos y tendrán iguales derechos y obligaciones.

ART. 62. Incumbe al padre o a la madre que ha reconocido al hijo natural[*], los gastos de su crianza y educación.

Se incluirán en ésta, por lo menos, la enseñanza primaria y el aprendizaje de una profesión u oficio.

Si ambos padres le han reconocido, reglará el Juez en caso necesario, lo que cada uno de ellos, según sus facultades y circunstancias, deba contribuir para la crianza y educación del hijo.

El inciso 2o. del artículo 257 del Código es aplicable a los bienes de los hijos naturales.

Son igualmente aplicables a los padres o hijos naturales las disposiciones de los artículos 258, 259 y 261, 262, 263, 264, 265, 266, 267, 268, inclusive, del Código.

[*] El Art. 1 L. 29 de 1982 establece que los hijos son legítimos, extramatrimoniales y adoptivos y tendrán iguales derechos y obligaciones.

ART. 63. Toca a la madre el cuidar personalmente de los hijos menores de cinco años, sin distinción de sexo, y de las hijas de toda edad. Sin embargo, no se le confiará el cuidado de los hijos de cualquiera edad o sexo cuando por la depravación de la madre sea de temer que se perviertan.

En este caso, o en el de hallarse inhabilitada por otra causa, podrá confiarse el cuidado personal de todos los hijos al padre que los haya reconocido en la forma legal.

ART. 64. Toca al padre el cuidado personal de los hijos varones mayores de cinco años que haya reconocido conforme a la ley, salvo que por la depravación de aquél, o por otras causas de inhabilidad, prefiera el Juez confiarlos a la madre.

ART. 65. Deróganse los títulos 16 y 17 del Libro primero del Código Civil, y el artículo 21 de la Ley 57 de 1887.

6. HIJOS ILEGITIMOS NO RECONOCIDOS SOLEMNEMENTE

Artículos 66 y 67. [Derogados. Art. 30 L. 45 de 1936]

Art. 30 L. 45 de 1936: «Deróganse los artículos 52, 56, 57, 58, 59, 1046, 1047, 1048, 1050, 1042 y 1253 del Código Civil; 7° y 8° de la Ley 57 de 1887; 53, 54, 56, 58 (causas 3ª, 4ª. y 5ª.), 59, 66, 67, 70, 71, 72, 74 y 86 de la Ley 153 de 1887, y las demás disposiciones contrarias a la presente Ley».

ART. 68. Por parte del hijo ilegítimo habrá derecho a que el supuesto padre sea citado personalmente ante el Juez a declarar bajo juramento si cree serlo, expresándose en la citación el objeto de ella.

ART. 69. Si el demandado no compareciere, pudiendo, y se hubiere repetido una vez la citación, expresándose el objeto, se mirará como reconocida la paternidad.

Artículos 70 al 72. [Derogados. Art. 30 L. 45 de 1936]

Art. 30 L. 45 de 1936: «Deróganse los artículos 52, 56, 57, 58, 59, 1046, 1047, 1048, 1050, 1042 y 1253 del Código Civil; 7° y 8° de la Ley 57 de 1887; 53, 54, 56, 58 (causas 3ª, 4ª. y 5ª.), 59, 66, 67, 70, 71, 72, 74 y 86 de la Ley 153 de 1887, y las demás disposiciones contrarias a la presente Ley».

ART. 73. Si por cualesquiera medios fehacientes se probare rapto y hubiere sido posible la concepción mientras estuvo robada en poder del raptor, será condenado éste a suministrar al hijo, no solamente los alimentos necesarios para su precisa subsistencia, sino en cuanto fuere posible, los que competan al rango social de la madre.

El hecho de seducir a una menor, haciéndola dejar la casa de la persona a cuyo cuidado está, es rapto, aunque no se emplee la fuerza.

La acción que por este artículo se concede expira en diez años, contados desde la fecha en que pudo intentarse.

ART. 74. [Derogado. Art. 30 L. 45 de 1936]

Art. 30 L. 45 de 1936: «Deróganse los artículos 52, 56, 57, 58, 59, 1046, 1047, 1048, 1050, 1042 y 1253 del Código Civil; 7° y 8° de la Ley 57 de 1887; 53,

54, 56, 58 (causas 3ª, 4ª. y 5ª.), 59, 66, 67, 70, 71, 72, 74 y 86 de la Ley 153 de 1887, y las demás disposiciones contrarias a la presente Ley».

ART. 75. Si la demanda negare ser suyo el hijo, será admitido el demandante a probarlo con testimonios fehacientes que establezcan el hecho del parto y la identidad del hijo.

La partida o acta de nacimiento no servirá de prueba para establecer la maternidad.

ART. 76. Los alimentos suministrados por el padre o la madre correrán desde la primera demanda; y no se podrán pedir los correspondientes al tiempo anterior, salvo que la demanda se dirija contra el padre y se interponga durante el año subsiguiente al parto.

En este caso se concederán los alimentos correspondientes a todo ese año, incluyendo las expensas del parto, reguladas, si necesario fuere, por el Juez.

ART. 77. No será oído el padre ilegítimo que demande alimentos con este carácter.

Pero será oída la madre que pida alimentos al hijo ilegítimo, a menos que éste haya sido abandonado por ella en la infancia.

ART. 78. Los procedimientos judiciales a que diere lugar la demanda del hijo ilegítimo, serán verbales, y si el Juez lo estimare conveniente, secretos.

En el caso del artículo 73 de esta Ley el procedimiento será por escrito en vía ordinaria.

7. PRUEBAS DEL ESTADO CIVIL

ART. 79. [Derogado. Art. 27 L. 92 de 1938]

Art. 27 L. 92 de 1938: «Quedan modificados los artículos 348, 351, 357; 363, 364 y 369 del Código Civil, los artículos 22 de la Ley 57 de 1887, y. 79 de la Ley 153 del mismo año y las demás disposiciones contrarias a la presente Ley».

8. PERSONAS JURÍDICAS

ART. 80. La Nación, los Departamentos, los Municipios, los establecimientos de beneficencia y los de instrucción pública, y las corporaciones creadas o reconocidas por la ley, son personas jurídicas[*].

(*) El artículo 80 fue reformado por la Ley 100 de 1888.

ART. 81. En Colombia los gobiernos extranjeros no tienen representación jurídica para adquirir bienes raíces(*).

(*) El artículo 81 fue reformado por el artículo único de la Ley 39 de 1918.

II. DE LOS BIENES

1. BIENES PÚBLICOS

2. PROPIEDAD LITERARIA

ART. 83. [Derogado. Art. 123 L. 86 de 1946, a su vez derogada por Art. 260 de la ley 23 de 1982]

(*) El texto derogado disponía: «incorpórase en el Código Civil la ley 32 de 1886, sobre: propiedad literaria y artística». El marco regulatorio ha cambiado completamente. La propiedad literaria y artística que junto con otras manifestaciones de la propiedad intelectual, encuentra fundamento en los artículos 58, 61, 150 y 188 de la Constitución y 671 del Código Civil, se rige principalmente en la actualidad por la Decisión 351 de 1993 de la Comunidad Andina y las leyes 23 de 1982, 44 de 1993 y 1915 de 2018, así como por instrumentos internacionales, dentro de los que se destaca el Tratado de Ginebra y el Convenio de Berna, sancionados internamente por la ley 26 de 1992 y el Decreto 1042 de 1994 respectivamente.

III. SUCESIÓN POR CAUSA DE MUERTE-SUCESIÓN INTESTADA

ART. 84. Por testamento otorgado en la última enfermedad no puede recibir herencia o legado alguno, ni aun como albacea fiduciario, el eclesiástico que hubiere confesado al testador en la misma enfermedad, o habitualmente en los dos últimos años anteriores al testamento; ni la orden, convento o cofradía de que sea miembro el eclesiástico, ni sus deudos por consanguinidad o afinidad dentro del tercer grado.

Tal incapacidad no comprende a la *iglesia parroquias* del testador, ni recaerá sobre la porción de bienes que al dicho eclesiástico o sus deudos habrían correspondido en sucesión intestada.

Quedan así reformados el artículo 1022 del Código Civil y el 27 de la ley 57 de 1887.

Exeq. C-94 de 2007: «*Segundo: Declarar exequible, por los cargos examinados, la expresión «iglesia parroquial» contenida en el inciso 2° del artículo 1022 del Código Civil».*

ART. 85. [Modificado. L. 29 de 1982] Son llamados a la sucesión intestada los descendientes legítimos del difunto, sus legítimos ascendientes, sus colaterales legítimos, sus hijos naturales, sus padres naturales, sus hermanos naturales, el cónyuge supérstite, y, en último lugar, el municipio de la vecindad del finado.

Queda así reformado el artículo 1040[*] y derogado el 1051 del Código Civil.

[*] El artículo 1040 del Código Civil fue subrogado por el artículo 2 de la Ley 29 de 1982.

ART. 86. [Derogado. Art. 30 L. 45 de 1936]

Art. 30 L. 45 de 1936: *Deróganse los artículos 52, 56, 57, 58, 59, 1046, 1047, 1048, 1050, 1042 y 1253 del Código Civil; 7° y 8° de la Ley 57 de 1887; 53, 54, 56, 58 (causas 3ª, 4ª y 5ª), 59, 66, 67, 70, 71, 72, 74 y 86 de la Ley 153 de 1887, y las demás disposiciones contrarias a la presente Ley».*

ART. 87. A falta de descendientes, ascendientes y hermanos legítimos, de cónyuge sobreviviente y de hijos naturales, sucederán al difunto los otros colaterales legítimos, según las reglas siguientes:

1a. El colateral o los colaterales del grado más próximo excluirán siempre a los otros;

2a. Los derechos de sucesión de los colaterales no se extienden más allá del décimo grado;

3a. Los colaterales de simple conjunción, esto es, los que sólo son parientes del difunto por parte del padre, o por parte de madre, gozan de los mismos derechos que los colaterales de doble conjunción, esto es, los que sólo son parientes del difunto por parte del padre y por parte de madre.

ART. 88. Deróganse los artículos 1045 y 1049 del Código Civil, y el 28 de la Ley 57 de 1887.

IV. OBLIGACIONES

1. PROMESA DE CELEBRAR CONTRATOS

ART. 89. La promesa de celebrar un contrato no produce obligación alguna, salvo que concurran las circunstancias siguientes:

1a. Que la promesa conste por escrito;

2a. Que el contrato a que la promesa se refiere no sea de aquellos que las leyes declaran ineficaces por no concurrir los requisitos que establece el artículo 1511[*] del Código Civil;

3a. Que la promesa contenga un plazo o condición que fije la época en que ha de celebrarse el contrato;

4a. Que se determine de tal suerte el contrato, que para perfeccionarlo sólo falte la tradición de la cosa o las formalidades legales.

Los términos de un contrato prometido, sólo se aplicarán a la materia sobre que se ha contratado.

Queda derogado el artículo 1611 del Código Civil.

[*] Error de transcripción, debería leerse 1502.

2. NULIDADES ABSOLUTAS

ART. 90. La nulidad absoluta puede alegarse por todo el que tenga interés en ello, excepto el que ha ejecutado el acto o celebrado el contrato sabiendo o debiendo saber el vicio que lo invalidaba; puede asimismo pedirse su declaración por el Ministerio público, en interés de la moral o de la Ley. Cuando provenga de objeto o causa ilícita o de incapacidad absoluta para ejecutar un acto o celebrar un contrato, no puede sanearse por la ratificación de las partes, ni por un lapso de tiempo menor de treinta años. En los demás casos es subsanable por ratificación hecha con las formalidades legales y por prescripción ordinaria.

Queda en estos términos reformado el artículo 1742 del Código Civil[*].

[*] El artículo 1742 del Código Civil fue modificado por el artículo 15 de la Ley 95 de 1890 y posteriormente subrogado por el artículo 2 de la Ley 50 de 1936.

3. PRUEBAS DE LAS OBLIGACIONES

ART. 91. Deberán constar por escrito los actos o contratos que contienen la entrega o promesa de una cosa que valga más de quinientos pesos. No será admisible la prueba de testigos en cuanto adicione o altere de modo alguno lo que se exprese en el acto contrato, ni sobre lo que se alegue haberse dicho antes o al tiempo o después de su otorgamiento, aun cuando en alguna de estas adiciones o modificaciones se trate de una cosa cuyo valor no alcance a la suma de quinientos pesos.

Para el cómputo de la referida suma de quinientos pesos no se incluirá el valor de los frutos, intereses u otros accesorios de la especie o cantidad debida.

ART. 92. Al que demanda una cosa de más de quinientos pesos de valor no se le admitirá la prueba de testigos aunque limite a ese valor la demanda. Tampoco es admisible la prueba de testigos en las demandas de menos de quinientos pesos cuando se declara que lo que se demanda es parte o resto de un crédito que debió ser consignado por escrito y no lo fue.

ART. 93. Exceptúanse de lo dispuesto en los artículos precedentes los casos en que haya un principio de prueba por escrito, es decir, un acto escrito del demandado o de su representante, que haga verosímil el hecho litigioso.

Así, un pagaré de más de quinientos pesos en que se ha comprado una cosa que ha de entregarse al deudor, no hará plena prueba de la deuda porque no certifica la entrega; pero es un principio de prueba para que por medio de testigos se supla esta circunstancia.

Exceptúanse también los casos en que haya sido imposible obtener una prueba escrita y los demás expresamente exceptuados por la ley.

ART. 94. Queda así adicionado el título 21, libro IV del Código Civil.

4. CONTRATOS ALEATORIOS

ART. 95. El juego y apuesta no producen acción ni excepción.

El que gana no puede exigir pago.

Si el que pierde paga, tiene, en todo caso, acción para repetir lo pagado.

Queda, en estos términos, reformado el artículo 2283 del Código Civil.

5. INSTRUMENTOS PÚBLICOS. REGISTRO[*]

[*] Actualmente el Decreto 960 de 1970 y la Ley 1579 de 2012 regulan lo relativo a los instrumentos públicos y el registro.

ART. 96. La omisión por parte del notario de las advertencias prevenidas en el Capítulo 39, título 42, libro IV del Código Civil, no anula el instrumento sobre el cual haya recaído la informalidad; pero el notario que la cometa incurre en responsabilidad legal.

ART. 97. El registro de autos de embargo y de demandas civiles se hará en la oficina u oficinas de registro del círculo a que pertenezca la finca embargada, o sobre la cual versa la demanda.

ART. 98. Derógase el artículo 2609 del Código Civil.

ART. 99. Los documentos privados que conforme al artículo 1o. de la ley 34 de 5 de marzo de 1887 hayan de registrarse, serán presentados personalmente al registrador por los que los suscriban, y la diligencia que se extienda en el libro respectivo será firmada por los mismos y por el registrador. Queda, en estos términos, reformado el artículo 1o. de la ley aquí citada.

ART. 100. En los juicios de sucesión por causa de muerte, no se cobrará otro impuesto de registro que el que corresponda por la escritura de protocolización del proceso en la oficina del Notario.

6. CENSOS

ART. 101. Se constituye un censo cuando una persona contrae la obligación de pagar a otra un rédito anual, reconociendo el capital correspondiente y gravando una finca suya con la responsabilidad del crédito y del capital.

Este rédito se llama censo o canon; la persona que lo debe, censatario, y su acreedor, censualista.

ART. 102. El censo puede constituirse por testamento, por donación, venta o de cualquier otro modo equivalente a éstos.

ART. 103. No se podrá constituir censo sino sobre predios rústicos o urbanos y con inclusión del suelo.

ART. 104. El capital deberá siempre consistir o estimarse en dinero. Sin este requisito no habrá constitución de censo.

ART. 105. La razón entre el canon y el capital no podrá exceder de la cuota determinada por la ley.

El máximum de esta cuota, mientras la ley no fijare otro, es un cinco por ciento al año.

ART. 106. La constitución de un censo deberá siempre constar por escritura pública registrada en la competente Oficina de Registro, y sin este requisito no valdrá como constitución de censo; pero el obligado a pagar la pensión lo estará en los términos del testamento o contrato, y la obligación será personal.

No podrá estipularse que el canon se pague en cierta cantidad de frutos. La infracción de esta regla viciará de nulidad la constitución del censo.

ART. 107. Todo censo, aun estipulado con la calidad de perpetuo, es redimible a voluntad del censatario.

ART. 108. No podrá el censatario obligarse a redimir el censo dentro de cierto tiempo; toda estipulación de esta especie se tendrá por no escrita.

ART. 109. No vale en la constitución del censo el pacto de no enajenar la finca censida, ni otro alguno que imponga al censatario más cargas de las expresadas en esta ley; toda estipulación en contrario se tendrá por no escrita.

ART. 110. Tendrá el censatario la obligación de pagar el canon de año en año, salvo que en el acto constitutivo se fije otro período para los pagos.

ART. 111. La obligación de pagar el censo sigue siempre el dominio de la finca censida, aun respecto de los cánones devengados antes de la adquisición de la finca; salvo siempre el derecho del censualista para dirigirse contra el censatario constituido en mora, aun cuando deje de poseer la finca, y salva, además, la acción de saneamiento del nuevo poseedor de la finca contra quien hubiere lugar.

ART. 112. El censatario no es obligado al pago del capital ni de los cánones devengados antes de la adquisición de la finca censida, sino con esta misma finca; pero al pago de los cánones vencidos durante el tiempo que ha estado en posesión de la finca, es obligado con todos sus bienes.

ART. 113. Lo dispuesto en los dos artículos precedentes tendrá lugar aun cuando la finca hubiere perdido mucha parte de su valor, o se hubiere hecho totalmente infructífera.

Pero el censatario se descargará de toda obligación poniendo la finca, en el estado en que se hallare, a disposición del censualista, y pagando los cánones vencidos según la regla del artículo anterior.

Con todo, si por dolo o culpa grave del censatario pereciere o se hiciere infructífera la finca, será responsable de los perjuicios.

ART. 114. Aun cuando una finca censida se divida por sucesión hereditaria, el censo continuará gravando el todo de la finca, y no podrá el mismo censo dividirse sin el consentimiento del censualista.

También es necesario el consentimiento del censualista para reducir a una parte determinada de la finca censida el censo impuesto sobre toda la finca, o para trasladar a otra finca el censo.

La división, reducción o traslación del censo a que se contraen los anteriores párrafos, se hará siempre por escritura pública registrada; y faltando esta formalidad, quedará subsistente el primitivo censo.

ART. 115. Para la división, reducción o traslación de un censo que no pertenece en propiedad absoluta al censualista o de que éste es sólo usufructuario, se necesita, además del consentimiento del censualista, la aprobación judicial.

ART. 116. Si en el caso del artículo anterior se tratare de dividir en partes un censo que grava sobre el todo de una finca dividida por sucesión hereditaria, tendrás en cuenta, para hacer la división del censo, el importe del capital del mismo censo y el valor dado por tasación pericial a las partes en que se haya dividido la finca hereditaria primitivamente censida.

Ordenada la división del censo, dispondrá el juez que, por los respectivos divisionarios de la finca hereditaria, se proceda a otorgar y registrar las escrituras en que conste la parte de censo que cada divisionario ha de continuar reconociendo, y quedarán así constituidos tantos censos distintos é independientes y separadamente redimibles, cuantas fueren las partes gravadas.

A falta de las escrituras registradas que debe otorgar cada divisionario, subsistirá el censo primitivo, y cada hijuela de los partícipes hereditarios será gravada con la responsabilidad de todo el censo.

Si de la división del censo hubiere de resultar que a una hijuela toque menos de cuatrocientos pesos del primitivo capital, no podrá dividirse el censo, y cada hijuela será responsable de todo él.

ART. 117. En el caso de reducción del censo a una parte determinada de la finca censida, y en el de traslación del censo a otra finca, tratándose de un censo que no pertenece en propiedad absoluta al censualista, o de que éste es sólo usufructuario, se procederá con las formalidades y bajo las condiciones prescritas en el artículo precedente.

Será justo motivo para que el Juez no apruebe u ordene la reducción o traslación del censo, la insuficiencia de la nueva finca o hijuela para soportar el gravamen, y se tendrá por insuficiente la finca o hijuela, cuando el total de los gravámenes que haya de soportar exceda de la mitad de su valor.

Se contarán en los gravámenes los censos é hipotecas especiales con que estuviere ya gravada la finca.

La traslación o reducción se hará con las formalidades arriba indicadas, y a falta de ellas, quedará subsistente el primitivo censo.

ART. 118. En la división, reducción o traslación de un censo que pertenezca a un Municipio, o a establecimientos públicos, o a otra persona moral, se observarán las mismas formalidades que se han expresado, sin perjuicio de las disposiciones que sobre el particular se dicten en leyes especiales.

ART. 119. La redención de un censo es el pago del capital que lo constituye.

ART. 120. Cuando el censualista es propietario absoluto del censo, deberá otorgar escritura pública de la redención, y registrada dicha escritura, quedará completamente extinguido el censo.

ART. 121. Cuando el censo no pertenece en propiedad absoluta al censualista, la redención se hará por la consignación del capital a la orden del Juez, que, en consecuencia, lo declara redimido.

Registrada esta declaración en la competente Oficina de Registro, se extingue completamente el censo; pero en el caso a que este artículo se contrae, será obligado el censualista a constituir de nuevo el censo con el capital consignado.

ART. 122. El censatario que no debe cánones atrasados puede redimir el censo cuando quiera.

ART. 123. El censo no podrá redimirse por partes, salvo que el censualista convenga en la redención parcial.

ART. 124. El censo perece por la destrucción completa de la finca censida, entendiéndose por destrucción completa la que hace desaparecer totalmente su suelo.

Reapareciendo el suelo, aunque sólo en parte revivirá todo el censo; pero nada se deberá por pensiones del tiempo intermedio.

El censatario, con todo, se descargará de la obligación de continuar reconociendo el censo, en el caso del anterior inciso, poniendo la finca a disposición del censualista.

ART. 125. Las acciones personal y real del censualista prescriben en treinta años[*], así respecto de las pensiones devengadas en dichos treinta años, como respecto del capital del censo que queda completamente extinguido por la prescripción.

[*] El artículo 1° de la Ley 50 de 1936 redujo las prescripciones treintenarias a veinte años y, posteriormente, el artículo 1° de la Ley 791 de 2002 redujo las prescripciones veintenarias a diez años.

ART. 126. De todo censo que pertenezca a una persona natural o jurídica, sin cargo de restitución o trasmisión y sin otro gravamen alguno, podrá disponer el censualista entre vivos o por testamento, o lo trasmitirá ab intestato, según las reglas generales.

ART. 127. En los casos de trasmisión forzosa en que haya de sucederse perpetuamente, o hasta un límite designado, el orden de sucesión será el establecido por el acto constitutivo del censo, o de los usufructos sucesivos que se hayan convertido en censos conforme a las disposiciones legales pertinentes, y en lo que dicho acto constitutivo no hubiere previsto, se observará el orden regular de sucesión descrito en el siguiente artículo, el cual no se extiende a los censos correspondientes a los beneficios eclesiásticos denominados capellanías colativas.

ART. 128. 1o. Al primer llamado sucederá su descendencia legítima de grado en grado, personal o representativamente, excluyendo en cada grado el varón a la hembra, y en cada sexo el de más edad al de menos.

2o. Llegado el caso de expirar la línea recta falleciendo un censualista sin descendencia legítima que tenga derecho de sucederle se subirá a su ascendiente más próximo de la misma línea, de quien exista descendencia legítima, y sucederá ésta de grado en grado, personal y representativamente, excluyendo en cada grado el varón a la hembra, y en cada sexo el de más edad al de menos.

3o. Extinguida toda la descendencia legítima del primer llamado, sucederá el segundo y su descendencia legítima en los mismos términos.

4o. Agotada la descendencia legítima de todos los llamados expresamente por el acto constitutivo, ninguna persona o línea se entenderá llamada a suceder en virtud de una situación tácita o presunta de clase alguna, y el censo se considerará vacante.

ART. 129. Los censos vacantes que tuvieren algún gravamen a favor de un objeto pío, de educación o de beneficencia, se adjudicarán íntegramente a la fundación o establecimiento pío, de educación o de beneficencia a que pertenezca el gravamen: la fundación o establecimiento gozará del censo con las cargas a que estuviere afecto.

Toca al respectivo Juez de Circuito hacer la adjudicación, que deberá registrarse en la competente oficina.

ART. 130. Los censos vacantes, no comprendidos en la disposición del precedente artículo, pertenecen al municipio en que estuvieren situadas las fincas censidas.

ART. 131. En los casos en que suceda por líneas y con derecho de representación, toda persona llamada o excluida del orden de sucesión por el acto constitutivo, se presumirá serlo con toda su descendencia para siempre; y no se podrá oponer a esta presunción sino disposiciones expresas del acto constitutivo, en la parte que fueren incompatibles con ella.

ART. 132. Concurriendo con otros hijos legítimos los legitimados por matrimonio, se contará la edad del legitimado desde el día de la legitimación.

Concurriendo sólo legitimados, se contará la edad de cada legitimado desde el día de su nacimiento.

ART. 133. No se entenderán llamados los hijos naturales sino cuando expresamente lo sean en el acto constitutivo, y en tal caso no entrarán a suceder sino los naturales reconocidos con las formalidades legales.

Los otros hijos legítimos no gozarán de este derecho en ningún caso; pero podrán ser llamados directa y nominalmente como personas extrañas.

ART. 134. Cuando nacieren de un mismo parto dos o más hijos llamados a suceder, sin que pueda saberse la prioridad del nacimiento, se dividirá entre ellos el censo por partes iguales, y en cada una de ellas se sucederá al tronco en conformidad con el acto constitutivo.

Se dividirá de la misma manera el gravamen a que el censo estuviere afecto.

ART. 135. Cuando por el orden de sucesión hubieren de caber a una misma persona dos censos, y uno de ellos, según su constitución, fuere incompatible con el otro, la persona en quien ambos recaigan, cualesquiera palabras en que esté concebida la cláusula de incompatibilidad, tendrá la facultad de elegir el que quiera, y se entenderá excluida para siempre del otro, personal y representativamente; y en este otro se sucederá según el respectivo acto constitutivo como si dicha persona no hubiese existido jamás.

(...)

ART. 324. En los Códigos adoptados las denominaciones de corporaciones y funcionarios, como Estados Unidos de Colombia, Estado, Territorio, Prefecto, Corregidor, y las demás que a virtud del cambio de instituciones requieran en algunos casos una sustitución técnica, se aplicarán a quienes paralela y lógicamente correspondan.

ART. 325. El texto auténtico del Código de Comercio adoptado por la ley 57 de 1887 es el contenido en la edición de 1874.

ART. 326. El contenido del artículo 54 de la ley 32 de 1886 no autoriza a los editores para alterar la enumeración auténtica de las disposiciones legales.

ART. 327. Quedan, en los términos de la presente ley, reformados los Códigos nacionales y las leyes 61 de 1886 y 57 de 1887.

Dada en Bogotá, a quince de agosto de mil ochocientos ochenta y siete.

Gobierno Ejecutivo-Bogotá, agosto 24 de 1887.

Publíquese y ejecútese.

LEY 95 DE 1890
(diciembre 02)
Sobre reformas civiles

El Congreso de Colombia

DECRETA:

Art. 1°. Se llama fuerza mayor o caso fortuito, el imprevisto a que no es posible resistir, como un naufragio, un terremoto, el apresamiento de enemigos, los autos de autoridad ejercidos por un funcionario público, etc.

Art. 2°. Para el efecto del artículo 17 del convenio con la Santa Sede aprobado por la Ley 35 de 1888, Señálase el Notario Público, en los lugares en que lo hubiere, y en los demás el Secretario del Consejo Municipal, como el empleado que debe verificar la inscripción del matrimonio en el registro civil de que allí se trata.

El Gobierno acordará con la Autoridad eclesiástica la manera de llevar a efecto esta disposición[*].

(*) Vease: L. 20 de 1974.

Artículos 3° y 4°. [Derogados. Art. 70 Dec. 2820 de 1974]

Art. 70 Dec. 2820 de 1974: «*Deroganse los artículos (...) 3 y 4 de la ley 95 de 1890 (...)*».

Artículos 5° y 6°. [Derogados. Art. 14 L. 1060 de 2006]

Art. 14 L. 1060 de 2006: «*La presente ley rige a partir de la fecha de su promulgación y deroga las disposiciones que le sean contrarias, en especial (...) los artículos 5° y 6° de la Ley 95 de 1890 (...)*».

Art. 7°. No obstante lo dispuesto en el inciso 1o del artículo 56 de la Ley 153 de 1887, se presume el reconocimiento por parte de la madre respecto de los hijos concebidos por ella siendo soltera o viuda; en consecuencia, tales hijos tendrán el carácter de naturales con relación a su madre, como si hubieran sido reconocidos por instrumento público.

Art. 8°. El adulto que se halle en estado habitual de [*imbecilidad o idiotismo*], de demencia o de [*locura furiosa*], será privado de la administración de sus bienes, aunque tenga intervalos lúcidos.

Inexeq. C-478 de 2003: «*SEGUNDO. Declarar INEXEQUIBLES las expresiones "...de imbecilidad o idiotismo..." y "...o de locura furiosa..." contenida en el artículo 545 del Código Civil. El resto de la disposición se declara EXEQUIBLE en el entendido de que debe existir interdicción judicial».*

Art. 9°. Las servidumbres discontinuas de todas clases y las continuas inaparentes sólo pueden adquirirse por medio de un título; ni aun el goce inmemorial bastará para constituirlas.

Las servidumbres continuas y aparentes pueden constituirse por título o por prescripción de diez años, contados como para la adquisición del dominio de fundos.

Art. 10. [Derogado. Art. 698 C.P.C]

Art. 698 C.P.C: «*Deróganse (...) los artículos 10 y 29 de la ley 95 de 1890 (...)».*

Art. 11. El testamento solemne, abierto o cerrado, en que se omitiere cualquiera de las formalidades a que debe, respectivamente, sujetarse, según los artículos precedentes, no tendrá valor alguno.

Con todo, cuando se omitiere una o más de las designaciones prescritas en el artículo 1073, en el inciso 4° del 1080, y en el inciso 2° del 1081, no ser por eso nulo el testamento, siempre que no haya duda acerca de la identidad personal del testador, notario o testigo.

El presente artículo reemplaza al 1083 del Código Civil.

Art. 12. La condición impuesta al heredero o legatario de no contraer matrimonio se tendrá por no escrita, salvo que se limite a no contraerlo antes de la edad de veintiún años o menos[*], o con determinada persona.

[*] La Ley 27 de 1977 estableció la mayoría de edad a los 18 años.

Art. 13. La consignación debe ser precedida de oferta; y para que ésta sea válida, reunirá las circunstancias que requiere el artículo 1658 del Código Civil.

Art. 14. El acreedor es obligado a conceder el beneficio de competencia:

1o. A sus descendientes o ascendientes, no habiendo éstos irrogado al acreedor ofensa alguna de las clasificadas entre las causas de desheredación;

2o. A su cónyuge, no estando divorciado por su culpa;

3o. A sus hermanos, con tal que no se hayan hecho culpables, para con el acreedor de una ofensa igualmente grave que las indicadas como causa de desheredación respecto de los descendientes o ascendientes;

4o. A sus consocios en el mismo caso; pero sólo en las acciones recíprocas que nazcan del contrato de sociedad;

5o. Al donante; pero sólo en cuanto se trate de hacerle cumplir la donación prometida; y

6o. Al deudor de buena fe, que hizo cesión de sus bienes y es perseguido en los que después ha adquirido para el pago completo de las deudas anteriores a la cesión; pero sólo le deben este beneficio los acreedores a cuyo favor se hizo.

Art. 15. [Subrogado. Art. 2 L. 50 de 1936] La nulidad absoluta puede y debe ser declarada por el Juez, aun sin petición de parte, cuando aparezca de manifiesto en el acto o contrario; puede alegarse por todo el que tenga interés en ello; puede asimismo pedirse su declaración por el Ministerio Publico en el interés de la moral o de la ley. Cuando no es generada por objeto o causa lícitos, puede sanearse por la ratificación de las partes y en todo caso por prescripción extraordinaria.

Art. 16. Si los comuneros no se avinieren en cuanto al uso de las cosas comunes nombrarán un administrador que lo arregle, sin perjuicio del derecho de los comuneros a reclamar ante el Juez contra las resoluciones del Administrador, si no fueren legales.

Art. 17. El administrador será nombrado por los comuneros en junta general, por mayoría absoluta de votos. Habrá Junta General cuando concurra un número que represente más de la mitad de todos los derechos.

Art. 18. Cuando la Comunidad no haga el nombramiento conforme al artículo anterior, cualquiera de los comuneros podrá ocurrir al Juez para que los convoque a lugar y en día y hora determinados, a fin de que bajo la presencia del mismo Juez hagan el nombramiento, que podrá hacerse en este caso por cualquier número de comuneros que concurra, y en su defecto por el mismo Juez.

Art. 19. Cada comunero tendrá tantos votos cuantas veces se comprenda en la cuota que le corresponda, la cuota del que tenga el menor derecho.

Art. 20. El nombramiento de administrador subsiste mientras no se haga otro con arreglo a los artículos anteriores; y podrá hacerse cuando después de un año se acuerde por una quinta parte de los votos de los comuneros.

Art. 21. El administrador de la Comunidad debe tener un padrón exacto de todos los comuneros, con expresión de las cuotas de sus derechos, en el cual irán anotándose sucesivamente todos los cambios que ocurran.

Para formar por primera vez este padrón, si los comuneros no son conocidos de un modo auténtico, el Juez, a solicitud del administrador, los citará por edictos fijados en lugares públicos de la cabecera del Municipio en que se halle la finca común, para que presenten al Administrador los títulos que comprueben su derecho dentro de un plazo de sesenta días.

Siendo notorio é indudable el derecho de un individuo deberá incluírsele en el padrón, aun cuando no se haya presentado a solicitarlo.

Los casos dudosos o litigiosos se decidirán por el Juez.

Art. 22. El administrador de una Comunidad, nombrado con arreglo a las disposiciones anteriores, tiene la personaría de ella.

Esto no impide que cada comunero represente como parte y sea tenido como tal para lo relativo a su derecho; pero si después de representado un comunero, dejare de estar a derecho en el lugar del juicio, este continuará con las otras partes y surtirá sus efectos como si tal comunero no se hubiere hecho parte.

Art. 23. El administrador gozará una remuneración del dos al cinco por ciento del producto de las cosas comunes que administre, a juicio de la Junta general de comuneros, o del Juez en caso de que la Junta no hiciere la asignación; y si las cosas comunes se usaren por los mismos comuneros, el Administrador tendrá derecho al uso de una parte de la cosa, cuyo producto sea equivalente al tanto por ciento que le corresponde.

Art. 24. Cuando el administrador hubiere de manejar fondos o rentas de la Comunidad asegurará su manejo hipotecando una o más, fincas cuyo valor libre sea igual o exceda a la cuota periódica que, hayan de producir la finca o fincas de la Comunidad que maneje.

Así, por ejemplo, si el arrendamiento o producto hubiere de cobrarse u obtenerse por semestres, el Administrador asegurará el valor de un semestre; y el de un año si el arrendamiento o producto hubiere de percibiese por años. Mas, si la percepción de la renta no se hiciere en su totalidad de una manera periódica, sino en diversos términos, entonces el valor libre de la hipoteca deberá ser por lo menos igual a una tercera parte del monto anual de las rentas.

Art. 25. Ningún Administrador podrá entrar en el manejo de las rentas de comuneros sin haberlo previamente asegurado.

Las seguridades serán ofrecidas al juez del circuito, quien sustanciará de oficio exigiendo las pruebas que juzgue necesarias para cerciorarse de que tales seguridades son bastantes; y luego que las declare suficientes bajo su responsabilidad, dispondrá que se otorgue la correspondiente escritura cuya aceptación corresponderá al Síndico del Distrito.

Art. 26. Cuando la cosa común no pueda usarse por todos los comuneros, deberá ponerse en arrendamiento o hacerse en común su explotación, concurriendo cada uno con el servicio o cuota que le corresponda para tal explotación.

Art. 27. El arrendamiento o la explotación de la cosa común se arreglará por los mismos comuneros o por el Administrador, cuando lo hubiere; pero si alguno de los interesados lo solicitare, se hará el arrendamiento por el Juez, en licitación pública. En este caso, si alguno de los comuneros propusiere tomar la finca en arrendamiento, por un plazo hasta de cinco años, esta condición será base de arrendamiento, y el proponente tendrá derecho de tanto en el remate, siempre que el rematador no sea otro de los comuneros.

Art. 28. El ejercicio de la acción hipotecaria no perjudica la acción personal del acreedor para hacerse pagar sobre los bienes del deudor que no le han sido hipotecados, y puede ejercitarlas ambas conjuntamente, aun respecto de los herederos del deudor difunto; pero aquélla no comunicará a ésta el derecho de preferencia que corresponde a la primera.

Art. 29. [Derogado. Art. 698 C.P.C.]

Art. 698 C.P.C: «Deróganse (...) los artículos 10 y 29 de la ley 95 de 1890 (...)».

LEY 70 DE 1931
(mayo 28)
Que autoriza la constitución de patrimonios de familia no embargables

DECRETA:

TÍTULO I De la constitución del patrimonio de familia

Artículo 1º. Autorízase la constitución a favor de toda familia, de un patrimonio especial, con la calidad de no embargable, y bajo la denominación de patrimonio de familia.

Artículo 2º. Denomínase constituyente aquel que lo establece. Llámase beneficiario aquel a cuyo favor se constituye. En la constitución de un patrimonio de familia pueden concurrir varios constituyentes y varios beneficiarios.

Artículo 3º. [Modificado. Art. 1 L. 495 de 1999] El patrimonio de familia no puede constituirse sino sobre el dominio pleno de un inmueble que no posea con otra persona proindiviso, ni esté gravado con hipoteca, censo o anticresis y cuyo valor en el momento de la constitución no sea mayor de doscientos cincuenta (250) salarios mínimos mensuales vigentes.

Artículo 4º. El patrimonio de familia puede constituirse a favor:

a) [Modificado. Art. 2 L. 495 de 1999] De una familia compuesta por un hombre y una mujer mediante matrimonio, o *por compañero o compañera permanente* y los hijos de estos y aquellos menores de edad.

b) [Modificado. Art. 2 L. 495 de 1999] De familia compuesta únicamente por un hombre o mujer mediante matrimonio, o por *compañero o compañera permanente*.

c) De un menor de edad, o de dos o más que estén entre sí dentro del segundo grado de consanguinidad legítima o natural.

Exeq. C-029 de 2009: «Primero.- (...) declarar la EXEQUIBLILIDAD, por los cargos analizados, de las expresiones "compañero" o "compañera permanente" y "compañeros permanentes cuya unión haya perdurado por lo menos dos años" contenidas en artículo 4º de la Ley 70 de 1931, modificada por la Ley 495 de 1999 y en el artículo 12 de la Ley 258 de 1996, en el entendido de que *esta protección patrimonial se extiende en igualdad de condiciones, a las parejas del mismo sexo que se hayan acogido al régimen de la Ley 54 de 1990 y demás normas que lo modifiquen».*

Exeq. C-107 de 2017: *«Declarar EXEQUIBLES los artículos 4º y 5º de la Ley 70 de 1931 "que autoriza la constitución de patrimonios de familia no embargables", por los cargos analizados en esta sentencia y en el entendido que el patrimonio de familia podrá constituirse a favor de los integrantes de la familia unipersonal y de crianza, y a los integrantes de la familia extensa».*

Artículo 5º. *En beneficio de su propia familia o de personas pertenecientes a ella, puede constituirse un patrimonio de esta clase:*

a) Por el marido[*] *sobre sus bienes propios o sobre los de la sociedad conyugal;*

b) Por el marido y la mujer de consuno, sobre los bienes propios de ésta, cuya administración corresponda al primero, y

c) Por la mujer casada, sin necesidad de autorización marital, sobre los bienes cuyo dominio y cuya administración se hubiere reservado en las capitulaciones matrimoniales, o se le hubieren donado o dejado en testamento en tales condiciones.

Exeq. C-107 de 2017: *«Declarar EXEQUIBLES los artículos 4º y 5º de la Ley 70 de 1931 "que autoriza la constitución de patrimonios de familia no embargables", por los cargos analizados en esta sentencia y en el entendido que el patrimonio de familia podrá constituirse a favor de los integrantes de la familia unipersonal y de crianza, y a los integrantes de la familia extensa».*

[*] Exeq. Cond. C-340 de 2014: *«Declarar EXEQUIBLE la expresión "Por el marido" contenida en el literal (a) del artículo 5º de la Ley 70 de 1931, en el entendido de que la facultad que allí se concede al marido sobre los bienes de la sociedad, también le corresponda a la mujer».*

Artículo 6º. Puede también constituirse un patrimonio de familia por un tercero, dentro de los límites fijados por el Código Civil para la disposición de bienes por medio de donaciones entra vivos o asignaciones testamentarias a título singular.

Artículo 7º. El patrimonio de familia. Salvo que se diga lo contrario en el acto constitutivo, se considera establecido no sólo a favor del beneficiario designado, sino de su cónyuge y de los hijos que lleguen a tener.

Artículo 8°. [Modificado. Art. 3 L. 495 de 1999] No puede constituirse a favor de una familia más de un patrimonio de esta clase. Empero cuando el bien no alcance a valer el equivalente de doscientos cincuenta (250) salarios mínimos mensuales vigentes, puede adquirirse el dominio de otros contiguos para integrarle.

Artículo 9°. [Modificado. Art. 4 L. 495 de 1999] El mayor valor que puede adquirir el bien sobre el cual se constituye un patrimonio de familia, se considera como un beneficio adquirido que no le quita al patrimonio su carácter primitivo, aun cuando el valor total del bien llegue a exceder de la suma equivalente a los doscientos cincuenta (250) salarios mínimos legales vigentes.

Artículo 10. La constitución de un patrimonio de familia por acta testamentario se sujeta en su forma a las reglas generales sobre adquisición y pago de las asignaciones a título singular, pero la adjudicación debe ser inscrita en el libro de registro especial de que trata el artículo 18.

Artículo 11. La constitución de un patrimonio de familia por acto entre vivos no puede hacerse sino mediante autorización judicial dada con conocimiento de causa; previa la tramitación señalada en los artículos siguientes.

Artículo 12. Quien desee constituir un patrimonio de familia por acto entre vivos, debe solicitar la autorización judicial por medio de un memorial dirigido al juez de circuito que corresponda a su domicilio, en el cual ha de expresarse:

a) El nombre, apellido, domicilio y profesión del constituyente y del beneficiario;

b) La calidad de célibe, casada o viudo del constituyente, así como del beneficiario, y

c) La determinación del inmueble o inmuebles por su nombre, situación y linderos.

Artículo 13. A la demanda debe acompañarse:

a) Las correspondientes partidas del estado civil, o las pruebas supletorias, conforme a las reglas generales;

b) El título de propiedad del inmueble:

c) Un certificado expedido por el registrador de instrumentos públicos respectivo, sobre la propiedad y libertad del inmueble, comprensivo de un período de tiempo de treinta años, y

d) Una relación nominal de los acreedores del constituyente, si las tuviere.

Artículo 14. Si la demanda llena las condiciones enumeradas en el artículo precedente, el juez debe admitirla y disponer:

a) El emplazamiento por medio de un edicto que ha de fijarse por el término de treinta (30) días, en el local del juzgado, de todas aquellas personas que quieran oponerse a la constitución del patrimonio de familia por ser lesivo de sus derechas como acreedores del constituyente;

b) La notificación personal del auto de admisión de la demanda al beneficiario o a su representante legal, para que dentro del término de treinta (30) días manifieste si acepta o no la constitución del patrimonio, siendo entendido que el silencio se toma por aceptación

De esta diligencia se prescinde cuando, la constitución del patrimonio se hace en beneficio de la propia familia o de personas pertenecientes a ella:

c) La publicación del edicto por tres veces, dentro de período de treinta días, si fuere posible, en el periódico oficial del respectiva departamento o intendencia y en uno o más periódicos particulares.

Si no se publica en el departamento o intendencia periódico alguno, se reemplaza la publicación enunciada por otra por medio de carteles fijadas en los lugares más públicos de la cabecera del circuito judicial y en el municipio de la ubicación del inmueble;

d). La citación personal del acreedor o acreedores designados en la demanda, para que dentro del término, de los tres días siguientes al de la respectiva citación, manifiesten si se oponen a la constitución, siendo entendido que el silencio se entiende por aceptación, y

e) La estimación del bien por medio de peritos designados por el mismo juez.

Artículo 15. Las diligencias de que tratan los apartes b) c), d), e), del artículo anterior, pueden practicarse dentro del término de la fijación del edicto de que trata el aparte a) del mismo artículo.

Artículo 16. Practicadas las diligencias anteriores y desfijadas el edicto, si hay oposición u oposiciones de acreedores, se debe abrir el juicio a prueba por un término común e improrrogable de nueve (9) días.

Artículo 17. Vencidos dichos términos, en el caso previsto en el texto anterior, o si se hubiere obtenido la venia expresa a tácita del beneficiario y de los acreedores del constituyente, el juez debe correr traslado del expediente al agente del Ministerio Público, por tres (3) días, para que manifieste si, en su concepto, debe o no concederse la autorización pedida.

Artículo 18. Devuelto el expediente, el juez debe proferir a sentencia definitiva dentro de los tres días siguientes, y si por ella se concede la autorización, ha de expresar en la misma el nombre y la ubicación del inmueble y sus linderos y ordenar:

a) La inscripción de la misma sentencia en un libro especial de la oficina de registro de instrumentos públicos que corresponda a la ubicación de inmueble, dentro de los noventa (90) días siguientes a la ejecutoria de la sentencia, so pena de nulidad;

b) La cancelación de la inscripción anterior en el libro primero o en el de las causas mortuorias, según el caso. Y

c) La protocolización del expediente en una notaría.

Artículo 19. La sentencia definitiva es apelable, en efecto suspensivo, para ante el tribunal superior respectivo, por el agente del Ministerio Público, el constituyente y el opositor u opositores.

El recurso se sustancia coma si se tratara de la apelación de un auto interlocutorio. Los demás autos dictados en el juicio son reformables, revocables y apelables, conforme a las reglas del derecho común.

Artículo 20. Por la constitución de un patrimonio de familia se pagan los siguientes impuestos:

a) El de registro a razón del cinco por ciento (5%) sobre el valor de bien. y

b) [Derogado. Art. 94 L. 63 de 1936]

Los recibos que acrediten el pago de tales impuestos deben presentarse al notario para que los inserte en la escritura de constitución del patrimonio.

TÍTULO II. Del régimen del patrimonio de familia

Artículo 21. El patrimonio de familia no es embargable, ni aun en caso de quiebra del beneficiario. El consentimiento que éste diere para el embargo no tendrá efecto ninguno.

Artículo 22. El patrimonio de familia no puede ser hipotecado ni gravado con censo, ni dado en anticresis, ni vendido con pacto de retroventa.

Artículo 23. El propietario puede enajenar el patrimonio de familia o cancelar la inscripción por otra que haga entrar el bien a su patrimonio particular sometido al derecho común; pero si es casado o tiene hijos menores, la enajenación o la cancelación se subordinan, en el primer caso, al consentimiento de su cónyuge. Y en el otro, al consentimiento de los segundos, dado por medio o con intervención de un curador, si lo tienen, o de un curador nombrado *ad hoc*.

Artículo 24. En caso de expropiación por causa de utilidad pública, si entre los beneficiarios hubiere menores el juez debe dictar medidas conservatorias del producto de la expropiación mientras se invierte en la constitución de otro patrimonio de familia. Esta constitución puede hacerse simplemente por la adquisición de uno o más bienes, a título de compra, con autorización judicial. Dicho título debe inscribirse en el libro especial de registro de que trata el artículo 18 de esta ley, dentro del término de noventa días.

Artículo 25. Puede sustituirse un patrimonio de familia por otro, pero si entre los beneficiarios hay mujer casada o menores, el marido o el constituyente no puede hacer la sustitución sin licencia judicial previo conocimiento de causa.

La escritura pública respectiva debe inscribirse en el libro especial de que trata el artículo 18, dentro del término de los noventa días señalados en el mismo texto.

Artículo 26. En caso de destrucción del patrimonio de familia por incendio, inundación u otra causa que den lugar a indemnización, a la suma pagada por el asegurador o por la persona obligada a la reparación, se le aplicará la regla consagrada en el artículo a 24 de esta ley.

Artículo 27. El patrimonio de familia subsiste después de la disolución del matrimonio, a favor de cónyuge sobreviviente, aun cuando no tenga hijos.

Artículo 28. Muertos ambos cónyuges, subsiste el patrimonio de familia si quedaren alguno o más hijos legítimos o naturales menores, reconocidos por el padre. En tal caso subsiste la indivisión mientras que dichos hijos no hayan salido de la menor edad.

Artículo 29. Cuando todos los comuneros lleguen a la mayoridad se extingue e patrimonio de familia, y el bien que lo constituye queda sometido a las reglas del derecho común.

Artículo 30. El cónyuge sobreviviente, si no hay menores entre los herederos del difunto, puede reclamar para sí a adjudicación del patrimonio de familia, para conservarlo con ese carácter, con la obligación de pagar a dichos herederos la parte que les corresponda, sobre el avalúo dado al bien.

Dada en Bogotá a veinte de mayo de mil novecientos treinta y uno.

Poder Ejecutivo - Bogotá mayo 28 de 1931.

Publíquese y ejecútese.

LEY 28 DE 1932
(noviembre 12)
Sobre reformas civiles (Régimen Patrimonial en el Matrimonio)

El Congreso de Colombia

DECRETA:

Artículo 1°. Durante el matrimonio cada uno de los cónyuges tiene la libre administración y disposición tanto de los bienes que le pertenezcan al momento de contraerse el matrimonio o que hubiere aportado a él, como de los demás que por cualquier causa hubiere adquirido o adquiera; pero a la disolución del matrimonio o en cualquier otro evento en que conforme al Código Civil deba liquidarse la sociedad conyugal, se considerará que los cónyuges han tenido esta sociedad desde la celebración del matrimonio, y en consecuencia se procederá a su liquidación.

Artículo 2°. Cada uno de los cónyuges será responsable de las deudas que personalmente contraiga, salvo las concernientes a satisfacer las ordinarias necesidades domésticas o de crianza, educación y establecimiento de los hijos comunes, respecto de las cuales responderán solidariamente ante terceros, y proporcionalmente entre sí, conforme al Código Civil.

Artículo 3°. [*Son nulos absolutamente entre cónyuges*] las donaciones irrevocables y [*los contratos relativos a inmuebles*], salvo el de mandato general o especial.

Inexeq. C-068 de 1999: «Decláranse INEXEQUIBLES (...) el artículo 3° de la Ley 28 de 1932, en cuanto dispone que "son nulos absolutamente entre cónyuges ... los contratos relativos a inmuebles"; (...) por las razones expuestas en la parte motiva de esta providencia».

Artículo 4°. En el caso de liquidación de que trata el artículo 1° de esta Ley, se deducirá de la masa social o de lo que cada cónyuge administre separadamente, el pasivo respectivo. Los activos líquidos restantes se sumarán y dividirán conforme al Código Civil, previas las compensaciones y deducciones de que habla el mismo Código.

Artículo 5°. La mujer casada, mayor de edad, como tal, puede comparecer libremente en juicio, y para la administración y disposición de sus bienes no necesita autorización marital ni licencia del Juez, ni tampoco el marido será su representante legal.

Artículo 6°. La curaduría de la mujer casada, no divorciada, en los casos en que aquélla deba proveerse, se deferirá en primer término al marido, y en segundo, a las demás personas llamadas por la Ley a ejercerla.

Artículo 7°. Respecto de las sociedades conyugales existentes, los cónyuges tendrán capacidad para definir extrajudicialmente, y sin perjuicio de terceros, las cuestiones relativas a la distribución de los bienes que deban corresponder a cada uno de ellos, conforme a esta ley, y si se distribuyeren gananciales, se imputarán a buena cuenta de lo que hubiere de corresponderles en la liquidación definitiva. De los perjuicios que se causen a terceros, en virtud de estos arreglos, que deberán formalizarse por escritura pública, responderán solidariamente los cónyuges, sin perjuicio de que puedan hacerse efectivos sobre los bienes sociales que se distribuyan[*].

[*] El artículo 1 de la Ley 68 de 1946 establece que: «*La Ley 28 de 1932 no disolvió las sociedades conyugales preexistentes y, por consiguiente, las que no se hayan liquidado o no se liquiden provisionalmente conforme a ella, se entiende que han seguido y seguirán bajo el régimen civil anterior en cuanto a los bienes adquiridos por ellas antes del 1° de enero de 1933. En estos términos queda interpretada la citada ley*».

Artículo 8°. [Derogado. Art. 698 C.P.C.]

Art. 698 C.P.C.: «*Deróganse (...) el artículo 8 de la Ley 28 de 1932 (...)*».

Artículo 9°. Quedan derogadas las disposiciones contrarias a la presente ley.

Artículo 10. Esta ley entrará a regir el 1° de enero de 1933.
Dada en Bogotá a doce de noviembre de mil novecientos treinta y dos.
Poder Ejecutivo-Bogotá, noviembre 12 de 1932
Publíquese y ejecútese.

LEY 45 DE 1936
(marzo 05)
Sobre reformas civiles (filiación natural)

El Congreso de Colombia

DECRETA:

Artículo 1. El hijo nacido de padres que al tiempo de la concepción no estaban casados entre sí, es hijo natural, cuando ha sido reconocido o declarado tal con arreglo a lo dispuesto en la presente Ley. También se tendrá en calidad respecto de la madre soltera o viuda por el solo hecho del nacimiento.

Artículo 2. [Modificado. Art. 1 L. 75 de 1968] El reconocimiento de hijos naturales es irrevocable y puede hacerse:

1º. En el acta de nacimiento, firmándola quien reconoce.

El funcionario del Estado Civil que extienda la partida de nacimiento de un hijo natural, indagará por el nombre, apellido, identidad y residencia del padre y de la madre, e inscribirá como tales a los que el declarante indique, con expresión de algún hecho probatorio y protesta de no faltar a la verdad. La inscripción del nombre del padre se hará en Libro especial destinado a tal efecto y de ella solo se expedirán copias a las personas indicadas en el ordinal 4º inciso 2º de este artículo y a las autoridades judiciales y de policía que las solicitaren.

Dentro de los treinta días siguientes a la inscripción, el funcionario que la haya autorizado la notificará personalmente al presunto padre, si éste no hubiere firmado el acta de nacimiento. El notificado deberá expresar, en la misma notificación, al pie del acta respectiva, si acepta o rechaza el carácter de padre que en ella se le asigna, y si negare ser suyo el hijo, el funcionario procederá a comunicar el hecho al Defensor de Menores para que éste inicie la investigación de la paternidad.

Igual procedimiento se seguirá en el caso de que la notificación no pueda llevarse a cabo en el término indicado o de que el declarante no modifique el nombre del padre o de la madre.

Mientras no sea aceptada la atribución por el notificado, o la partida de nacimiento no se haya corregido en obediencia a fallo de la autoridad competente, no se expresará el nombre del padre en las copias que de ella llegaren a expedirse.

2°. Por escritura pública.

3°. Por testamento, caso en el cual la renovación de éste no implica la del reconocimiento.

4°. [Modificado. Art. 10 Dec. 2272 de 1989] Por manifestación expresa y directa hecha ante un juez, aunque el reconocimiento no haya sido objeto único y principal del acto que lo contiene.

El hijo, sus parientes hasta el cuarto grado de consanguinidad y cualquier persona que haya cuidado de la crianza del menor o ejerza su guarda legal o el defensor de familia o el Ministerio Público, podrán pedir que el supuesto padre o madre sea citado personalmente ante el juez a declarar bajo juramento si cree serlo. Si el notificado no compareciere, pudiendo hacerlo y se hubiere repetido una vez la citación expresándose el objeto, se mirará como reconocida la paternidad, previo trámite incidental, declaración que será impugnable conforme al artículo 5° de esta misma ley.

Artículo 3. [Modificado. Art. 3 L. 75 de 1968] [Derogado Art. 14. L. 1060 de 2006]

Art. 3 L. 75 de 1968: «El artículo 3° de la Ley 45 de 1936, quedará así: El hijo concebido por mujer casada no puede ser reconocido como natural, salvo:

1° Cuando fue concebido durante el divorcio o la separación legal de los cónyuges, a menos de probarse que el marido, por actos positivos lo reconoció como suyo, o que durante este tiempo hubo reconciliación privada entre los cónyuges.

2° Cuando el marido desconoce al hijo en la oportunidad señalada para la impugnación de la legitimidad en el Título 10°, del Libro 1° del Código Civil, la mujer acepta el desconocimiento, y el Juez lo aprueba, con conocimiento de causa e intervención personal del hijo, si fuere capaz, o de su representante legal en caso de incapacidad, y además del Defensor de Menores, si fuere menor.

3° Cuando por sentencia ejecutoriada se declare que el hijo no lo es del marido. El hijo podrá reclamar en cualquier tiempo, contra su legitimidad presunta, cuando su nacimiento se haya verificado después del décimo mes siguiente al día en que el marido o la madre abandonaron definitivamente el hogar conyugal. De esta acción conocerá el Juez de Menores cuando el hijo fuere menor de diez y seis años de edad, por el trámite señalado en el artículo 14 de esta Ley, con audiencia del marido y de la madre o de sus herederos si ya hubieren muerto ellos, salvo que en la demanda se acumule la acción de paternidad natural, caso en el cual conocerá del juicio el Juez Civil competente, por la vía ordinaria.

Prohíbese pedir la declaración judicial de maternidad natural, cuando se atribuye a una mujer casada, salvo en los tres casos señalados en el presente artículo».
Art. 14. L. 1060 de 2006: «La presente ley (...) deroga las disposiciones que le sean contrarias, en especial (...) el artículo 3° de la Ley 75 de 1968».

Artículo 4. [Modificado. Art. 6 L. 75 de 1968] Se presume la paternidad natural y hay lugar a declararla Judicialmente:

1º En el caso de rapto o de violación, cuando el tiempo del hecho coincide con el de la concepción.

2º En el caso de seducción realizada mediante hechos dolosos, abuso de autoridad o promesa de matrimonio.

3º Si existe carta u otro escrito cualquiera del pretendido padre que contenga una confesión inequívoca de paternidad.

4º En el caso de que entre el presunto padre y la madre hayan existido relaciones sexuales en la época en que según el artículo 92 del Código pudo tener lugar la concepción.

Dichas relaciones podrán inferirse del trato personal o social entre la madre y el presunto padre, apreciado dentro de las circunstancias en que tuvo lugar y según sus antecedentes, y teniendo en cuenta su naturaleza, intimidad y continuidad.

En el caso de este ordinal *no se hará la declaración si el demandado demuestra* la imposibilidad física en que estuvo para engendrar durante el tiempo en que pudo tener lugar la concepción, o si prueba, en los términos indicados en el inciso anterior, *que en la misma época, la madre tuvo relaciones de la misma índole con otro u otros hombres*, a menos de acreditarse que aquel por actos positivos acogió al hijo como suyo.

5º Si el trato personal y social dado por el presunto padre a la madre durante el embarazo y parto, demostrado con hechos fidedignos, fuere, por sus características, ciertamente indicativo de la paternidad, siendo aplicables en lo pertinente las excepciones previstas en el inciso final del artículo anterior.

6º Cuando se acredite la posesión notoria del estado de hijo.

Exeq. C-243 de 2001: «Declarar *EXEQUIBLE, la expresión* «no se hará la declaración si el demandado demuestra…, que en la misma época la madre tuvo relaciones de la misma índole con otro u otros hombres», contenida en el inciso 3° del numeral 4° del artículo 6° de la Ley 75 de 1968».

Artículo 5°. La posesión notoria del estado de hijo natural puede acreditarse también con relación a la madre.

Artículo 6°. La posesión notoria del estado de hijo natural consiste en que el respectivo padre o madre haya tratado al hijo como tal, proveyendo a su subsistencia, educación y establecimiento, y en que sus deudos y amigos o el vecindario del domicilio en general, lo hayan reputado como hijo de dicho padre o madre, a virtud de aquel tratamiento.

Artículo 7°. [Modificado. Art. 10 L. 75 de 1968] Las reglas de los artículos 395, 398, 399, 401, 402, 403 y 404 del Código Civil se aplican también al caso de filiación natural.

Muerto el presunto padre la acción de investigación de la paternidad natural podrá adelantarse contra sus herederos y su cónyuge.

Fallecido el hijo, la acción de filiación natural corresponde a sus descendientes legítimos, y a sus ascendientes.

La sentencia que declare la paternidad en los casos que contemplan los dos incisos precedentes, no producirá efectos patrimoniales sino a favor o en contra de quienes hayan sido parte en el juicio, y únicamente cuando la demanda se notifique dentro de los dos años siguientes a la defunción.

Artículo 8°. Acreditada la filiación por cualesquiera de los procedimientos y pruebas a que se refieren los artículos 68, 69, 73 y 75 (inciso 1°) de la Ley 153 de 1887, surtirá todos los efectos civiles señalados en la presente.

Artículo 9°. La mujer que ha cuidado de la crianza de un niño, que públicamente ha proveído a su subsistencia y lo ha presentado como hijo suyo, puede impugnar el reconocimiento que un hombre ha hecho de ese niño, dentro de los sesenta días siguientes al en que tuvo conocimiento de este hecho. En tal caso, no se puede separarlo del lado de la mujer sin su consentimiento o sin que preceda orden judicial de entrega.

Artículo 10. A falta de representante legal, tiene derecho a demandar la declaratoria de filiación para un menor, la persona entidad que ha cuidado de su crianza.

Artículo 11. En los juicios sobre filiación el procedimiento puede ser secreto, a petición de parte.

Artículo 12. Son partes en los juicios sobre filiación: el hijo por sí mismo, o representado por quien ejerza su patria potestad o su guarda, cuando es incapaz; la persona o entidad que haya cuidado de la crianza o educación del menor y el Ministerio Publico.

Las acciones judiciales dirigidas a obtener que se declare la filiación, se surten precisamente por medio del abogado titulado, salvo cuando las siga el Ministerio Público.

Artículo 13. [Derogado. Art. 70 Dec. 2820 de 1974]

Art. 70 Dec. 2820 de 1974: «Deróganse (...) artículo 13 de la Ley 45 de 1936 (...)».

Artículo 14. [Modificado. Art. 20 L. 75 de 1968] [Derogado. Art. 13 Dec. 772 de 1975]

Art. 20 L. 75 de 1968: «El artículo 14 de la Ley 45 de 1936 quedará así:

Por regla general, corresponde a la madre la patria potestad sobre el hijo natural. Pero el Juez puede, con conocimiento de causa y a petición de parte, si lo considera más conveniente a los intereses del hijo, conferirla al padre o poner bajo guarda al hijo.

A falta de la madre tendrá la patria potestad el padre natural, sin perjuicio de que el Juez ponga bajo guarda al hijo en las mismas circunstancias previstas en el inciso anterior.

El matrimonio de quien ejerce la patria potestad sobre el hijo natural es compatible con ésta, pero el Juez en tal caso, puede proceder en la forma prevista en el inciso segundo del artículo precedente.

No tiene la patria potestad ni puede ser nombrado guardador el padre o madre declarado tal en juicio contradictorio.

La guarda pone fin a la patria potestad en los casos de este artículo.

Art. 13 Dec. 772 de 1975: «Derógase el artículo 20 de la Ley 75 de 1968».

Artículo 15. [Modificado. Art. 21 L. 75 de 1968] Al ejercicio de la patria potestad sobre los hijos naturales se aplicarán las reglas de los Títulos 12 y 14 del Libro 1° del Código Civil en cuanto no pugnen con las disposiciones de la presente Ley.

Artículo 16. No obstante el ejercicio de la patria potestad, subsiste para la persona casada la prohibición de tener hijo natural en su casa, sin el consentimiento del otro cónyuge.

Artículo 17. El padre o madre que no ejerza la patria potestad sobre el hijo natural, y el Ministerio público, tienen acción para exigir al que está ejerciendo, o al guardador en su caso, el cumplimiento de sus obligaciones para con el menor.

Artículo 18. Los hijos legítimos excluyen a todos los otros herederos, excepto a los hijos naturales cuando el finado haya dejado hijos legítimos y naturales. Cada uno de los hijos naturales lleva como cuota hereditaria, en concurrencia con los hijos legítimos, la mitad de la correspondiente a uno de éstos, y sin perjuicio de la porción conyugal.

Queda en los anteriores términos sustituido el artículo 86 de la Ley 153 de 1887.

Artículo 19. El artículo 1046 del Código Civil quedara así:

Si el difunto no deja posteridad legitima, le suceden sus hijos naturales, sus ascendientes legítimos de grado más próximo y su cónyuge. La herencia se divide en cuatro partes: una para el cónyuge y las otras tres partes para repartirlas, por cabezas, entre los ascendientes legítimos y los hijos naturales.

No habiendo cónyuge sobreviviente, la herencia se divide entre los ascendientes legítimos y los hijos naturales, por cabezas.

No habiendo hijos naturales, la herencia se divide en dos partes: uno para el cónyuge y otra para los ascendientes legítimos.

No habiendo cónyuge ni hijos naturales, pertenece toda la herencia a los ascendientes legítimos.

Habiendo un solo ascendiente legítimo en el grado más próximo, sucede éste en todos los bienes o en toda la porción hereditaria de los ascendientes.

Artículo 20. El artículo 1047 del Código Civil quedara así:

Si el difunto no deja descendientes ni ascendientes legítimos, le suceden sus hijos naturales y su cónyuge. La herencia se divide en dos partes: una para el cónyuge y la otra para los hijos naturales.

No habiendo cónyuge sobreviviente, la herencia corresponde íntegramente a los hijos naturales.

Artículo 21. El artículo 1048 del Código Civil[*] quedará así:

Si el difunto no ha dejado descendientes ni ascendientes legítimos, ni hijos naturales, le suceden su cónyuge sobreviviente y sus hermanos legítimos. La herencia se divide así: la mitad para el cónyuge y la otra mitad para los hermanos legítimos.

A falta del cónyuge, llevan toda la herencia los hermanos legítimos, y a falta de estos, el cónyuge. Entre los hermanos legítimos de que habla este artículo se comprenden aun los que solamente lo sean por parte de padre o por parte de madre, pero la porción del hermano paterno o materno es la mitad de la porción del hermano carnal.

No habiendo hermanos carnales, los hermanos legítimos, paternos o maternos, llevan toda la herencia o toda la porción hereditaria de los hermanos.

[*] El artículo 1048 del Código Civil fue derogado por el artículo 10 de la Ley 29 de 1982.

Artículo 22. El artículo 1050 del Código Civil quedara así:

La sucesión del hijo natural se rige por las mismas reglas que la del causante legítimo ocupando los padres naturales el lugar que de acuerdo con tales reglas corresponde a los ascendientes legítimos. Si solamente uno de aquellos tuviera la calidad de padre natural, a éste solo corresponde la asignación respectiva.

Cuando por falta de descendientes o de padres sean llamados a suceder los hermanos, la herencia se defiere a aquellos que fueren hijos legítimos, o naturales del mismo padre, de la misma madre o de ambos. Todos aquellos suceden simultáneamente; pero el hermano carnal lleva doble porción que el paterno o materno.

La calidad de hijo legítimo no da derecho a la mayor porción que la del que sólo es hijo natural del mismo padre o madre.

El cónyuge sobreviviente tiene los mismos derechos que en la calidad de sucesión del causante que fue hijo legítimo.

Artículo 23. El artículo 1242 del Código Civil quedara así:

La mitad de los bienes, previas las deducciones de que habla el artículo 1016 y las agregaciones indicadas en los artículos 1243 a 1245, se dividen por cabezas o estirpes en los respectivos legitimarios, según el orden y reglas de la sucesión intestada; lo que cupiere a cada uno en esta división es su legítima rigurosa. No habiendo descendientes [legítimos][*]* ni hijos naturales por sí o representados, con derecho a suceder la mitad restante es la porción de bienes de que el testador ha podido disponer a su arbitrio.*

Habiéndolos, la masa de bienes, previas las referidas deducciones y agregaciones se divide en cuatro partes: dos de ellas, o sea la mitad del acervo, para las legítimas rigurosas; otra cuarta, para las mejoras con que el testador haya querido favorecer a uno o más de sus descendientes legítimos, o hijos naturales o descendientes legítimos de éstos, sean o no legitimarios; y otra cuarta de que ha podido disponer a su arbitrio.

[*] Inexeq. C-105 de 1994: «Decláranse INEXEQUIBLES las siguientes palabras, contenidas en los artículos del Código Civil que se determinan a continuación: (...) m) En el artículo 1242, la palabra legítimos, que aparece en el inciso segundo (...)».
Exeq. C-105 de 1994.

Artículo 24. El artículo 1253 del Código Civil quedara así:

De la cuarta de mejoras puede hacer el donante o testador la distribución que quiera entre sus descendientes [*legítimos*], sus hijos naturales o los descendientes [*legítimos*] de éstos, y podrá asignar uno o más de ellos toda la dicha cuarta, con exclusión de los otros.

Los gravámenes impuestos a los asignatarios de la cuarta de mejoras, serán siempre en favor de una o más de las personas mencionadas en el inciso precedente.

La acción de que habla el artículo 1277 del Código Civil, comprende los casos en que la cuarta de mejoras, en todo o en parte, fuere asignada en contravención a lo dispuesto en este artículo.

Inexeq. C-105 de 1994: «Decláranse INEXEQUIBLES las siguientes palabras, contenidas en los artículos del Código Civil que se determinan a continuación: d) En el artículo 1253, la palabra legítimos, que aparece dos (2) veces en el inciso primero (...)».

Artículo 25. [Modificado. Art. 31 L. 75 de 1968] Se deben alimentos:
5º A los hijos naturales, su posteridad legítima y a los nietos naturales.

6º A los ascendientes naturales.

Artículo 26. Cuando haya abandono de los deberes de los padres para con los hijos, éstos serán puestos, por orden del Juez y a costa de los padres, en casa o establecimiento competente. El mismo Juez, atendidas las fuerzas patrimoniales de cada uno de los progenitores, reglara la contribución.

Artículo 27. La tasa del impuesto sobre sucesiones y donaciones será la misma para los hijos, sean legítimos o naturales.

Artículo 28. [Modificado. Art. 30 L. 75 de 1968] En las sucesiones que se abran después de la sanción de la presente Ley, los hijos naturales concebidos antes de la vigencia de la Ley 45 de 1936 tendrán, aún en concurrencia con hijos legítimos de matrimonios anteriores, los derechos hereditarios que al hijo natural confiere la citada Ley. Queda así modificado el artículo 28 de la Ley 45 de 1936.

Artículo 29. No es admisible la comprobación de la paternidad natural por otros medios que los señalados en esta ley.

Artículo 30. Deróganse los artículos 52, 56, 57, 58, 59, 1046, 1047, 1048, 1050, 1042 y 1253 del Código Civil; 7° y 8° de la Ley 57 de 1887; 53, 54, 56, 58 (causas 3ª, 4ª. y 5ª.), 59, 66, 67, 70, 71, 72, 74 y 86 de la Ley 153 de 1887, y las demás disposiciones contrarias a la presente Ley.

Dada en Bogotá, a veintiuno de febrero de mil novecientos treinta y seis.

Poder Ejecutivo - Bogotá marzo 5 de 1936.

Publíquese y ejecútese.

LEY 75 DE 1968
(diciembre 30)
Por la cual se dictan normas sobre filiación y se crea el Instituto Colombiano de Bienestar Familiar

El Congreso de Colombia,

DECRETA:

CAPÍTULO I. De la filiación, la investigación de la paternidad y los efectos del estado civil

Artículo 1°. El artículo 2° de la Ley 45 de 1936 quedará así:

El reconocimiento de hijos naturales es irrevocable y puede hacerse:

1°. En el acta de nacimiento, firmándola quien reconoce.

El funcionario del Estado Civil que extienda la partida de nacimiento de un hijo natural, indagará por el nombre, apellido, identidad y residencia del padre y de la madre, e inscribirá como tales a los que el declarante indique, con expresión de algún hecho probatorio y protesta de no faltar a la verdad. La inscripción del nombre del padre se hará en Libro especial destinado a tal efecto y de ella solo se expedirán copias a las personas indicadas en el ordinal 4° inciso 2° de este artículo y a las autoridades judiciales y de policía que las solicitaren.

Dentro de los treinta días siguientes a la inscripción, el funcionario que la haya autorizado la notificará personalmente al presunto padre, si éste no hubiere firmado el acta de nacimiento. El notificado deberá expresar, en la misma notificación, al pie del acta respectiva, si acepta o rechaza el carácter de padre que en ella se le asigna, y si negare ser suyo el hijo, el funcionario procederá a comunicar el hecho al Defensor de Menores para que éste inicie la investigación de la paternidad.

Igual procedimiento se seguirá en el caso de que la notificación no pueda llevarse a cabo en el término indicado o de que el declarante no modifique el nombre del padre o de la madre.

Mientras no sea aceptada la atribución por el notificado, o la partida de nacimiento no se haya corregido en obediencia a fallo de la autoridad competente, no se expresará el nombre del padre en las copias que de ella llegaren a expedirse.

2º. Por escritura pública.

3º. Por testamento, caso en el cual la renovación de éste no implica la del reconocimiento.

4º. [Modificado. Art. 10 Dec. 2272 de 1989] Por manifestación expresa y directa hecha ante un juez, aunque el reconocimiento no haya sido objeto único y principal del acto que lo contiene.

El hijo, sus parientes hasta el cuarto grado de consanguinidad y cualquier persona que haya cuidado de la crianza del menor o ejerza su guarda legal o el defensor de familia o el Ministerio Público, podrán pedir que el supuesto padre o madre sea citado personalmente ante el juez a declarar bajo juramento si cree serlo. Si el notificado no compareciere, pudiendo hacerlo y se hubiere repetido una vez la citación expresándose el objeto, se mirará como reconocida la paternidad, previo trámite incidental, declaración que será impugnable conforme al artículo 5º de esta misma ley.

Artículo 2º. El reconocimiento de la paternidad podrá hacerse antes del nacimiento, por los medios que contemplan los ordinales 2º, 3º, y 4º del artículo 1º de esta Ley.

Artículo 3º. [Derogado. Art. 14 L. 1060 de 2006]

Art. 14 L. 1060 de 2006: «La presente ley rige (…) deroga las disposiciones que le sean contrarias, en especial (…) el artículo 3º de la Ley 75 de 1968».

Artículo 4º. El reconocimiento no crea derechos a favor de quien lo hace sino una vez que ha sido notificado y aceptado de la manera indicada en el Título 11 del Libro 1º. del Código Civil para la legitimación.

Artículo 5º. El reconocimiento solamente podrá ser impugnado por las personas, en los términos y por las causas indicadas en los artículos 248 y 335 del Código Civil.

Artículo 6º. El artículo 4º. de la Ley 45 de 1936 quedará así:

«Se presume la paternidad natural y hay lugar a declararla Judicialmente:

1º En el caso de rapto o de violación, cuando el tiempo del hecho coincide con el de la concepción.

2° En el caso de seducción realizada mediante hechos dolosos, abuso de autoridad o promesa de matrimonio.

3° Si existe carta u otro escrito cualquiera del pretendido padre que contenga una confesión inequívoca de paternidad.

4° En el caso de que entre el presunto padre y la madre hayan existido relaciones sexuales en la época en que según el artículo 92 del Código pudo tener lugar la concepción.

Dichas relaciones podrán inferirse del trato personal o social entre la madre y el presunto padre, apreciado dentro de las circunstancias en que tuvo lugar y según sus antecedentes, y teniendo en cuenta su naturaleza, intimidad y continuidad.

En el caso de este ordinal no se hará la declaración si el demandado demuestra la imposibilidad física en que estuvo para engendrar durante el tiempo en que pudo tener lugar la concepción, o si prueba, en los términos indicados en el inciso anterior, que en la misma época, la madre tuvo relaciones de la misma índole con otro u otros hombres, a menos de acreditarse que aquel por actos positivos acogió al hijo como suyo.

5° Si el trato personal y social dado por el presunto padre a la madre durante el embarazo y parto, demostrado con hechos fidedignos, fuere, por sus características, ciertamente indicativo de la paternidad, siendo aplicables en lo pertinente las excepciones previstas en el inciso final del artículo anterior.

6° Cuando se acredite la posesión notoria del estado de hijo».

Artículo 7°. [Modificado. Art. 1 L. 721 de 2001] En todos los procesos para establecer paternidad o maternidad, el juez, de oficio, ordenará la práctica de los exámenes que científicamente determinen índice de probabilidad superior al 99.9%.

Parágrafo 1°. Los laboratorios legalmente autorizados para la práctica de estos esperticios deberán estar certificados por autoridad competente y de conformidad con los estándares internacionales.

Parágrafo 2°. Mientras los desarrollos científicos no ofrezcan mejores posibilidades, se utilizará la técnica del DNA con el uso de los marcadores genéticos necesarios para alcanzar el porcentaje de certeza de que trata el presente artículo.

Parágrafo 3°. El informe que se presente al juez deberá contener como mínimo, la siguiente información:

a) Nombre e identificación completa de quienes fueron objeto de la prueba;

b) Valores individuales y acumulados del índice de paternidad o maternidad y probabilidad;

c) Breve descripción de la técnica y el procedimiento utilizado para rendir el dictamen;

d) Frecuencias poblacionales utilizadas;

e) Descripción del control de calidad del laboratorio.

Artículo 8º. Los jefes de hospitales, clínicas o casas de salud que reciban a una mujer embarazada y los médicos tratantes, tomarán los informes y practicarán los exámenes necesarios para establecer la fecha probable de iniciación del embarazo y las características heredo-biológicas de la paciente, a quien indagarán sobre el padre; igualmente, ocurrido el alumbramiento, anotaran los caracteres de la criatura y la duración de su gestación. Todos estos informes serán suministrados al Juez de Menores, quien los tendrá en cuenta en el proceso de investigación de la ascendencia a que hubiere lugar.

Artículo 9º. El artículo 398 del Código Civil quedará así:

«Para que la posesión notoria del estado civil se reciba como prueba de dicho estado, deberá haber durado cinco años continuos por lo menos».

«Parágrafo. Para integrar este lapso podrá computarse el tiempo anterior a la vigencia de la presente Ley, sin afectar la relación jurídico-procesal en los juicios en curso».

Artículo 10º. El artículo 7º de la Ley 45 de 1936, quedará así:

«Las reglas de los artículos 395, 398, 399, 401, 402, 403 y 404 del Código Civil se aplican también al caso de filiación natural.

Muerto el presunto padre la acción de investigación de la paternidad natural podrá adelantarse contra sus herederos y su cónyuge.

Fallecido el hijo, la acción de filiación natural corresponde a sus descendientes legítimos, y a sus ascendientes.

La sentencia que declare la paternidad en los casos que contemplan los dos incisos precedentes, no producirá efectos patrimoniales sino a favor o en contra de quienes hayan sido parte en el juicio, y únicamente cuando la demanda se notifique dentro de los dos años siguientes a la defunción».

Artículo 11. [Derogado. Art. 626 C.G.P.]

Art. 626 C.G.P.: «A partir de la entrada en vigencia de esta ley, en los términos del numeral 6 del artículo 627, queda derogado (...) artículos 11, 14 y 16 a 18 de la Ley 75 de 1968».

Artículo 12. El Defensor de Menores que tenga conocimiento de la existencia de un niño de padre o madre desconocidos, ya sea por virtud del aviso previsto en el artículo 1º, de esta Ley, o por otro medio promoverá inmediatamente la investigación correspondiente, para allegar todos los datos y pruebas sumarias conducentes a la demanda de filiación a que ulteriormente hubiere lugar.

Durante el embarazo la futura madre y el Defensor de Menores, si ella se lo solicita, podrán promover en el Juzgado de Menores la investigación de la paternidad.

Artículo 13. En los juicios de filiación ante el Juez de Menores tienen derecho a promover la respectiva acción y podrá intervenir; la persona que ejerza sobre el menor patria potestad o guarda, la persona natural o jurídica que haya tenido o tenga el cuidado de su crianza o educación, el Defensor de Menores y el Ministerio Público. En todo caso, el Defensor de Menores será citado al juicio.

Artículo 14. [Derogado. Art. 626 C.G.P.]

Art. 626 C.G.P.: «A partir de la entrada en vigencia de esta ley, en los términos del numeral 6 del artículo 627, queda derogado (...) artículos 11, 14 y 16 a 18 de la Ley 75 de 1968».

Artículo 15. En cualquier momento del proceso en que se produzca el reconocimiento conforme al artículo 1º, de esta Ley, el Juez dará aviso del hecho al correspondiente funcionario del estado civil para que se extienda, complemente o corrija la partida de nacimiento, tomará las providencias del caso sobre patria potestad o guarda del menor, alimentos, y, cuando fuere el caso, sobre asistencia a la madre.

Artículos 16 al 18. [Derogados. Art. 626 C.G.P.]

Art. 626 C.G.P.: «A partir de la entrada en vigencia de esta ley, en los términos del numeral 6 del artículo 627, queda derogado (...) artículos 11, 14 y 16 a 18 de la Ley 75 de 1968».

Artículo 19. El artículo 13 de la ley 45 de 1936 quedará así:

Artículo 13. La patria potestad es el conjunto de derechos que la ley reconoce a los padres sobre sus hijos no emancipados, para facilitar a aquellos el cumplimiento de los deberes que su calidad les impone.

[Inciso 2º Derogado. **Art. 70 Dec. 2820 de 1974]**

Art. 70 Dec. 2820 de 1974: «Deróganse (...) artículo 19 de la Ley 75 de 1968, inciso 2; (...)».

Los hijos no emancipados son hijos de familia, y el padre o madre con relación a ellos, padre o madre de familia.

Artículo 20. [Derogado. Art. 13 Dec. 772 de 1975]

Art. 13 Dec. 772 de 1975: «(...) Derógase el artículo 20 de la Ley 75 de 1968».

Artículo 21. El artículo 15 de la Ley 45 de 1936 quedará así:

«Al ejercicio de la patria potestad sobre los hijos naturales se aplicarán las reglas de los Títulos 12 y 14 del Libro 1º del Código Civil en cuanto no pugnen con las disposiciones de la presente Ley».

Artículo 22. Las mujeres pueden ser tutoras o curadoras en los mismos casos que los varones y se habilitan de edad por matrimonio, igual que éstos.

Quedan en tales términos modificados los artículos 340 y 457 del Código Civil y derogado el artículo 587 del mismo Código.

Artículo 23. Adiciónase el artículo 64 de la Ley 83 de 1946 así:

«El Defensor de Menores podrá, de oficio o a petición de parte solicitar el cambio o suspensión de la patria potestad o de la guarda de un menor, en los términos aquí indicados, y además, respecto de los guardadores, por las causas contempladas en el artículo 627 del Código Civil».

Artículo 24. Adiciónase el artículo 65 de la Ley 83 de 1946, así:

«El Juez deberá celebrar audiencias para esclarecer la situación del menor desde el punto de vista del cuidado físico que esté recibiendo, de su educación, de la moralidad del medio en que vive, y de la seguridad de sus bienes.

Lo aquí establecido rige también para el caso de los menores que no hallándose bajo patria potestad ni bajo guarda, deben ser provistos de esta a petición del Defensor de Menores o de otra persona».

Artículo 25. De las diligencias para la provisión de guardas legítima y dativa de menores conocerán los jueces de menores. En la designación de guardador dativo que estos deban hacer, preferirán a la persona o personas que indique el Defensor de Menores.

Artículo 26. El Instituto de Bienestar Familiar cuidará de que los menores no colocados bajo patria potestad, o guarda, estén bajo la atención inmediata de las personas o establecimientos mejor indicados para ello teniendo en cuenta la edad y demás condiciones del menor. Los jueces de menores o cualesquiera otras autoridades a cuyo conocimiento llegue un caso de los aquí contemplados darán aviso inmediato a la entidad indicada y pondrán a disposición de ella al menor, para los efectos aquí previstos.

Corresponde igualmente al Instituto vigilar que quienes ejercen la patria potestad o la guarda cumplan sus deberes para con el menor, prestando, en caso necesario su cooperación para el escogimiento de las personas o establecimientos a cuyo cuidado inmediato haya de estar el menor; si los padres o guardadores se encontraren en imposibilidad absoluta de darles tal cuidado, o si la medida en cuestión apareciere conveniente para la salud física o moral y la educación del menor.

Artículos 27 y 28. [Derogados. Art. 13 L. 5 de 1975]

Art. 13 L. 5 de 1975: «*Derógase (...) los artículos 27 y 28 de la Ley 75 de 1968, (...)*».

Artículo 29. La tasa del impuesto sobre sucesiones y donaciones será la misma para todos los hijos, sean legítimos, naturales o adoptivos. En estos términos queda modificado el artículo 13 de la Ley 63 de 1936. Esta norma será aplicada aún en las liquidaciones de impuestos de las sucesiones y donaciones en que no se haya verificado el pago respectivo.

Artículo 30. En las sucesiones que se abran después de la sanción de la presente Ley, los hijos naturales concebidos antes de la vigencia de la Ley 45 de 1936 tendrán, aún en concurrencia con hijos legítimos de matrimonios anteriores, los derechos hereditarios que al hijo natural confiere la citada Ley. Queda así modificado el artículo 28 de la Ley 45 de 1936.

Artículo 31. Modifícanse los artículos 411 del Código Civil y 25 de la Ley 45 de 1936, así:

«Se deben alimentos:

5° A los hijos naturales, su posteridad legítima y a los nietos naturales.

6° A los ascendientes naturales».

Artículo 32. El Defensor de Menores promoverá el juicio de alimentos a que se refieren los artículos 69 y siguientes de la Ley 83 de 1946[*] si se lo solicitare cualquiera de las personas que tienen derecho a fundar la respectiva solicitud, o de oficio.

En todo caso, el Defensor deberá ser citado al juicio.

[*] La Ley 83 de 1946 fue derogada por el artículo 353 del Decreto 2737 de 1989.

Artículo 33. Adiciónase el artículo 2495 del Código Civil con la inclusión dentro de [*la quinta causa de*] la primera clase de créditos, de los alimentos señalados judicialmente a favor de menores[*].

Inexeq. C 092 de 2002: «*Declarar INEXEQUIBLE la expresión "la quinta causa de", contenida en el numeral 5 del artículo 2495 del Código Civil, adicionado por el artículo 134 del Decreto 2737 de 1989, y EXEQUIBLE en forma condicionada el resto de la misma disposición, esto es, siempre que se entienda que los derechos de los niños prevalecen sobre los derechos de los demás, y que los créditos por alimentos en favor de menores prevalecen sobre todos los demás de la primera clase*».

[*] El artículo 134 del Decreto 2737 de 1989 establece que: «*Los créditos por alimentos en favor de menores pertenecen a la quinta causa de los créditos de primera clase y se regulan por las normas del presente capítulo y, en lo allí no previsto, por las del Código Civil y de Procedimiento Civil*».

Artículo 34. Cuando conforme a esta Ley, el cuidado inmediato del menor se confiere a personas o establecimientos para la salvaguardia de la salud física, la moral y la educación del menor, el Juez podrá ordenar que se pague directamente a dichas personas o establecimientos el total o parte de la pensión alimenticia.

Artículo 35. El Juez de Menores podrá conocer del juicio ejecutivo que haya de proseguirse para el pago de los alimentos decretados a favor de un menor o de una mujer grávida, siguiendo el trámite establecido por el Título XXXIII del

Libro 2° del Código Judicial. En tal caso, para los efectos de las apelaciones, se considerará como superior el respectivo Tribunal del Distrito Judicial.

En el juicio ejecutivo de que trata el inciso procedente no será admisible otra excepción que la de pago.

Artículo 36. Si al decretarse la orden de prestar alimentos los sueldos, pensiones o prestaciones sociales se encontraren ya embargados, la orden se hará efectiva inmediatamente por la diferencia entre la cantidad embargada y el cincuenta por ciento de que trata el artículo 76 de la Ley 83 de 1946, dejando a salvo en todo caso el privilegio que reconoce el artículo 33 de la presente Ley.

Artículo 37. El empleador privado o pagador de la Administración Pública que habiendo recibido orden judicial de embargo de sueldo, pensión o prestación social del trabajador a su servicio, por concepto de alimentos, no la cumpliere, responderá solidariamente con el deudor de las cantidades que deje de retener.

El Juez que esté conociendo del juicio previa articulación que se tramitará con notificación personal de quien es responsable conforme al inciso anterior, extenderá a él la orden de pago, si fuere del caso.

Artículo 38. Si los bienes de la persona obligada o sus ingresos se hallaren embargados por virtud de una acción anterior fundada en alimentos o afectos al cumplimiento de una sentencia de alimentos, el Juez de Menores, de oficio o a solicitud de parte, al tener conocimiento del hecho en un juicio concurrente, aprehenderá el conocimiento de los distintos procesos para el solo efecto de señalar la cuantía de las varias pensiones alimenticias, tomando en cuenta las condiciones del alimentante y las necesidades de los diferentes alimentarios.

Artículo 39. Las disposiciones de la Ley 83 de 1946, respecto del Promotor-Curador de Menores y del Decreto 1818 de 1964 referentes al Asistente Legal, se entienden estatuídas para el Defensor de Menores del presente estatuto.

Deróganse los artículos 83 y 84 de la Ley 83 de 1946.

(…)

Bogotá, D.E., a 30 de diciembre de 1968.

Publíquese y ejecútese.

DECRETO 960 DE 1970
(junio 20)
Por el cual se expide el estatuto del Notariado

EL PRESIDENTE DE LA REPÚBLICA,

en ejercicio de las facultades extraordinarias que le confirió la Ley 8a. de 1969, y atendido el concepto de la Comisión Asesora en ella prevenida,

DECRETA:

ESTATUTO DEL NOTARIADO

TÍTULO I. DE LA FUNCIÓN NOTARIAL

CAPÍTULO ÚNICO. Normas Generales

Artículo 1°. [Derogado. Art. 46 Dec. 2163 de 1970]

Art. 46 Dec. 2163 de 1970: «(...) Deróganse los artículos 1°, 3°, numerales 11 y 12; 42; 97; 98; 129; 161; 183; 184; 186; 187; 189 del Decreto-ley número 960 de 1970 (...)».

Artículo 2°. La función notarial es incompatible con el ejercicio de *autoridad o* jurisdicción y no puede ejercerse sino dentro de los límites territoriales del respectivo Círculo de Notaría.

Exeq. C-181 de 1997.

Artículo 3°. Compete a los Notarios:

1. Recibir, extender y autorizar las declaraciones que conforme a las leyes requieran escritura pública y aquellas a las cuales los interesados quieran revestir de esta solemnidad.

2. Autorizar el reconocimiento espontáneo de documentos privados.

3. Dar testimonio de la autenticidad de firmas de funcionarios o particulares y de otros Notarios que las tengan registradas ante ellos.

4. Dar fe de la correspondencia o identidad que exista entre un documento que tenga a la vista y su copia mecánica o literal.

5. Acreditar la existencia de las personas naturales y expedir la correspondiente fe de vida.

6. Recibir y guardar dentro del protocolo los documentos o actuaciones que la Ley o el Juez ordenen protocolizar o que los interesados quieran proteger de esta manera.

7. Expedir copias o certificaciones, según el caso, de los documentos que reposen en sus archivos.

8. Dar testimonio escrito con fines jurídico-probatorios de los hechos percibidos por ellos dentro del ejercicio de sus funciones y de que no haya quedado dato formal en sus archivos.

9. Intervenir en el otorgamiento, extensión y autorización de los testamentos solemnes que conforme a la Ley civil deban otorgarse ante ellos.

10. Practicar apertura y publicación de los testamentos cerrados.

11. [Derogado. Art. 46 Dec. 2163 de 1970]

Art. 46 Dec. 2163 de 1970: «(...) Deróganse los artículos 1°, 3°, numerales 11 y 12; 42; 97; 98; 129; 161; 183; 184; 186; 187; 189 del Decreto-ley número 960 de 1970 (...)».

12. [Derogado. Art. 46 Dec. 2163 de 1970]

Art. 46 Dec. 2163 de 1970: «(...) Deróganse los artículos 1°, 3°, numerales 11 y 12; 42; 97; 98; 129; 161; 183; 184; 186; 187; 189 del Decreto-ley número 960 de 1970 (...)».

13. *Llevar el registro del estado civil de las personas en los casos, por los sistemas y con las formalidades prescritas en la Ley.*

14. Las demás funciones que les señalen las leyes.

Exeq. C-601 de 1996.

Artículo 4°. Los Notarios sólo procederán a ejercer sus funciones a solicitud de los interesados, quienes tienen el derecho de elegir libremente el Notario ante quien deseen acudir.

Artículo 5°. En general, los servicios notariales serán retribuidos por las partes según la tarifa oficial y el Notario no podrá negarse a prestarlos sino en los casos expresamente previstos en la Ley.

Artículo 6°. Corresponde al Notario la redacción de los instrumentos en que se consignen las declaraciones emitidas ante él, sin perjuicio de que los interesados las presenten redactadas por ellos o sus asesores. En todo caso, el Notario velará por la legalidad de tales declaraciones y pondrá de presente las irregularidades que advierta, *sin negar la autorización del instrumento en caso de insistencia de los interesados, salvo lo prevenido para la nulidad absoluta, dejando siempre en él constancia de lo ocurrido.*

Exeq. C-093 de 1998.

Artículo 7°. El Notario está al servicio del derecho y no de ninguna de las partes; prestará su asesoría y consejo a todos los otorgantes en actitud conciliatoria.

Artículo 8°. Los Notarios son autónomos en el ejercicio de sus funciones, y responsables conforme a la Ley.

Artículo 9°. Los Notarios responden de la regularidad formal de los instrumentos que autorizan, pero no de la veracidad de las declaraciones de los interesados; tampoco responden de la capacidad o aptitud legal de estos para celebrar el acto o contrato respectivo.

Artículo 10. [Modificado. Art. 21 L. 29 de 1973] El ejercicio de la función notarial es incompatible con el de todo empleo o cargo público; con la gestión particular u oficial de negocios ajenos; con el ejercicio de la profesión de abogado; con el de los cargos de representación política; con la condición de ministro de cualquier culto; con el de los cargos de albacea, curador dativo, auxiliar de la justicia, *con toda intervención en política, distinta del ejercicio del sufragio,* y en general, con toda actividad que perjudique el ejercicio de su cargo.

Exeq. C-1508 de 2000.

Artículo 11. [Modificado. Art. 34 Dec. 2163 de 1970] No obstante, el notario podrá ejercer cargos docentes hasta un límite de ocho horas semanales, y académicas o de beneficencia en establecimientos públicos o privados.

TÍTULO II. DEL EJERCICIO DE LAS FUNCIONES DEL NOTARIO

CAPÍTULO 1°. De las escrituras públicas

Artículo 12. Deberán celebrarse por escritura pública todos los actos y contratos de disposición o gravamen de bienes inmuebles, y en general aquellos para los cuales la Ley exija esta solemnidad.

Artículo 13. La escritura pública es el instrumento que contiene declaraciones en actos jurídicos, emitidas ante el Notario, con los requisitos previstos en la Ley y que se incorpora al protocolo. El proceso de su perfeccionamiento consta de la recepción, la extensión, el otorgamiento y la autorización.

Artículo 14. La recepción consiste en percibir las declaraciones que hacen ante el Notario los interesados; la extensión es la versión escrita de lo declarado; el otorgamiento es el asentimiento expreso que aquellos prestan al instrumento extendido; y la autorización es la fe que imprime el Notario a este, en vista de que se han llenado los requisitos pertinentes, y de que las declaraciones han sido realmente emitidas por los interesados.

Artículo 15. Cuando el Notario redacte el instrumento, deberá averiguar los fines prácticos y jurídicos que los otorgantes se proponen alcanzar con sus declaraciones, para que queden fielmente expresados en el instrumento; indicará el acto o contrato con su denominación legal si la tuviere, y al extender el instrumento velará porque contenga los elementos esenciales y naturales propios de aquel, y las estipulaciones especiales que los interesados acuerden o indique el declarante único, redactado todo en lenguaje sencillo, jurídico y preciso.

Artículo 16. Los instrumentos notariales se redactarán en idioma castellano. Cuando los otorgantes no lo conozcan suficientemente, serán asesorados por un intérprete que firmará con ellos, y de cuya intervención dejará constancia el Notario.

Artículo 17. El Notario revisará las declaraciones que le presenten las partes, redactadas por ellas o a su nombre, para establecer si se acomodan a la finalidad de los comparecientes, a las normas legales, a la clara expresión idiomática; en consecuencia, podrá sugerir las correcciones que juzgue necesarias.

Artículo 18. Las escrituras se extenderán por medios manuales o mecánicos, en caracteres claros y procurando su mayor seguridad y perduración; podrán ser impresas de antemano para llenar los claros con los datos propios del acto o contrato que se extiende, cuidando de ocupar los espacios sobrantes con líneas u otros trazos que impidan su posterior utilización. No se dejarán claros o espacios vacíos ni aún para separar las distintas partes o cláusulas del instrumento, ni se usarán en los nombres abreviaturas o iniciales que puedan dar lugar a confusión.

Artículo 19. Las cantidades y referencias numéricas se expresarán en letras, y entre paréntesis, se anotarán las cifras correspondientes. En caso de disparidad prevalecerá lo escrito en letras.

Artículo 20. Las escrituras originales o matrices se escribirán en papel autorizado por el Estado y al final de cada instrumento, antes de firmarse, se indicarán los números distintivos de las hojas empleadas, si los tuvieren.

Artículo 21. [Modificado. Art. 35 Dec. 2163 de 1970] El Notario no autorizará el instrumento cuandoquiera que por el contenido de las declaraciones de los otorgantes o con apoyo en pruebas fehacientes o en hechos percibidos directamente por él, llegue a la convicción de que el acto sería absolutamente nulo por razón de lo dispuesto en el artículo 1504 del Código Civil.

Artículo 22. La escritura autorizada por el Notario se anotará en el Libro de Relación, con lo cual se considerará incorporada en el protocolo, aunque materialmente no se haya formado aún el tomo correspondiente.

Artículo 23. La escritura se distinguirá con el número de orden que le corresponda expresado en letras y cifras numerales. Se anotarán el Municipio, Departamento y República, el nombre y apellidos del Notario o de quien haga sus veces y el Círculo que delimita su función.,

Las escrituras se numerarán ininterrumpidamente en orden sucesivo durante cada año calendario. Con ellas se formará el protocolo con el número de tomos que sea aconsejable para seguridad y comodidad de la consulta.

SECCIÓN 1ª. Comparecencia

Artículo 24. La identificación de los comparecientes se hará con los documentos legales pertinentes, dejando testimonio de cuáles son éstos. Sin embargo, en caso de urgencia, a falta del documento especial de identificación, podrá el Notario identificarlos con otros documentos auténticos, o mediante la fe de conocimientos por parte suya. Y cuando fuere el caso, exigirá también la tarjeta militar.

Artículo 25. En la escritura se consignarán el nombre, apellido, estado civil, edad y domicilio de los comparecientes. En caso de representación se expresará, además, la clase de ésta y los datos de las personas naturales representadas como si comparecieran directamente, o de las personas jurídicas tal como corresponda según la Ley o los estatutos, indicando su domicilio y naturaleza.

Artículo 26. Cuando se trate de personas mayores no será necesario indicar sino esta circunstancia sin expresar la edad. El número de años cumplidos se anotará sólo cuando se trate de menores adultos, o de adoptantes y adoptados en las escrituras de adopción.

Artículo 27. Quien disponga de un inmueble o constituya gravamen sobre él, deberá indicar la situación jurídica del bien respecto de la sociedad conyugal, caso de ser o haber sido casado.

Artículo 28. [Modificado. Art. 36 Dec. 2163 de 1970] En caso de representación, el representante dirá la clase de representación que ejerce y presentará para su protocolización los documentos que la acrediten.

Si se trata de funcionarios públicos que representen al Estado, los Departamentos, Intendencias, Comisarías o Municipios se indicará el cargo, y cuando sean necesarios se protocolizarán los documentos de autorización.

Artículo 29. No habrá lugar a la intervención de testigos instrumentales en las escrituras. Respecto de los testamentos se estará a lo previsto en el Título 3º, del Libro III del Código Civil.

SECCIÓN 2ª. De las Estipulaciones

Artículo 30. Las declaraciones de los otorgantes se redactarán con toda claridad y precisión de manera que se acomoden lo más exactamente posible a sus propósitos y a la esencia y naturaleza del acto o contrato que se celebra y contendrán explícitamente las estipulaciones relativas a los derechos constituidos, transmitidos, modificados o extinguidos, y al alcance de ellos y de las obligaciones que los otorgantes asuman.

Artículo 31. Los inmuebles que sean objeto de enajenación, gravamen o limitación se identificarán por su cédula o registro catastral si lo tuvieren; por su nomenclatura, por el paraje o localidad donde están ubicados, y por sus linderos. Siempre que se exprese la cabida se empleará el sistema métrico decimal.

Artículo 32. Será necesario indicar precisamente el título de adquisición del declarante que dispone del inmueble o que lo grava o afecta, con los datos de su registro. Si el disponente careciere de título inscrito, así lo expresará indicando la fuente de donde pretende derivar su derecho.

Artículo 33. El disponente está en el deber de manifestar la existencia de gravámenes, derechos de usufructo, uso y habitación, servidumbres, limitaciones o condiciones y embargos o litigios pendientes, y en general, toda situación que pueda afectar al inmueble objeto de su declaración o los derechos constituidos sobre él, y si lo posee materialmente.

Artículo 34. El precio o la estimación del valor de los bienes o derechos objeto de las declaraciones se expresarán en moneda colombiana, y si el acto o contrato estuviere referido a monedas extranjeras, se establecerá su equivalencia en moneda nacional según las normas vigentes sobre el particular.

SECCIÓN 3ª. Del Otorgamiento y de la Autorización

Artículo 35. Extendida la escritura será leída en su totalidad por el Notario, o por los otorgantes, o por la persona designada por estos, quienes podrán aclarar, modificar o corregir lo que les pareciere y al estar conformes, expresarán su asentimiento. De lo ocurrido se dejará testimonio escrito en el propio instrumento y la firma de los otorgantes demuestra su aprobación.

Artículo 36. Si se tratare de personas sordas, la lectura será hecha por ellas mismas, y sí de ciegas, únicamente por el Notario.

Artículo 37. El Notario hará a los otorgantes las advertencias pertinentes según el acto o contrato celebrado, principalmente la relacionada con la necesidad de inscribir la copia en el competente registro dentro del término legal.

Artículo 38. La escritura concluirá con las firmas autógrafas de los otorgantes y de las demás personas que hayan intervenido en el instrumento. Si alguna firma no fuere completa o fácilmente legible se escribirá, a continuación, la denominación completa del firmante.

Artículo 39. Si alguno de los otorgantes no supiere o no pudiere firmar, el instrumento será suscrito por la persona a quien él ruegue, cuyo nombre, edad, domicilio e identificación se anotarán en la escritura. El otorgante imprimirá a continuación su huella dactilar de lo cual se dejará testimonio escrito con indicación de cuál huella ha sido impresa.

Artículo 40. El Notario autorizará el instrumento una vez cumplidos todos los requisitos formales del caso, y presentados los comprobantes pertinentes, suscribiéndolo con firma autógrafa en último lugar.

Artículo 41. Cuando algún instrumento ya extendido dejare de ser firmado por alguno o algunos de los declarantes y no llegare a perfeccionarse por esta causa, el Notario, sin autorizarlo, anotará en él lo acaecido.

Artículo 42. [Derogado. Art. 46 Dec. 2163 de 1970]

Art. 46 Dec. 2163 de 1970: «(...) Deróganse los artículos 1°, 3°, numerales 11 y 12; 42; 97; 98; 129; 161; 183; 184; 186; 187; 189 del Decreto-ley número 960 de 1970 (...)».

SECCIÓN 4ª. De los Comprobantes Fiscales

Artículo 43. [Modificado. Art. 37 Dec. 2163 de 1970] Los comprobantes fiscales serán presentados por los interesados en el momento de solicitar el servicio notarial. Prohíbese a los Notarios extender instrumentos sin que previamente se hayan presentado certificados y comprobantes fiscales exigidos por la ley para la prestación de servicios notariales. Aunque dichos instrumentos no sean numerados, fechados ni autorizados inmediatamente con la firma del notario.

Artículo 44. Los comprobantes fiscales se agregarán a las escrituras a que correspondan en forma original o en fotocopia autenticada por un Notario siempre que el original de donde provengan se halle protocolizado y se indique en ella la escritura con la cual lo está. En el original de la escritura se anotarán las especificaciones de todos los comprobantes allegados, por su numeración, lugar, fecha y oficina de expedición, personas a cuyo favor se hayan expedido, con su identificación, cuantía si la tuvieren y fecha límite de su vigencia. Todos estos datos serán reproducidos en las copias que del instrumento llegaren a expedirse.

CAPÍTULO 2°. De las cancelaciones

Artículo 45. La cancelación de una escritura puede hacerse por declaración de los interesados *o por decisión judicial en los casos de Ley*.

Exeq. C-355 de 1997.

Artículo 46. El otorgante o los otorgantes de una escritura pueden declararla cancelada o sin efecto por decisión individual o por mutuo acuerdo según el caso, en una nueva escritura, con todos los requisitos legales, siempre que la retractación o revocación no esté prohibida.

Artículo 47. La cancelación decretada judicialmente se comunicará al Notario que conserva el original de la escritura cancelada mediante exhorto, que ha de contener la transcripción textual del encabezamiento, fecha y parte resolutiva pertinente de la providencia, y que será protocolizado directamente por el interesado.

Artículo 48. La extinción de las obligaciones que consten en escritura pública se producirá por los medios extintivos contemplados en la Ley; la cancelación de los instrumentos en que consten las obligaciones, se hará de la manera estatuida en el presente capítulo.

Artículo 49. La cancelación de gravámenes o limitaciones o condiciones que aparezcan en una escritura pública, se hará por el titular del derecho, en otra escritura.

Artículo 50. Cuando se trate de cancelación de hipotecas, bastará la declaración del acreedor de ser él el actual titular del crédito.

Quien actúe como causahabiente en el crédito o como representante del acreedor deberá comprobar su calidad de tal con los documentos pertinentes, de los cuales ser hará mención en el mismo instrumento, bajo la fe del Notario.

Artículo 51. [Modificado. Art. 38 Dec. 2163 de 1970] Cuando fallecido el acreedor no se hubiere aún liquidado su sucesión, o el crédito no hubiere sido adjudicado, podrán hacer la cancelación todos los herederos que hayan aceptado la herencia y el cónyuge sobreviviente, quienes probarán su calidad de tales con copia de los autos reconocimiento y certificación de que no existen otros interesados reconocidos.

Si se tratare de sucesión testada y hubiere albacea con tenencia de bienes, podrá éste, conjuntamente con el cónyuge, hacer las cancelaciones. En tal caso deberá probarse la extensión y vigencia del albaceazgo y la calidad del cónyuge.

En estos casos, y tratándose de sucesiones en curso, el valor del crédito será depositado en el juzgado del conocimiento, y el notario no expedirá certificado de cancelación mientras no se acredite ante él que el depósito ha sido constituído con destino a la sucesión.

Artículo 52. En todo caso de cancelación el Notario pondrá en el original de la escritura cancelada una nota que exprese el hecho, con indicación del número y fecha del instrumento por medio del cual se ha consignado la cancelación o del que contiene la protocolización de la orden judicial o del certificado de otro Notario, caso de que la cancelación no se haga ante el mismo que custodia el original. Dicha nota se escribirá en sentido diagonal, en tinta de color diferente al de la escritura del original, y se pondrá igualmente en todas las copias de la escritura cancelada previamente extendidas que le sean presentadas al Notario.

Artículo 53. El Notario ante quien se cancele una escritura por declaración de los interesados o por mandato judicial comunicado a él, expedirá certificación al respecto con destino al Registrador de Instrumentos Públicos a fin de que este proceda a cancelar la inscripción. Si la cancelación fuere hecha ante un Notario distinto del que conserva el original, el primero expedirá, además, certificado con destino al segundo para que ante este se protocolice y con base en él se produzca la nota de cancelación.

Artículo 54. En las certificaciones de cancelación se determinará precisamente el instrumento que contiene la cancelación o la protocolización, en su caso, la autoridad que la haya decretado, con indicación de la fecha de la providencia y la denominación del proceso en donde fue decretada, y además, se precisará por su número, fecha y Notaría la escritura que contiene el acto, la cuantía de las obligaciones y los datos pertinentes del registro.

Artículo 55. El Notario no podrá expedir copias de las escrituras canceladas, sin transcripción inicial y destacada de la nota de cancelación.

CAPÍTULO 3º. De las protocolizaciones

Artículo 56. La protocolización consiste en incorporar en el protocolo por medio de escritura pública las actuaciones, expedientes o documentos que la Ley o el Juez ordenen insertar en él para su guarda y conservación, o que cualquiera persona le presente al Notario con los mismos fines.

Artículo 57. Por la protocolización no adquiere el documento protocolizado mayor fuerza o firmeza de la que originalmente tenga.

Artículo 58. Cuando las actuaciones o documentos que deban protocolizarse estén sujetos al registro, esta formalidad se cumplirá previamente a la protocolización.

CAPÍTULO 4º. De La Guarda, Apertura y Publicación del Testamento Cerrado

Artículo 59. El testamento cerrado se dejará al Notario o Cónsul colombiano que lo haya autorizado, para su custodia, en la forma y condiciones que determine el Reglamento.

Artículo 60. El testamento cerrado será abierto y publicado por el Notario o Cónsul que lo haya autorizado.

Artículo 61. Cualquier interesado presunto en la sucesión, podrá solicitar la apertura y publicación del testamento, presentando prueba legal de la defunción del testador, copia de la escritura exigida por la Ley 36 de 1931, y cuando fuere el caso, el sobre que lo contenga, o petición de requerimiento de entrega a quien lo conserve.

Artículo 62. [Modificado. Art. 39 Dec. 2163 de 1970] Presentada la solicitud y el sobre, el notario hará constar el estado de éste, con expresión de las marcas, sellos y demás circunstancias distintivas, señalará el día y la hora en que deban comparecer ante él los testigos que intervinieron en la autorización del testamento y dispondrá que se les cite.

Artículo 63. Llegados el día y la hora señalados, se procederá al reconocimiento del sobre y de las firmas puestas en él por el testador, los testigos y el Notario, teniendo a la vista el sobre y la escritura original que se haya otorgado en cumplimiento de lo ordenado en la Ley 36 de 1931. Acto seguido el Notario, en presencia de los testigos e interesados concurrentes, extraerá el pliego contenido en la cubierta y lo leerá de viva voz; terminada la lectura, lo firmará con los testigos a continuación de la firma del testador o en las márgenes y en todas las hojas de que conste.

Artículo 64. De lo ocurrido se sentará un acta con mención de los presentes y constancia de su identificación correspondiente, y transcripción del texto íntegro del testamento.

Artículo 65. [Modificado. Art. 40 Dec. 2163 de 1970] Cuando alguno de los testigos no concurrieren, el notario ante quien se otorgó el testamento abonará sus firmas mediante su confrontación con las del original de la escritura de protocolización. Si aquel notario faltare, abonará su firma quien desempeñare actualmente sus funciones, mediante la misma confrontación y aún con su firma en otros instrumentos del protocolo.

Artículo 66. El testamento así abierto y publicado, se protocolizará con lo actuado por el mismo Notario, quien expedirá las copias a que hubiere lugar.

El registro se efectuará sobre copia enviada directamente por aquel y no sobre el original.

Artículo 67. Si alguna persona que acredite interés en ello y exponga las razones que tenga, se opusiere a la apertura, el Notario se abstendrá de practicar la apertura y publicación y entregará el sobre y copia de lo actuado al Juez competente para conocer del proceso de sucesión, para que ante él se tramite y decida la oposición a la apertura como un incidente.

Si las firmas del Notario o los testigos no fueren reconocidas o abonadas, o la cubierta no apareciere cerrada, marcada y sellada como cuando se presentó para el otorgamiento, el Notario, dejando constancia de ello, practicará la apertura y publicación del testamento y enviará sobre, pliego y copia de su actuación al juez competente. En este caso el testamento no prestará mérito mientras no se declare su validez en proceso ordinario, con citación de quienes tengan interés en la sucesión por ley o por razón de un testamento anterior.

Declarada la validez del testamento, el juez ordenará su protocolización y posterior registro.

CAPÍTULO 5°. Del Reconocimiento de Documentos Privados

Artículo 68. Quienes hayan suscrito un documento privado podrán acudir ante el Notario para que este autorice el reconocimiento que hagan de sus firmas y del contenido de aquel. En este caso se procederá a extender una diligencia en el mismo documento o en hoja adicional, en que se expresen el nombre y descripción del cargo del Notario ante quien comparecen; el nombre e identificaciones de los comparecientes; la declaración de estos de que las firmas son suyas y el contenido del documento es cierto, y el lugar y fecha de la diligencia, que terminará con las firmas de los declarantes y del Notario quien, además estampará el sello de la Notaría.

Artículo 69. Cuando se trate de personas que no sepan o no puedan firmar, en la diligencia de reconocimiento se leerá de viva voz el documento, de todo lo cual dejará constancia en el acta, que será suscrita por un testigo rogado por el compareciente, quien, además, imprimirá su huella dactilar, circunstancia que también se consignará en la diligencia indicando cuál fue la impresa.

Artículo 70. *Si se tratare de personas ciegas, el Notario leerá de viva voz el documento, y si fuere consentido por el declarante, anotará esta circunstancia. Si entre los comparecientes hubiere sordos, ellos mismos leerán el documento y expresarán su conformidad, y si no supieren leer manifestarán al Notario su intención para que establezca su concordancia con lo escrito y se cerciore del asentimiento de ellos tanto para obligarse en los términos del documento como para reconocer su contenido y rogar su firma. De otra manera el Notario no practicará la diligencia.*

Exeq. C-952 de 2000.

Artículo 71. El Notario no prestará sus servicios si el compareciente fuere absolutamente incapaz y la incapacidad fuere percibida por aquel o constare en pruebas fehacientes.

Artículo 72. El reconocimiento practicado en la forma dispuesta en este Capítulo da plena autenticidad y fecha cierta al documento y procede respecto del otorgado para pactar expresamente obligaciones.

CAPÍTULO 6°. De Las Autenticaciones

Artículo 73. El Notario podrá dar testimonio escrito de que la firma puesta en un documento corresponde a la de la persona que la haya registrado ante él, previa confrontación de las dos. También podrá dar testimonio de que las firmas fueron puestas en su presencia, estableciendo la identidad de los firmantes.

Artículo 74. Podrá autenticarse una copia mecánica o una literal de un documento, siempre que aquella corresponda exactamente al original que se tenga a la vista o que esta comprenda la integridad del documento exhibido y lo reproduzca con entera fidelidad.

Artículo 75. La autenticación se anotará en todas las hojas de que conste el documento autenticado, con expresión de la correspondencia de la firma puesta allí con la registrada, o de su contenido con el del original; cuando este reposare en el archivo notarial, se indicará esta circunstancia, con cita del instrumento que lo contiene o al cual se halla anexado. El acto terminará con mención de su fecha y la firma del Notario.

Artículo 76. El Notario dará testimonio de su autenticidad de una fotografía de persona si establece por sus sentidos que corresponde a ella y está agregada a un escrito en que el interesado asevere ser suya y en que reconozca la firma con que autorice dicha afirmación.

Artículo 77. La autenticación solo procede respecto de documentos de que no emanen directamente obligaciones, no equivale al reconocimiento, tiene el valor de un testimonio fidedigno, y no confiere al documento mayor fuerza de la que por si tenga.

CAPÍTULO 7°. De la Fe de Vida

Artículo 78. El Notario puede dar testimonio escrito de la supervivencia de las personas que se presenten ante él con tal objeto, anotando el medio de identificación que hubiere tenido en cuenta.

CAPÍTULO 8°. De las Copias

Artículo 79. El Notario puede expedir copia total o parcial de las escrituras públicas y de los documentos que reposan en su archivo, por medio de la transcripción literal de unas y otros, o de su reproducción mecánica. La copia autorizada hace plena fe de su correspondencia con el original.

Si el archivo notarial no se hallare bajo la guarda del Notario, el funcionario encargado de su custodia estará investido de las mismas facultades para expedir copias.

Artículo 80. [Modificado. Art. 42 Dec. 2163 de 1970] Toda persona tiene derecho a obtener copias auténticas de las escrituras públicas. Pero si se tratare de un instrumento en fuerza del cual pudiere exigirse el cumplimiento de un obligación, cada vez que fuere presentado, el notario señalará la copia que presta este mérito, que será necesariamente la primera que del instrumento se expida, expresándolo así en caracteres destacados. Junto con el nombre del acreedor a cuyo favor la expide.

En las demás copias que del instrumento se compulsen en cualquier tiempo, y salvo lo prevenido en el artículo 81 se pondrá por el notario una nota expresiva del ningún valor de dichas copias para exigir el pago o cumplimiento de la obligación, o para su endoso.

Artículo 81. En caso de pérdida o destrucción de la copia con mérito para exigir el cumplimiento de la obligación, el Notario solo podrá compulsar una sustitutiva a solicitud de ambas partes, expresada en escritura pública, o por orden judicial proferida con el lleno de los siguientes requisitos:

Que quien solicite la copia afirme ante el Juez competente, bajo juramento:

1. Ser el actual titular del derecho y que sin culpa o malicia de su parte se destruyó o perdió la copia que tenía en su poder.

2. Que la obligación no se ha extinguido en todo o en parte, según fuere el caso.

3. Que si la copia perdida apareciere, se obliga a no usarla y entregarla al Notario que la expidió para que este la inutilice.

La solicitud se tramitará como incidente, con notificación personal de la parte contraria, que solo podrá formular oposición fundada en el hecho de estar extinguida la obligación.

No habiendo oposición o desestimada ésta, el Juez ordenará que se expida la copia y el Notario procederá de conformidad indicando que lo hace en virtud de orden judicial, mencionando su fecha y el Juez que la profirió.

Artículo 82. La cesión de un crédito constituido por escritura pública se hará mediante nota suscrita por el actual titular puesta al pie de la copia con mérito para exigir el cumplimiento y la entrega de la misma al cesionario.

Artículo 83. Toda copia se expedirá en papel competente; para ello podrán emplearse medios manuales o mecánicos que garanticen entera claridad y ofrezcan las debidas seguridades.

Artículo 84. La copia comprenderá la integridad del instrumento y los documentos anexos, pero podrá limitarse a uno solo de los varios actos o contratos que pueda contener aquel, caso de no existir correlación directa entre ellos, o a piezas separadas de un expediente protocolizado o a uno o varios documentos independientes que formen parte del protocolo. El Notario al expedir copia parcial expresará esta circunstancia y que lo omitido no guarda relación directa con lo copiado, o que se trata de piezas independientes o de documentos varios que se insertaron en el protocolo. La transcripción se hará en forma continua y sin dejar blancos o espacios libres, escribiendo en todos los renglones o llenando partes con rayas u otros trazos que impidan su posterior utilización; se iniciará con el número que tenga el original en el protocolo y su texto será el que aparezca una vez debidamente salvadas de las enmendaduras y correcciones, si fuere el caso.

Artículo 85. Completa la copia, a renglón seguido se pondrá la nota de su expedición que indicará el número ordinal correspondiente a ella, los números de las hojas del papel competente en que ha sido reproducida, la cantidad de éstas y el lugar y la fecha en que se compulsa. Terminará con la firma autógrafa del Notario y la imposición de su sello, con indicación del nombre y denominación del cargo. Todas las hojas serán rubricadas y selladas.

Artículo 86. Si se cometieren errores en las copias, se corregirán en la forma prevenida para los originales y lo corregido o enmendado se salvará al final y antes de la firma del Notario; pero si se advirtieren después de firmada la copia, la corrección se salvará a continuación y volverá a firmarse por el Notario, sin lo cual ésta no tendrá ningún valor; en tal caso, si la copia hubiere sido registrada se expedirá, además, un certificado para que en el Registro se haga la corrección a que hubiere lugar.

Artículo 87. [Modificado. Art. 43 Dec. 2163 de 1970] Las primeras copias serán expedidas tan pronto quede autorizado el instrumento por el notario, en el menor tiempo posible, que en ningún caso excederá de ocho (8) días hábiles. La demora hará al notario responsable de los perjuicios que con ella se causen a los otorgantes.

Artículo 88. Expedida la primera copia pondrá el Notario en el original una constancia escrita sobre su expedición y la fecha de la compulsa. Esta nota se escribirá al margen del original, al final del mismo o en hoja adicional adosada a aquel.

CAPÍTULO 9°. De los Certificados

Artículo 89. Los Notarios están facultados para expedir certificaciones sobre aspectos especiales y concretos que consten en el protocolo, con fuerza probatoria de instrumentos públicos, solo en los casos autorizados por la Ley.

Pertenecen a esta categoría los extractos de las escrituras de constitución, reforma, disolución o liquidación de sociedades, conforme a las normas pertinentes de los Códigos Civil y de Comercio.

Artículo 90. Los Notarios podrán certificar también sobre aspectos concretos de un determinado instrumento o de un documento protocolizado, tales como el hecho de haberse formalizado una compraventa con indicación del precio pactado o de haberse constituido un gravamen. Dichas certificaciones tendrán el mérito señalado en la Ley.

Artículo 91. Los certificados de cancelación de hipotecas o condiciones resolutorias se expedirán con destino al Registrador correspondiente y al Notario que custodia el original a que se refiere la cancelación, cuando no sea el mismo ante quien se otorgó el instrumento que contenga el acto de cuya cancelación se trate.

CAPÍTULO 10°. De las Notas de Referencia

Artículo 92. Siempre que una escritura contenga declaraciones que modifiquen, adicionen, aclaren o afecten en cualquier sentido el contenido de otra escritura otorgada por las mismas partes o por antecesores o causahabientes en los derechos de los otorgantes, se tomará nota de referencia en la escritura afectada, indicando el número, fecha y Notaría de la escritura en que se contiene la afectación. También habrá lugar a la anotación en los casos de corrección de errores, de conformidad con lo dispuesto en el presente estatuto.

Artículo 93. Si la escritura a la cual deba imponerse la nota de referencia no se hallare bajo la custodia del Notario ante quien se otorga la que produce la afectación, éste expedirá un certificado con destino al funcionario que guarda el original que deba ser anotado, con todos los datos necesarios.

Artículo 94. Las notas de referencia que deban ser puestas cuando se cancele una escritura, se sujetarán a las normas contenidas en el Capítulo 2o. del presente Título.

CAPÍTULO 11°. De los Testimonios Especiales

Artículo 95. El Notario podrá dar testimonio escrito de hechos ocurridos en su presencia de que no quede dato en el archivo, pero que tengan relación con el ejercicio de sus funciones.

Artículo 96. Cuando fuere requerido para presenciar un hecho o situación perceptible por los sentidos en forma directa, relacionados con el ejercicio de sus funciones, podrá dar testimonio escrito de lo percibido por él, siempre que con ello se procure un efecto jurídico. De lo ocurrido se sentará acta que firmará el Notario y entregará al peticionario.

CAPÍTULO 12°. De los Depósitos

Artículos 97 y 98. [Derogados. Art. 46 Dec. 2163 de 1970]

Art. 46 Dec. 2163 de 1970: «(...) Deróganse los artículos 1°, 3°, numerales 11 y 12; 42; 97; 98; 129; 161; 183; 184; 186; 187; 189 del Decreto-ley número 960 de 1970 (...)».

TÍTULO III. INVALIDEZ Y SUBSANACIÓN DE LOS ACTOS NOTARIALES

CAPÍTULO 1°. De los Actos Notariales Inválidos

Artículo 99. Desde el punto de vista formal, son nulas las escrituras en que se omita el cumplimiento de los requisitos esenciales en los siguientes casos:

1. Cuando el Notario actúe fuera de los límites territoriales del respectivo Círculo Notarial.

2. Cuando faltare la comparecencia ante el Notario de cualquiera de los otorgantes, bien sea directamente o por representación.

3. Cuando los comparecientes no hayan prestado aprobación al texto del instrumento extendido.

4. Cuando no aparezcan la fecha y el lugar de la autorización, la denominación legal del Notario, los comprobantes de la representación, o los necesarios para autorizar la cancelación.

5. Cuando no aparezca debidamente establecida la identificación de los otorgantes o de sus representantes, o la forma de aquellos o de cualquier compareciente.

6. Cuando no se hayan consignado los datos y circunstancias necesarios para determinar los bienes objeto de las declaraciones.

Artículo 100. El instrumento que no haya sido autorizado por el Notario no adquiere la calidad de escritura pública y es inexistente como tal. Empero, si faltare solamente la firma del Notario, y la omisión se debiere a causas diferentes de las que justifican la negativa de la autorización, podrá la Superintendencia de Notariado y Registro, con conocimiento de causa, disponer que el instrumento se suscriba por quien se halle ejerciendo el cargo.

CAPÍTULO 2°. De la corrección de errores y de la reconstrucción de escrituras

Artículo 101. Los errores en que se haya incurrido al extender un instrumento advertidos antes de su firma, se corregirán subrayando y encerrando entre paréntesis las palabras o frases que deban suprimirse o insertando en el sitio pertinente y entre líneas las que deban agregarse y salvando al final lo corregido, reproduciéndolo entre comillas e indicando si vale o no vale lo suprimido o agregado. Podrá hacerse la corrección enmendando lo escrito o borrándolo y sustituyéndolo y así se indicará en la salvedad que se haga. Las salvedades serán autorizadas por todas las firmas que deba llevar el instrumento, pero si éste ya se hallare suscrito, sin haberse autorizado aún, se salvarán las correcciones y se volverá a firmar por todos los comparecientes. Sin dichos requisitos no valdrán las correcciones y se tendrán por verdaderas las expresiones originales.

Artículo 102. Una vez autorizada la escritura, cualquier corrección que quisieren hacer los otorgantes deberá consignarse en instrumentos separados con todas las formalidades necesarias y por todas las personas que intervinieron en el instrumento corregido, debiéndose tomar nota en éste de la escritura de corrección.

Artículo 103. Sin embargo, los errores puramente aritméticos podrán ser corregidos en cualquier tiempo si los factores que los determinan se hallaren claramente establecidos en el propio instrumento. La cifra aritméticamente verdadera se pondrá en sustitución de la errónea, de la manera y por los trámites indicados en el artículo 101.

Si se cometiere error en la nomenclatura, denominación o descripción de un inmueble o en la cita de su cédula o registro catastral, podrá corregirse mediante el otorgamiento de escritura aclaratoria suscrita por el actual titular del derecho, si de los comprobantes allegados a la escritura en que se cometió el error y de los títulos antecedentes apareciere él de manifiesto. De igual modo se procederá si el error se cometiere en relación con los nombres o apellidos de alguno de los otorgantes, considerando los documentos de identificación anotados en el mismo instrumento.

Artículo 104. De la misma manera prevista en el artículo precedente podrá corregirse el error en la cita de los títulos antecedentes y sus inscripciones en el Registro, si fuere posible establecerlo con precisión mediante certificado actual del Registrador y éste se protocoliza.

Artículo 105. Una escritura perdida o destruida en todo o en parte, podrá ser reconstruida con su copia auténtica, de preferencia con la que repose en el archivo oficial, mediante reproducción total y auténtica de ésta. El Notario colocará en el sitio correspondiente del protocolo la reproducción mencionada, indicando bajo su firma que reemplaza al original.

Si la pérdida o destrucción fuere de un tomo completo del protocolo, se procederá en igual forma y en testimonio de la reconstrucción se sentará por el Notario en acta que enumere todas las escrituras que lo formaban, según el libro de relación. Esta acta encabezará el tomo reconstruido.

TÍTULO IV. DE LOS LIBROS QUE DEBEN LLEVAR LOS NOTARIOS Y DE LOS ARCHIVOS

CAPÍTULO 1°. De los Libros

Artículo 106. Corresponde al Notario llevar los siguientes libros que constituyen el archivo de la Notaría: el Libro de Protocolo; el Libro de Relación; el Indice Anual; y el Libro de Actas de Visita.

Artículo 107. El Protocolo es el archivo fundamental del Notario y se forma con todas las escrituras que se otorgan ante él y con las actuaciones y documentos que se insertan en el mismo.

Tendrá vigencia desde el 1o. de enero hasta el 31 de diciembre de cada año y constará del número de tomos que sea necesario formar, procurando que no exceda de mil el número de hojas de cada tomo. Las escrituras se colocarán en el orden numérico sucesivo que les corresponda y se numerarán las hojas que las compongan y las de los documentos agregados.

Artículo 108. Los tomos del Protocolo se coserán y encuadernarán debidamente para que presten las mayores seguridades de integridad y conservación. Al final de cada uno de ellos, el Notario pondrá la correspondiente nota de clausura con su firma entera y la fecha.

Artículo 109. Como complementario del Protocolo, el Notario llevará el Libro de Relación en el cual se anotarán las escrituras que vayan numerando, en el orden que lo sean, en cinco columnas que se destinarán a la consignación de los siguientes datos en su orden:

1o. Fecha del instrumento; 2o. Número de la escritura; 3o. apellidos y nombres de los otorgantes, vendedores, permutantes que comparezcan en primer término, donantes, constituyentes de gravámenes, arrendadores, cancelantes, enajenantes, poderdantes, testadores, mutuantes, protocolizantes, declarantes, etc.; 4o. nombres y apellidos de los comparecientes de la otra parte, cuando se trate de relaciones bilaterales, y 5o. naturaleza del acto o contrato.

Artículo 110. Cuando en la columna 3a. deban anotarse los apellidos y nombres de varios comparecientes, se escribirán los del primero y se agregará la expresión «y otro» u «otros». Lo mismo se hará para el caso de pluralidad de contratantes que deban inscribirse en la columna 4a. Al tratarse de protocolización de expedientes se indicará la naturaleza del proceso y el nombre de las partes. La constitución, incorporación, reforma, disolución o liquidación de personas jurídicas se anotará por la razón social o la denominación estatutaria.

Artículo 111. A medida que se vayan anotando los instrumentos en el Libro de Relación, se ira formando el Indice alfabético por los apellidos y nombres que figuren en la columna 3a. de aquel, el cual contendrá, además, los datos de las columnas 1a., 2a., 4a. y 5a. Este índice será también cronológico dentro de cada letra del alfabeto.

Artículo 112. Las actas de las visitas ordinarias o extraordinarias que practiquen los funcionarios encargados de la vigilancia notarial, formarán el Libro de Actas de Visita que mantendrá y guardará el Notario.

CAPÍTULO 2°. De la Guarda y Conservación de los Archivos

Artículo 113. Los Protocolos y libros de Relación e Indice serán custodiados con la mayor vigilancia por los Notarios de cuyas oficinas no podrán sacarse. Si hubiere de practicarse inspección judicial sobre alguno de estos libros, el funcionario se trasladará con su Secretario a la Oficina del Notario respectivo para la práctica de la diligencia.

Artículo 114. Cualquiera persona podrá consultar los archivos notariales, con el permiso y bajo la vigilancia del Notario o de personas autorizadas por éste.

Artículo 115. El Protocolo y los Libros de Relación e Indice se mantendrán en las Notarías hasta su envío al archivo oficial, según la reglamentación que sobre el particular se expida.

CAPÍTULO 3°. De la Entrega y Recibo de los Archivos

Artículo 116. Tanto en el caso de traslado de los libros al archivo oficial como en el de remplazo del Notario, habrá lugar a entrega del archivo a quien deba continuar en el ejercicio del cargo o asuma su guarda, mediante inventario que estará intervenido por funcionario de la vigilancia notarial o delegado de la misma. El inventario se consignará en acta de visita.

Artículo 117. La entrega comprenderá todo el archivo a cargo del Notario que la hace, con arreglo al inventario con que lo haya recibido e inclusión del que haya formado en su propio ejercicio.

Artículo 118. El Notario saliente hará entrega personal del archivo al sucesor, a menos que haya imposibilidad para ello, caso en el cual podrá hacerla su apoderado, curador, heredero, cónyuge o albacea. Si hubiere urgencia lo recibirá otro Notario o el Alcalde.

Artículo 119. No habrá lugar a entrega en los casos de retiro temporal del Notario por licencia, cuando se haya encargado de las funciones a persona insinuada por el Notario y bajo la responsabilidad de éste.

Artículo 120. Cuando se trate de suspensión en el ejercicio del cargo, el Notario suspendido hará entrega al designado para sustituirlo, quien, cuando cese la suspensión, hará otro tanto.

TÍTULO V. DE LA ORGANIZACIÓN DEL NOTARIADO

CAPÍTULO 1°. De los Círculos Notariales

Artículo 121. Para la prestación del servicio notarial el territorio de la República se dividirá en Círculos de Notaría que corresponderán al territorio de uno o más Municipios del mismo Departamento, uno de los cuales será su cabecera y la sede del Notario.

Artículo 122. En cada Círculo de Notaría podrá haber más de un Notario y en este caso los varios que existan se distinguirán por orden numérico.

Artículo 123. El promedio anual de escrituras otorgadas en los últimos cinco años en cada Círculo de Notaría determinará el número de Notarios que deban prestar en él sus servicios durante el periodo siguiente. Cuando el promedio dicho sea superior a tres mil escrituras por cada Notario, podrá crearse uno más por cada tres mil escrituras o fracción de exceso, si el Círculo fuese de primera categoría y de dos mil o fracción, si el Círculo fuese de segunda o tercera categoría.

Artículo 124. Cuando en un determinado Círculo haya tres o más Notarías, no podrá crearse para cada periodo, un desarrollo de lo dispuesto en el artículo 123 precedente, un número que exceda el cincuenta por ciento de las existentes. En los sucesivos periodos se procederá de igual manera hasta completar el número total que deba crearse de acuerdo con el artículo citado.

Artículo 125. Cuando hubiere lugar al aumento del número de Notarios de un Círculo de Notaría, el Gobierno hará la declaración para que se proceda a hacer los nombramientos requeridos por el sistema establecido en el presente estatuto.

Artículo 126. Si el promedio anual de escrituras otorgadas en los cinco años anteriores en un Círculo de Notaría resultare inferior a tres mil por cada Notario, en los de primera categoría o de dos mil por cada Notario, en los de segunda y tercera, podrán suprimirse oficinas sobrantes según el orden numérico y mediante Decreto del Gobierno Nacional.

Artículo 127. Para la creación de un nuevo Círculo de Notaría se requiere que el Municipio o Municipios que han de formarlo tengan en conjunto no menos de 30.000 habitantes y que el Círculo o Círculos de los cuales se segregan queden por lo menos con igual población. Además, se consultarán las necesidades del servicio, las facilidades de las comunicaciones y otras circunstancias que puedan tener influencia determinante.

Artículo 128. No podrán agruparse en un mismo Círculo de Notaría Municipios que pertenezcan a distintos Departamentos. Cuando se constituya un nuevo Municipio, el Gobierno dispondrá a qué Círculo de Notaría habrá de pertenecer y a falta de declaración al respecto continuará adscrito a aquel a que pertenecía el Municipio de donde se desprendió, y si se formare de varios, al que pertenecía la cabecera.

Artículo 129. [Derogado. Art. 46 Dec. 2163 de 1970]

Art. 46 Dec. 2163 de 1970: «(...) Deróganse los artículos 1°, 3°, numerales 11 y 12; 42; 97; 98; 129; 161; 183; 184; 186; 187; 189 del Decreto-ley número 960 de 1970 (...)».

Artículo 130. Cuando por modificación de las condiciones previstas, según censo legalmente aprobado, un Círculo de Notaría deba considerarse dentro de una categoría distinta, el Gobierno Nacional hará la declaración con fundamento en los cambios operados y se tendrá en cuenta la nueva categoría —inferior o superior— en el periodo subsiguiente para los efectos legales pertinentes.

Artículo 131. El promedio anual de escrituras se obtendrá en el primer semestre del último año de cada periodo y dentro del mismo término se declarará el número de Notarios que aumentan o disminuyen en cada Círculo, para el periodo siguiente.

CAPÍTULO 2°. De los Notarios

Artículo 132. Para ser Notario, *a cualquier título*, se requiere ser nacional colombiano, ciudadano en ejercicio, persona de excelente reputación y *tener más de treinta años de edad*.

Exeq. C-676 de 1998.

Artículo 133. No podrán ser designados como Notarios, a cualquier título:

1. Quienes se hallen en la interdicción judicial.

2. [*Los sordos, los mudos*][*], *los ciegos*[***] y quienes padezcan cualquier afección física o mental que comprometa la capacidad necesaria para el debido desempeño del cargo.

3. Quienes se encuentren bajo detención preventiva, aunque gocen del beneficio de excarcelación, y quienes hayan sido llamados a juicio por infracción penal, mientras se define su responsabilidad por providencia firme.

4. Quienes hayan sido condenados a pena de presidio, de prisión o de relegación a colonia por delito intencional, salvo que se les haya concedido la condena condicional.

5. Quienes se encuentren suspendidos en el ejercicio de la profesión de abogado, o hayan sido suspendidos por faltas graves contra la ética, o hayan sido excluidos de aquella.

6. *Quienes como funcionarios o empleados de la Rama Jurisdiccional o del Ministerio Público, y por falta disciplinaria, hayan sido destituidos, o suspendidos por segunda vez por falta grave, o sancionados tres veces, cualesquiera que hayan sido las faltas o las sanciones*[***].

7. *Quienes hayan sido destituidos de cualquier cargo público por faltas graves*[***].

8. Las personas respecto de las cuales exista la convicción moral de que no observan una vida pública o privada compatible con la dignidad del cargo.

[*] Inexeq. C-076 de 2006: «Segundo. Declarar INEXEQUIBLES las expresiones «Los sordos» y «los mudos» contenida en el numeral 2° del artículo 133 del Decreto 960 de 1970».

[***] Exeq. C-076 de 2006.

(***) Exeq. C-1212 de 2001.

Artículo 134. [*No podrán ser nombrados Notarios quienes en el año inmediatamente anterior hayan desempeñado el cargo de Ministro del Despacho, Magistrado de la Corte Suprema de Justicia o Magistrado o Fiscal del Tribunal Superior*].

Inexeq. C-128 de 2000: «*Declarar INEXEQUIBLE el artículo 134 del Decreto 960 de 1970 (Estatuto del Notariado)*».

Artículo 135. En ninguna designación de Notario podrá postularse o designarse a persona que sea cónyuge o pariente dentro del cuarto grado de consanguinidad, segundo de afinidad o primero civil, de alguno de los funcionarios que intervienen en la postulación o nombramiento, o de los que hayan participado en la elección o nombramiento de ellos.

Artículo 136. *No podrán ser designados para un mismo Círculo Notarial personas que sean entre sí cónyuges o parientes dentro del cuarto grado de consanguinidad, segundo de afinidad o primero civil.*

Exeq. Cond. C-711 de 2002: «*Declarar EXEQUIBLE el artículo 136 del Decreto 960 de 1970, «por el cual se expide el estatuto del Notariado», bajo el entendido que esta norma sólo se aplica cuando no se trate de concurso y comprende también a los compañeros permanentes*».

Artículo 137. No podrán ser designados Notarios en propiedad quienes se hallen en condiciones de retiro forzoso, sea en el Notariado, sea en la Administración Pública, sea en la de Justicia o en el Ministerio Público, *y quienes estén devengando pensión de jubilación*.

Exeq. C-258 de 2008.

Artículo 138. La designación queda insubsistente:
1. Por la no aceptación.
2. Por la falta de confirmación del nombramiento, en los casos en que ella se exige.
3. Por la demora de diez días en tomar posesión del cargo, contados desde la fecha en que se recibe la confirmación del nombramiento, si ya está corriendo el periodo legal, salvo caso fortuito debidamente comprobado o prórroga

hasta de treinta días, concedida justificadamente por quien hizo la designación.

Artículo 139. Los cargos pueden ser libremente aceptados o rehusados.

Quien reciba el nombramiento en propiedad, deberá comprobar ante quien lo hizo, que reúne los requisitos exigidos para el cargo, para los fines de la confirmación. Sin esta no podrá tomar posesión, ni ejercer el cargo.

El término que tiene el nombrado para presentar su documentación es de un mes contado desde el día en que reciba el nombramiento, si reside en el país, y de tres meses si está en el extranjero.

Artículo 140. La calidad de abogado se probará con copia del acta de grado o del título y certificación sobre su reconocimiento oficial, o con la tarjeta de inscripción profesional.

El ejercicio de la abogacía se podrá acreditar con el desempeño habitual de cualesquiera actividades jurídicas, tanto independientes, como subordinadas, en cargo público o privado.

Artículo 141. Para la confirmación de cargo y para la posesión cuando no haya lugar a aquella, deberán acreditarse los correspondientes requisitos legales con certificación de autoridades competentes y presentar certificación sobre conducta y antecedentes (carnét judicial), en la que deberá constar la situación o definición de los procesos penales en que el designado hubiere sido sindicado, enjuiciado o condenado, y declaración juramentada de ausencia de todo impedimento. Sin el cumplimiento de tales formalidades no podrá procederse a la posesión, salvo el caso de encargo.

Copia del acta de posesión será enviada junto con los documentos originales al Consejo Superior [*de la Administración de Justicia*].

Inexeq. C-741 de 1998: «*Quinto: Declarar* INEXEQUIBLE *la expresión "de la Administración de Justicia", contenida en la denominación "Consejo Superior de la Administración de Justicia", de los artículos 141, 162 y 165 del decreto 960 de 1970*».

Artículo 142. Las funciones del cargo se asumen por la designación seguida de la posesión, pero las anomalías que se hayan presentado en el nombramiento, confirmación o posesión de quien esté ejerciendo el cargo, no afectan la validez de la actuación oficial de él.

Artículo 143. *Sin perjuicio de la investigación penal a que hubiere lugar, el funcionario que haya hecho la designación podrá en cualquier tiempo, de oficio o a solicitud del Ministerio Público, de la Vigilancia Notarial o de cualquiera persona, separar del cargo, de plano, hasta que se pronuncie la decisión disciplinaria, a quien haya entrado a ejercerlo con fundamento en certificación o declaración manifiestamente apócrifa.*

Exeq. C-977 de 2010.

Artículo 144. El cargo se pierde:

1. Por aceptación de la renuncia.

2. Por ejercer otro cargo público. Sin embargo, quienes ejerzan Notaría en propiedad no la perderán cuando fueren designados interinamente o por encargo para alguno en la Rama Jurisdiccional o en el Ministerio Público, o en otra Notaría o en Oficina de Registro.

3. Por no presentarse el Notario a desempeñarlo, vencido el término de la licencia que se le haya concedido.

4. Por destitución decretada en providencia firme.

Artículo 145. *Los Notarios pueden [ser de carrera o de servicio, y] desempeñar el cargo en propiedad, en interinidad o por encargo.*

Inexeq. C-741 de 1998: «*Tercero: Declarar EXEQUIBLE el artículo 145 del decreto 960 de 1970, salvo la expresión "ser de carrera o de servicio, y", que es INEXEQUIBLE, y en el entendido de que la interinidad y el encargo son mecanismos válidos para asegurar la continuidad del servicio notarial en circunstancias excepcionales, pero que no pueden ser utilizados para desconocer el mandato constitucional según el cual el servicio notarial debe ser prestado por notarios en propiedad nombrados por concurso (CP art. 131)*».

Artículo 146. Para ser Notario en propiedad, se requiere el lleno de los requisitos legales exigidos para la correspondiente categoría, y además, haber sido seleccionado mediante concurso. [*Sin embargo, la postulación y la designación podrán hacerse prescindiendo de la selección de candidatos mediante concurso, cuando este no se haya realizado y cuando se haya acotado la lista de quienes lo aprobaron*], conforme a los artículos 172 y 174.

La designación en propiedad da derecho al titular a no ser suspendido ni destituido sino en los casos y con las formalidades que determina el presente estatuto.

Inexeq. C-155 de 1999: «Declarar INEXEQUIBLE la expresión "Sin embargo, la postulación y la designación podrán hacerse prescindiendo de la selección de candidatos mediante concurso, cuando éste no se haya realizado y cuando se haya agotado la lista de quienes lo aprobaron", contenida en el inciso 1° del artículo 146 del Decreto Ley 960 de 1970, en los términos de la parte motiva de la presente Sentencia».

Artículo 147. La estabilidad en el cargo ejercido en propiedad podrá extenderse hasta el retiro forzoso, dentro de las condiciones de la carrera, para quienes pertenezcan a ella, [y al término del respectivo periodo, para quienes sean de servicio].

Inexeq. C-741 de 1998: «Segundo: Declarar EXEQUIBLE el artículo 147 del decreto 960 de 1970, salvo la expresión ", y al término del respectivo período, para quienes sean de servicio", que es INEXEQUIBLE».

Artículo 148. Habrá lugar a designación en interinidad:

1. Cuando el concurso sea declarado desierto, mientras se hace el nombramiento en propiedad;

2. Cuando la causa que motive el encargo se prolongue más de tres meses, mientras ella subsista o se hace la designación en propiedad.

Artículo 149. Dentro del respectivo periodo los interinos que reúnan los requisitos legales exigidos para el cargo, tienen derecho de permanencia mientras subsista la causa de la interinidad y no se provea el cargo en propiedad; los demás podrán ser removidos libremente[*].

[*] El artículo 149 se encuentra reglamentado por el Decreto 1300 de 1998.

Artículo 150. El Notario no podrá separarse del desempeño de sus funciones mientras no se haya hecho cargo de ellas quien deba remplazarlo.

Artículo 151. Cuando falte el Notario, la primera autoridad política del lugar podrá designar un encargado de las funciones, mientras se provee el cargo en interinidad o en propiedad según el caso.

Artículo 152. El encargo no podrá durar más de noventa días y recaerá, de ser ello posible, en la persona que el Notario indique, bajo su entera responsabilidad.

Artículo 153. *Para ser Notario en los Círculos de primera categoría se exige, además de los requisitos generales, en forma alternativa:*

1. Ser abogado titulado y haber ejercido el cargo de Notario o el de Registrador de Instrumentos Públicos por un término no menor de cuatro años, o la judicatura o el profesorado universitario en derecho, siquiera por seis años, o la profesión por diez años a lo menos.

2. No siendo abogado, haber desempeñado con eficiencia el cargo de Notario o el de Registrador en un Círculo de dicha categoría, por tiempo no menor de ocho años, o en uno de inferior categoría siquiera por doce años.

Exeq. C-096 de 1996.

Artículo 154. *Para ser Notario en los Círculos de segunda categoría, además de las exigencias generales, se requiere, en forma alternativa:*

1. Ser abogado titulado y haber sido Notario durante dos años, o ejercido la judicatura, o el profesorado universitario en derecho, al menos por tres años, o la profesión con buen crédito por término no menor de cinco años, o haber tenido práctica notarial o registral por espacio de cuatro años.

2. No siendo abogado, haber ejercido el cargo en Círculo de igual o superior categoría durante seis años, o en uno de inferior categoría por un término no menor de nueve años.

Exeq. C-096 de 1996.

Artículo 155. *Para ser Notario en los Círculos de tercera categoría, además de las exigencias generales, se requiere alternativamente:*

1. Ser abogado titulado,

2. No siendo abogado, haber sido Notario por tiempo no inferior a dos años, o haber completado la enseñanza secundaria o normalista y tenido práctica judicial, notarial o registral por espacio de tres años, o tener experiencia judicial, notarial o registral por término no menor de cinco años.

Exeq. C-096 de 1996.

Artículo 156. Los Notarios no podrán autorizar sus propios actos o contratos ni aquellos en que tengan interés directo o en que figuren como otorgantes su cónyuge o sus parientes dentro del cuarto grado de consanguinidad, segundo de afinidad o primero civil.

Artículo 157. [Modificado. Art. 44 Dec. 2163 de 1970] Los notarios están obligados a residir en la cabecera de su círculo de Notaría, de la cual no podrán ausentarse sino por diligencia en ejercicio de sus funciones o con licencia de la autoridad respectiva.

La Superintendencia de Notariado y Registro determinará la localización de las notarías en los círculos de primera y segunda categoría, de modo que a los usuarios del mismo les sea posible utilizarlo en la forma más fácil y conveniente de acuerdo con la extensión y características especiales de cada unidad.

Artículo 158. Los Notarios tendrán las horas de despacho público que sean necesarias para el buen servicio y que señale la vigilancia notarial.

Artículo 159. Las oficinas de las Notarías estarán ubicadas en sitios de los más públicos del lugar de la sede notarial y tendrán las mejores condiciones posibles de presentación y comodidad para los usuarios del servicio.

Artículo 160. Las funciones notariales serán ejercidas dentro de las horas y días hábiles, pero en casos de urgencia inaplazable, a requerimiento de personas que se hallen imposibilitadas para concurrir a la oficina, el servicio se prestará en horas extraordinarias o en días festivos. Fuera de estos casos, los Notarios no están obligados a prestar su ministerio, pero podrán hacerlo voluntariamente.

CAPÍTULO 3°. De la provisión, permanencia y período de los Notarios

Artículo 161. [Subrogado. Art. 5 D. 2163 de 1970] *Los notarios serán nombrados [para periodos de cinco (5) años], así: Los de primera categoría por el Gobierno Nacional; los demás, por los Gobernadores, [Intendentes y Comisarios] respectivos.*

La comprobación de que se reúnen los requisitos exigidos para el cargo se surtirá ante la autoridad que hizo el respectivo nombramiento, la cual lo confirmará una vez *acreditados*[*].

Inexeq. C-741 de 1998: «Cuarto: Declarar EXEQUIBLE el inciso primero del artículo 161 del decreto 960 de 1970, tal y como fue subrogado por el artículo 5° del decreto 2163 de 1970, con excepción de las expresiones ", intendentes y comisarios" y "para períodos de cinco años", las cuales son INEXEQUIBLES».

[*] La Corte Constitucional, en la Sentencia C-741 de 1998, estableció que el artículo 161 fue subrogado por el artículo 5 del Decreto 2163 de 1970.

Artículo 162. *Quienes aspiren a ser designados Notarios deberán inscribirse en la oportunidad*, lugar y oficina que señale el Consejo Superior [*de la Administración de Justicia*] para el respectivo concurso, y comprobar los factores de calificación que para entonces se fijen.

> Inexeq. C-741 de 1998: «*Quinto: Declarar* **INEXEQUIBLE** *la expresión "de la Administración de Justicia", contenida en la denominación "Consejo Superior de la Administración de Justicia", de los artículos 141, 162 y 165 del decreto 960 de 1970*».

Artículo 163. En toda clase de concursos habrá análisis y evaluación de experiencia, rendimiento en las actividades y capacidad demostrada en ellas con relación al servicio notarial; de los estudios de postgrado o de capacitación y adiestramiento, especialmente los relacionados con el notariado, la judicatura y el foro; del ejercicio de la cátedra, preferentemente la universitaria y en particular en materias relacionadas con el Notariado y la Administración de Justicia; de las obras de investigación y de divulgación publicadas y en los mismos sentidos; y se concederá valor propio a la antigüedad y permanencia en el servicio notarial, y a los resultados obtenidos en todos los anteriores concursos en que se haya participado.

Los concursos incluirán, además, entrevistas personales, y según las circunstancias, exámenes orales o escritos o combinados, sobre conocimientos generales de derecho y de técnica notarial, y cursos de capacitación o adiestramiento.

Artículo 164. [Derogado. Art. 11 L. 588 de 2000]

> Art. 11 L. 588 de 2000: «*La presente ley deroga los artículos 164, 170, 176, 177 y 179 del Decreto-ley 960 de 1970 y las demás disposiciones que le sean contrarias, rige a partir de su publicación*».

Artículo 165. Con suficiente anticipación el Consejo Superior [*de la Administración de Justicia*] fijará las bases de cada concurso, con señalamiento de sus finalidades, requisitos de admisión, calendario, lugares de inscripción y realización, factores que se tendrán en cuenta, manera de acreditarlos, y sistema de calificaciones, e indicará la divulgación que haya de darse a la convocatoria.

Inexeq. C-741 de 1998: «Quinto: Declarar INEXEQUIBLE la expresión "de la Administración de Justicia", contenida en la denominación "Consejo Superior de la Administración de Justicia", de los artículos 141, 162 y 165 del decreto 960 de 1970».

Artículo 166. No serán aceptados a concurso quienes no acrediten en tiempo los requisitos para su postulación.

El Consejo calificará a los concursantes de conformidad con la norma precedente, el Reglamento y las bases que haya sentado para cada ocasión.

Artículo 167. [*Quien por primera vez pierda un concurso no podrá participar en el siguiente; quien lo pierda por segunda vez no podrá participar en los dos siguientes, y quien por tercera vez lo pierda no podrá volver a concursar*].

Inexeq. C-177 de 2009: «Declarar INEXEQUIBLE el artículo 167 del Decreto Ley 960 de 1970».

Artículo 168. Los concursos se celebrarán [*para ingreso al servicio*] *y para ingreso a la carrera y ascenso dentro de ella.*

Inexeq. C-153 de 199: «Primero.- Declarar EXEQUIBLE, únicamente en relación con el cargo formulado por el actor, los apartes estudiados de los artículos 168 y 169 del Decreto Ley 960 de 1970, con excepción de las expresiones para ingreso al servicio consagradas en las mencionadas disposiciones, que se declaran INEXEQUIBLES».

Artículo 169. Los concursos [*para ingreso al servicio*] *y para ascenso dentro de la carrera* tienen por objeto la selección de candidatos para cargos no desempeñados en propiedad por Notarios pertenecientes a ella.

Inexeq. C-153 de 199: «Primero.- Declarar EXEQUIBLE, únicamente en relación con el cargo formulado por el actor, los apartes estudiados de los artículos 168 y 169 del Decreto Ley 960 de 1970, con excepción de las expresiones para ingreso al servicio consagradas en las mencionadas disposiciones, que se declaran INEXEQUIBLES».

Artículo 170. [Derogado. Art. 11 L. 588 de 2000]

Art. 11 L. 588 de 2000: «La presente ley deroga los artículos 164, 170, 176, 177 y 179 del Decreto-ley 960 de 1970 y las demás disposiciones que le sean contrarias, rige a partir de su publicación».

Artículos 171 y 172. [Derogados. Art. 22 L. 29 de 1973]

Art. 22 L. 29 de 1973: «Deróganse los artículos 171, 172 y 174 del Decreto-ley 960 de 1970, 1o. (...)».

Artículo 173. Dentro de los cinco días siguientes al en que ocurra la necesidad de proveer un cargo en propiedad, el Gobernador, Intendente o Comisario y el Tribunal avisarán la ocurrencia de la vacante al Consejo, para que este envíe actualizada la lista de los candidatos aprobados en concurso.

Artículo 174. [Derogado. Art. 22 L. 29 de 1973]

Art. 22 L. 29 de 1973: «Deróganse los artículos 171, 172 y 174 del Decreto-ley 960 de 1970, 1o. (...)».

Artículo 175. Los Presidentes de Tribunal y los Gobernadores, Intendentes y Comisarios comunicarán al Consejo Superior y a la Vigilancia Notarial, las postulaciones y designaciones que hagan, dentro de los cinco días siguientes, a aquel en que las hagan.

Artículos 176 y 177. [Derogados. Art. 11 L. 588 de 2000]

Art. 11 L. 588 de 2000: «La presente ley deroga los artículos 164, 170, 176, 177 y 179 del Decreto-ley 960 de 1970 y las demás disposiciones que le sean contrarias, rige a partir de su publicación».

Artículo 178. *El pertenecer a la carrera notarial implica:*

1. Derecho a permanecer en la misma Notaría dentro de las condiciones del presente estatuto.

2. Derecho a participar en concursos de ascenso.

3. Preferencia para ocupar, a solicitud propia y dentro de la misma circunscripción político-administrativa, otra Notaría de la misma categoría que se encuentre vacante[*].

4. Prelación en los programas de bienestar social general y en los de becas y cursos de capacitación y adiestramiento.

La permanencia en la carrera está subordinada a la continuidad en el servicio, salvo el caso de licencia.

Exeq. Cond. C-153 de 1999: «Tercero.- Declarar EXEQUIBLE, únicamente en relación con el cargo formulado por el actor, el artículo 178 del Decreto

Ley 960 de 1970, con excepción del numeral 4 que se declara EXEQUIBLE CONDICIONADO *a que no se refiera a la figura de los notarios de servicio».*

[*] El numeral 3 del artículo 178 se encuentra reglamentado por el Decreto 2054 de 2014.

Artículo 179. [Derogado. Art. 11 L. 588 de 2000]

Art. 11 L. 588 de 2000: *«La presente ley deroga los artículos 164, 170, 176, 177 y 179 del Decreto-ley 960 de 1970 y las demás disposiciones que le sean contrarias, rige a partir de su publicación».*

Artículo 180. El periodo de los Notarios es de cinco años, contados a partir del primero de enero de mil novecientos setenta.

Artículo 181. *Los Notarios [pueden ser reelegidos indefinidamente; los de carrera serán confirmados a la expiración de cada periodo. Unos y otros] deberán retirarse cuando se encuentren en situación de retiro forzoso.*

Inexeq. C-153 de 1999: *«Quinto.- Declarar* EXEQUIBLE, *únicamente en relación con el cargo formulado por el actor, el artículo 181 del Decreto Ley 960 de 1970 con excepción de las expresiones "pueden ser reelegidos indefinidamente; los" y "serán confirmados a la expiración de cada periodo. Unos y otros", que se declaran* INEXEQUIBLES».

Artículo 182. El Notario que llegue a encontrarse en circunstancia de retiro forzoso deberá manifestarla al funcionario que lo haya designado, tan pronto como ella ocurra.

El retiro se producirá a solicitud del interesado, del Ministerio Público, o de la Vigilancia Notarial, o de oficio, dentro del mes siguiente a la ocurrencia de la causal.

Artículos 183 y 184. [Derogados. Art. 46 Dec. 2163 de 1970]

Art. 46 Dec. 2163 de 1970: *«(...) Deróganse los artículos 1°, 3°, numerales 11 y 12; 42; 97; 98; 129; 161; 183; 184; 186; 187; 189 del Decreto-ley número 960 de 1970 (...)».*

Artículo 185. El Notario debe retirarse cuando sea declarado en interdicción judicial y cuando caiga en ceguera, mudez, sordera o sufra cualquier otro quebranto de salud física o mental permanente que implique notoria disminución del rendimiento en el trabajo, o enfermedad que lo inhabilite por más de ciento ochenta días.

El estado físico o mental deberá ser certificado por entidad pública de previsión o seguridad social del lugar, previo reconocimiento practicado a solicitud del propio Notario, de la Vigilancia Notarial o del Ministerio Público. La renuencia a someterse al examen acarreará la pérdida del cargo, que decretará el funcionario a quien competa la designación.

Artículos 186 y 187. [Derogados. Art. 46 Dec. 2163 de 1970]

Art. 46 Dec. 2163 de 1970: «(...) Deróganse los artículos 1°, 3°, numerales 11 y 12; 42; 97; 98; 129; 161; 183; 184; 186; 187; 189 del Decreto-ley número 960 de 1970 (...)».

CAPÍTULO 4°. De las licencias y reemplazos

Artículo 188. *Los Notarios tienen derecho a separarse del ejercicio de sus cargos mediante licencias hasta por noventa días continuos o discontinuos en cada año calendario, y a obtener licencia por enfermedad o incapacidad física temporal hasta por ciento ochenta días, en cada caso. Los Notarios de carrera, además tendrán derecho a licencia hasta por dos años, pero solo para proseguir cursos de especialización o actividades de docencia o investigación o asesoría científica al Estado, previo concepto favorable del Consejo Superior [de la Administración de Justicia].*

Inexeq. C-153 de 1999: «Sexto.- Declarar EXEQUIBLE el artículo 188 del Decreto Ley 960 de 1970, con excepción de la expresión "de la Administración de Justicia" que se declara INEXEQUIBLE».

Artículo 189. [Derogado. Art. 46 Dec. 2163 de 1970]

Art. 46 Dec. 2163 de 1970: «(...) Deróganse los artículos 1°, 3°, numerales 11 y 12; 42; 97; 98; 129; 161; 183; 184; 186; 187; 189 del Decreto-ley número 960 de 1970 (...)».

Artículo 190. Cuando se produzcan faltas absolutas o sanciones de suspensión, el correspondiente gobernador, Intendente o Comisario encargará a la persona que haya de asumir inmediatamente las funciones y, en el primer evento se procederá a designar el reemplazo para el resto del periodo, en la forma prevista en el Capítulo 3°.

CAPÍTULO 5°. DEL COLEGIO DE NOTARIOS

Artículo 191. [*Los Notarios procurarán su asociación en Colegio de Notarios, con miras a la elevación moral, intelectual y material del notariado colombiano y estimular en sus miembros el cumplimiento de los principios de ética profesional y los deberes del servicio que les está encomendado*].

Inexeq. C-399 de 1999: «*Primero: Declarar* INEXEQUIBLE *el artículo 191 del decreto del 960 de 1970 de conformidad con lo señalado en la parte motiva de esta sentencia*».

Artículo 192. [*Los estatutos y reglamentaciones internas del Colegio serán expedidos por éste y sometidos a la aprobación del Ministerio de Justicia a quien informará sobre el nombramiento o cambio de sus directivas y representantes para el permanente registro de los mismos*].

Inexeq. C-399 de 1999: «*Segundo: Declarar* INEXEQUIBLE *el artículo 192 del decreto del 960 de 1970 de conformidad con lo señalado en la parte motiva de ésta sentencia*».

Artículo 193. [*El Colegio será cuerpo consultivo de los Notarios y de las personas o entidades particulares o del Estado cuando demanden tal servicio. Promoverá estudios e investigaciones sobre organización y funcionamiento de los sistemas notariales, fomentará el estudio de las disciplinas profesionales en forma directa y en colaboración con las Universidades y, en general, el mejoramiento del nivel académico, técnico y moral de todos sus miembros*].

Inexeq. C-399 de 1999: «*Tercero: Declarar* INEXEQUIBLE *el artículo 193 del decreto del 960 de 1970 de conformidad con lo señalado en la parte motiva de ésta sentencia*».

Artículo 194. *La Vigilancia Notarial del Ministerio de Justicia y el Colegio de Notarios estarán en permanente contacto con el fin de mantener información sobre las personas que ejerzan las funciones notariales, la formación de sus hojas de vida y el cumplimiento de los objetivos de la supervigilancia administrativa.*

Exeq Cond. C-399 de 1999: «*Cuarto: Declarar* EXEQUIBLE *el artículo 194 del decreto del 960 de 1970 en el entendido de que los notarios podrán organizarse en asociaciones y ellas podrán cumplir las funciones de contacto presentadas en la norma*».

TÍTULO VI. DE LA RESPONSABILIDAD DE LOS NOTARIOS

CAPÍTULO 1°. De las responsabilidad en el ejercicio de la función

Artículo 195. Los Notarios son responsables civilmente de los daños y perjuicios que causen a los usuarios del servicio por culpa o dolo de la prestación del mismo.

Artículo 196. Cuando se trate de irregularidades que le sean imputables, el Notario responderá de los daños causados siempre que aquellas sean subsanables a su costa por los medios y en los casos previstos en el presente Decreto.

Artículo 197. La indemnización que tuviere que pagar el Notario por causas que aprovechen a otra persona, podrá ser repetida contra ésta hasta concurrencia del monto del provecho que reciba y si éste se hubiere producido con malicia o dolo de ella, el Notario será resarcido de todo perjuicio.

CAPÍTULO 2°. De las faltas

Artículo 198. Son conductas del Notario, que atentan la majestad, dignidad y eficacia del servicio notarial, y que acarrean sanción disciplinaria:

1. [*La embriaguez habitual, la practica de juegos prohibidos, el uso de estupefacientes, el amancebamiento, la concurrencia a lugares indecorosos, el homosexualismo, el abandono del hogar, y, en general un mal comportamiento social*].

2. El reiterado incumplimiento de sus obligaciones civiles y comerciales.

3. Solicitar, recibir, ofrecer dádivas, agasajos, préstamos, regalos y cualquier clase de lucros, directa o indirectamente, en razón de su cargo o con ocasión de sus funciones.

4. Solicitar o fomentar publicidad, de cualquier clase, respecto de su persona o de sus actuaciones, sin perjuicio del derecho de rectificar o aclarar informaciones o comentarios relativos a ellas.

5. El empleo de propaganda de índole comercial o de incentivos de cualquier orden para estimular al público a demandar sus servicios.

6. [*Ejercer directa o indirectamente actividades incompatibles con el decoro del cargo o que en alguna forma atenten contra su dignidad*].

7. Negarse a prestar su ministerio sin causa justificativa.

8. Omitir el cumplimiento de los requisitos sustanciales en la prestación de sus servicios.

9. Dejar de asistir injustificadamente a la oficina, o cerrarla sin motivo legal, o limitar indebidamente las horas de despacho al público.

10. La afirmación maliciosa de hechos o circunstancias inexactas dentro del ejercicio de sus funciones.

11. El aprovechamiento personal o en favor de terceros de dineros o efectos negociables que reciba para el pago de impuestos o en depósito.

12. El cobro de derechos mayores o menores que los autorizados en el arancel vigente.

13. La renuencia a cumplir las orientaciones que la Vigilancia Notarial imparta dentro del ámbito de sus atribuciones, en lo relacionado con la prestación del servicio.

14. [Modificado. Art. 7 L. 29 de 1973] «El incumplimiento de sus obligaciones para con la Superintendencia de Notariado y Registro, el Fondo Nacional del Notariado, [*el Colegio de Notarios*], sus empleados subalternos y las entidades de seguridad o previsión social».

15. La transgresión de las normas sobre prohibiciones, impedimentos e incompatibilidades consagradas en el presente estatuto.

Inexeq. C-372 de 2002: «SEGUNDO. Declarar INEXEQUIBLES los numerales 1° y 6° del artículo 198 del Decreto 960 de 1970».

Inexeq. C-399 de 1999: «Quinto: Declarar INEXEQUIBLE la expresión "el Colegio de Notarios", consignada en el artículo 7° de la ley 29 de 1973 de conformidad con lo señalado en la parte motiva de ésta sentencia».

CAPÍTULO 3°. De las sanciones

Artículo 199. Independientemente de las sanciones penales a que hubiere lugar, a los Notarios que incurran en las faltas enumeradas en el Capítulo precedente, se les aplicará según la gravedad de la infracción, los antecedentes y lo dispuesto expresamente en la Ley, una de estas sanciones:

1. Multa.

2. Suspensión.

3. Destitución.

Artículo 200. Cuando la falta, a juicio de la autoridad competente para el proceso disciplinario, no diere lugar a sanción, podrá aquella, de plano y por escrito, amonestar al infractor, previniéndole que una nueva falta le acarreará sanción.

Artículo 201. La multa consiste en la obligación de pagar al Tesoro Nacional una suma no menor de trescientos pesos ni mayor de cinco mil; se impondrá en caso de faltas leves, y se cobrará por jurisdicción coactiva.

Artículo 202. La suspensión en el cargo hasta por seis meses, podrá imponerse frente a falta grave o a reincidencia en las leyes, puede aparejar la exclusión de la carrera en la primera vez y necesariamente la producirá al repetirse dicha sanción.

Artículo 203. La destitución se aplicará, como primera sanción, en caso de falta muy grave, y como consecuencia de varias faltas de otro orden, según su gravedad y reiteración.

Artículo 204. Las sanciones disciplinarias se aplicarán teniendo en cuenta la naturaleza de la falta, el grado de participación del Notario, y sus antecedentes en el servicio y en materia disciplinaria.

Artículo 205. Las pruebas serán apreciadas conforme a las reglas de la sana crítica.

Artículo 206. La acción disciplinaria prescribirá en cinco años, contados desde el día en que se cometió el último acto constitutivo de la falta.

La iniciación del proceso interrumpe la prescripción.

La existencia de un proceso penal sobre los mismos hechos no da lugar a suspensión del trámite disciplinario.

Artículo 207. La acción disciplinaria y las sanciones procederán aun cuando el Notario haya hecho dejación del cargo.

Cuando la suspensión o la destitución no pueda hacerse efectiva por pérdida anterior del cargo se anotará en la hoja de vida del sancionado, para que surtan sus efectos como impedimento.

Artículo 208. El conocimiento de los asuntos disciplinarios corresponde a la Vigilancia Notarial.

CAPÍTULO 4°. De la Vigilancia Notarial

Artículo 209. La vigilancia notarial será ejercida por el Ministerio de Justicia, por medio de la Superintendencia de Notariado y Registro.

Artículo 210. La vigilancia tiene por objeto velar porque el servicio notarial se preste oportuna y eficazmente, y conlleva el examen de la conducta de los Notarios y el cuidado del cumplido desempeño de sus deberes con la honestidad, rectitud e imparcialidad correspondientes a la naturaleza de su ministerio.

Artículo 211. Quien quiera que tenga conocimiento de irregularidades en el servicio notarial, podrá formular la correspondiente queja ante la Superintendencia de Notariado y Registro, quien la tramitará sin dilación.

Artículo 212. La vigilancia notarial se ejercerá principalmente por medio de visitas generales y especiales:

Las generales se practicarán a cada Notaría por lo menos una vez al año, y tiene por finalidad establecer la asistencia de los Notarios al despacho, la localización, presentación y estado de las oficinas y sus condiciones de comodidad para el público, la presentación personal del Notario y su atención a los usuarios del servicio, y comprobar el orden, actualidad, exactitud y presentación de los libros y archivos.

Las visitas especiales se practicarán cuando así lo disponga la Superintendencia de Notariado y Registro, para comprobar las irregularidades de que por cualquier medio tenga noticia, o para verificar hechos o circunstancias que le interesen dentro de sus funciones legales.

De cada visita se levantará un acta en el respectivo libro con las conclusiones del caso, dejando constancia tanto de las irregularidades, deficiencias y cargos resultantes, como de los aspectos positivos que merezcan ser destacados, según el caso, firmada por quien la practicó y por el Notario visitado. Copia del acta se remitirá al Superintendente.

Artículo 213. Si en el acta aparecieren cargos, se correrá traslado de ellos al Notario afectado, para que dentro del término de ocho días presente sus descargos, y aporte las pruebas del caso, hasta dentro de los ocho días siguientes. Vencido dicho término, la Superintendencia diligenciará las pruebas en quince días, y dentro del mes siguiente dictará resolución, en la que relacionará los cargos que a su juicio no hayan sido desvirtuados, indicará las disposiciones que considere infringidas, expresando la razón de su quebranto, e impondrá la sanción disciplinaria correspondiente, o dará por concluido el trámite, según fuere el caso.

Artículo 214. La Resolución se notificará por edicto que se fijará durante cinco días en la Secretaría de la Superintendencia y su ejecutoria será de diez días.

Copia de la Resolución se remitirá al Notario interesado por correo certificado a más tardar al día siguiente de su expedición.

Artículo 215. Contra la Resolución podrá recurrir el Notario interesado, en reposición ante el propio Superintendente y en apelación en el efecto suspensivo para ante la Junta de la Superintendencia, en escrito presentado dentro del término de la ejecutoria de aquella. La Resolución absolutoria se consultará con la Junta.

Artículo 216. En firme la Resolución de la Superintendencia, sendas copias de ella se enviarán al Consejo Superior de la Administración de Justicia, al Gobernador, Intendente o Comisario a quien competa la designación, y al Tribunal a quien corresponda la formación de las listas.

En caso de suspensión o de destitución, el gobernador, Intendente o comisario respectivo procederá a designar a quien por encargo asuma las funciones notariales durante la suspensión o mientras se hace la provisión en propiedad o en interinidad, según las circunstancias.

Artículo 217. La Superintendencia de Notariado y Registro, con el fin de capacitar y especializar a los Notarios y a sus empleados, organizará por sí, o con la colaboración de la Escuela Judicial y de Universidades, Escuelas o Establecimientos Públicos, cursos de capacitación, técnica y jurídica.

TÍTULO VIII. DEL ARANCEL

CAPÍTULO 1°. De los Derechos Notariales

Artículo 218. Las tarifas que señalan los derechos notariales son revisables periódicamente por el Gobierno Nacional teniendo en consideración los costos del servicio y la conveniencia pública.

Artículo 219. Cuando la cuantía de un acto o contrato se determine por el valor de un inmueble y el que estimaren las partes fuere inferior al avalúo catastral, los derechos se liquidarán con base en este.

Artículo 220. Siempre que en una misma escritura se consignen dos o más actos o contratos, se causarán los derechos correspondientes a cada uno de ellos en su totalidad. Sin embargo, no se cobrarán derechos adicionales por la protocolización de los documentos necesarios para el otorgamiento de los actos o contratos que contenga la escritura, ni cuando se trate de garantías accesorias que se pacten entre las mismas partes para asegurar el cumplimiento de las obligaciones surgidas de los actos o contratos otorgados.

Artículo 221. Cuando las obligaciones emanadas de lo declarado en una escritura consistan en pensión, renta o cualquier otro tipo de prestación periódica de plazo determinado o determinable con base en el mismo instrumento, los derechos se liquidarán teniendo en cuenta la cuantía total de tales prestaciones. Si el plazo fuere indeterminado, la base de liquidación será el monto de las prestaciones periódicas en cinco años.

Artículo 222. No se causarán los derechos especiales señalados en las tarifas para remunerar las diligencias que implican la firma de escrituras fuera del despacho del Notario, cuando se trate de las visitas que suelen hacer dichos funcionarios a los Municipios de su Círculo Notarial, distintos al que es su cabecera.

CAPÍTULO 2°. De la Obligatoriedad del Pago

Artículo 223. En los actos o contratos bilaterales los derechos serán de cargo de las dos partes, por mitades. Los varios integrantes de una parte responderán solidariamente por la cuota de ella.

Artículo 224. En los actos o contratos unilaterales el pago de los derechos será de cargo del otorgante que emita la declaración.

Si interviniere representante, éste será solidariamente responsable con su representado.

Artículo 225. En los contratos de mutuo y en los de garantía los derechos notariales serán de cargo del deudor; igual se dispone respecto de las cancelaciones consecuenciales.

Artículo 226. Los contratos de compraventa en que concurra el Instituto de Crédito Territorial para suministrar vivienda a los particulares causarán derechos equivalentes a la mitad de los ordinarios autorizados en las tarifas.

Artículo 227. En la liquidación de sociedades conyugales o herencias, en la partición de bienes comunes, en la constitución de sociedades y en los demás actos o contratos en que concurran varios interesados, los derechos notariales serán de cargo de todos ellos, a prorrata de su correspondiente interés; pero frente al Notario, todos responderán solidariamente.

Artículo 228. Los particulares que contraten con la Nación, los Territorios Nacionales, los Departamentos o los Municipios, responderán ante el Notario por los derechos a cargo de aquellas entidades. No causarán derechos los actos exclusivos de las mismas, ni los celebrados entre ellas solas.

Artículo 229. En servicios notariales no comprendidos en las disposiciones precedentes, los respectivos derechos serán de cargo de quienes los hayan solicitado.

Artículo 230. Las reglas del presente Capítulo se aplicarán a falta de estipulación diferente de los interesados.

Artículo 231. Los Notarios podrán abstenerse de autorizar las escrituras o actuaciones en que hayan intervenido, hasta cuando reciban la totalidad de los derechos que les corresponden por la prestación de sus servicios.

TÍTULO IX. VIGENCIA DEL ESTATUTO

Artículo 232. Deróganse el Título 42 del Libro IV del Código Civil, y las disposiciones que lo han adicionado o subrogado, relativas a las materias reguladas por el presente estatuto.

Artículo 233. Este ordenamiento rige desde su promulgación. Sin embargo, para la designación de Notarios para el periodo que comenzó el 1o. de enero de 1970, los Tribunales Superiores formarán las listas del modo establecido en el artículo 161, con prescindencia de concurso, pero teniendo en cuenta los requisitos señalados para cada categoría notarial en los artículos 152 a 154 así como lo estatuido sobre impedimentos prohibiciones e incompatibilidades en los Capítulos 2o. y 3o. del Título V, y de conformidad con lo que se dispondrá en Decreto extraordinario sobre Círculos Notariales, comprensión territorial, sede y categoría de ellos y número de Notarías, y los Gobernadores, Intendentes y Comisarios podrán hacer la designación en propiedad, siempre que el candidato reúna los requisitos propios del cargo.

Los Tribunales enviarán las listas al Gobernador, Intendente o Comisario respectivo antes del día 9 de julio de 1970, y estos harán la designación dentro de los cinco días siguientes al recibo de aquellas.

Comuníquese y publíquese.

Dado en Bogotá, D.E., a 20 de junio de 1970.

DECRETO 2820 DE 1974
(diciembre 30)
Por el cual se otorgan iguales derechos y obligaciones a las mujeres y a los varones

El Presidente de la República de Colombia,

en uso de sus atribuciones legales y especialmente de las que fueron conferidas por la Ley 24 de 1974,

DECRETA:

Artículo 1. El artículo 62 del Código Civil quedará así:

Las personas incapaces de celebrar negocios serán representadas:

1. Por sus padres, quienes ejercerán conjuntamente la patria potestad sobre sus hijos menores de 21 años.

Si falta uno de los padres la representación legal será ejercida por el otro.

2. Por el tutor o curador que ejerciere la guarda sobre menores de 21 años no sometidos a patria potestad y sobre los dementes, disipadores y sordomudos que no pudieren darse a entender por escrito.

Artículo 2. El artículo 116 del Código Civil quedará así:

Las personas mayores de 18 años pueden contraer matrimonio libremente.

Artículo 3. El artículo 119 del Código Civil quedará así:

Se entenderá faltar así mismo aquel de los padres que haya sido privado de la patria potestad

Artículo 4. Para efectos de los dos primeros ordinales del artículo 154 del Código Civil, las relaciones sexuales extramatrimoniales de cualquiera de los cónyuges serán causa de divorcio.

Artículo 5. El Artículo 169 de Código Civil quedará así:

La persona que teniendo hijos de precedente matrimonio bajo su patria potestad, o bajo su tutela o curatela, quisiere volver a casarse, deberá proceder al inventario solemne de los bienes que esté administrando.

Para la confección de este inventario se dará dichos hijos un curador especial.

Artículo 6. El artículo 170 del Código Civil quedará así:

Habrá lugar al nombramiento de curador aunque los hijos no tengan bienes propios de ninguna clase en poder del padre o de la madre. Cuando así fuere, deberá el curador especial testificarlo.

Artículo 7. El artículo 171 del Código Civil quedará así:

El juez se abstendrá de autorizar el matrimonio asta cuando la persona que pretenda contraer nueva nupcias les presente copia auténtica de la providencia de la cual se designo curador a los hijos, del auto que le discernió el cargo y del inventario de los bienes de los menores. No se requerirá de lo anterior si se prueba sumariamente que dicha persona no tiene hijos de precedente matrimonio, o que estos son capaces.

La violación de lo dispuesto en este artículo ocasionará la pérdida de usufructo legal de los bienes de los hijos y la multa de $10.000.00 al funcionario. Dicha multa se decretará a petición de cualquier persona, del Ministerio Publico, del Defensor de Menores o de la Familia, con destino al Instituto Colombiano de Bienestar familiar.

Artículo 8. El artículo 172 del Código Civil quedará así:

La persona que hubiere administrado con culpa grave o dolo, los bienes del hijo perderá el usufructo legal y el derecho a sucederle como legitimario o como heredero abintestato.

Artículo 9. El artículo 176 del Código Civil quedará así:

Los cónyuges están obligados a guardase fe, a socorrerse y ayudasen mutuamente en todas las circunstancias de la vida.

Artículo 10. El artículo 177 del Código Civil quedará así:

El marido y la mujer tienen conjuntamente la dirección del hogar. Dicha dirección estará a cargo de uno de los cónyuges cuando el otro no la pueda ejercer o falte. En caso de desacuerdo se recurrirá al juez o al funcionario que la ley designe.

Artículo 11. El artículo 178 del Código Civil quedará así:

Salvo causa justificada, los cónyuges tienen la obligación de vivir juntos y cada uno de ellos tiene derecho a ser recibidos en la casa del otro.

Artículo 12. El artículo 179 del Código Civil quedará así:

El marido y la mujer fijarán la residencia del hogar. En caso de ausencia, incapacidad, o privación de la libertad de uno de ellos, la fijará el otro. Si hubiere desacuerdo corresponderá al juez fijar la residencia teniendo en cuenta el interés de la familia. Los cónyuges deberán subvenir a las ordinarias necesidades domesticas en proporción a sus facultades.

Artículo 13. El artículo 180 del Código Civil quedará así:

Por el hecho del matrimonio se contrae sociedad de bienes entre los cónyuges, según las reglas del Titulo 22, Libro IV, del Código Civil.

Los que se hallan casado en país extranjero y se domiciliaren en Colombia, se presumirán separados de bienes, a menos que de conformidad a las leyes bajo cuyo imperio se casaren se hallen sometidos a un régimen patrimonial diferente.

Artículo 14. [Modificado. Art. 2. Dec. 772 de 1975] El artículo 198 del Código Civil[*] quedará así:

«Ninguno de los cónyuges podrá renunciar en las capitulaciones matrimoniales la facultad de pedir separación de bienes.

Son causales de separación de bienes, respecto a cualquiera de los cónyuges:

1ª. Las que autorizan el divorcio o la simple separación de cuerpos;

2ª. La disipación y el juego habitual.

3ª. La administración fraudulenta o notoriamente descuidada de su patrimonio, en forma que menoscabe gravemente los intereses del otro en la sociedad conyugal.

También es causal de separación de bienes, el mutuo consenso de los cónyuges».

En los anteriores términos se sustituye el artículo 14 del Decreto 2820 de 1974.

[*] El artículo 198 del Codigo Civil fue posteriormente mdificado por el artículo 19 de la Ley 1 de 1976.

Artículo 15. El artículo 199 del Código Civil[*] quedará así:

Para que el cónyuge menor pueda pedir la separación de bienes debe designársele un curador especial.

(*) El artículo 199 del Código Civil fue posteriormente modificado por el artículo 20 de la Ley 1 de 1976.

Artículo 16. El artículo 203 del Código Civil quedará así:

Ejecutoriada la sentencia que decreta la declaración de bienes, ninguno de los cónyuges tendrá desde entonces parte alguno en los gananciales que resulten de la administración del otro.

Artículo 17. El artículo 226 de Código Civil(*) quedará así:

El marido podrá, a consecuencia de la denuncia a que se refiere el artículo 225 o aun sin ella exigir, por conducto del juez, que la mujer se someta a exámenes competentes de médicos a fin de verificar el estado de embarazo.

En caso de que la mujer se niegue a la práctica de los exámenes, se presumirá la inexistencia del embarazo.

No pudiendo ser hecha al marido la mencionada denuncia; podrá hacerse a cualquiera de sus consanguíneos dentro del 4º grado, mayores de 21 años, prefiriendo los ascendientes legítimos. A falta de tales consanguíneos la denuncia se hará al juez de la familia o al civil municipal del hogar. Si la mujer hiciere la denuncia después de expirados los 30 días, pero antes del parto valdrá siempre que el juez considere que la demora ha tenido causa justificada.

(*) El artículo 226 del Código Civil fue derogado por el artículo 626 del C.G.P.

Artículo 18. El artículo 250 del Código Civil quedará así:

Los hijos deben respeto y obediencia a sus padres.

Artículo 19. El inciso Segundo del Artículo 257 del Código Civil quedará así:

Si el marido y mujer vivieren bajo estado de separación de bienes deben contribuir a dichos gastos en proporción a sus facultades.

Artículo 20. El artículo 261 del Código Civil quedará así:

Si el hijo menor de edad, ausente de la casa de sus padres, se halla en urgente necesidad en que no pueda ser asistido por estos, se presumirá la autorización de los mismos para las suministraciones que se le hagan por cualquier persona en razón de alimentos, habida consideración de la capacidad económica de aquellos.

El que haga las suministraciones deberá dar noticia de ellas, a la persona bajo cuyo cuidado esté el menor lo más pronto que fuere posible. Toda omisión voluntaria en este punto, hará cesar la responsabilidad de los padres.

Lo dicho en los incisos precedentes, se extiende, en su caso, a la persona a quien, por muerte o inhabilidad de los padres, toque la sustentación del hijo.

Artículo 21. El artículo 262 del Código Civil quedará así:

Los padres o la persona encargada del cuidado personal de los hijos, tendrán la facultad de vigilar su conducta, corregirlos y sancionarlos moderadamente.

Artículo 22. El artículo 263 del Código Civil quedará así:

Los derechos conferidos a los padres en artículo precedente se extenderán en ausencia, inhabilidad o muerte de uno de ellos, al otro, y de ambos a quien corresponde el cuidado personal del hijo menor no habilitado de edad.

Artículo 23. [Modificado. Art. 4 Dec. 772 de 1975] El artículo 264 del Código Civil quedará así:

Los padres, de común acuerdo, dirigirán la educación de sus hijos menores y su formación moral e intelectual, del modo que crean más conveniente para éstos; asimismo, colaborarán conjuntamente en su crianza, sustentación y establecimiento.

En los anteriores términos se sustituye el artículo 23 del Decreto 2820 de 1974.

Artículo 24. El inciso 2 del artículo 288 del Código Civil quedará así:

Corresponde a los padres conjuntamente, el ejercicio de la patria potestad sobre sus hijos legítimos. A falta de uno de ellos la ejercerá el otro.

Artículo 25. El artículo 289 del Código Civil quedará así:

La legitimación da a los legitimantes la patria potestad sobre el menor de 21 años no habilitado de edad y pone fin a la guarda en que se hallaron.

Artículo 26. El artículo 291 del Código Civil quedará así:

El padre y la madre gozan por iguales partes del usufructo de todos lo bienes del hijo de familia, exceptuados:

1. El de los bienes adquiridos por el hijo como fruto de su trabajo o industria, los cuales forman su peculio profesional o industrial.

2. El de los bienes adquiridos por el hijo a titulo de donación, herencia o legado, cuando el donante o testado haya dispuesto expresamente que el usufructo de tales bienes corresponda al hijo y no a los padres; si solo uno de los padres fuera excluido, corresponderá el usufructo al otro.

3. El de las herencias y legados que hallan pasado al hijo por indignidad o desheredamiento de uno de sus padres, caso en el cual corresponderá exclusivamente al otro.

Los bienes sobre los cuales los titulares de la patria potestad tienen el usufructo legal, forma el peculio adventicio ordinario del hijo; aquellos sobre los cuales ninguno de los padres tiene el usufructo, forman el peculio adventicio extraordinario.

Artículo 27. El artículo 292 del Código Civil quedará así:
Los padres gozan del usufructo legal hasta la emancipación del hijo.

Artículo 28. El artículo 293 del Código Civil quedará así:
Los padres no son obligados a prestar caución en razón de su usufructo legal.

Artículo 29. El artículo 295 del Código Civil quedará así:
Los padres administran los bienes del hijo sobre los cuales la ley les concede el usufructo. Carecen conjunta o separadamente de esta administración respecto de los bienes donados, heredados o legados bajo esta condición.

Artículo 30. El artículo 296 del Código Civil quedará así:
La condición de no administrar el padre o la madre o ambos, impuesta por el donante o testador, no les priva del usufructo ni la que los priva del usufructo les quita la administración, a menos de expresarse lo uno y lo otro por el donante o testador.

Artículo 31. El artículo 297 del Código Civil quedará así:
Los padres que como tales administren bienes del hijo no son obligados a hacer inventario solemne de ellos, mientras no pasaren a otras nupcias; Pero a

falta de tal inventario, deberían llevar una descripción circunstancias de dichos bienes desde que comience la administración.

Artículo 32. El artículo 298 del Código Civil quedará así:

[Modificado Inciso 1°. Art. 5 Dec. 772 de 1975] Los padres son responsables, en la administración de los bienes del hijo, por toda disminución o deterioro que se deba a culpa aún leve, o a dolo.

La responsabilidad para con el hijo se extiende a la propiedad y a los frutos en los bienes en que tienen la administración pero no el usufructo; y se limita a la propiedad en los bienes de que son usufructuarios.

Artículo 33. El artículo 299 del Código Civil quedará así:

Tanto la administración como el usufructo cesan cuando se extingue la patria potestad y cuando por sentencia judicial se declare a los padres que la ejercen responsables de dolo o culpa grave en el desempeño de la primera.

Se presume culpa cuando se disminuyen considerablemente los bienes o se aumenta el pasivo sin causa justificada.

Artículo 34. El artículo 300 del código civil quedará así:

No teniendo los padres la administración de todo o parte del peculio adventicio ordinario o extraordinario, se dará al hijo un curador para esta administración.

[Modificado Inciso 2°. Art. 6 Dec. 772 de 1975] Pero quitada a los padres la administración de aquellos bienes del hijo en que la ley les da el usufructo, no dejarán por esto de tener derecho a los frutos líquidos, deducidos los gastos de administración.

Artículo 35. El artículo 301 del Código Civil quedará así:

En el caso del artículo precedente, los negocios del hijo de familia no autorizados por quien ejerce la patria potestad o por el curador adjunto le obligarán exclusivamente en su peculio profesional o industrial

Pero no podrá tomar dinero a interés, ni comprar al fiado (excepto en el giro ordinario de dicho peculio), sin autorización escrita de los padres. Y si lo hiciere no será obligado por esos contratos, sino hasta concurrencia del beneficio que haya reportado de ellos.

Artículo 36. El artículo 302 del código civil quedará así:

Los actos o contratos que el hijo de familia celebre fuero de su peculio profesional o industrial y que sean autorizados o ratificados por quien ejerce la patria potestad, obligan directamente a quien dio la autorización y subsidiariamente al hijo hasta la concurrencia del beneficio que este hubiera reportado de dichos negocios.

Artículo 37. El Artículo 304 del Código Civil quedará así:

No podrán los padres hacer donaciones de ninguna parte de los bienes del hijo, ni darlos en arriendo por largo tiempo, ni aceptar o repudiar una herencia deferida al hijo, sino en la forma y con las limitaciones impuestas a los tutores y curadores.

Artículo 38. El artículo 305 del código civil quedará así:

Siempre que el hijo tenga que litigar contra quien ejerce la patria potestad, se le dará un curador para la litis, el cual será preferentemente un abogado defensor de familia cuando exista en el respectivo municipio; y si obrare como actor será necesaria la autorización del juez.

Articulo 39. El artículo 306 del código civil quedará así:

La representación judicial del hijo corresponde a cualquiera de los padres.

El hijo de familia solo puede comparecer en juicio como actor, autorizado o representado por uno de sus padres.

Si ambos niegan su consentimiento al hijo o si están inhabilitados para prestarlo o si autorizan sin representarlo, se aplicaran las normas del código del Procedimiento Civil, para la asignación de curador ad litem.

El las acciones civiles contra el hijo de familia deberá el actor dirigirse a cualquiera de sus padres, para que lo represente en la litis. Si ninguno pudiera representarlo, se aplicarán las normas del Código Civil, para la designación de curador ad litem.

Artículo 40. El artículo 307 del Código Civil quedará así:

Los derechos de administración de los bienes, el usufructo legal y la representación extrajudicial del hijo de familia serán ejercidos conjuntamente por el padre y la madre. Lo anterior no obsta para que uno de los padres delegue por escrito al otro, total o parcialmente, dicha administración o representación.

Si uno de los padres falta, corresponderán los mencionados derechos al otro.

En los casos en que no hubiere acuerdo de los titulares de la patria potestad sobre el ejercicio de los derechos de que trata el inciso primero de este artículo o en el caso de que uno de ellos no estuviere de acuerdo en la forma en que el otro lleve la representación judicial del hijo, se acudirá al juez o al funcionario que la ley designe para que dirima la controversia de acuerdo con las normas procesales pertinentes.

Artículo 41. El artículo 308 del Código Civil quedará así:

No será necesaria la intervención de los padres para proceder contra el hijo en caso de que exista contra él una acción penal; pero aquellos serán obligados a suministrarle los auxilios que necesite para su defensa.

Artículo 42. [Modificado. Art. 7 Dec. 772 de 1975] El artículo 310 del Código Civil quedará así:

«La patria potestad se suspende, con respecto a cualquiera de los padres, por su demencia, por estar en entredicho de administrar sus propios bienes y por su larga ausencia. Así mismo, termina por las causales contempladas en el artículo 315; pero si éstas se dan respecto de ambos cónyuges, se aplicará lo dispuesto en dicho artículo.

Cuando la patria potestad se suspenda respecto de ambos cónyuges, mientras dure la suspensión se dará guardador al hijo no habilitado de edad.

La suspensión o privación de la patria potestad no exonera a los padres de sus deberes de tales para con sus hijos».

Artículo 43. [Modificado. Art. 8 Dec. 772 de 1975] El artículo 313 del Código Civil quedará así:

La emancipación voluntaria se efectúa por instrumento público, en que los padres declaran emancipar el hijo adulto y este consciente en ello. No valdrá esta emancipación si no es autorizada por el juez con conocimiento de causa.

Toda emancipación, una vez efectuada, es irrevocable, aún por causa de ingratitud.

Artículo 44. [Modificado. Art. 9 Dec. 772 de 1975] El artículo 314 del Código Civil quedará así:

«La emancipación legal se efectúa:

1º. Por la muerte real o presunta de los padres.

2º. Por el matrimonio del hijo.

3º. Por haber cumplido el hijo la mayor edad.

4º. Por el decreto que da la posesión de los bienes del padre desaparecido».

Artículo 45. El artículo 315 del Código Civil quedará así:

La emancipación judicial se efectúa, por decreto del juez, cuando los padres que ejerzan la patria potestad incurran en alguna de las siguientes causales:

1. Por maltrato habitual del hijo, en términos de poner en peligro su vida o de causarle grave daño.

2. Por haber abandonado el hijo.

3. Por depravación que los incapacite de ejercer la patria potestad.

4. [Modificado. Art. 10 Dec. 772 de 1975] «Por haber sido condenados a pena privativa de la libertad superior a un año».

5. [Modificado. Art. 92 L. 1453 de 2011] Cuando el adolescente hubiese sido sancionado por los delitos de homicidio doloso, secuestro, extorsión en todas sus formas y delitos agravados contra la libertad, integridad y formación sexual y se compruebe que los padres favorecieron estas conductas sin perjuicio de la responsabilidad penal que les asiste en aplicación del artículo 25 numeral 2 del Código Penal, que ordena.

En los casos anteriores podrá el juez proceder a petición de cualquier consanguíneo del hijo, del abogado defensor de familia y aun de oficio.

Artículo 46. El artículo 340 del Código Civil quedara así:

Quienes han cumplido dieciocho años pueden ser habilitados de edad mediante sentencia judicial, si un interés legítimo lo justifica.

Los varones o las mujeres casados que no han cumplido dieciocho años tienen habilitación de edad por ministerio de la ley.

Artículo 47. [Modificado. Art. 11 Dec. 772 de 1975] El artículo 341 del Código Civil quedará así:

«No pueden obtener habilitación judicial de edad los menores de 18 años, aunque hayan sido emancipados; en este caso se les dará guardador».

Artículo 48. El artículo 434 del Código Civil quedará así:

Se llaman curadores adjuntos los que se dan a los incapaces sometidos a patria potestad, tutela o curatela, para que ejerzan una administración separada.

Artículo 49. El artículo 448 del Código Civil quedará así:

Cualquiera de los padres podrá ejercer los derechos que se otorgan en los artículos precedentes, siempre que el otro falte.

Artículo 50. El Artículo 449 del Código Civil quedará así:

Los padres de los hijos extramatrimoniales podrán ejercer los derechos concedidos por los artículos precedentes a los padres legítimos, si viven juntos. En caso contrario ejercerá tales derechos aquel de los padres que tenga a su cuidado el hijo.

Artículo 51. El Artículo 457 del Código Civil quedará así:

Son llamados a la tutela o curaduria legitima:

1. El cónyuge, siempre que no este divorciado ni separado de cuerpos; o de bienes por causa distinta al mutuo consenso.

2. El padre o la madre y en su defecto los abuelos legítimos.

3. Los hijos legítimos o extramatrimoniales.

4. Los hermanos del pupilo y los hermanos de los ascendientes del pupilo.

Cuando existan varias personas en el mismo orden de prelación señalado en este artículo, el juez, oídos los parientes elegirán entre ellas la que le pareciere mas apta y podrá también, si lo estimare conveniente elegir más de una y elegir entre ellas las funciones.

Artículo 52. El ordinal 1 del artículo 537 del Código Civil quedara así:

1. Al cónyuge no divorciado ni separado de cuerpos; o de bienes por causa distinta al mutuo consenso

Artículo 53. El artículo 546 del Código Civil quedará así:

Cuando el hijo sufra de incapacidad mental grave permanente, deberán sus padres, o uno de ellos, promover el proceso de interdicción, un año antes de cumplir aquel la mayor edad, para que la curaduria produzca efectos a partir de ésta y seguir cuidando del hijo aún después del designado curador.

Artículo 54. El ordinal 1 del artículo 550 del Código Civil quedará así:

1. A su cónyuge no divorciado ni separado de cuerpos; o de bienes por causa distinta al mutuo consenso.

Artículo 55. El artículo 573 del Código Civil quedará así:

Cuando exista cónyuge sobreviviente que ejerza la patria potestad, podrá el testador designar un curador para la administración de los bienes que le asigne al hijo con cargo a la cuarta de mejoras o a la de libre disposición.

Artículo 56. El artículo 582 del Código Civil quedará así:

Los curadores adjuntos son independientes de los respectivos padres, cónyuges o guardadores. La responsabilidad subsidiaria que por el artículo 508 se impone a los tutores o curadores que no administran, se extiende a los respectivos padres, cónyuges o guardadores respecto de los curadores adjuntos.

Artículo 57. El artículo 1026 del Código Civil quedará así:

Es indigno de suceder quien siendo mayor de edad no hubiere denunciado a la justicia, dentro del mes siguiente al día en que tuvo conocimiento del delito, el homicidio de su causante, a menos que se hubiere iniciado antes la investigación.

[Modificado. Art. 12 Dec. 772 de 1975] «Esta indignidad no podrá alegarse cuando el heredero o legatario sea cónyuge, ascendiente o descendiente, de la persona por cuya obra o consejo se ejecutó el homicidio, o haya entre ellos vínculos de consanguinidad hasta el cuarto grado, o de afinidad de parentesco civil hasta el segundo grado, inclusive».

Artículo 58. El inciso cuarto del artículo 1027 del Código Civil quedará así:

La obligación no se extiende a los menores, ni en general a los que viven bajo tutela o curaduría.

Artículo 59. El numeral 13 del artículo 1068 del Código Civil quedará así:

13. El cónyuge del testador.

Artículo 60. El inciso tercero del artículo 1504 del Código Civil quedará así:

Son también incapaces los menores adultos que no han obtenido habilitación de edad y los disipadores que se hallen bajo la interdicción. Pero la incapacidad de estas personas no es absoluta y sus actos pueden tener valor en ciertas circunstancias y bajo ciertos respectos determinados por las leyes.

Artículo 61. El artículo 1775 del Código Civil quedará así:

Cualquiera de los cónyuges siempre que sea capaz, podrá renunciar a los gananciales que resulten de la disolución de la sociedad conyugal, sin perjuicio de terceros.

Artículo 62. El ordinal 2 del artículo 1796 del Código civil quedará así:

2. De las deudas y obligaciones contraídas durante su existencia por el marido o la mujer, y que no fueren de aquel o ésta, como lo serían las que se contrajeren para el establecimiento de los hijos de un matrimonio anterior.

La sociedad, por consiguiente, es obligada con la misma limitación, al gasto de toda fianza, hipoteca o prenda constituida por cualquiera de los cónyuges.

Artículo 63. El artículo 1800 del Código Civil quedará así:

Las expensas ordinarias y extraordinarias de alimentos; establecimiento, matrimonio y gastos médicos de un descendiente común, se imputarán a los gananciales, a menos que se probare que el marido o la mujer han querido que se paguen de sus bienes propios.

Lo anterior se aplica al caso en que el descendiente común no tuviere bienes propios; pues teniéndolos se imputarán las expensas extraordinarias a sus bienes en cuanto le hubieren sido efectivamente útiles; a menos que probare que el marido o la mujer, o ambos de consuno quisieron pagarlas de sus bienes propios.

Artículo 64. El artículo 1837 del Código Civil quedará así:

Los cónyuges incapaces y sus herederos en el mismo caso, solo podrán renunciar a los gananciales con autorización judicial.

Lo dicho en los artículos 1838, 1840 y 1841 se aplicará tanto al marido como a la mujer.

Artículo 65. El inciso 2° del artículo 2347 del Código Civil quedará así:

Así, los padres son responsables solidariamente del hecho de los hijos menores que habiten en la misma casa.

Artículo 66. El artículo 2368 del Código Civil quedará así:
No pueden ser fiadores los incapaces de ejercer sus derechos.

Artículo 67. El artículo 2505 del código civil quedará así:
La confesión del padre, de la madre del tutor o curador fallidos, no hará prueba por sí sola contra los acreedores.

Artículo 68. El ordinal 1 del artículo 2530 del Código Civil quedará así:
Los menores, los dementes, los sordomudos y quienes estén bajo patria potestad, tutela o curaduría.

Artículo 69. [Derogado. Art. 626 C.G.P.]

Art. 626 C.G.P.: «A partir de la entrada en vigencia de esta ley, en los términos del numeral 6 del artículo 627, queda derogado (...) artículo 69 del Decreto número 2820 de 1974».

Artículo 70. Deróganse los artículos 87; la frase «Y estando discordes prevalecerá en todo caso la voluntad del padre» del inciso 1° del artículo 117, 175, 227, 229, 231, 242 inciso 2, 312 a 317, 439, 456 inciso 2; 458, 439, 565, 566, 586 ordinal 10, 591, 599, 602, ordinal 5; 1293 incisos 2 y 3; 1330, 1331, 1379 inciso 2 1823, 1839, 2189 ordinal 8, 2347 inciso 4, 2502, ordinales 3° y 6°, 2530 penúltimo inciso, del Código Civil; artículo 13 de la Ley 45 de 1936; artículo 19 de la Ley 75 de 1968, inciso 2; artículos 3 y 4 de la ley 95 de 1890; artículos 2 y 3 y 5 de la Ley 8 de 1922; artículo 2 de la Ley 67 de 1930, y demás disposiciones contrarias a esta Ley[*].

[*] El artículo 13 del Decreto 772 de 1975 declara que: «el sentido del artículo 70 del Decreto 2820 de 1974, en cuanto a la referencia que hace a los artículos 313, 314 y 315 del Código Civil, es que estos textos han sido modificados por los artículos 43, 44 y 45 de dicho Decreto y por el presente. En esta forma interprétase dicho texto, para los efectos del artículo 14 del Código Civil».

Artículo 71. Este Decreto rige desde su promulgación.
Publíquese y cúmplase.
Dado en Bogotá, D.E., a 20 de diciembre de 1974.

LEY 1 DE 1976

(enero 19)

por la cual se establece el divorcio en el matrimonio civil, se regulan la separación de cuerpos y de bienes en el matrimonio civil y en el canónico, y se modifican algunas disposiciones de los Códigos Civil y de Procedimiento Civil en materia de Derecho de Familia

El Congreso de Colombia

DECRETA:

Artículo 1º. El artículo 152 del Código Civil quedará así: Artículo 152. El matrimonio civil se disuelve por la muerte real o presunta de uno de los cónyuges o por divorcio judicialmente declarado[*].

[*] El artículo 152 del Código fue posteriormente modificado por el artículo 5 de la Ley 25 de 1992.

Artículo 2º. El Título VII del Libro Primero del Código Civil se denominará así:

Del divorcio y la separación de cuerpos, sus causas y efectos.

Artículo 3º. El artículo 153 del Código Civil queda derogado.

Artículo 4º. El artículo 154 del Código Civil quedará así:

Artículo 154. Son causas de divorcio:

1º. Las relaciones sexuales extramatrimoniales de uno de los cónyuges, salvo que el demandante las haya consentido, facilitado o perdonado. Se presumen las relaciones sexuales extramatrimoniales por la celebración de un nuevo matrimonio, por uno de los cónyuges, cualquiera que sea su forma y eficacia.

2º. El grave e injustificado incumplimiento por parte de alguno de los cónyuges, de sus deberes de marido o de padre y de esposa o de madre.

3º. Los ultrajes, el trato cruel y los maltratamientos de obra, si con ello peligra la salud, la integridad corporal o la vida de uno de los cónyuges, o de sus descendientes, o se hacen imposibles la paz y el sosiego domésticos.

4º. La embriaguez habitual de uno de los cónyuges.

5º. El uso habitual y compulsivo de sustancias alucinógenas o estupefacientes, salvo prescripción médica.

6º. Toda enfermedad o anormalidad grave e incurable, física o síquica de uno de los cónyuges, que ponga en peligro la salud moral o física del otro cónyuge eimposibilite la comunidad matrimonial.

7º. Toda conducta de uno de los cónyuges tendiente a corromper o pervertir al otro, o a un descendiente, o a personas que estén a su cuidado y convivan bajo el mismo techo.

8º. La separación de cuerpos decretada judicialmente que perdure más de dos años, y

9º. La condena privativa de la libertad personal, superior a cuatro años, por delito común, de uno de los cónyuges, que el juez que conozca del divorcio califique como atroz o infamante[*].

[*] El artículo 154 del Código Civil fue posteriormente modificado por el artículo 6 de la Ley 25 de 1992.

Artículo 5º. [Derogado. Art. 15 L. 25 de 1992]

Art. 15 L. 25 de 1992: «La presente Ley (...) deroga el artículo 5o. de la Ley Primera de 1976 (...)».

Artículo 6º. [Modificado. Art. 10 L. 25 de 1992] El artículo 156 del Código Civil quedará así:

Artículo 156. El divorcio sólo podrá ser demandado por el cónyuge que no haya dado lugar a los hechos que lo motivan y *dentro del término de un año, contado desde cuando tuvo conocimiento de ellos respecto de las causas 1º. y 7º. o desde cuando se sucedieron, en tratandose de las causas 2º., 3º., 4º. y 5º. [En todo caso, las causas 1º. y 7º., solo podrán alegarse dentro de los dos años siguientes a su ocurrencia].*

Inexeq. C-985 de 2010: «*PRIMERO: Declarar INEXEQUIBLE la frase "en todo caso las causales 1ª y 7ª sólo podrán alegarse dentro de los dos años siguiente a su ocurrencia" contenida en el artículo 10 de la Ley 25 de 1992».*
Exeq. Cond. C-985 de 2010: «*SEGUNDO: Declarar EXEQUIBLE la frase "y dentro del término de un año, contado desde cuando tuvo conocimiento de ellos respecto de las causales 1ª y 7ª o desde cuando se sucedieron, respecto a las causales 2ª, 3ª, 4ª y 5ª" contenida en el artículo 10 de la Ley 25 de 1992, bajo el entendido que los términos de caducidad que la disposición prevé solamente*

restringe en el tiempo la posibilidad de solicitar las sanciones ligadas a la figura del divorcio basado en causales subjetivas».

Artículo 7º. El artículo 157 del Código Civil quedará así:

Artículo 157. En el juicio de divorcio son partes únicamente los cónyuges, pero si éstos fueren menores de edad, podrán también intervenir sus padres. El Ministerio Público será oído siempre en interés de los hijos.

Artículo 8º. El artículo 158 del Código Civil quedará así:

Artículo 158. En cualquier momento, a partir de la presentación de la demanda podrá él juez, a petición de cualquiera de las partes, decretar las medidas cautelares autorizadas por la ley sobre bienes que puedan ser objeto de gananciales y que se encuentren en cabeza del otro cónyuge.

Artículo 9º. El artículo 159 del Código Civil quedará así:

Artículo 159. La muerte de uno de los cónyuges o la reconciliación ocurridas durante el proceso, ponen fin a éste. El divorcio podrá demandarse nuevamente por causa sobreviniente a la reconciliación.

Artículo 10. [Modificado. Art. 11 L. 25 de 1992] El artículo 160 del Código Civil quedará así:

Artículo 160. Ejecutoriada la sentencia que decreta el divorcio, queda disuelto el vínculo en el matrimonio civil y cesan los efectos civiles del matrimonio religioso, así mismo, se disuelve la sociedad conyugal, pero subsisten los deberes y derechos de las partes respecto de los hijos comunes y, según el caso, los derechos y deberes alimentarios de los cónyuges entre sí.

Artículo 11. El artículo 161 del Código Civil quedará así:

Artículo 161. Sin perjuicio de lo que disponga el juez en la sentencia, respecto de la custodia y ejercicio de la patria potestad, los efectos del divorcio en cuanto a los hijos comunes de los divorciados se reglarán por las disposiciones contenidas en los Títulos XII y XIV del Libro I del Código Civil.

Artículo 12. El artículo 162 del Código Civil quedará así:

Artículo 162. En los casos de las causales 1º., 2º., 3º., 4º., 5º. y 7º. del artículo 154 de este Código, el cónyuge inocente podrá revocar las donaciones que por causa de matrimonio hubiere hecho al cónyuge culpable, sin que éste pueda invocar derechos o concesiones estipuladas exclusivamente en su favor en capitulaciones matrimoniales. Parágrafo. Ninguno de los divorciados tendrá derecho a invocar la calidad de cónyuge sobreviviente para heredar abintestato en la sucesión del otro, ni a reclamar porción conyugal.

Artículo 13. El artículo 163 del Código Civil quedará así:

Artículo 163. El divorcio del matrimonio civil celebrado en el extranjero se regirá por la ley del domicilio conyugal. Para estos efectos, entiéndese por domicilio conyugal el lugar donde los conyuges viven de consuno y, en su defecto, se reputa como tal el del cónyuge demandado.

Artículo 14. El artículo 164 del Código Civil quedará así:

Artículo 164. El divorcio decretado en el exterior, respecto del matrimonio civil celebrado en Colombia, se regirá por la ley del domicilio conyugal y no producirá los efectos de disolución, sino a condición de que la causal respectiva sea admitida por la ley colombiana y de que el demandado haya sido notificado personalmente o emplazado según la ley de su domicilio. Con todo, cumpliendo los requisitos de notificación y emplazamiento, podrá surtir los efectos de la separación de cuerpos.

Artículo 15. Precedido de un cuarto parágrafo intitulado:

«De la separación de cuerpos», el artículo 165 del Código Civil quedará así:

Parágrafo 4º. De la separación de cuerpos. Artículo 165. Hay lugar a la separación de cuerpos en los siguientes casos:

1º. En los contemplados en el artículo 154 de este Código, y

2º. Por mutuo consentimiento de los cónyuges, manifestado ante el juez competente.

Artículo 16. El artículo 166 del Código Civil quedará así:

Artículo 166. El juez para decretar la separación de cuerpos no estará sujeto a las restricciones del artículo 155 de este Código. Los cónyuges al expresar su mutuo consentimiento en la separación indicarán el estado en que queda la sociedad conyugal y si la separación es indefinida o temporal y en este caso la duración de la misma, que no puede exceder de un año. Expirado el término de la separación temporal se presumirá que ha habido reconciliación, pero los casados podrán declarar ante el juez que la tornan definitiva o que amplían su vigencia. Para que la separación de cuerpos pueda ser decretada por mutuo consenso de los cónyuges, es necesario que éstos la soliciten por escrito al juez competente, determinando en la demanda la manera como atenderán en adelante el cuidado personal de los hijos comunes, la proporción en que contribuirán a los gastos de crianza, educación y establecimiento de los hijos y, si fuere el caso, el sostenimiento de cada cónyuge. En cuanto a los gastos de crianza, educación y establecimiento de los hijos comunes, responderán solidariamente ante terceros, y entre sí en la forma acordada por ellos. El juez podrá objetar el acuerdo de los cónyuges en interés de los hijos, previo concepto del Ministerio Público.

Artículo 17. El artículo 167 del Código Civil quedará así, precedido del siguiente parágrafo:

Parágrafo 5º. De los efectos de la separación de cuerpos.

Artículo 167. La separación de cuerpos no disuelve el matrimonio, pero suspende la vida en común de los casados. La separación de cuerpos disuelve la sociedad conyugal, salvo que, fundándose en el mutuo consentimiento de los cónyuges y siendo temporal, ellos manifiesten su deseo de mantenerla vigente.

Artículo 18. El artículo 168 del Código Civil quedará así:

Artículo 168. Son aplicables a la separación de cuerpos las normas que regulan el divorcio en cuanto no fueren incompatibles con ella.

Artículo 19. El artículo 198 del Código Civil quedará así:

Artículo 198. Ninguno de los cónyuges podrá renunciar en las capitulaciones matrimoniales o fuera de ellas la facultad de pedir la separación de bienes a que le dan derecho las leyes.

Artículo 20. El artículo 199 del Código Civil quedará así:

Artículo 199. Para que el cónyuge incapaz pueda pedir la separación de bienes, deberá designársele un curador especial.

Artículo 21. El artículo 200 del Código Civil quedará así:

Artículo 200. Cualquiera de los cónyuges podrá demandar la separación de bienes en los siguientes casos:

1º. Por las mismas causas que autorizan la separación de cuerpos, y

2º. Por haber incurrido el otro cónyuge en cesación de pagos, quiebra, oferta de cesión de bienes, insolvencia o concurso de acreedores, disipación o juego habitual, administración fraudulenta o notoriamente descuidada de su patrimonio en forma que menoscabe gravemente los intereses del demandante en la sociedad conyugal.

Artículo 22. El artículo 237 del Código Civil quedará así:

Artículo 237. El matrimonio posterior legitima ipso jure a los hijos concebidos antes y nacidos en él. El marido, con todo, podrá reclamar contra la legitimidad del hijo que nace antes de expirar los ciento ochenta días subsiguientes al matrimonio, si prueba que estuvo en absoluta imposibilidad física de tener acceso a la madre, durante todo el tiempo en que pudo presumirse la concepción según las reglas legales. Pero aun sin esta prueba, podrá reclamar contra la legitimidad del hijo, si no tuvo conocimiento de la preñez al tiempo de casarse, y si por actos positivos no ha manifestado reconocer el hijo después de nacido. Para que valga la reclamación por parte del marido será necesario que se haga en el plazo y forma que se expresan en el capítulo precedente.

Artículo 23. El numeral 4o. del artículo 411 del Código Civil quedará así:

Artículo 411. Se deben alimentos: 4º. A cargo del cónyuge culpable, al cónyuge divorciado o separado de cuerpos sin su culpa.

Artículo 24. El artículo 423 del Código Civil quedará así:

Artículo 423. El juez reglará la forma y cuantía en que hayan de prestarse los alimentos, y podrá disponer que se conviertan en los intereses de un capital que se consigne a este efecto en una caja de ahorros o en otro establecimiento análogo, y se restituya al alimentante o a sus herederos luego que cese la obligación. Igualmente, el juez podrá ordenar que el cónyuge obligado a suministrar alimentos al otro, en razón de divorcio o de separación de cuerpos, preste garantía personal o real para asegurar su cumplimiento en el futuro. Son válidos los pactos de los cónyuges en los cuales, conforme a la ley, se determine por mutuo acuerdo la cuantía de las obligaciones económicas; pero a solicitud de parte podra ser modificada por el mismo juez, si cambiaren las circunstancias que la motivaron; previos los trámites establecidos en el artículo 137 del Código de Procedimiento Civil. En el mismo evento y por el mismo procedimiento podrá cualquiera de los cónyuges solicitar la revisión judicial de la cuantía de las obligaciones fijadas en la sentencia.

Artículo 25. El artículo 1820 del Código Civil quedará así:

Artículo 1820. La sociedad conyugal se disuelve:

1°. Por la disolución del matrimonio.

2°. Por la separación judicial de cuerpos, salvo que fundándose en el mutuo consentimiento de los cónyuges y siendo temporal, ellos manifiesten su voluntad de mantenerla.

3°. Por la sentencia de separación de bienes.

4°. Por la declaración de nulidad del matrimonio, salvo en el caso de que la nulidad haya sido declarada con fundamento en lo dispuesto por el numeral 12 del artículo 140 de este Código. En este evento, no se forma sociedad conyugal, y

5°. Por mutuo acuerdo de los cónyuges capaces, elevado a escritura pública, en cuyo cuerpo se incorporará el inventario de bienes y deudas sociales y su liquidación. No obstante, los cónyuges responderán solidariamente ante los acreedores con título anterior al registro de la escritura de disolución y liquidación de la sociedad conyugal. Para ser oponible a terceros, la escritura en mención deberá registrarse conforme a la ley. Lo dispuesto en este numeral es aplicable a la liquidación de la sociedad conyugal disuelta por divorcio o separación de cuerpos judicialmente decretados.

Artículo 26. El numeral 2 del artículo 414 del Código de Procedimiento Civil quedará así:

Artículo 414. Asuntos sujetos a su trámite. Se tramitarán y decidirán en proceso abreviado los siguientes asuntos, cualquiera que sea su cuantía: 2°. Divorcio del matrimonio civil y separación judicial de cuerpos de los matrimonios civil y canónico, salvo cuando ésta se solicite por mutuo acuerdo de las partes.

Artículo 27. El artículo 423 del Código de Procedimiento Civil quedará así:

Artículo 423. En el proceso de divorcio se observarán las siguientes reglas:

1°. Simultáneamente con la admisión de la demanda de divorcio, o antes, si hubiere urgencia, podrá el juez decretar las siguientes medidas:

a) Autorizar la residencia separada de los cónyuges, y si éstos fueren menores no habilitados de edad, disponer el depósito en casa de sus padres o de sus parientes más próximos o en la de un tercero cuando el juez lo considere conveniente;

b) Poner a los hijos al cuidado de uno de los cónyuges o de uno y otro, o de un tercero, según lo crea más conveniente para su protección;

c) Señalar la cantidad con que cada cónyuge debe contribuir, según sus facultades, para gastos de habitación y sostenimiento del otro cónyuge y de los hijos comunes, y para la educación de éstos;

d) Decretar, en caso de que la mujer esté embarazada, las medidas previstas por la ley para evitar suposición de parto, si el marido lo solicitare, y

e) Decretar, a petición de parte, las medidas cautelares autorizadas en el ordinal 1 del artículo 691 del Código de Procedimiento Civil, sobre los bienes sociales, y también sobre bienes propios, con el fin de garantizar el pago de alimentos a que el cónyuge tuviere derecho, si fuere el caso.

2º. En lo pertinente se aplicará lo dispuesto en el artículo 410 del Código de Procedimiento Civil; pero si el juez lo considera conveniente, deberá oír también a los hijos.

3º. Contestada la demanda de divorcio y la de reconvención en su caso, ordenará el juez la citación de ambos cónyuges para que concurran personalmente a una audiencia de conciliación. Si alguno de los cónyuges no concurriere o fracasare la conciliación, el juez citará para segunda audiencia, la cual tendrá lugar no antes de dos meses ni después de tres de la fecha señalada para la primera. Si tampoco en la segunda audiencia se lograre la conciliación, el juez ordenará continuar el proceso.

4º. Para que el juez declare terminado el proceso por reconciliación, es necesaria solicitud expresa y por escrito de ambos cónyuges, que será presentada personalmente por éstos.

5º. El juez, en la sentencia que decrete el divorcio, decidirá:

a) Poner los hijos menores al cuidado de uno de los cónyuges o de uno y otro, o de otra persona, atendiendo a su edad, sexo y causa probada de divorcio;

b) A quien corresponda la patria potestad sobre los hijos no emancipados, en todos los casos en que la causa probada del divorcio determine suspensión o pérdida de la misma; o si los hijos deben quedar bajo guarda;

c) La proporción en que los cónyuges deben contribuir a los gastos de crianza, educación y establecimiento de los hijos comunes, de acuerdo con lo dispuesto en los incisos 2 y 3 del artículo 257 del Código Civil, y

d) Si fuere el caso, el monto de la pensión alimentaria que uno de los cónyuges deba al otro.

6º. Copia de la sentencia que decrete el divorcio se enviará al respectivo funcionario del Estado Civil para su inscripción en el folio de matrimonio y en el de nacimiento de cada uno de los cónyuges.

Parágrafo 1º. A los procesos de separación de cuerpos de matrimonios civiles y canónicos, en lo que fuere pertinente, se aplicarán las normas del presente artículo.

Parágrafo 1º. En caso de reconciliación de los cónyuges, después de ejecutoriada la sentencia de separación, a solicitud de ambos, el juez de plano dictará sentencia que ponga fin a aquélla.

Parágrafo 3º. Si se trata de matrimonio canónico, se aplicará lo dispuesto en el inciso 2 del artículo 9 del Concordato. En este caso, el Tribunal que conozca del proceso oficiará al Ordinario respectivo para los fines de la acción conciliadora y pastoral prevista en el Concordato.

Parágrafo 4º. El juez en ningún caso podrá decretar el divorcio dentro de un proceso iniciado para obtener la separación de cuerpos, pero podrá decretar la separación de cuerpos, si ésta se solicita subsidiariamente en un proceso iniciado para obtener el divorcio.

Artículo 28. El artículo 442 del Código de Procedimiento Civil quedara adicionado con un numeral, 16 en el orden, del siguiente tenor:

Artículo 442. Procedencia. Se tramitirán en proceso verbal los siguientes asuntos, cualquiera que sea su cuantía: 16. La separación de cuerpos fundada en el mutuo consenso de los cónyuges. En estos procesos se dará cumplimiento a las normas consagradas en los incisos 2º., 3º. y 4º. del artículo 166 del Código Civil.

Artículo 29. La presente Ley se aplicará en cuanto al divorcio, a los matrimonios civiles, y en cuanto a la separación de cuerpos y la separación de bienes, a los matrimonios civiles y católicos, tanto los que se celebren con posterioridad a su vigencia como a los celebrados con anterioridad a ella.

Artículo 30. Los matrimonios católicos celebrados con dispensa basada en los privilegios de la fe no surtirán efectos civiles, mientras no medie el estado de libertad civil de los contrayentes. El respectivo Tribunal Superior del Distrito Judicial, una vez comprobado el estado de libertad de los cónyuges, ordenará la inscripción del matrimonio canónico en el registro del Estado Civil, con el fin de que surta plenos efectos.

Artículo 31. Esta Ley rige desde el día de su promulgación y deroga todas las normas que le sean contrarias, en especial los artículos 6 de la Ley 57 de 1887 y 52 de la Ley 153 del mismo año.

Bogotá, D. E., 19 de enero de 1976.

Publíquese y ejecútese.

DECRETO 902 DE 1988

(mayo 10)

Por el cual se autoriza la liquidación de herencias y sociedades conyugales vinculadas a ellas ante notario público y se dictan otras disposiciones

El Presidente de la República de Colombia, en uso de sus facultades que le concede la Ley 30 de 1987 y oída la Comisión Asesora, creada por el artículo 2º de dicha ley,

DECRETA:

Artículo 1º [Modificado. Art. 1 D. 1729 de 1989] Podrán liquidarse ante notario público las herencias de cualquier cuantía y las sociedades conyugales cuando fuere el caso, siempre que los herederos, legatarios y el cónyuge sobreviviente, o los cesionarios de éstos, sean plenamente capaces, procedan de común acuerdo y lo soliciten por escrito mediante apoderado, que deberá ser abogado titulado e inscrito.

También los acreedores podrán suscribir la solicitud, sin perjuicio de la citación a que se refiere el artículo 3º de este Decreto.

Cuando el valor de los bienes relictos sea de cien mil pesos ($100.000. oo), no será necesaria la intervención de apoderado. El valor señalado se incrementará en las fechas y porcentajes previstos en el artículo 3º del Decreto 522 de 1988.

La solicitud deberá presentarse personalmente por los apoderados o lo peticionarios, según el caso, ante el notario del círculo que corresponda al último domicilio del causante en el territorio nacional, y si éste tenía varios, al del asiento principal de sus negocios. Si en el lugar hubiere más de un notario, podrá presentarse la solicitud ante cualquiera de ellos, a elección unánime de los interesados.

Parágrafo. Al trámite de este Decreto también podrá acogerse el heredero único.

Artículo 2º [Modificado. Art. 2 D. 1729 de 1989] La solicitud deberá contener: el nombre y vecindad de los peticionarios y la indicación del interés que les asiste para formularla; el nombre y último domicilio del causante, y la manifestación de si se acepta la herencia pura y simplemente o con beneficio de inventario, cuando se trate de heredero.

Además, los peticionarios o sus apoderados, deberán afirmar bajo juramento que se considerará prestado por la firma de la solicitud que no conocen otros interesados de igual o mejor derecho del que ellos tienen, y que no saben de la existencia de otros legatarios o acreedores distintos de los que se enuncian en las relaciones de activos y pasivos que se acompañan a la solicitud.

No obstante, si de los documentos aportados con la solicitud se infiere que el causante había contraído matrimonio, el notario exigirá que la solicitud sea presentada conjuntamente con el cónyuge, a menos que se demuestre su muerte o la disolución de la sociedad conyugal.

La ocultación de herederos, del cónyuge supérstite, delegatarios, de cesionarios de derechos herenciales, del albacea, de acreedores, de bienes o testamento, y la declaración de pasivos no existentes, hará que los responsables queden solidariamente obligados a indemnizar a quienes resulten perjudicados por ella, sin perjuicio de las sanciones que otras leyes establezcan.

Artículo 3° Para la liquidación de la herencia y de la sociedad conyugal cuando fuere el caso, se procederá así:

1. Los solicitantes presentarán al notario los documentos indicados en el artículo 588 del Código de Procedimiento Civil, el inventario y avalúo de los bienes, la relación del pasivo de la herencia y de la sociedad conyugal si fuere el caso, y el respectivo trabajo de participación o adjudicación.

2. [Modificado. Art. 3 D. 1729 de 1989] Si la solicitud y la documentación anexa se ajustan a las exigencias de este Decreto, el notario la aceptará mediante acta y ordenará la citación de las personas que tengan derecho a concurrir a la liquidación, por medio de edicto emplazatorio que se publicará que se publicará en un periódico de circulación nacional, se difundirá por una vez en una emisora del lugar si la hubiere y se fijará por el término de diez (10) días en sitio visible de la notaría.

Así mismo dará inmediatamente a la oficina de cobranzas o a la Administración de Impuestos Nacionales que corresponde, el aviso que exigen las disposiciones legales sobre el particular y comunicará a la Superintendencia de Notariado y Registro, la iniciación del trámite, informando el nombre del causante y el número de cédula de ciudadanía o la tarjeta de identidad, o el NIT, según el caso.

Publicado el edicto en el periódico respectivo, se presentará al notario la página en el cual conste la publicación de aquel y exigirá la certificación de la radiodifusora, cuando a ello hubiere lugar.

Si faltare alguno de los requisitos exigidos en el presente Decreto, el notario devolverá la solicitud a quienes la hubieren presentado, con las correspondientes observaciones.

3. Diez (10) días después de publicado el edicto sin que se hubiere formulado oposición por algún interesado y cumplida la intervención de las autoridades tributarias en los términos establecidos por las disposiciones correspondientes, siempre que los impuestos a cargo del causante hubieren sido cancelados o se hubiere celebrado acuerdo de pago con los respectiva autoridad, procederá el notario a extender escritura pública, con la cual quedará solemnizada y perfeccionada la partición o adjudicación de la herencia y la liquidación de la sociedad conyugal si fuere el caso. Dicha escritura deberá ser suscrita por los asignatarios y el cónyuge, si fuere el caso, o por sus apoderados.

De la misma forma podrá proceder el notario, si dentro de los términos establecidos por las normas tributarias, la Oficina de Cobranzas o el Administrador de Impuestos Nacionales correspondiente no hubiere concurrido a la liquidación notarial para obtener el pago de los impuestos a cargo del causante.

El notario no podrá extender la respectiva escritura, sin el lleno de los requisitos exigidos por el presente numeral.

4. Si después de presentada la solicitud de que trata el artículo 1° y antes de que se suscriba la escritura de que trata el numeral anterior, falleciere un heredero, legatario o el cónyuge sobreviviente, el trámite de la liquidación continuará con su apoderado, siempre que sus sucesores sean plenamente capaces y no revoquen el poder.

Si no se cumplieren los requisitos establecidos en el inciso anterior, el notario dará por terminada la actuación y entregará el expediente a los interesados. De esta misma manera deberá proceder el notario cuando en alguno de los sucesos sobreviniere una incapacidad.

5. Si antes de suscribirse la escritura de que trata el numeral 3 del presente artículo, se presentará otro interesado de los que determina el artículo 1312 del Código Civil, deberán rehacerse de común acuerdo, por todos los interesados, la partición de la herencia y la liquidación de la sociedad conyugal si fuere el caso.

Si no existiere acuerdo, se dará por terminada la actuación notarial, debiendo el notario entregar el expediente a los interesados.

6. Si después de suscrita la mencionada escritura aparecieren nuevos interesados, éstos podrán hacer valer ante el Juez competente sus derechos, o solicitar al mismo notario, conjuntamente con los que intervinieron en la anterior liquidación, que esta se rehaga, para lo cual se aplicará lo dispuesto en los numerales anteriores. Para efectos de la liquidación notarial adicional no es necesario repartir la documentación que para la primera se hubiere presentado, ni nuevo emplazamiento.

7. Si durante el trámite de la liquidación sugiere desacuerdo entre los interesados que hayan concurrido a solicitarla o intervenido posteriormente, el notario dará por terminada la actuación y les devolverá el expediente.

8. [Modificado. Art. 4 D. 1729 de 1989] Cuando después de otorgada la escritura pública que pone fin a la liquidación notarial, aparecieren nuevos bienes del causante o de la sociedad conyugal, o cuando se hubiesen dejado de incluir en aquélla bienes inventariados en el trámite de dicha liquidación, podrán los interesados solicitar al mismo notario una liquidación adicional, para lo cual no será necesario repartir la documentación que para la primera se hubiere presentado, ni nuevo emplazamiento.

Si después de terminado un proceso de sucesión por la vía judicial, aparecieren nuevos bienes del causante o de la sociedad conyugal, podrán los interesados acudir a la liquidación adicional, observando para ello el trámite de la liquidación de herencia ante notario.

Artículo 4º Podrán acumularse en una sola actuación las liquidaciones de las herencias de ambos cónyuges.

Artículo 5º Copia de las escrituras de que tratan los numerales 3, 6 y 8 del artículo 3º, deberá registrarse en las Oficinas de Registro de Instrumentos Públicos correspondientes al lugar de ubicación de los bienes raíces, objeto de la participación o adjudicación. Si en la partición o adjudicación figuran derechos en sociedades comerciales, se inscribirán en la Cámara de Comercio del domicilio principal de éstas cuando fuere el caso de la misma manera se procederá cuando se adjudiquen bienes que por disposición legal estén sujetos a otra clase de registro.

Artículo 6° Si transcurridos dos (2) meses a partir de la fecha en que según el numeral 3 del artículo 3° del presente Decreto, deba otorgarse la escritura pública, y ésta no hubiere sido suscrita, se considerará que los interesados han desistido de la solicitud de liquidación notarial. En este caso, el notario dará por terminada la actuación, y dejará constancia de ello, debiendo los interesados, si existe acuerdo unánime, iniciar nueva actuación.

Artículo 7° Si se estuvieren adelantando simultáneamente dos o más liquidaciones notariales de una misma herencia o sociedad conyugal, los notarios que conocieren de ellos, deberán devolver las actuaciones a los respectivos interesados, o a sus apoderados, tan pronto conozcan por cualquier medio dicha situación, para que éstos promuevan, de común acuerdo, una sola liquidación notarial o inicien proceso judicial de sucesión.

Cuando la Superintendencia de Notariado y Registro tenga conocimiento de que causan varias liquidaciones de la misma herencia o sociedad conyugal, ordenará a los respectivos notarios que procedan como lo dispone el inciso anterior.

Artículo 8° Quien tenga conocimiento de que se están adelantando simultáneamente varias actuaciones notariales para la liquidación de la misma herencia o sociedad conyugal, informará tal circunstancia a los respectivos notarios o a la Superintendencia de Notariado y Registro, para que procedan en la forma que se determine en el artículo anterior.

Artículo 9° Cuando se otorgaren varias escrituras de participación o adjudicación de una misma herencia, y en ellas se hubieren incluido bienes sujetos a cualquiera de los registros establecidos por la ley, prevalecerá aquella que primero hubiere sido registrada. En este caso, los registradores se abstendrán de registrar escrituras de otras notarías sobre la misma herencia, y procederán a devolverlas a los respectivos notarios con la correspondiente anotación.

Si en las escrituras no se hallaren incluidos bienes sujetos a registro, prevalecerá aquella que primero hubiere sido otorgada.

Lo anterior no obstante para cualquier interesado pueda acudir ante el juez, a fin de que esté decidido definitivamente sobre la participación o adjudicación de la herencia.

Lo dispuesto en el presente artículo se entiende sin perjuicio de lo establecido por los numerales 6 y 8 del artículo 3º del presente Decreto.

Artículo 10. Si antes de otorgarse la escritura de pública de que tratan los numerales 3 y 5 del artículo 3º, se hubiere iniciado proceso judicial de sucesión del mismo del mismo causante o liquidación de sociedad conyugal y se llevare la respectiva prueba al notario que esté conociendo de ellas, deberá éste dar por terminada la actuación y enviarla al juez ante el cual se estuviere adelantando dicho proceso.

Artículo 11. Los interesados en procesos de sucesión o liquidación de sociedad conyugal en curso, si fueren plenamente capaces, podrán optar por el trámite notarial. La solicitud, dirigida al notario, deberá ser suscrita por todos los interesados y presentada personalmente mediante apoderado. A ella se deberán anexar los documentos referidos en este Decreto y copia autenticada de la petición dirigido al juez que conoce del correspondiente proceso, para que suspenda la actuación judicial.

Concluido el trámite notarial, el notario comunicará tal hecho al juez respectivo, quien dará por terminado el proceso y dispondrá su archivo.

Artículo 12. La base para la liquidación de los derechos notariales será el valor del patrimonio líquido de la herencia o de la sociedad conyugal en su caso, de acuerdo con las tarifas que fije el Gobierno para la autorización de escrituras públicas.

Artículo 13. El presente Decreto rige a partir del 1º de junio de 1988 y deroga las disposiciones legales que le sean contrarias.

Publíquese y cúmplase.

Dado en Bogotá, D. E., a 10 de mayo de 1988.

LEY 54 DE 1990
(diciembre 28)
por la cual se definen las uniones maritales de hecho y régimen patrimonial entre compañeros permanentes

El Congreso de Colombia,

DECRETA:

Artículo 1°. A partir de la vigencia de la presente Ley y para todos los efectos civiles, se denomina Unión Marital de Hecho, la formada entre un hombre y una mujer, que sin estar casados, hacen una comunidad de vida permanente y singular.

Igualmente, y para todos los efectos civiles, se denominan compañero y compañera permanente, al hombre y la mujer que forman parte de la unión marital de hecho.

Artículo 2°. [Modificado. Art. 1 L. 979 de 2005] Se presume sociedad patrimonial entre compañeros permanentes y hay lugar a declararla judicialmente en cualquiera de los siguientes casos:

a) Cuando exista unión marital de hecho *durante un lapso no inferior a dos años*[***], entre un hombre y una mujer sin impedimento legal para contraer matrimonio;

b) Cuando exista una unión marital de hecho por un lapso no inferior a dos años *e impedimento legal para contraer matrimonio por parte de uno o de ambos compañeros permanentes*[****], *siempre y cuando la sociedad o sociedades conyugales anteriores hayan sido disueltas*[*****] y *[liquidadas]*[*] *[por lo menos un año]*[**] *antes de la fecha en que se inició la unión marital de hecho*[******].

Los compañeros permanentes que se encuentren en alguno de los casos anteriores podrán declarar la existencia de la sociedad patrimonial acudiendo a los siguientes medios:

1. Por mutuo consentimiento declarado mediante escritura pública ante Notario donde dé fe de la existencia de dicha sociedad y acrediten la unión marital de hecho y los demás presupuestos que se prevén en los literales a) y b) del presente artículo.

2. Por manifestación expresa mediante acta suscrita en un centro de conciliación legalmente reconocido demostrando la existencia de los requisitos previstos en los literales a) y b) de este artículo.

[*] Inexeq. C-700 de 2013: «*Primero.- DECLARAR INEXEQUIBLE la expresión "y liquidadas" contenida en el literal b) del artículo 2° de la Ley 54 de 1990 modificado por el artículo 1° de la Ley 979 de 2005*».

[**] Inexeq. C-193 de 2016: «*Declarar (…) INEXEQUIBLE la expresión "por lo menos un año" consagrada en [en el artículo 2° literal b) de la Ley 54 de 1990], por las razones expuestas en la parte motiva de esta providencia*».

[***] Exeq. C-257 de 2015.

[****] Exeq. C-014 de 1998.

[*****] Exeq. C-193 de 2016.

Artículo 3°. El patrimonio o capital producto del trabajo, ayuda y socorro mutuos pertenece por partes iguales a ambos compañeros permanentes.

Parágrafo. No formarán parte del haber de la sociedad, los bienes adquiridos en virtud de donación, herencia o legado, ni los que se hubieren adquirido antes de iniciar la unión marital de hecho, pero sí lo serán los réditos, rentas, frutos *o mayor valor que produzcan estos bienes durante la unión marital de hecho.*

Exeq. Cond. C-014 de 1998: «*Segundo.- Declarar EXEQUIBLE, únicamente en relación con el cargo formulado por el actor, la expresión "o mayor valor que produzcan estos bienes durante la unión marital de hecho", contenida en el parágrafo del artículo 3 de la Ley 54 de 1990. Ello bajo el entendido de que la valorización que experimentan los bienes propios de los convivientes, por causa de la corrección monetaria, no forma parte de la sociedad patrimonial*».

Artículo 4°. [Modificado. Art. 2 L. 979 de 2005] La existencia de la unión marital de hecho entre compañeros permanentes, se declarará por cualquiera de los siguientes mecanismos:

1. Por escritura pública ante Notario por mutuo consentimiento de los compañeros permanentes.

2. Por Acta de Conciliación suscrita por los compañeros permanentes, en centro legalmente constituido.

3. Por sentencia judicial, mediante los medios ordinarios de prueba consagrados en el Código de Procedimiento Civil, con conocimiento de los Jueces de Familia de Primera Instancia.

Artículo 5°. [Modificado. Art. 3 L. 979 de 2005] **La sociedad patrimonial entre compañeros permanentes se disuelve por los siguientes hechos:**

1. Por mutuo consentimiento de los compañeros permanentes elevado a Escritura Pública ante Notario.

2. De común acuerdo entre compañeros permanentes, mediante acta suscrita ante un Centro de Conciliación legalmente reconocido.

3. Por Sentencia Judicial.

4. Por la muerte de uno o ambos compañeros.

Artículo 6°. [Modificado. Art. 4 L. 979 de 2005] Cualquiera de los compañeros permanentes o sus herederos podrán pedir la declaración, disolución y liquidación de la Sociedad Patrimonial y la adjudicación de los bienes.

Cuando la causa de la disolución y liquidación de la Sociedad Patrimonial sea, la muerte de uno o ambos compañeros permanentes, la liquidación podrá hacerse dentro del respectivo proceso de sucesión, siempre y cuando previamente se haya logrado su declaración conforme a lo dispuesto en la presente ley.

Artículo 7°. *A la liquidación de la sociedad patrimonial entre compañeros permanentes, se aplicarán las normas contenidas en el Libro 4°, Título XXII, Capítulos I al VI del Código Civil.*

[Inciso 2° Derogado. Art. 626 C.G.P.]

Art. 626 C.G.P.: «*A partir de la entrada en vigencia de esta ley, en los terminos del numeral 6 del artículo 627, queda derogada (...) la expresión "Los procesos de disolución y liquidación de sociedad patrimonial entre compañeros permanentes, se tramitará por el procedimiento establecido en el Título XXX del Código de Procedimiento Civil y serán del conocimiento de los jueces de familia, en primera instancia" del artículo 7° y 6° parágrafo de la Ley 54 de 1990*». Exeq. C-239 de 1994.

Artículo 8°. Las acciones para obtener la disolución y liquidación de la sociedad patrimonial entre compañeros permanentes, prescriben en un año, a partir de la separación física y definitiva de los compañeros, del matrimonio con terceros o de la muerte de uno o de ambos compañeros.

Parágrafo. La prescripción de que habla este artículo se interrumpirá con la presentación de la demanda.

Artículo 9°. La presente Ley rige a partir de la fecha de su promulgación y deroga las disposiciones que le sean contrarias.

Publíquese y ejecútese.

Bogotá, D. E., 28 de diciembre de 1990.

LEY 33 DE 1992

(diciembre 30)

por medio de la cual se se aprueba el «Tratado de Derecho Civil Internacional y el Tratado de Derecho Comercial Internacional», firmados en Montevideo el 12 de febrero de 1989

El Congreso de Colombia,

Vistos los textos del «Tratado de Derecho Civil Internacional» y el «Tratado de Derecho Comercial Internacional», firmados en Montevideo el 12 de febrero de 1889, que a la letra dicen:

TRATADO DE DERECHO CIVIL INTERNACIONAL

Firmado el 12 de febrero de 1889.

(...)

TÍTULO I. De las personas

Artículo 1°. La capacidad de las personas se rige por las leyes de su domicilio.

Artículo 2°. El cambio de domicilio no altera la capacidad adquirida por emancipación, mayor edad o habilitación judicial.

Artículo 3°. El Estado en el carácter de persona jurídica tiene capacidad para adquirir derechos y contraer obligaciones en el territorio de otro Estado, de conformidad a las leyes de este último.

Artículo 4°. La existencia y capacidad de las personas jurídicas de carácter privado se rige por las leyes del país en el cual han sido reconocidas como tales.

El carácter que revisten las habilita plenamente para ejercitar fuera del lugar de su institución todas las acciones y derechos que les correspondan. Mas, para el ejercicio de actos comprendidos en el objeto especial de su institución, se sujetarán a las prescripciones establecidas por el Estado en el cual intenten realizar dichos actos.

TÍTULO II. Del domicilio

Artículo 5°. La ley del lugar en el cual reside la persona determina las condiciones requeridas para que la residencia constituya domicilio.

Artículo 6°. Los padres, tutores y curadores tienen su domicilio en el territorio del Estado por cuyas leyes se rigen las funciones que desempeñan.

Artículo 7°. Los incapaces tienen el domicilio de sus representantes legales.

Artículo 8°. El domicilio de los cónyuges es el que tiene constituido el matrimonio y en defecto de éste, se reputa por tal el del marido. La mujer separada judicialmente conserva el domicilio del marido, mientras no constituya otro.

Artículo 9°. Las personas que no tuvieren domicilio conocido lo tienen en el lugar de su residencia.

TÍTULO III. De la ausencia

Artículo 10. Los efectos jurídicos de la declaración de ausencia respecto a los bienes del ausente, se determinan por la ley del lugar en que esos bienes se hallan situados.

Las demás relaciones jurídicas del ausente seguirán gobernándose por la ley que anteriormente las regía.

TÍTULO IV. Del matrimonio

Artículo 11. La capacidad de las personas para contraer matrimonio, la forma del acto y la existencia y validez del mismo, se rigen por la ley del lugar en que se celebra.

Sin embargo, los Estados signatarios no quedan obligados a reconocer el matrimonio que se hubiere celebrado en uno de ellos cuando se halle afectado de alguno de los siguientes impedimentos:

a) Falta de edad de alguno de los contrayentes, requiriéndose como mínimum 14 años cumplidos en el varón y 12 en la mujer;

b) Parentesco en línea recta por consanguinidad o afinidad, sea legítimo o ilegítimo;

c) Parentesco entre hermanos legítimos o ilegítimos;

d) Haber dado muerte a uno de los cónyuges, ya sea como autor principal o como cómplice, para casarse con el cónyuge supérstite.

e) El matrimonio anterior no disuelto legalmente.

Artículo 12. Los derechos y deberes de los cónyuges en todo cuanto afecta sus relaciones personales, se rigen por las leyes del domicilio matrimonial.

Si los cónyuges mudaren de domicilio, dichos derechos y deberes se regirán por las leyes del nuevo domicilio.

Artículo 13. La ley del domicilio matrimonial rige:

a) La separación conyugal;

b) La disolubilidad del matrimonio, siempre que la causa alegada sea admitida por la ley del lugar en el cual se celebró.

TÍTULO V. De la patria potestad

Artículo 14. La patria potestad, en lo referente a los derechos y deberes personales, se rige por la ley del lugar en que se ejercita.

Artículo 15. Los derechos que la patria potestad confiere a los padres sobre los bienes de los hijos, así como su enajenación y demás actos que los afecten, se rigen por la ley del Estado en que dichos bienes se hallan situados.

TÍTULO VI. De la filiación

Artículo 16. La ley que rige la celebración del matrimonio determina la filiación legítima y la legitimación por subsiguiente matrimonio.

Artículo 17. Las cuestiones sobre legitimidad de la filiación, ajenas a la validez o nulidad del matrimonio, se rigen por la ley del domicilio conyugal en el momento del nacimiento del hijo.

Artículo 18. Los derechos y obligaciones concernientes a la filiación ilegítima se rigen por la ley del Estado en el cual hayan de hacerse efectivos.

TÍTULO VII. De la tutela y curatela

Artículo 19. El discernimiento de la tutela y curatela se rige por la ley del lugar del domicilio de los incapaces.

Artículo 20. El cargo de tutor o curador discernido en alguno de los Estados signatarios, será reconocido en todos los demás.

Artículo 21. La tutela y curatela, en cuanto a los derechos y obligaciones que imponen, se rigen por la ley del lugar en que fue discernido el cargo.

Artículo 22. Las facultades de los tutores y curadores de los bienes que los incapaces tuvieren fuera del lugar de su domicilio, se ejercitarán conforme a la ley del lugar en que dichos bienes se hallan situados.

Artículo 23. La hipoteca legal que las leyes acuerdan a los incapaces sólo tendrá efecto cuando la ley del Estado en el se ejerce el cargo de tutor o curador concuerde con la de aquel en que se hallan situados los bienes afectados por ella.

TÍTULO VIII. Disposiciones comunes a los Título IV, V y VII

Artículo 24. Las medidas urgentes que conciernen a las relaciones personales entre cónyuges, al ejercicio de la patria potestad y a la tutela y curatela, se rigen por la ley del lugar en que residen los cónyuges, padres de familia, tutores y curadores.

Artículo 25. La remuneración que las leyes acuerdan a los padres, tutores y curadores y la forma de la misma, se rige y determina por la ley del Estado en el cual fueron discernidos tales cargos.

TÍTULO IX. De los bienes

Artículo 26. Los bienes, cualquiera que sea su naturaleza, son exclusivamente regidos por la ley del lugar donde existen en cuanto a su calidad, a su posesión, a su enajenabilidad absoluta o relativa y a todas las relaciones de derecho de carácter real de que son susceptibles.

Artículo 27. Los buques, en aguas no jurisdiccionales, se reputan situados en el lugar de su matrícula.

Artículo 28. Los cargamentos de los buques, en aguas no jurisdiccionales, se reputan situados en el lugar del destino definitivo de las mercaderías.

Artículo 29. Los derechos creditorios se reputan situados en el lugar en que la obligación de su referencia debe cumplirse.

Artículo 30. El cambio de situación de los bienes muebles no afecta los derechos adquiridos con arreglo a la ley del lugar donde existan al tiempo de su adquisición. Sin embargo, los interesados están obligados a llenar los requisitos de fondo o de forma exigidos por la ley del lugar de la nueva situación para la adquisición o conservación de los derechos mencionados.

Artículo 31. Los derechos adquiridos por terceros sobre los mismos bienes, de conformidad a la ley del lugar de su nueva situación, después del cambio operado y antes de llenarse los requisitos referidos, priman sobre los del primer adquirente.

TÍTULO X. De los actos jurídicos

Artículo 32. La ley del lugar donde los contratos deben cumplir se decide si es necesario que se hagan por escrito y la calidad del documento correspondiente. Artículo 33. La misma ley rige:
a) Su existencia;
b) Su naturaleza;
c) Su validez;
d) Sus efectos;
e) Sus consecuencias;
f) Su ejecución;
g) En suma, todo cuanto concierne a los contratos, bajo cualquier aspecto que sea.

Artículo 34. En consecuencia, los contratos sobre cosas ciertas e individualizadas se rigen por la ley del lugar donde ellas existían al tiempo de su celebración. Los que recaigan sobre cosas determinadas por su género, por la del lugar del domicilio del deudor, al tiempo en que fueron celebrados. Los referentes a cosas fungibles, por la del lugar del domicilio del deudor al tiempo de su celebración. Los que versen sobre prestación de servicios:

a) Si recaen sobre cosas, por la del lugar donde ellas existían al tiempo de su celebración;

b) Si su eficacia se relaciona con algún lugar especial, por la de aquel donde hayan de producir sus efectos;

c) Fuera de estos casos por la del lugar del domicilio del deudor al tiempo de la celebración del contrato.

Artículo 35. El contrato de permuta sobre cosas situadas en distintos lugares, sujetos a leyes disconformes, se rige por la del domicilio de los contrayentes si fuese común al tiempo de celebrarse la permuta y por la del lugar en que la permuta se celebró si el domicilio fuese distinto.

Artículo 36. Los contratos accesorios se rigen por la ley de la obligación principal de su referencia.

Artículo 37. La perfección de los contratos celebrados por correspondencia o mandatario se rige por la ley del lugar del cual partió la oferta.

Artículo 38. Las obligaciones que nacen sin convención se rigen por la ley del lugar donde se produjo el hecho lícito o ilícito de que proceden.

Artículo 39. Las formas de los instrumentos públicos se rigen por la ley del lugar en que se otorgan. Los instrumentos privados por la ley del lugar del cumplimiento del contrato respectivo.

TÍTULO XI. De las capitulaciones matrimoniales

Artículo 40. Las capitulaciones matrimoniales rigen las relaciones de los esposos respecto de los bienes que tengan al tiempo de celebrarlas y de los que adquieran posteriormente, en todo lo que no esté prohibido por la ley del lugar de su situación.

Artículo 41. En defecto de capitulaciones especiales, en todo lo que ellas no hayan previsto y en todo lo que no esté prohibido por la ley del lugar de la situación de los bienes, las relaciones de los esposos sobre dichos bienes se rigen por la ley del domicilio conyugal que hubieren fijado, de común acuerdo, antes de la celebración del matrimonio.

Artículo 42. Si no hubiesen fijado de antemano un domicilio conyugal, las mencionadas relaciones se rigen por la ley del domicilio del marido al tiempo de la celebración del matrimonio.

Artículo 43. El cambio de domicilio no altera las relaciones de los esposos en cuanto a los bienes, ya sean adquiridos antes o después del cambio.

TÍTULO XII. De las sucesiones

Artículo 44. La ley del lugar de la situación de los bienes hereditarios, al tiempo de la muerte de la persona de cuya sucesión se trate, rige la forma del testamento.

Esto no obstante, el testamento otorgado por acto público en cualquiera de los Estados contratantes será admitido en todos los demás.

Artículo 45. La misma ley de la situación rige:
a) La capacidad de la persona para testar;
b) La del heredero o legatario para suceder;
c) La validez y efectos del testamento;
d) Los títulos y derechos hereditarios de los parientes y del cónyuge supérstite;
e) La existencia y proporción de las legítimas;
f) La existencia y monto de los bienes reservables;
g) En suma, todo lo relativo a la sucesión legítima o testamentaria.

Artículo 46. Las deudas que deban ser satisfechas en alguno de los Estados contratantes gozarán de preferencia sobre los bienes allí existentes al tiempo de la muerte del causante.

Artículo 47. Si dichos bienes no alcanzaren para la cancelación de las deudas mencionadas, los acreedores cobrarán sus saldos proporcionalmente sobre los bienes dejados en otros lugares, sin perjuicio del preferente derecho de los acreedores locales.

Artículo 48. Cuando las deudas deben ser canceladas en algún lugar en que el causante no haya dejado bienes, los acreedores exigirán su pago proporcionalmente sobre los bienes dejados en otros lugares, con la misma salvedad establecida en el artículo precedente.

Artículo 49. Los legados de bienes determinados por su género y que no tuvieren lugar designado para su pago se rigen por la ley del lugar del domicilio del testador al tiempo de su muerte, se harán efectivos sobre los bienes que deje en dicho domicilio y, en defecto de ellos o por su saldo, se pagarán proporcionalmente de todos los demás bienes del causante.

Artículo 50. La obligación de colacionar se rige por la ley de la sucesión en que ella sea exigida.

Si la colación consiste en algún bien raíz o mueble, se limitará a la sucesión de que ese bien dependa.

Cuando consista en alguna suma de dinero, se repartirá entre todas las sucesiones a que concurra el heredero que deba la colación proporcionalmente a su haber en cada una de ellas.

TÍTULO XIII. De la prescripción

Artículo 51. La prescripción extintiva de las acciones personales se rige por la ley a que las obligaciones correlativas están sujetas.

Artículo 52. La prescripción extintiva de acciones reales se rige por la ley del lugar de la situación del bien gravado.

Artículo 53. Si el bien gravado fuese mueble y hubiese cambiado de situación, la prescripción se rige por la ley del lugar en que se haya completado el tiempo necesario para prescribir.

Artículo 54. La prescripción adquisitiva de bienes muebles o inmuebles se rige por la ley del lugar en que están situados.

Artículo 55. Si el bien fuese mueble y hubiese cambiado de situación, la prescripción se rige por la ley del lugar en que se haya completado el tiempo necesario para prescribir.

TÍTULO XIV. De la jurisdicción

Artículo 56. Las acciones personales deben entablarse ante los jueces del lugar a cuya ley está sujeto el acto jurídico materia del juicio.

Podrán entablarse igualmente ante los jueces del domicilio del demandado.

Artículo 57. La declaración de ausencia debe solicitarse ante el juez del último domicilio del presunto ausente.

Artículo 58. El juicio sobre capacidad o incapacidad de las personas para el ejercicio de los derechos civiles debe seguirse ante el juez de su domicilio.

Artículo 59. Las acciones que procedan del ejercicio de la patria potestad y de la tutela y curatela sobre la persona de los menores e incapaces y de éstos contra aquéllos, se ventilarán, en todo lo que se les afecte personalmente, ante los tribunales del país en que estén domiciliados los padres, tutores o curadores.

Artículo 60. Las acciones que versen sobre la propiedad, enajenación o actos que afecten los bienes de los incapaces, deben ser deducidas ante los jueces del lugar en que esos bienes se hallan situados.

Artículo 61. Los jueces del lugar en el cual fue discernido el cargo de tutor o curador son competentes para conocer del juicio de rendición de cuentas.

Artículo 62. El juicio sobre nulidad del matrimonio, divorcio, disolución y en general todas las cuestiones que afecten las relaciones personales de los esposos se iniciarán ante los jueces del domicilio conyugal.

Artículo 63. Serán competentes para resolver las cuestiones que surjan entre esposos sobre enajenación u otros actos que afecten los bienes matrimoniales los jueces del lugar en que estén ubicados esos bienes.

Artículo 64. Los jueces del lugar de la residencia de las personas son competentes para conocer de las medidas a que se refiere el artículo 24.

Artículo 65. Los juicios relativos a la existencia y disolución de cualquier sociedad civil deben seguirse ante los jueces del lugar de su domicilio.

Artículo 66. Los juicios a que dé lugar la sucesión por causa de muerte se seguirán ante los jueces de los lugares en que se hallen situados los bienes hereditarios.

Artículo 67. Las acciones reales y las denominadas mixtas deben ser deducidas ante los jueces del lugar en el cual existe a cosa sobre que la acción recaiga.

Si comprendieren cosas situadas en distintos lugares, el juicio debe ser promovido ante los jueces del lugar de cada una de ellas.

Disposiciones generales

Artículo 68. No es indispensable para la vigencia de este Tratado su ratificación simultánea por todas las naciones signatarias. La que lo apruebe, lo comunicará a los Gobiernos de la Repúblicas Argentina y Oriental del Uruguay para que lo hagan saber a las demás Naciones Contratantes. Este procedimiento hará las veces de canje.

Artículo 69. Hecho el canje en la forma del artículo anterior este Tratado quedará en vigor desde ese acto por tiempo indefinido.

Artículo 70. Si alguna de las Naciones signatarias creyese conveniente desligarse del Tratado o introducir modificaciones en él, lo enviará a las demás; pero no quedará desligada sino dos años después de la denuncia, término en que se procurará llegar a un nuevo acuerdo.

Artículo 71. El artículo 68 es extensivo a las Naciones que, no habiendo concurrido a este Congreso, quisieran adherirse al presente Tratado.

En fe de lo cual, los Plenipotenciarios de las Naciones mencionadas lo firman y lo sellan en el número de cinco ejemplares, en Montevideo, a los doce días del mes de febrero del año de mil ochocientos ochenta y nueve.

(...)

Tratado de derecho comercial internacional

Firmado el 12 de febrero de 1889

(...)

LEY 258 DE 1996
(enero 17)
por la cual se establece la afectación a vivienda familiar y se dictan otras disposiciones

El Congreso de Colombia,

DECRETA:

CAPÍTULO I. Afectación a vivienda familiar

Artículo 1. [Modificado. Art. 1 L. 854 de 2003] **Definición.** Entiéndese afectado a vivienda familiar el bien inmueble adquirido en su totalidad por uno de los cónyuges, antes o después de la celebración del matrimonio destinado a la habitación de la familia.

Artículo 2. Constitución de la afectación. La afectación a que se refiere el artículo anterior opera por ministerio de la ley respecto a las viviendas que se adquieran con posterioridad a la vigencia de la presente ley.

Los inmuebles adquiridos antes de la vigencia de la presente ley podrán afectarse a vivienda familiar mediante escritura pública otorgada por ambos cónyuges, o conforme al procedimiento notarial o judicial establecido en la presente ley.

Artículo 3. Doble firma. Los inmuebles afectados a vivienda familiar solo podrán enajenarse, o constituirse gravamen u otro derecho real sobre ellos con el consentimiento libre de ambos cónyuges, el cual se entenderá expresado con su firma.

Artículo 4. Levantamiento de la afectación. Ambos cónyuges podrán levantar en cualquier momento, de común acuerdo y mediante escritura pública sometida a registro, la afectación a vivienda familiar.

En todo caso podrá levantarse la afectación, a solicitud de uno de los cónyuges, en virtud de providencia judicial en los siguientes eventos:

1. Cuando exista otra vivienda efectivamente habitada por la familia o se pruebe siquiera sumariamente que la habrá; circunstancias éstas que serán calificada por el juez.

2. Cuando la autoridad competente decrete la expropiación del inmueble o el juez de ejecuciones fiscales declare la existencia de una obligación tributaria o contribución de carácter público.

3. Cuando judicialmente se suspenda o prive de la patria potestad a uno de los cónyuges.

4. Cuando judicialmente se declare la ausencia de cualquiera de los cónyuges.

5. Cuando judicialmente se declare la incapacidad civil de uno de los cónyuges.

6. Cuando se disuelva la sociedad conyugal por cualquiera de las causas previstas en la ley.

7. Por cualquier justo motivo apreciado por el juez de familia para levantar la afectación, a solicitud de un cónyuge, del Ministerio Público o de un tercero perjudicado o defraudado con la afectación.

Parágrafo 1. En los eventos contemplados en el numeral segundo de este artículo, la entidad pública expropiante o acreedora del impuesto o contribución, podrá solicitar el levantamiento de la afectación.

Parágrafo 2. [Modificado. Art. 2 L. 854 de 2003] La afectación a vivienda familiar se extinguirá de pleno derecho, sin necesidad de pronunciamiento judicial, por muerte real o presunta de uno o ambos cónyuges, salvo que por una justa causa los herederos menores que estén habitando el inmueble soliciten al juez que la afectación se mantenga por el tiempo que esta fuera necesaria. De la solicitud conocerá el Juez de Familia o el Juez Civil Municipal o Promiscuo Municipal, en defecto de aquel, mediante proceso verbal sumario.

La anterior medida no podrá extenderse más allá de la fecha en que los menores cumplan la mayoría de edad o se emancipen, caso en el cual, el levantamiento de la afectación opera de pleno derecho, o cuando por invalidez o enfermedad grave, valorada por el Juez, al menor le sea imposible valerse por sí mismo.

Artículo 5. Oponibilidad. La afectación a vivienda familiar a que se refiere la presente ley solo será oponible a terceros a partir de anotación ante la Oficina de Registro de Instrumentos Públicos y en el correspondiente Folio de Matrícula Inmobiliaria.

Parágrafo. Las viviendas de interés social construidas como mejoras en predio ajeno podrán registrarse como tales en el Folio de Matrícula Inmobiliaria del inmueble respectivo y sobre ellas constituirse afectación a vivienda familiar o patrimonio de familia inembargable, sin desconocimiento de los derechos del dueño del predio.

Artículo 6. Obligación de los notarios. Para el otorgamiento de toda escritura pública de enajenación o constitución de gravamen o derechos reales sobre un bien inmueble destinado a vivienda, el notario indagará al propietario del inmueble acerca de si tiene vigente sociedad conyugal, matrimonio o unión marital de hecho, y éste deberá declarar, bajo la gravedad del juramento, si dicho inmueble está afectado a vivienda familiar; salvo cuando ambos cónyuges acudan a firmar la escritura.

«El Notario también indagará al comprador del inmueble destinado a vivienda si tiene sociedad conyugal vigente, matrimonio o unión marital de hecho y si posee otro bien inmueble afectado a vivienda familiar. En caso de no existir ningún bien inmueble ya afectado a vivienda familiar, el notario dejará constancia expresa de la constitución de la afectación por ministerio de la ley.

Con todo, los cónyuges de común acuerdo pueden declarar que no someten el inmueble a la afectación de vivienda familiar.

El Notario que omita dejar constancia en la respectiva escritura pública de los deberes establecidos en el presente artículo incurra en causal de mala conducta.

Quedarán viciados de nulidad absoluta los actos jurídicos que desconozcan la afectación a vivienda familiar».

Artículo 7. Inembargabilidad. Los bienes inmuebles bajo afectación a vivienda familiar son inembargables, salvo en los siguientes casos:

1. Cuando sobre el bien inmueble se hubiere constituido hipoteca con anterioridad al registro de la afectación a vivienda familiar.

2. Cuando la hipoteca se hubiere constituido para garantizar préstamos para la adquisición, construcción o mejora de la vivienda.

Artículo 8. Expropiación. El decreto de expropiación de un inmueble impedirá su afectación a vivienda familiar *y permitirá el levantamiento judicial de este gravamen para hacer posible la expropiación*.

La declaratoria de utilidad pública e interés social o la afectación a obra pública de un inmueble bajo afectación a vivienda familiar podrá conducir a la enajenación voluntaria directa del inmueble, con la firma de ambos cónyuges.

Exeq. Cond. C-192 de 1998: «Solo en los términos de esta Sentencia, decláranse *EXEQUIBLES*, en el artículo 8 de la Ley 258 de 1996, la frase "...y permitirá el levantamiento judicial de este gravamen para hacer posible la expropiación", (...), en el entendido de que la indemnización correspondiente no puede pagarse a la familia mediante bonos o documentos de deuda pública, sino en dinero, por igual valor al del inmueble expropiado, en su totalidad y de manera previa a cualquier acto que pretenda hacer efectiva la expropiación».

CAPÍTULO II. Normas procesales

Artículo 9. Procedimiento notarial. Cuando sea necesario constituir, modificar o levantar la afectación a vivienda familiar, el cónyuge interesado acudirá ante un notario del domicilio de la familia con el objeto de que tramite su solicitud, con citación del otro cónyuge.

Si ambos cónyuges estuvieren de acuerdo, se procederá a la constitución, modificación o levantamiento de la afectación a vivienda familiar mediante escritura pública, en el evento de no lograrse el acuerdo, podrá acudirse al juez de familia competente.

Artículo 10. Procedimiento judicial. Para la constitución, modificación o levantamiento judicial de la afectación a vivienda familiar será competente el juez de familia del lugar de ubicación del inmueble, mediante proceso verbal sumario.

La constitución de la afectación a vivienda familiar y su modificación o levantamiento podrán acumularse dentro de los procesos de declaratoria de ausencia, muerte presunta o por desaparecimiento, interdicción civil del padre o de la madre, pérdida o suspensión de la patria protestad, divorcio, separación de cuerpos o de bienes y liquidación de la sociedad conyugal. En tales casos, será competente para conocer de esta medida el juez que esté conociendo de los referidos procesos.

Artículo 11. Inscripción de la demanda. Cuando se demande el divorcio, la separación judicial de cuerpos o de bienes, la declaratoria de unión marital de hecho, la liquidación de la sociedad conyugal o de la patrimonial entre compañeros permanentes; el demandante podrá solicitar la inscripción de la demanda en la Oficina de Registro de Instrumentos Públicos donde aparezca inscrito el inmueble sometido a la afectación de vivienda familiar y los inmuebles pertenecientes a la sociedad conyugal, o en cualquiera de las entidades que la ley establece para el registro de bienes sujetos a este requisito.

La inscripción de la demanda podrá levantarse por solicitud conjunta de las partes en litigio o por terminación del proceso.

Artículo 12. Compañeros permanentes. Las disposiciones de la presente ley referidas a los cónyuges se aplicarán extensivamente a los *compañeros permanentes cuya unión haya perdurado por lo menos dos años.*

Exeq. Cond. C-029 de 2009: «*declarar la EXEQUIBLILIDAD, por los cargos analizados, de las expresiones "compañero" o "compañera permanente" y "compañeros permanentes cuya unión haya perdurado por lo menos dos años" contenidas (...) en el artículo 12 de la Ley 258 de 1996, en el entendido de que esta protección patrimonial se extiende en igualdad de condiciones, a las parejas del mismo sexo que se hayan acogido al régimen de la Ley 54 de 1990 y demás normas que lo modifiquen*».

Artículo 13. Vigencia. La presente ley rige a partir de la fecha de su promulgación y deroga todas las disposiciones que le sean contrarias.

Publíquese y ejecútese.

Dada en Santafé de Bogotá, D. C., a 17 de enero de 1996.

LEY 495 DE 1999
(febrero 08)
por medio de la cual se modifica el artículo 3º, 4º (literal A y B) 8º y 9º de la Ley 70 de 1931 y se dictan otras disposiciones afines sobre constitución voluntaria de patrimonio de familia

El Congreso de Colombia

DECRETA:

(*) Los artículos 1 al 4 de la Ley 495 de 1999 se encuentran incorporados en los artículos 3, 4, 8 y 9 de la Ley 70 de 1931. Para su consulta véase los citados artículos.

Artículo 5º. La presente ley rige a partir de su promulgación y derogatodas las normas que le sean contrarias.

Publíquese y ejecútese.

Dada en Santa Fe de Bogotá, D. C., a 8 de febrero de 1999.

LEY 820 DE 2003
(julio 10)
por la cual se expide el régimen de arrendamiento de vivienda urbana y se dictan otras disposiciones

El Congreso de Colombia

DECRETA:

CAPÍTULO I. Disposiciones Generales

Artículo 1°. Objeto. La presente ley tiene como objeto fijar los criterios que deben servir de base para regular los contratos de arrendamiento de los inmuebles urbanos destinados a vivienda, en desarrollo de los derechos de los colombianos a una vivienda digna y a la propiedad con función social.

Artículo 2°. Definición. El contrato de arrendamiento de vivienda urbana es aquel por el cual dos partes se obligan recíprocamente, la una a conceder el goce de un inmueble urbano destinado a vivienda, total o parcialmente, y la otra a pagar por este goce un precio determinado.

a) Servicios, cosas o usos conexos. Se entienden como servicios, cosas o usos conexos, los servicios públicos domiciliarios y todos los demás inherentes al goce del inmueble y a la satisfacción de las necesidades propias de la habitación en el mismo;

b) Servicios, cosas o usos adicionales. Se entienden como servicios, cosas o usos adicionales los suministrados eventualmente por el arrendador no inherentes al goce del inmueble. En el contrato de arrendamiento de vivienda urbana, las partes podrán pactar la inclusión o no de servicios, cosas o usos adicionales.

En ningún caso, el precio del arrendamiento de servicios, cosas o usos adicionales podrá exceder de un cincuenta por ciento (50%) del precio del arrendamiento del respectivo inmueble.

CAPÍTULO II. Formalidades del contrato de arrendamiento de vivienda urbana

Artículo 3°. Forma del contrato. El contrato de arrendamiento para vivienda urbana puede ser verbal o escrito. En uno u otro caso, las partes deben ponerse de acuerdo al menos acerca de los siguientes puntos:

a) Nombre e identificación de los contratantes;

b) Identificación del inmueble objeto del contrato;

c) Identificación de la parte del inmueble que se arrienda, cuando sea del caso, así como de las zonas y los servicios compartidos con los demás ocupantes del inmueble;

d) Precio y forma de pago;

e) Relación de los servicios, cosas o usos conexos y adicionales;

f) Término de duración del contrato;

g) Designación de la parte contratante a cuyo cargo esté el pago de los servicios públicos del inmueble objeto del contrato.

Artículo 4°. Clasificación. Los contratos de arrendamiento de vivienda urbana se clasifican de la siguiente forma, cualquiera que sea la estipulación al respecto:

a) Individual. Siempre que una o varias personas naturales reciban para su albergue o el de su familia, o el de terceros, cuando se trate de personas jurídicas, un inmueble con o sin servicios, cosas o usos adicionales;

b) Mancomunado. Cuando dos o más personas naturales reciben el goce de un inmueble o parte de él y se comprometen solidariamente al pago de su precio;

c) Compartido. Cuando verse sobre el goce de una parte no independiente del inmueble que se arrienda, sobre el que se comparte el goce del resto del inmueble o parte de él con el arrendador o con otros arrendatarios;

d) De pensión. Cuando verse sobre parte de un inmueble que no sea independiente, e incluya necesariamente servicios, cosas o usos adicionales y se pacte por un término inferior a un (1) año. En este caso, el contrato podrá darse por terminado antes del vencimiento del plazo por cualquiera de las partes previo aviso de diez (10) días, sin indemnización alguna.

Parágrafo 1°. Entiéndese como parte de un inmueble, cualquier porción del mismo que no sea independiente y que por sí sola no constituya una unidad de vivienda en la forma como la definen las normas que rigen la propiedad horizontal o separada.

Parágrafo 2º. El Gobierno Nacional reglamentará las condiciones particulares a las que deberán sujetarse los arrendamientos de que tratan los literales c) y d) del presente artículo.

Artículo 5º. Término del Contrato. El término del contrato de arrendamiento será el que acuerden las partes. A falta de estipulación expresa, se entenderá por el término de un (1) año.

Artículo 6º. Prórroga. El contrato de arrendamiento de vivienda urbana se entenderá prorrogado en iguales condiciones y por el mismo término inicial, siempre que cada una de las partes haya cumplido con las obligaciones a su cargo y, que el arrendatario, se avenga a los reajustes de la renta autorizados en esta ley.

CAPÍTULO III. Obligaciones de las partes

Artículo 7º. Solidaridad. Los derechos y las obligaciones derivadas del contrato de arrendamiento son solidarias, tanto entre arrendadores como entre arrendatarios. En consecuencia, la restitución del inmueble y las obligaciones económicas derivadas del contrato, pueden ser exigidas o cumplidas por todos o cualquiera de los arrendadores a todos o cualquiera de los arrendatarios, o viceversa.

Los arrendadores que no hayan demandado y los arrendatarios que no hayan sido demandados, podrán ser tenidos en cuenta como intervinientes litisconsorciales, en los términos del inciso tercero del artículo 52 del Código de Procedimiento Civil.

Artículo 8º. Obligaciones del arrendador. Son obligaciones del arrendador, las siguientes:

1. Entregar al arrendatario en la fecha convenida, o en el momento de la celebración del contrato, el inmueble dado en arrendamiento en buen estado de servicio, seguridad y sanidad y poner a su disposición los servicios, cosas o usos conexos y los adicionales convenidos.

2. Mantener en el inmueble los servicios, las cosas y los usos conexos y adicionales en buen estado de servir para el fin convenido en el contrato.

3. Cuando el contrato de arrendamiento de vivienda urbana conste por escrito, el arrendador deberá suministrar tanto al arrendatario como al codeudor, cuando sea el caso, copia del mismo con firmas originales.

Esta obligación deberá ser satisfecha en el plazo máximo de diez (10) días contados a partir de la fecha de celebración del contrato.

4. Cuando se trate de viviendas sometidas a régimen de propiedad horizontal, el arrendador deberá entregar al arrendatario una copia de la parte normativa del mismo.

En el caso de vivienda compartida, el arrendador tiene además, la obligación de mantener en adecuadas condiciones de funcionamiento, de seguridad y de sanidad las zonas o servicios de uso común y de efectuar por su cuenta las reparaciones y sustituciones necesarias, cuando no sean atribuibles a los arrendatarios, y de garantizar el mantenimiento del orden interno de la vivienda;

5. Las demás obligaciones consagradas para los arrendadores en el Capítulo II, Título XXVI, Libro 4 del Código Civil.

Parágrafo. El incumplimiento del numeral tercero del presente artículo será sancionado, a petición de parte, por la autoridad competente, con multas equivalentes a tres (3) mensualidades de arrendamiento.

Artículo 9º. Obligaciones del arrendatario. Son obligaciones del arrendatario:

1. Pagar el precio del arrendamiento dentro del plazo estipulado en el contrato, en el inmueble arrendado o en el lugar convenido.

2. Cuidar el inmueble y las cosas recibidas en arrendamiento. En caso de daños o deterioros distintos a los derivados del uso normal o de la acción del tiempo y que fueren imputables al mal uso del inmueble o a su propia culpa, efectuar oportunamente y por su cuenta las reparaciones o sustituciones necesarias.

3. Pagar a tiempo los servicios, cosas o usos conexos y adicionales, así como las expensas comunes en los casos en que haya lugar, de conformidad con lo establecido en el contrato.

4. Cumplir las normas consagradas en los reglamentos de propiedad horizontal y las que expida el gobierno en protección de los derechos de todos los vecinos.

En caso de vivienda compartida y de pensión, el arrendatario está obligado además a cuidar las zonas y servicios de uso común y a efectuar por su cuenta las reparaciones o sustituciones necesarias, cuando sean atribuibles a su propia culpa o, a la de sus dependientes, y

5. Las demás obligaciones consagradas para los arrendatarios en el Capítulo III, Título XXVI, libro 4 del Código Civil.

Artículo 10. Procedimiento de pago por consignación extrajudicial del canon de arrendamiento. Cuando el arrendador se rehúse a recibir el pago en las condiciones y en el lugar acordados, se aplicarán las siguientes reglas:

1. El arrendatario deberá cumplir su obligación consignando las respectivas sumas a favor del arrendador en las entidades autorizadas por el Gobierno Nacional, del lugar de ubicación del inmueble, dentro de los cinco (5) días hábiles siguientes al vencimiento del plazo o período pactado en el contrato de arrendamiento.

Cuando en el lugar de ubicación del inmueble no exista entidad autorizada por el Gobierno Nacional, el pago se efectuará en el lugar más cercano en donde exista dicha entidad, conservando la prelación prevista por el Gobierno.

2. La consignación se realizará a favor del arrendador o de la persona que legalmente lo represente, y la entidad que reciba el pago conservará el original del título, cuyo valor quedará a disposición del arrendador.

3. La entidad que reciba la consignación deberá expedir y entregar a quien la realice dos (2) duplicados del título: uno con destino al arrendador y otro al arrendatario, lo cual deberá estar indicado en cada duplicado.

Al momento de efectuar la consignación dejará constancia en el título que se elabore la causa de la misma, así como también el nombre del arrendatario, la dirección precisa del inmueble que se ocupa y el nombre y dirección del arrendador o su representante, según el caso.

4. El arrendatario deberá dar aviso de la consignación efectuada al arrendador o a su representante, según el caso, mediante comunicación remitida por medio del servicio postal autorizado por el Ministerio de Comunicaciones junto con el duplicado del título correspondiente, dentro de los cinco (5) siguientes a la consignación.

Una copia simple de la comunicación y del duplicado título deberá ser cotejada y sellada por la empresa de servicio postal. El incumplimiento de esta obligación por parte de la empresa de servicio postal dará lugar a las sanciones a que ellas se encuentren sometidas.

5. El incumplimiento de lo aquí previsto hará incurrir al arrendatario en mora en el pago del canon de arrendamiento.

6. La entidad autorizada que haya recibido el pago, entregará al arrendador o a quien lo represente, el valor consignado previa presentación del título y de la respectiva identificación.

7. Las consignaciones subsiguientes deberán ser efectuadas dentro del plazo estipulado, mediante la consignación de que trata este artículo o directamente al arrendador, a elección del arrendatario.

Artículo 11. Comprobación del pago. El arrendador o la persona autorizada para recibir el pago del arrendamiento estará obligado a expedir comprobante escrito en el que conste la fecha, la cuantía y el período al cual corresponde el pago. En caso de renuencia a expedir la constancia, el arrendatario podrá solicitar la intervención de la autoridad competente.

Artículo 12. Lugar para recibir notificaciones. En todo contrato de arrendamiento de vivienda urbana, arrendadores, arrendatarios, codeudores y fiadores, deberán indicar en el contrato, la dirección en donde recibirán las notificaciones judiciales y extrajudiciales relacionadas directa o indirectamente con el contrato de arrendamiento.

La dirección suministrada conservará plena validez para todos los efectos legales, hasta tanto no sea informado a la otra parte del contrato, el cambio de la misma, para lo cual se deberá utilizar el servicio postal autorizado, siendo aplicable en lo pertinente, lo dispuesto en el artículo que regula el procedimiento de pago por consignación extrajudicial. Los arrendadores deberán informar el cambio de dirección a todos los arrendatarios, codeudores o fiadores, mientras que éstos sólo están obligados a reportar el cambio a los arrendadores.

[Las personas a que se hizo referencia en el inciso primero del presente artículo no podrán alegar ineficacia o indebida notificación sustancial o procesal][*].

Tampoco podrá alegarse como nulidad el conocimiento que tenga la contraparte de cualquier otra dirección de habitación o trabajo, diferente a la denunciada en el contrato[****].

[*En el evento en que no se reporte ninguna dirección en el contrato o en un momento posterior, se presumirá de derecho que el arrendador deberá ser notificado en el lugar donde recibe el pago del canon y los arrendatarios, codeudores y fiadores en la dirección del inmueble objeto del contrato, sin que sea dable efectuar emplazamientos en los términos del artículo 318 del Código de Procedimiento Civil]*[**].

[*] Inexeq. C-670 de 2004: «*SEGUNDO. Declarar INEXEQUIBLE el inciso tercero del artículo 12 de la Ley 820 de 2003*».

[**] Inexeq. C-731 de 2005: «*Declárese INEXEQUIBLE el último inciso del artículo 12 de la Ley 820 de 2003 "por la cual se expide el Régimen de Arrendamiento de Vivienda Urbana y se dictan otras disposiciones"*».

[***] Exeq. C-670 de 2004.

Artículo 13. Obligación general. En las viviendas compartidas y en las pensiones, será de obligatorio cumplimiento para sus habitantes el reglamento que sobre mantenimiento, conservación, uso y orden interno expida el gobierno nacional, y el de las normas complementarias que adopte la respectiva asociación de vecinos, coarrendatarios o copropietarios, así como los Códigos de Policía.

Artículo 14. Exigibilidad. Las obligaciones de pagar sumas en dinero a cargo de cualquiera de las partes serán exigibles ejecutivamente con base en el contrato de arrendamiento y de conformidad con lo dispuesto en los Códigos Civil y de Procedimiento Civil. En cuanto a las deudas a cargo del arrendatario por concepto de servicios públicos domiciliarios o expensas comunes dejadas de pagar, el arrendador podrá repetir lo pagado contra el arrendatario por la vía ejecutiva mediante la presentación de las facturas, comprobantes o recibos de las correspondientes empresas debidamente canceladas y la manifestación que haga el demandante bajo la gravedad del juramento de que dichas facturas fueron canceladas por él, la cual se entenderá prestada con la presentación de la demanda.

Artículo 15. Reglas sobre los servicios públicos domiciliarios y otros. Cuando un inmueble sea entregado en arriendo, a través de contrato verbal o escrito, y el pago de los servicios públicos corresponda al arrendatario, se deberá proceder de la siguiente manera, con la finalidad de que el inmueble entregado a título de arrendamiento no quede afecto al pago de los servicios públicos domiciliarios:

1. Al momento de la celebración del contrato, el arrendador podrá exigir al arrendatario la prestación de garantías o fianzas con el fin de garantizar a cada empresa prestadora de servicios públicos domiciliarios el pago de las facturas correspondientes.

La garantía o depósito, en ningún caso, podrá exceder el valor de los servicios públicos correspondientes al cargo fijo, al cargo por aportes de conexión y al cargo por unidad de consumo, correspondiente a dos (2) períodos consecutivos de facturación, de conformidad con lo establecido en el artículo 18 de la Ley 689 de 2001.

El cargo fijo por unidad de consumo se establecerá por el promedio de los tres (3) últimos períodos de facturación, aumentado en un cincuenta por ciento (50%).

2. Prestadas las garantías o depósitos a favor de la respectiva empresa de servicios públicos domiciliarios, el arrendador denunciará ante la respectiva empresa, la existencia del contrato de arrendamiento y remitirá las garantías o depósitos constituidos.

El arrendador no será responsable y su inmueble dejará de estar afecto al pago de los servicios públicos, a partir del vencimiento del período de facturación correspondiente a aquél en el que se efectúa la denuncia del contrato y se remitan las garantías o depósitos constituidos.

3. El arrendador podrá abstenerse de cumplir las obligaciones derivadas del contrato de arrendamiento hasta tanto el arrendatario no le haga entrega de las garantías o fianzas constituidas. El arrendador podrá dar por terminado de pleno derecho el contrato de arrendamiento, si el arrendatario no cumple con esta obligación dentro de un plazo de quince (15) días hábiles contados a partir de la fecha de celebración del contrato.

4. Una vez notificada la empresa y acaecido el vencimiento del período de facturación, la responsabilidad sobre el pago de los servicios públicos recaerá única y exclusivamente en el arrendatario. En caso de no pago, la empresa de servicios públicos domiciliarios podrá hacer exigibles las garantías o depósitos constituidos, y si éstas no fueren suficientes, podrá ejercer las acciones a que hubiere lugar contra el arrendatario.

5. En cualquier momento de ejecución del contrato de arrendamiento o a la terminación del mismo, el arrendador, propietario, arrendatario o poseedor

del inmueble podrá solicitar a la empresa de servicios públicos domiciliarios, la reconexión de los servicios en el evento en que hayan sido suspendidos. A partir de este momento, quien lo solicite asumirá la obligación de pagar el servicio y el inmueble quedará afecto para tales fines, en el caso que lo solicite el arrendador o propietario.

La existencia de facturas no canceladas por la prestación de servicios públicos durante el término de denuncio del contrato de arrendamiento, no podrán, en ningún caso, ser motivo para que la empresa se niegue a la reconexión, cuando dicha reconexión sea solicitada en los términos del inciso anterior.

6. Cuando las empresas de servicios públicos domiciliarios instalen un nuevo servicio a un inmueble, el valor del mismo será responsabilidad exclusiva de quién solicite el servicio. Para garantizar su pago, la empresa de servicios públicos podrá exigir directamente las garantías previstas en este artículo, a menos que el solicitante sea el mismo propietario o poseedor del inmueble, evento en el cual el inmueble quedará afecto al pago. En este caso, la empresa de servicios públicos determinará la cuantía y la forma de dichas garantías o depósitos de conformidad con la reglamentación expedida en los términos del parágrafo 1º de este artículo.

Parágrafo 1º. Dentro de los tres (3) meses siguientes a la promulgación de la presente ley, el Gobierno Nacional reglamentará lo relacionado con los formatos para la denuncia del arriendo y su terminación, la prestación de garantías o depósitos, el procedimiento correspondiente y las sanciones por el incumplimiento de lo establecido en este artículo.

Parágrafo 2º. La Superintendencia de Servicios Públicos Domiciliarios velará por el cumplimiento de lo anterior.

Parágrafo 3º. Les reglas sobre los servicios públicos establecidas en este artículo entrarán en vigencia en el término de un (1) año, contado a partir de la promulgación de la presente ley, con el fin de que las empresas prestadoras de los servicios públicos domiciliarios realicen los ajustes de carácter técnico y las inversiones a que hubiere lugar.

(*) El Decreto 3130 de 2003 reglamento el artículo 15 de la Ley 820 de 2003.

CAPÍTULO IV. Prohibición de garantías y depósitos

Artículo 16. Prohibición de depósitos y cauciones reales. En los contratos de arrendamiento para vivienda urbana no se podrán exigir depósitos en dinero efectivo u otra clase de cauciones reales, para garantizar el cumplimiento de las obligaciones que conforme a dichos contratos haya asumido el arrendatario.

Tales garantías tampoco podrán estipularse indirectamente ni por interpuesta persona o pactarse en documentos distintos de aquel en que se haya consignado el contrato de arrendamiento, o sustituirse por otras bajo denominaciones diferentes de las indicadas en el inciso anterior.

CAPÍTULO V. Subarriendo y cesión del contrato

Artículo 17. Subarriendo y cesión. El arrendatario no tiene la facultad de ceder el arriendo ni de subarrendar, a menos que medie autorización expresa del arrendador.

En caso de contravención, el arrendador podrá dar por terminado el contrato de arrendamiento y exigir la entrega del inmueble o celebrar un nuevo contrato con los usuarios reales, caso en el cual el contrato anterior quedará sin efectos, situaciones éstas que se comunicarán por escrito al arrendatario.

Parágrafo. En caso de proceso judicial, cuando medie autorización expresa del arrendador para subarrendar, el subarrendatario podrá ser tenido en cuenta como interviniente litisconsorcial del arrendatario, en los términos del inciso tercero del artículo 52 del Código de Procedimiento Civil.

Cuando exista cesión autorizada expresamente por el arrendador, la restitución y demás obligaciones derivadas del contrato de arrendamiento deben ser exigidas por el arrendador al cesionario.

Cuando la cesión del contrato no le haya sido notificada al arrendador, el cesionario no será considerado dentro del proceso como parte ni como interviniente litisconsorcial.

CAPÍTULO VI. Renta de Arrendamiento

Artículo 18. Renta de arrendamiento. El precio mensual del arrendamiento será fijado por las partes en moneda legal pero no podrá exceder el uno por ciento (1%) del valor comercial del inmueble o de la parte de él que se dé en arriendo.

La estimación comercial para efectos del presente artículo no podrá exceder el equivalente a dos (2) veces el avalúo catastral vigente.

Artículo 19. Fijación del canon de arrendamiento. El precio mensual del canon estipulado por las partes, puede ser fijado en cualquier moneda o divisa extranjera, pagándose en moneda legal colombiana a la tasa de cambio representativa del mercado en la fecha en que fue contraída la obligación, salvo que las partes hayan convenido una fecha o tasa de referencia diferente.

Artículo 20. Reajuste del canon de arrendamiento. Cada doce (12) meses de ejecución del contrato bajo un mismo precio, el arrendador podrá incrementar el canon hasta en una proporción que no sea superior al ciento por ciento (100%) del incremento que haya tenido el índice de precios al consumidor en el año calendario inmediatamente anterior a aquél en que deba efectuarse el reajuste del canon, siempre y cuando el nuevo canon no exceda lo previsto en el artículo 18 de la presente ley.

El arrendador que opte por incrementar el canon de arrendamiento, deberá informarle al arrendatario el monto del incremento y la fecha en que se hará efectivo, a través del servicio postal autorizado o mediante el mecanismo de notificación personal expresamente establecido en el contrato, so pena de ser inoponible al arrendatario. El pago por parte del arrendatario de un reajuste del canon, no le dará derecho a solicitar el reintegro, alegando la falta de la comunicación.

CAPÍTULO VII. Terminación del Contrato de Arrendamiento

Artículo 21. Terminación por mutuo acuerdo. Las partes, en cualquier tiempo, y de común acuerdo podrán dar por terminado el contrato de vivienda urbana.

Artículo 22. Terminación por parte del arrendador. Son causales para que el arrendador pueda pedir unilateralmente la terminación del contrato, las siguientes:

1. La no cancelación por parte del arrendatario de las rentas y reajustes dentro del término estipulado en el contrato.

2. La no cancelación de los servicios públicos, que cause la desconexión o pérdida del servicio, o el pago de las expensas comunes cuando su pago estuviere a cargo del arrendatario.

3. El subarriendo total o parcial del inmueble, la cesión del contrato o del goce del inmueble o el cambio de destinación del mismo por parte del arrendatario, sin expresa autorización del arrendador.

4. La incursión reiterada del arrendatario en procederes que afecten la tranquilidad ciudadana de los vecinos, o la destinación del inmueble para actos delictivos o que impliquen contravención, debidamente comprobados ante la autoridad policiva.

5. La realización de mejoras, cambios o ampliaciones del inmueble, sin expresa autorización del arrendador o la destrucción total o parcial del inmueble o área arrendada por parte del arrendatario.

6. La violación por el arrendatario a las normas del respectivo reglamento de propiedad horizontal cuando se trate de viviendas sometidas a ese régimen.

7. El arrendador podrá dar por terminado unilateralmente el contrato de arrendamiento durante las prórrogas, previo aviso escrito dirigido al arrendatario a través del servicio postal autorizado, con una antelación no menor de tres (3) meses y el pago de una indemnización equivalente al precio de tres (3) meses de arrendamiento.

Cumplidas estas condiciones el arrendatario estará obligado a restituir el inmueble.

8. El arrendador podrá dar por terminado unilateralmente el contrato de arrendamiento a la fecha de vencimiento del término inicial o de sus prórrogas invocando cualquiera de las siguientes causales especiales de restitución, previo aviso escrito al arrendatario a través del servicio postal autorizado con una antelación no menor a tres (3) meses a la referida fecha de vencimiento:

a) Cuando el propietario o poseedor del inmueble necesitare ocuparlo para su propia habitación, por un término no menor de un (1) año;

b) Cuando el inmueble haya de demolerse para efectuar una nueva construcción, o cuando se requiere desocuparlo con el fin de ejecutar obras independientes para su reparación;

c) Cuando haya de entregarse en cumplimiento de las obligaciones originadas en un contrato de compraventa;

d) La plena voluntad de dar por terminado el contrato, siempre y cuando, el contrato de arrendamiento cumpliere como mínimo cuatro (4) años de ejecución. El arrendador deberá indemnizar al arrendatario con una suma equivalente al precio de uno punto cinco (1.5) meses de arrendamiento.

Cuando se trate de las causales previstas en los literales a), b) y c), el arrendador acompañará al aviso escrito la constancia de haber constituido una caución en dinero, bancaria u otorgada por compañía de seguros legalmente reconocida, constituida a favor del arrendatario por un valor equivalente a seis (6) meses del precio del arrendamiento vigente, para garantizar el cumplimiento de la causal invocada dentro de los seis (6) meses siguientes a la fecha de la restitución.

Cuando se trate de la causal prevista en el literal d), el pago de la indemnización se realizará mediante el mismo procedimiento establecido en el artículo 23 de esta ley.

De no mediar constancia por escrito del preaviso, el contrato de arrendamiento se entenderá renovado automáticamente por un término igual al inicialmente pactado.

Artículo 23. Requisitos para la terminación unilateral por parte del arrendador mediante preaviso con indemnización. Para que el arrendador pueda dar por terminado unilateralmente el contrato de arrendamiento en el evento previsto en el numeral 7 del artículo anterior, deberá cumplir con los siguientes requisitos:

a) Comunicar a través del servicio postal autorizado al arrendatario o a su representante legal, con la antelación allí prevista, indicando la fecha para la terminación del contrato y, manifestando que se pagará la indemnización de ley;

b) Consignar a favor del arrendatario y a órdenes de la autoridad competente, la indemnización de que trata el artículo anterior de la presente ley, dentro de los tres (3) meses anteriores a la fecha señalada para la terminación unilateral del contrato. La consignación se efectuará en las entidades autorizadas por el Gobierno Nacional para tal efecto y la autoridad competente allegará copia del título respectivo cl arrendatario o le enviará comunicación en que se haga constar tal circunstancia, inmediatamente tenga conocimiento de la misma.

El valor de la indemnización se hará con base en la renta vigente a la fecha del preaviso;

c) Al momento de efectuar la consignación se dejará constancia en los respectivos títulos de las causas de la misma como también el nombre y dirección precisa del arrendatario o su representante;

d) Si el arrendatario cumple con la obligación de entregar el inmueble en la fecha señalada, recibirá el pago de la indemnización, de conformidad con la autorización que expida la autoridad competente.

Parágrafo 1º. En caso de que el arrendatario no entregue el inmueble, el arrendador tendrá derecho a que se le devuelva la indemnización consignada, sin perjuicio de que pueda iniciar el correspondiente proceso de restitución del inmueble.

Parágrafo 2º. Si el arrendador con la aceptación del arrendatario desiste de dar por terminado el contrato de arrendamiento, podrá solicitar a la autoridad competente, la autorización para la devolución de la suma consignada.

Artículo 24. Terminación por parte del arrendatario. Son causales para que el arrendatario pueda pedir unilateralmente la terminación del contrato, las siguientes:

1. La suspensión de la prestación de los servicios públicos al inmueble, por acción premeditada del arrendador o porque incurra en mora en pagos que estuvieren a su cargo. En estos casos el arrendatario podrá optar por asumir el costo del restablecimiento del servicio y descontarlo de los pagos que le corresponda hacer como arrendatario.

2. La incursión reiterada del arrendador en procederes que afecten gravemente el disfrute cabal por el arrendatario del inmueble arrendado, debidamente comprobada ante la autoridad policiva.

3. El desconocimiento por parte del arrendador de derechos reconocidos al arrendatario por la Ley o contractualmente.

4. El arrendatario podrá dar por terminado unilateralmente el contrato de arrendamienito dentro del término inicial o durante sus prórrogas, previo aviso escrito dirigido al arrendador a través del servicio postal autorizado, con una antelación no menor de tres (3) meses y el pago de una indemnización equivalente al precio de tres (3) meses de arrendamiento.

Cumplidas estas condiciones el arrendador estará obligado a recibir el inmueble; si no lo hiciere, el arrendatario podrá hacer entrega provisional mediante la intervención de la autoridad competente, sin prejuicio de acudir a la acción judicial correspondiente.

5. El arrendatario podrá dar por terminado unilateralmente el contrato de arrendamiento a la fecha de vencimiento del término inicial o de sus prórrogas, siempre y cuando dé previo aviso escrito al arrendador a través del servicio

postal autorizado, con una antelación no menor de tres (3) meses a la referida fecha de vencimiento. En este caso el arrendatario no estará obligado a invocar causal alguna diferente a la de su plena voluntad, ni deberá indemnizar al arrendador.

De no mediar constancia por escrito del preaviso, el contrato de arrendamiento se entenderá renovado automáticamente por un término igual al inicialmente pactado.

Parágrafo. Para efectos de la entrega provisional de que trata este artículo, la autoridad competente, a solicitud escrita del arrendatario y una vez acreditado por parte del mismo el cumplimiento de las condiciones allí previstas, procederá a señalar fecha y hora para llevar, a cabo la entrega del inmueble.

Cumplido lo anterior se citará al arrendador y al arrendatario mediante comunicación enviada por el servicio postal autorizado, a fin de que comparezcan el día y hora señalada al lugar de ubicación del inmueble para efectuar la entrega al arrendador.

Si el arrendador no acudiere a recibir el inmueble el día de la diligencia, el funcionario competente para tal efecto hará entrega del inmueble a un secuestre que para su custodia designare de la lista de auxiliares de la justicia hasta la entrega al arrendador a cuyo cargo corren los gastos del secuestre.

De todo lo anterior se levantará un acta que será suscrita por las personas que intervinieron en la diligencia.

Artículo 25. Requisitos para la terminación unilateral por parte del arrendatario mediante preaviso con indemnización. Para que el arrendatario pueda dar por terminado unilateralmente el contrato de arrendamiento en el evento previsto en el numeral 4 del artículo anterior, deberá cumplir con los siguientes requisitos:

a) Comunicar a través del servicio postal autorizado al arrendador o a su representante legal, con la antelación allí prevista, indicando la fecha para la terminación del contrato y, manifestando que se pagará la indemnización de ley.

b) Consignar a favor del arrendador y a órdenes de la autoridad competente, la indemnización de que trata el artículo anterior de la presente ley, dentro de los tres (3) meses anteriores a la fecha señalada para la terminación unilateral del contrato. La consignación se efectuará en las entidades autorizadas por el Gobierno Nacional para tal efecto y la autoridad competente allegará copia del título respectivo al arrendador o le enviará comunicación en que se haga constar tal circunstancia, inmediatamente tenga conocimiento de la misma.

El valor de la indemnización se hará con base en la renta vigente a la fecha del preaviso;

c) Al momento de efectuar la consignación se dejará constancia en los respectivos títulos de las causas de la misma como también el nombre y dirección precisa del arrendatario o su representante;

d) Si el arrendador cumple con la obligación de entregar el inmueble en la fecha señalada, recibirá el pago de la indemnización, de conformidad con la autorización que expida la autoridad competente.

Parágrafo 1°. En caso de que el arrendador no reciba el inmueble, el arrendatario tendrá derecho a que se le devuelva la indemnización consignada, sin perjuicio de que pueda realizar la entrega provisional del inmueble de conformidad con lo previsto en el artículo anterior.

Parágrafo 2°. Si el arrendatario con la aceptación del arrendador desiste de dar por terminado el contrato de arrendamiento, podrá solicitar a la autoridad competente, la autorización para la devolución de la suma consignada.

Artículo 26. Derecho de retención. En todos los casos en los cuales el arrendador deba indemnizar al arrendatario, éste no podrá ser privado del inmueble arrendado sin haber recibido el pago previo de la indemnización correspondiente o sin que se le hubiere asegurado debidamente el importe de ella por parte del arrendador.

Artículo 27. Descuento por reparaciones indispensables no locativas. En el caso previsto en el artículo 1993 del Código Civil, salvo pacto en contrario entre las partes, el arrendatario podrá descontar el costo de las reparaciones del valor de la renta. Tales descuentos en ningún caso podrán exceder el treinta por ciento (30%) del valor de la misma; si el costo total de las reparaciones indispensables no locativas excede dicho porcentaje, el arrendatario podrá efectuar descuentos periódicos hasta el treinta por ciento (30%) del valor de la renta, hasta completar el costo total en que haya incurrido por dichas reparaciones.

Para lo previsto en el artículo 1994 del Código Civil, previo cumplimiento de las condiciones previstas en dicho artículo, las partes podrán pactar contra el valor de la renta.

En el evento en que los descuentos periódicos efectuados de conformidad con lo previsto en este artículo, no cubran el costo total de las reparaciones indispensables no locativas, por causa de la terminación del contrato, el arrendatario podría ejercer el derecho de retención en los términos del artículo anterior, hasta tanto el saldo insoluto no sea satisfecho íntegramente por el arrendador.

CAPÍTULO VIII. Personas dedicadas a ejercer la actividad de arrendamiento de bienes raíces

Artículo 28. Matrícula de arrendadores. Toda persona natural o jurídica, entre cuyas actividades principales esté la de arrendar bienes raíces, destinados a vivienda urbana, de su propiedad o de la de terceros, o labores de intermediación comercial entre arrendadores y arrendatarios, en los municipios de más de quince mil (15.000) habitantes, deberá matricularse ante la autoridad administrativa competente.

Para ejercer las actividades de arrendamiento o de intermediación de que trata el inciso anterior será indispensable haber cumplido con el requisito de matrícula. Las personas matriculadas quedarán sujetas a la inspección, vigilancia y control de la autoridad competente.

Igualmente deberán matricularse todas las personas naturales o jurídicas que en su calidad de propietarios o subarrendador celebren más de cinco (5) contratos de arrendamiento sobre uno o varios inmuebles, en las modalidades descritas en el artículo cuarto de la presente ley.

Se presume que quien aparezca arrendando en un mismo municipio más de diez (10) inmuebles de su propiedad o de la de terceros, ejerce las actividades aquí señaladas y quedará sometido a las reglamentaciones correspondientes.

(*) El Decreto 51 de 2004 reglamentó los artículos 28, 29, 30 y 33 de la Ley 820 de 2003.

Artículo 29. Requisitos para obtener la matrícula. Para obtener la matrícula de arrendador, el interesado deberá cumplir los siguientes requisitos:

a) Presentar documento que acredite existencia y representación legal, cuando se trate de personas jurídicas. En el caso de personas naturales, el registro mercantil;

b) Presentar el modelo o modelos de los contratos de arrendamientos, y los de administración que utilizarán en desarrollo de su actividad;

c) Las demás que determine la autoridad competente.

(*) El Decreto 51 de 2004 reglamentó los artículos 28, 29, 30 y 33 de la Ley 820 de 2003.

Artículo 30. Término para solicitar la matrícula. Las personas a que se refiere el artículo 28 que no se encuentren registradas ante la autoridad competente, deberán hacerlo a más tardar dentro de los tres (3) meses siguientes contados a partir de la fecha de vigencia de la presente ley. Quienes ya se encuentren inscritos, deberán igualmente actualizar los datos señalados en el artículo anterior, dentro del mismo término.

Las personas naturales o jurídicas que con posterioridad a la presente ley se ocupen del arrendamiento de bienes raíces urbanos ajenos, deberán registrarse dentro de los diez (10) días siguientes a la iniciación de sus operaciones.

(*) El Decreto 51 de 2004 reglamentó los artículos 28, 29, 30 y 33 de la Ley 820 de 2003.

Artículo 31. Condición para anunciarse como arrendador. Para anunciarse al público como arrendador, las personas a que se refiere el artículo 28 de la presente ley deberán indicar el número de su matrícula vigente. Esta obligación será exigible a partir del vencimiento de los términos señalados en el artículo anterior, según corresponda.

CAPÍTULO IX. Inspección, control y vigilancia en materia de arrendamientos

Artículo 32. Inspección, control y vigilancia de arrendamiento. La inspección, control y vigilancia, estarán a cargo de la Alcaldía Mayor de Bogotá, D. C., la Gobernación de San Andrés, Providencia y Santa Catalina y la s alcaldías municipales de los municipios del país.

Parágrafo. Para los efectos previstos en la presente ley, la Alcaldía Mayor de Bogotá, D. C., establecerá la distribución funcional que considere necesaria entre la subsecretaría de control de vivienda, la secretaría general y las alcaldías locales.

Artículo 33. Funciones. Las entidades territoriales determinadas en el artículo anterior ejercerán las siguientes funciones:

a) Contrato de arrendamiento:

1. Conocer las controversias originadas por no expedir las copias del contrato de arrendamiento a los arrendatarios, fiadores y codeudores.

2. Asumir las actuaciones que se le atribuyen a la autoridad competente en los artículos 22 al 25 en relación con la terminación unilateral del contrato.

3. Conocer de los casos en que se hayan efectuado depósitos ilegales y conocer de las controversias originadas por la exigibilidad de los mismos.

4. Conocer de las controversias originadas por la no expedición de los comprobantes de pago al arrendatario, cuando no se haya acordado la consignación como comprobante de pago.

5. Conocer de las controversias derivadas de la inadecuada aplicación de la regulación del valor comercial de los inmuebles destinados a vivienda urbana o de los incrementos.

6. Conocer del incumplimiento de las normas sobre mantenimiento, conservación, uso y orden interno de los contratos de arrendamiento de vivienda compartida, sometidos a vigilancia y control;

b) Función de control, inspección y vigilancia:

1. Investigar, sancionar e imponer las demás medidas correctivas a que haya lugar, a las personas a que se refiere el artículo 28 de la presente ley o a cualquier otra persona que tenga la calidad de arrendador o subarrendador.

2. Aplicar las sanciones administrativas establecidas en la presente ley y demás normas concordantes.

3. *Controlar el ejercicio de la actividad inmobiliaria de vivienda urbana, especialmente en lo referente al contrato de administración.*

4. Vigilar el cumplimiento de las obligaciones relacionadas con el anuncio al público y con el ejercicio de actividades sin la obtención de la matrícula cuando a ello hubiere lugar.

Parágrafo. Para las funciones a las que se refiere el presente artículo, las entidades territoriales podrán desarrollar sistemas de inspección, vigilancia y control, acorde a los parámetros que establezca el Gobierno Nacional en un período de seis (6) meses siguientes a la expedición de la presente Ley. Si el Gobierno no lo hace, la competencia será de los alcaldes.

Exeq. C-102 de 2011.

(*) El Decreto 51 de 2004 reglamentó los artículos 28, 29, 30 y 33 de la Ley 820 de 2003.

CAPÍTULO X. Sanciones

Artículo 34. Sanciones. Sin perjuicio de las demás sanciones a que hubiere lugar, la autoridad competente podrá imponer multas hasta por cien (100) salarios mínimos mensuales legales vigentes, mediante resolución motivada, por las siguientes razones:

1. Cuando cualquier persona a las que se refiere el artículo 28 no cumpla con la obligación de obtener la matrícula dentro del término señalado en la presente ley.

2. *Cuando las personas a que se refiere el artículo 28 de la presente ley incumplan cualquiera de las obligaciones estipuladas en el contrato de administración suscrito con el propietario del inmueble.*

3 Cuando las personas a que se refiere el artículo 28 de la presente ley se anunciaren al público sin mencionar el número de la matrícula vigente que se les hubiere asignado.

4. Por incumplimiento a cualquier otra norma legal a que deban sujetarse, así como por la inobservancia de las órdenes e instrucciones impartidas por la autoridad competente.

5. Cuando las personas a que se refiere el artículo 28 de la presente ley, en razón de su actividad inmobiliaria, o en desarrollo de arrendador o subarrendatario de vivienda compartida, incumplan las normas u órdenes a las que están obligados.

6. *Cuando las personas que tengan el carácter de arrendador de inmuebles destinados a vivienda urbana, estén sometidos o no, a la obtención de matrícula de arrendador, incumplan con lo señalado en los casos previstos en los numerales 1 a 3 del artículo anterior.*

Parágrafo 1°. La autoridad competente podrá, suspender o cancelar la respectiva matrícula, ante el incumplimiento reiterado de las conductas señaladas en el presente artículo.

Parágrafo 2º. Contra las providencias que ordenen el pago de multas, la suspensión o cancelación de la matrícula procederá únicamente recurso de reposición.

Exeq. C-102 de 2011.

CAPÍTULO XI. Aspectos procesales

Artículos 35 al 40. [Derogados. Art. 626 C.G.P.]

Art. 626 C.G.P.: «A partir de la entrada en vigencia de esta ley, en los términos del numeral 6 del artículo 627, queda derogado (...) artículos 35 a 40 de la Ley 820 de 2003 (...)».

CAPÍTULO XII. Disposiciones finales

Artículo 41. [Incisos 1º y 2º Derogados. Art. 376 L. 1819 de 2016]

Art. 376 L. 1819 de 2016: «La presente ley (...) deroga todas las disposiciones que le sean contrarias y en especial las siguientes (...) 9. Los incisos 1o y 2o y el parágrafo 1o del artículo 41 de la Ley 820 de 2003 (...)».

El Estado podrá, tanto en su nivel nacional como territorial establecer subsidios a familias de escasos recursos para el alquiler de vivienda, cuando carezcan de ella. Tendrán derecho preferencial los desplazados por la violencia, las madres cabeza de familia y las personas de la tercera edad. El Gobierno establecerá los requisitos, condiciones y procedimientos para la asignación y uso de estos subsidios.

Artículo 42. Régimen aplicable a los contratos en ejecución. Los contratos que se encuentren en ejecución con anterioridad a la vigencia de la presente ley, se regirán por las disposiciones sustanciales vigentes al momento de su celebración.

Parágrafo. Para todos los efectos legales, las normas relacionadas con las causales de terminación de los contratos de arrendamiento y en especial las previstas para dar por terminado unilateralmente por parte del arrendador son de carácter sustancial y por ende sólo se aplicarán a los contratos que se celebren con posterioridad a la vigencia de esta ley.

Artículo 43. Tránsito de legislación, vigencia y derogatoria. La presente ley en cuanto a sus disposiciones sustanciales se aplica a los contratos que se suscriban con posterioridad a su entrada en vigencia, y las disposiciones procesales contenidas en los artículos 12 y 35 a 40 serán de aplicación inmediata para los procesos de restitución sin importar la fecha en que se celebró el contrato. Para efectos del tránsito de legislación, deberá estarse a lo establecido en el artículo 40 de la Ley 153 de 1887 y en el artículo 699 del Código de Procedimiento Civil.

Esta ley rige a partir del momento de su promulgación y deroga la Ley 56 de 1985, *el artículo 2035 del Código Civil, el artículo 3º del Decreto 2923 de 1977, el artículo 4º del Decreto 2813 de 1978*, el artículo 23 del Decreto 1919 de 1986, los artículos 2º, 5º y 8º a 12 del Decreto 1816 de 1990, como también las demás disposiciones que le sean contrarias.

Exeq. C-670 de 2004.

Publíquese y Ejecútese.

Dada en Bogotá, D. C., a 10 de julio de 2003.

LEY 1306 DE 2009
(junio 05)
por la cual se dictan normas para la Protección de Personas con Discapacidad Mental y se establece el Régimen de la Representación Legal de Incapaces Emancipados

El Congreso de Colombia

DECRETA:

CAPÍTULO I. Consideraciones Preliminares

Artículo 1°. Objeto de la presente ley. La presente ley tiene por objeto la protección e inclusión social de toda persona natural con discapacidad mental o que adopte conductas que la inhabiliten para su normal desempeño en la sociedad.

La protección de la persona con discapacidad mental y de sus derechos fundamentales será la directriz de interpretación y aplicación de estas normas. El ejercicio de las guardas y consejerías y de los sistemas de administración patrimonial tendrán como objetivo principal la rehabilitación y el bienestar del afectado.

Artículo 2°. Los sujetos con discapacidad mental. Una persona natural tiene discapacidad mental cuando padece limitaciones psíquicas o de comportamiento, que no le permite comprender el alcance de sus actos o asumen riesgos excesivos o innecesarios en el manejo de su patrimonio.

La incapacidad jurídica de las personas con discapacidad mental será correlativa a su afectación, sin perjuicio de la seguridad negocial y el derecho de los terceros que obren de buena fe.

Parágrafo. El término «demente» que aparece actualmente en las demás leyes, se entenderá sustituido por «persona con discapacidad mental» y en la valoración de sus actos se aplicará lo dispuesto por la presente ley en lo pertinente.

Artículo 3°. Principios. En la protección y garantía de los derechos de las personas con discapacidad mental se tomarán en cuenta los siguientes principios:

a) El respeto de su dignidad, su autonomía individual, incluida la libertad de tomar las propias decisiones y su independencia;

b) La no discriminación por razón de discapacidad;

c) La participación e inclusión plenas y efectivas en la sociedad;

d) El respeto por la diferencia y la aceptación de las personas con discapacidad mental como parte de la diversidad y la condición humana;

e) La igualdad de oportunidades;

f) La accesibilidad;

g) La igualdad entre el hombre y la mujer con discapacidad mental;

h) El respeto a la evolución de las facultades de los niños y las niñas con discapacidad mental y de su derecho a preservar su identidad.

Estos principios tienen fuerza vinculante prevaleciendo sobre las demás normas contenidas en esta ley.

Artículo 4°. Dimensión normativa. La presente ley se complementa con los Pactos, Convenios y Convenciones Internacionales sobre Derechos Humanos relativos a las personas en situación de discapacidad aprobados por Colombia, que integran el bloque de constitucionalidad.

No podrá restringirse o menoscabarse ninguno de los derechos reconocidos y vigentes a favor de las personas con discapacidad mental en la legislación interna o de Convenciones Internacionales, con el pretexto de que la presente ley no los reconoce o los reconoce en menor grado.

Para la determinación e interpretación de las obligaciones de protección y restablecimiento de los derechos de las personas con discapacidad mental por quienes se encargan de su protección, se tomarán en cuenta las disposiciones del Código de la Infancia y la Adolescencia y en general, en las demás normas de protección de la familia, siempre que estas no sean contrarias en su letra o en su espíritu a la presente ley.

Para efectos de la interpretación, se aplicará el principio de prevalencia de la norma más favorable al individuo con discapacidad.

Artículo 5°. Obligaciones respecto de las personas con discapacidad. Son obligaciones de la sociedad y del Estado colombiano en relación con las personas con discapacidad mental:

1. Garantizar el disfrute pleno de todos los derechos a las personas con discapacidad mental, de acuerdo a su capacidad de ejercicio.

2. Prohibir, prevenir, investigar y sancionar toda forma de discriminación por razones de discapacidad.

3. Proteger especialmente a las personas con discapacidad mental.

4. Crear medidas de acción afirmativa que promuevan la igualdad real a las personas con discapacidad mental.

5. Establecer medidas normativas y administrativas acorde a las obligaciones derivadas de los Tratados Internacionales de Derechos Humanos a favor de las personas en situación de discapacidad mental y las acciones necesarias para dar cumplimiento a los programas nacionales.

6. Fomentar que las dependencias y organismos de los diferentes órdenes de Gobierno trabajen en favor de la integración social de las personas con discapacidad mental.

7. Establecer y desarrollar las políticas y acciones necesarias para dar cumplimiento a los programas nacionales en favor de las personas en situación de discapacidad mental, así como aquellas que garanticen la equidad e igualdad de oportunidades en el ejercicio de sus derechos.

Artículo 6°.La función de protección. La protección del sujeto con discapacidad mental corresponde y grava a toda la sociedad, pero se ejercerá de manera preferencial por:

a) Los padres y las personas designadas por estos, por acto entre vivos o por causa de muerte.

b) El cónyuge o compañero o compañera permanente y los demás familiares en orden de proximidad, prefiriendo los ascendientes y colaterales mayores y los parientes consanguíneos a los civiles.

c) Las personas designadas por el juez.

d) El Estado por intermedio de los funcionarios e instituciones legítimamente habilitadas.

Serán encargados de la custodia y protección de quienes están en discapacidad mental quienes garanticen la calidad e idoneidad de la gestión y, por ello, el orden aquí establecido podrá ser modificado por el Juez de Familia cuando convenga a los intereses del afectado.

El encargado de la protección de la persona, sujeto con discapacidad mental, deberá asegurar para este un nivel de vida adecuado, lo cual incluye alimentación, vestido y vivienda apropiados y a la mejora continua de sus condiciones de vida y adoptarán las medidas pertinentes para salvaguardar y promover el ejercicio de este derecho sin discriminación por motivos de discapacidad.

Parágrafo. Cuando en la presente ley se mencione al cónyuge o los parientes afines, se entenderán incluidos quienes, de acuerdo con la Constitución Política y la ley, tengan tal condición en la familia extramatrimonial y civil. Cuando existan en una posición dos o más personas excluyentes entre sí, el juez preferirá a la persona que haya permanecido en último lugar con el sujeto, sin perjuicio de sus facultades de selección.

Artículo 7°. El Ministerio Público. La vigilancia y control de las actuaciones públicas relacionadas con todos aquellos que tienen a su cargo personas con discapacidad mental, será ejercida por el Ministerio Público.

Artículo 8°. Derechos fundamentales. Los individuos con discapacidad mental tendrán los derechos que, en relación con los niños, niñas y adolescentes, consagra el Título I del Código de la Infancia y la Adolescencia —Ley 1098 de 2006— o las normas que lo sustituyan, modifiquen o adicionen y, de igual manera, los que se consagren para personas con discapacidad física, de la tercera edad, desplazada o amenazada y demás población vulnerable, en cuanto la situación de quien sufre discapacidad mental sea asimilable.

Para el disfrute y ejercicio de estos derechos se tendrá en consideración la condición propia y particular del sujeto afectado.

En la atención y garantía de los derechos de los individuos en discapacidad mental se tomarán en cuenta los principios de que trata el artículo 3° de la presente ley.

Artículo 9°. Identidad y filiación. Los sujetos con discapacidad mental deberán tener definida su identidad y filiación con sus correspondientes asientos en el Registro del Estado Civil.

Toda medida de protección estará precedida de las diligencias y actuaciones necesarias para determinar plenamente la identidad de quien tiene discapacidad y su familia genética o jurídica, según el caso, y la inscripción de estos datos en el Registro del Estado Civil.

Cuando no sea posible probarlos, el funcionario competente deberá dar aviso inmediato al Instituto Colombiano de Bienestar Familiar para que este tome las medidas previstas en la ley para su determinación.

Artículo 10. Dignidad y respeto personal. En las actuaciones relativas al que está sufriendo discapacidad mental no se podrá atentar contra la dignidad y respeto debido a la persona humana.

De ser necesario recurrir a medidas que puedan causar malestar al paciente por razones de terapia, educación, seguridad o resocialización, estas medidas se limitarán a lo indispensable para el propósito perseguido y siempre serán temporales. El representante del sujeto con discapacidad mental en esta situación vigilará que estas condiciones se cumplan.

Las personas con discapacidad mental no podrán ser objeto de injerencias arbitrarias o ilegales en su vida privada, familia, hogar, correspondencia o cualquier otro tipo de comunicación o de agresiones contra su honor y su reputación.

Parágrafo 1°. Los derechos de los padres sobre sus hijos con discapacidad quedan limitados en todo aquello que se oponga al bienestar y desarrollo de estos.

Parágrafo 2°. Sin perjuicio del respeto de las tradiciones culturales, el régimen de los sujetos con discapacidad pertenecientes a las culturas indígenas es el establecido en la presente ley. Las autoridades propias de estas comunidades serán consultadas cuando se trate de aplicar las medidas previstas en esta ley y sus recomendaciones serán aplicables cuando no contradigan los propósitos u objetivos aquí previstos.

Artículo 11. Salud, educación y rehabilitación. Ningún sujeto con discapacidad mental podrá ser privado de su derecho a recibir tratamiento médico, psicológico, psiquiátrico, adiestramiento, educación y rehabilitación física o psicológica, proporcionales a su nivel de deficiencia, a efecto de que puedan lograr y mantener la máxima independencia, capacidad física, mental, social y vocacional y la inclusión y participación plena en todos los aspectos de la vida, de acuerdo con los lineamientos y programas científicos diseñados o aprobados por el Comité Consultivo Nacional de las Personas con Limitación de que trata la Ley 361 de 1997.

La organización encargada de prestar el servicio de salud y de educación en Colombia adoptará las medidas necesarias para obtener que ninguna persona con discapacidad mental sea privada del acceso a estos servicios desde la temprana edad.

La recreación, el deporte, las actividades lúdicas y en general cualquier actividad dirigida a estimular el potencial físico, creativo, artístico e intelectual, son inherentes a las prestaciones de salud, educación y rehabilitación.

En el cálculo de las prestaciones alimentarias, congruas o necesarias, se incluirán los costos que demanden las actividades de salud, educación y rehabilitación aquí previstas.

Artículo 12. Prevención sanitaria. Las personas con discapacidad mental tienen derecho a los servicios de salud, incluidos los relacionados con la salud sexual y reproductiva, de manera gratuita, a menos que la fuerza de su propio patrimonio, directo o derivado de la prestación alimentaria, le permitan asumir tales gastos.

La atención sanitaria y el aseguramiento de los riesgos de vida, salud, laborales o profesionales para quienes sufran discapacidad mental se prestará en las mismas condiciones de calidad y alcance que a los demás miembros de la sociedad. Las exclusiones que en esta materia se hagan por parte de los servicios de salud o de las aseguradoras, tendrán que ser autorizadas por vía general o particular por el Comité Consultivo Nacional de las Personas con Limitación.

Los encargados de velar por el bienestar de las personas con discapacidad mental tomarán las medidas necesarias para impedir o limitar la incidencia de agentes nocivos externos en la salud psíquica o de comportamiento del sujeto y para evitar que se les discrimine en la atención de su salud o aseguramiento de sus riesgos personales por razón de su situación de discapacidad.

Los individuos con discapacidad mental quedan relevados de cumplir los deberes cívicos, políticos, militares o religiosos cuando quiera que ellos puedan afectar su salud o agravar su situación.

Artículo 13. Derecho al trabajo. El derecho al trabajo de quienes se encuentren con discapacidad mental incluye la oportunidad de ganarse la vida mediante un trabajo estable, libremente elegido o aceptado en un mercado y un entorno laborales que sean abiertos, inclusivos y accesibles en condiciones aceptables de seguridad y salubridad. El Estado garantizará los derechos laborales individuales y colectivos para los trabajadores con discapacidad mental.

Los empleadores están obligados a adoptar procesos de selección, formación profesional, permanencia y promoción que garanticen igualdad de condiciones a personas con discapacidad mental que cumplan los requisitos de las convocatorias.

Parágrafo. La remuneración laboral no hará perder a una persona con discapacidad mental su derecho a los alimentos o a la asistencia social, a menos que esta remuneración supere los cinco (5) salarios mínimos legales mensuales vigentes.

Artículo 14. Acciones Populares y de Tutela. Toda persona está facultada para solicitar directamente o por intermedio de los Defensores de Familia o del Ministerio Público, cualquier medida judicial tendiente a favorecer la condición personal del que sufre discapacidad mental.

La Acción de Tutela tiene cabida cuando se trate de defender los derechos fundamentales de la persona con discapacidad, pero los jueces tomarán sus decisiones luego de haber escuchado a los peritos de la entidad designada por el Gobierno Nacional de conformidad con lo dispuesto en artículo 16 de la presente ley o a un profesional médico cuando estos no existan en el lugar.

CAPÍTULO II. Personas con discapacidad mental

Artículo 15. Capacidad jurídica de los sujetos con discapacidad. Quienes padezcan discapacidad mental absoluta son incapaces absolutos.

Los sujetos con discapacidad mental relativa, inhabilitados conforme a esta ley, se consideran incapaces relativos respecto de aquellos actos y negocios sobre los cuales recae la inhabilitación. En lo demás se estará a las reglas generales de capacidad.

Artículo 16. Actos de otras personas con discapacidad. La valoración de la validez y eficacia de actuaciones realizadas por quienes sufran trastornos temporales que afecten su lucidez y no sean sujetos de medidas de protección se seguirá rigiendo por las reglas ordinarias.

Sección Primera. Personas con discapacidad mental absoluta

Artículo 17. El sujeto con discapacidad mental absoluta. Se consideran con discapacidad mental absoluta quienes sufren una afección o patología severa o profunda de aprendizaje, de comportamiento o de deterioro mental.

La calificación de la discapacidad se hará siguiendo los parámetros científicos adoptados por el Comité Consultivo Nacional de las Personas con Limitación y utilizando una nomenclatura internacionalmente aceptada.

Artículo 18. Protección de estas personas. Corresponde al Instituto Colombiano de Bienestar Familiar, por intermedio del Defensor de Familia, prestar asistencia personal y jurídica a los sujetos con discapacidad mental absoluta de cualquier edad, de oficio o por denuncia que cualquier persona haga ante la Entidad.

El funcionario del ICBF o cualquier otro ciudadano que reciba noticia o denuncia sobre alguna persona con discapacidad mental absoluta que requiera asistencia, deberá informar inmediatamente al Defensor de Familia, a efectos de que este proceda a tomar las medidas administrativas de restablecimiento de derechos o a interponer las acciones judiciales pertinentes.

Parágrafo. Las normas sobre vulneración de los derechos, procedimientos y medidas de restablecimiento de los derechos contenidas en el Código de la Infancia y la Adolescencia, serán aplicables a las personas con discapacidad mental absoluta, en cuanto sea pertinente y adecuado a la situación de estas.

Artículo 19. Domicilio y residencia. Los sujetos con discapacidad mental absoluta tendrán el domicilio de su representante legal o guardador. La persona con discapacidad mental fijará su lugar de residencia si tiene suficiente aptitud intelectual para ese efecto y no pone en riesgo su integridad personal o la de la comunidad. En caso contrario, la residencia será determinada por el guardador, salvo que las autoridades competentes dispongan en contrario.

El cambio de residencia permanente a otro municipio o distrito y la salida al exterior deberán ser informados al Defensor de Familia con una antelación no inferior a quince (15) días a dicho cambio. El Defensor de Familia dará traslado al Juez de Familia que tiene a su cargo el expediente del que tiene discapacidad mental absoluta y al funcionario del Registro Civil del lugar donde repose el registro civil de nacimiento, para lo de su cargo.

Parágrafo. En Secretarías de Salud de los municipios o distritos se llevará un Libro de Avecindamiento de Personas con discapacidad mental absoluta, en el que se hará constar el lugar de residencia de estas. Este libro será reservado y solo podrá ser consultado con permiso del Juez o del Defensor de Familia.

Cualquier persona que tenga conocimiento de que una persona con discapacidad mental absoluta reside o ha dejado de residir en la jurisdicción de un municipio, deberá denunciar el hecho ante el Secretario de Salud Municipal o Distrital, para que, previa su verificación, asiente la información correspondiente e informe al Juez de Familia.

Los Secretarios de Salud de los municipios y distritos dispondrán lo pertinente para poner en funcionamiento el Libro de Avecindamiento de que trata este artículo, dentro del año siguiente a la entrada en vigencia de la presente ley y lo informarán a la Procuraduría General de la Nación. El incumplimiento de la obligación de abrir el libro en el plazo fijado o no llevarlo en debida forma será considerado falta grave en materia disciplinaria, sin perjuicio de tener que cumplir la obligación pertinente.

Artículo 20. Libertad e internamiento. Las personas con discapacidad mental absoluta gozarán de libertad, a menos que su internamiento por causa de su discapacidad sea imprescindible para la salud y terapia del paciente o por tranquilidad y seguridad ciudadana.

El internamiento de los pacientes será de urgencia o autorizado judicialmente.

Parágrafo. La libertad de locomoción que se reconoce en el presente artículo incluye la posibilidad de trasladarse a cualquier lugar del país y del exterior, para lo cual, las autoridades proporcionarán los documentos y el apoyo que sea necesario para el efecto y tomarán referencia de su ubicación únicamente para efectos de su protección.

Artículo 21. Internamiento psiquiátrico de urgencia. Los pacientes con discapacidad mental absoluta solamente podrán internarse en clínicas o establecimientos especializados por urgencia calificada por el médico tratante o un perito del organismo designado por el Gobierno Nacional para el efecto o del Instituto de Medicina Legal y Ciencias Forenses.

El Director de la clínica o establecimiento deberá poner en conocimiento del Instituto de Bienestar Familiar, dentro de los cinco (5) días hábiles siguientes, el ingreso del paciente internado de urgencia, relacionando los datos sobre identidad del paciente, estado clínico y terapia adoptada.

Parágrafo. El internamiento de urgencia no podrá prolongarse por más de dos (2) meses, a menos que el Juez lo autorice de conformidad con el artículo siguiente.

Artículo 22. Internamiento psiquiátrico autorizado judicialmente. Cuando la situación no fuere de urgencia, corresponderá al Juez de Familia autorizar el internamiento de carácter psiquiátrico de las personas con discapacidad mental absoluta. Esta autorización estará precedida de concepto del médico tratante o un perito del organismo designado por el Gobierno Nacional para el efecto sobre su necesidad o conveniencia para el paciente.

El Juez ordenará el internamiento en instituciones adecuadas y que cuenten con los medios para la atención y terapia del paciente, según la entidad de la enfermedad.

Artículo 23. Temporalidad del internamiento. La reclusión preventiva por causas ligadas al comportamiento es una medida temporal que no excederá de un (1) año, pero podrá ser prorrogada indefinidamente por lapsos iguales. Toda prórroga deberá estar precedida del concepto del médico tratante o perito, quien dejará constancia de haber observado y evaluado al paciente dentro de los treinta (30) días anteriores a la fecha de rendición del concepto.

Parágrafo. El Juez, a petición de quien ejerza la guarda o de oficio, solicitará el concepto médico para la renovación de la autorización de internamiento o para disponer la salida, dentro de los treinta (30) días anteriores al vencimiento del término de esta.

Artículo 24. Fin del internamiento. El internamiento psiquiátrico cesará en cualquier momento en que se establezca pericialmente que las causas que la motivaron han desaparecido.

Vencido el término del internamiento, se dispondrá que este cese, a solicitud de cualquiera, incluso del paciente, siempre que no se ponga en riesgo el bienestar de la persona con discapacidad mental absoluta, la seguridad del grupo familiar o de la población.

Las solicitudes de cesación del internamiento y los recursos se resolverán dentro de los términos previstos para la decisión de las acciones de tutela y dará lugar a la responsabilidad prevista en dicha normatividad para el vencimiento injustificado de los plazos.

Artículo 25. Interdicción de las personas con discapacidad mental absoluta. La interdicción de las personas con discapacidad mental absoluta es también una medida de restablecimiento de los derechos del discapacitado y, en consecuencia, cualquier persona podrá solicitarla.

Tienen el deber de provocar la interdicción:

1. El cónyuge o compañero o compañera permanente y los parientes consanguíneos y civiles hasta el tercer grado (3°).

2. Los Directores de clínicas y establecimientos de tratamiento psiquiátrico y terapéutico, respecto de los pacientes que se encuentran internados en el establecimiento.

3. El Defensor de Familia del lugar de residencia de la persona con discapacidad mental absoluta; y,

4. El Ministerio Público del lugar de residencia de la persona con discapacidad mental absoluta.

Parágrafo. Los parientes que, sin causa justificativa, no cumplan con el deber de provocar la interdicción y, de ello, se deriven perjuicios a la persona o al patrimonio de la persona con discapacidad mental absoluta, serán indignos para heredarlo; los Directores de establecimientos y los funcionarios públicos incurrirán en causal de mala conducta.

Artículo 26. Patria potestad prorrogada. Los padres, el Defensor de Familia o el Ministerio Público deberán pedir la interdicción de la persona con discapacidad mental absoluta, una vez este haya llegado a la pubertad y, en todo caso, antes de la mayoría de edad. La interdicción no tiene otra consecuencia que mantener a este adolescente como incapaz absoluto y permitir que opere la prórroga legal de la patria potestad, al cumplimiento de la mayoría de edad.

El Juez impondrá a los padres de la persona con discapacidad mental absoluta las obligaciones y recomendaciones de cuidado personal que impondría a los curadores y, si lo considera conveniente o lo solicita el Defensor de Familia, exigirá la presentación de cuentas e informes anuales de que tratan los artículos 108 a 111 de esta ley.

Parágrafo. La patria potestad prorrogada termina:

1. Por la muerte de los padres.

2. Por rehabilitación del interdicto.

3. Por matrimonio o unión marital de hecho declarada de la persona con discapacidad; y,

4. Por las causales de emancipación judicial.

Artículo 27. Interdicción provisoria. Mientras se decide la causa, el Juez de Familia podrá decretar la interdicción provisoria de la persona con discapacidad mental absoluta, cuando cuente con un dictamen pericial que lo determine.

Artículo 28. Dictamen para la interdicción. En todo proceso de interdicción definitiva se contará con un dictamen completo y técnico sobre la persona con discapacidad mental absoluta realizado por un equipo interdisciplinario compuesto del modo que lo establece el inciso 2° del artículo 16 de esta ley. En dicho dictamen se precisarán la naturaleza de la enfermedad, su posible etiología y evolución, las recomendaciones de manejo y tratamiento y las condiciones de actuación o roles de desempeño del individuo.

Artículo 29. Revisión de la interdicción. Cuando lo estime conveniente y por lo menos una vez cada año, el Juez del proceso a petición del guardador o de oficio, revisará la situación de la persona con discapacidad mental absoluta interdicta.

Para el efecto, decretará que se practique a la persona con discapacidad un examen clínico psicológico y físico, por un equipo interdisciplinario del organismo designado por el Gobierno Nacional para el efecto o del Instituto de Medicina Legal y Ciencias Forenses.

Artículo 30. Rehabilitación del interdicto. Cualquier persona podrá solicitar la rehabilitación del interdicto, incluso el mismo paciente.

Recibida la solicitud de rehabilitación, el Juez solicitará el dictamen pericial correspondiente, así como las demás pruebas que estime necesarias y, si es del caso, decretará la rehabilitación.

Parágrafo. El Juez, si lo estima conveniente, podrá abstenerse de iniciar diligencias respecto de una solicitud de rehabilitación cuando no hayan transcurrido seis (6) meses desde la última solicitud tramitada.

Artículo 31. Interdicción del rehabilitado y modificación de la medida. El rehabilitado podrá ser declarado interdicto de nuevo cuando sea necesario.

En las mismas condiciones del artículo precedente, el Juez podrá sustituir la interdicción por la inhabilitación negocial cuando la situación de la persona con discapacidad mental lo amerite.

Sección Segunda. El sujeto con discapacidad mental relativa

Artículo 32. La medida de inhabilitación. Las personas que padezcan deficiencias de comportamiento, prodigalidad o inmadurez negocial y que, como consecuencia de ello, puedan poner en serio riesgo su patrimonio, podrán ser inhabilitadas para celebrar algunos negocios jurídicos, a petición de su cónyuge, el compañero o compañera permanente, los parientes hasta el tercer grado de consanguinidad y aún por el mismo afectado.

Los procesos de inhabilitación se adelantarán ante el Juez de Familia.

Parágrafo. Para la inhabilitación será necesario el concepto de peritos designados por el Juez.

Artículo 33. Inhabilitación accesoria. En los procesos de liquidación patrimonial y en los de pago por cesión de bienes de personas naturales, podrá decretarse como medida accesoria la inhabilitación del fallido, a solicitud del representante del patrimonio, de los acreedores u oficiosamente por el Juez.

El Juez ante quien se adelante el proceso concursal contra el fallido, será el competente para decretar la inhabilitación accesoria.

Artículo 34. Alcance de la inhabilitación. La inhabilitación se limitará a los negocios que, por su cuantía o complejidad, hagan necesario que la persona con discapacidad mental relativa realice con la asistencia de un consejero.

Para la determinación de los actos objeto de la inhabilidad se tomará en cuenta la valoración física y psicológica que realicen peritos.

Parágrafo. El Juez, atendiendo las fuerzas del patrimonio señalará una suma para sus gastos personales del inhabilitado y para su libre administración, sin exceder del cincuenta por ciento (50%) de los ingresos reales netos.

Artículo 35. Situación del inhabilitado. El inhabilitado conservará su libertad personal y se mirará como capaz para todos los actos jurídicos distintos de aquellos sobre los cuales recae la inhabilidad.

Artículo 36. Inhabilitación provisional. Mientras se decide la causa, el Juez de Familia podrá decretar la inhabilitación provisional. Dicha inhabilitación se limitará a ordenar que todos los actos de enajenación patrimonial cuyo valor supere los quince (15) salarios mínimos legales mensuales sea autorizado por un consejero legítimo o dativo designado en el mismo acto de inhabilitación.

Artículo 37. Domicilio del inhabilitado. El inhabilitado fijará su domicilio de conformidad con las reglas del Código Civil. Con todo, para aquellos asuntos objeto de la inhabilitación también lo será el del consejero.

Artículo 38. Rehabilitación del inhabilitado. El Juez decretará la rehabilitación del inhabilitado a solicitud de este o de su consejero, previas las evaluaciones técnicas sobre su comportamiento. Entre dos (2) solicitudes de rehabilitación deberán transcurrir cuando menos seis (6) meses.

El fallido tendrá derecho a obtener su rehabilitación cuando haya satisfecho a los deudores que se hicieron presentes en el concurso.

Artículo 39. Oposición a la rehabilitación. El consejero y cualquiera de las personas facultadas para promover el proceso de inhabilitación, podrá oponerse a la rehabilitación.

En todo caso, dentro del proceso de rehabilitación se citará a quienes promovieron el proceso que dio origen a la inhabilitación.

Corresponderá al Juez decidir sobre la viabilidad y fundamentación de la oposición.

Sección Tercera. Procedimiento

Artículos 40 al 45. [Derogados. Art. 626 C.G.P.]

Art. 626 C.G.P.: «A partir de la entrada en vigencia de esta ley, en los términos del numeral 6 del artículo 627, queda derogado (...) artículos 40 a 45 y 108 de la Ley 1306 de 2009 (...)».

Artículo 46. Unidad de actuaciones y expedientes. Cualquier actuación judicial relacionada con quienes sufren discapacidad dará lugar a que se abra un expediente que servirá de base para todas y cada una de las actuaciones posteriores relacionadas con la capacidad jurídica de dicha persona y, en consecuencia, cada Despacho Judicial contará con un archivo de expedientes inactivos sobre personas con discapacidad mental del cual se puedan retomar las diligencias cuando estas se requieran. En el evento de requerirse el envío al archivo general, estos expedientes se conservarán en una sección especial que permita su desarchivo a requerimiento del juzgado.

Será competente para conocer de todas las causas relacionadas con la capacidad o asuntos personales del interdicto, el Juez que haya tramitado el proceso de interdicción. Cuando sea necesario adelantar un proceso por cuestiones patrimoniales del pupilo, responsabilidad civil o por cambio de domicilio ante un Juez distinto del que declaró la interdicción, deberá solicitarse la copia del expediente para dar curso a la actuación.

En todo caso, el Juez que tramitó el proceso de interdicción conservará el original del mismo en su archivo y a este se anexarán copias de la actuación surtida en cualquier otro Despacho Judicial.

Parágrafo 1°. El expediente de quien haya sido rehabilitado que no haya tenido movimiento en un lapso superior a dos (2) años, podrá ser remitido al archivo general. La interdicción de la misma persona se considerará nueva y será necesario abrir un nuevo expediente.

También será causa de archivo general la muerte del interdicto o inhabilitado, una vez se haya aprobado la cuenta del guardador, en el caso pertinente.

Parágrafo 2°. Las reglas del presente artículo no se aplican a las inhabilitaciones accesorias de que trata el artículo 35 de la presente ley.

Parágrafo 3°. También tendrá expediente único de la persona con discapacidad mental absoluta sujeta a patria potestad prorrogada.

Sección Cuarta. Publicidad de la condición de inhabilitados

Artículo 47. Registro y publicidad. Las decisiones de interdicción o inhabilitación y el levantamiento de las medidas se harán constar en el folio de nacimiento del registro del estado civil del afectado.

Los funcionarios del Registro Civil informarán del hecho a la Superintendencia de Notariado y Registro, la cual llevará una base de datos actualizada en la que consten el nombre, edad y número del documento de identificación y la medida de protección a que esté sometido.

La información contenida en la base de datos es reservada, pero cualquier persona podrá solicitar a la Superintendencia de Notariado y Registro certificación respecto de una persona en particular sobre su condición de interdicto o inhabilitado.

La certificación se limitará a señalar el nombre, la identificación, las condiciones de la medida y el nombre y datos del curador o consejero.

CAPÍTULO III. Actuaciones jurídicas de interdictos e inhabilitados

Artículo 48. Eficacia de los actos de los interdictos. Sin perjuicio de las disposiciones contenidas en el presente Capítulo, los actos realizados por la persona con discapacidad mental absoluta, interdicta, son absolutamente nulos, aunque se alegue haberse ejecutado o celebrado en un intervalo lúcido.

Los realizados por la persona con discapacidad mental relativa inhabilitada en aquellos campos sobre los cuales recae la inhabilitación son relativamente nulos.

Artículo 49. Actos en favor de incapaces absolutos. Todo acto gratuito desinteresado o de mera liberalidad de persona capaz en favor de personas con discapacidad mental absoluta o a impúberes es válido y se presume el consentimiento de su representante legal.

Quien suministre a tales personas o a impúberes cualquier prestación alimentaria necesaria, tendrá acción para que se le compense su valor. Dicha acción podrá ejercitarse contra el alimentante.

No habrá rescisión de los contratos bilaterales onerosos celebrados por personas con discapacidad mental absoluta que les sean útiles, pero el representante legal o la misma persona, una vez rehabilitada, tendrá derecho a que se fije justa contraprestación. Esta acción no pasa a terceros y prescribe en diez (10) años.

Artículo 50. Situaciones de familia del sujeto con discapacidad mental absoluta. Todo acto relacionado con el Derecho de Familia de personas con discapacidad mental absoluta deberá tramitarse ante el Juez de Familia. Son ejemplos de estos actos el matrimonio, el reconocimiento o impugnación de la filiación, la entrega en adopción de hijos, la prestación alimentaria a favor de terceros y otros actos que se asimilen.

Dentro de estos procesos el Juez de Familia deberá escuchar a la persona con discapacidad mental absoluta cuando, en opinión de los facultativos, se encuentre en un intervalo lúcido y tenga conciencia del alcance de sus decisiones.

En todo caso, para la determinación de la filiación de un hijo atribuido a la persona con discapacidad mental absoluta concebido durante la interdicción, se deberán practicar las pruebas científicas que permitan tener la mayor certeza sobre la filiación, de conformidad con la Ley 721 de 2001 y las normas que la reglamenten, sustituyan o adicionen.

Parágrafo. Los sujetos con discapacidad no podrán ser discriminados por su situación en cuanto a las relaciones de familia, en especial al ejercicio pleno de sus derechos relacionados con la constitución de una familia y su participación en ella. Corresponde al Juez de Familia autorizar las restricciones a estos derechos por razones de protección del individuo.

Artículo 51. Labores personales del sujeto con discapacidad. Las personas con discapacidad mental absoluta tendrán derecho a una justa remuneración por todas aquellas labores personales que realicen en favor de terceros, sin importar la causa de la actuación. Quien alegue que la actuación era gratuita, deberá demostrar que existió voluntad sana y consciente de la persona con discapacidad.

Corresponderá a los Jueces de Familia resolver las cuestiones relacionadas con la remuneración de las obras y servicios prestados por personas con discapacidad mental absoluta y los problemas relativos a su vinculación más o menos permanente y determinar el alcance de las obligaciones y valor de las prestaciones.

Parágrafo. El Juez en la determinación de la remuneración tendrá en cuenta, especialmente, la ventaja económica que la labor de la persona con discapacidad mental absoluta reporta para el beneficiario de la prestación.

CAPÍTULO IV. Guardadores y su gestión

Sección Primera. Curadores, consejeros y administradores

Artículo 52. Curador de la persona con discapacidad mental absoluta. A la persona con discapacidad mental absoluta mayor de edad no sometido a patria potestad se le nombrará un curador, persona natural, que tendrá a su cargo el cuidado de la persona y la administración de sus bienes.

El curador es único, pero podrá tener suplentes designados por el testador o por el Juez.

Las personas que ejercen el cargo de curador, los consejeros y los administradores fiduciarios de que trata el presente Capítulo, se denominan generalmente guardadores y la persona sobre la cual recae se denomina, en general, pupilo.

Artículo 53. Curador del impúber emancipado. La medida de protección de los impúberes no sometidos a patria potestad será una curaduría. La designación del curador, los requisitos de ejercicio de cargo y las facultades de acción serán las mismas que para los curadores de la persona con discapacidad mental absoluta.

En la guarda personal de los impúberes, los curadores se ceñirán a las disposiciones del Código de la Infancia y la Adolescencia y las normas que lo reglamenten, adicionen o sustituyan.

Parágrafo. Para todos los efectos legales el impúber se equipara al niño y niña definido en el artículo 3° del Código de la Infancia y Adolescencia. De igual manera, el menor adulto se equipara al adolescente de ese estatuto.

Con todo, la edad mínima para contraer matrimonio se mantiene en 14 años, tanto para los varones como para las mujeres.

Artículo 54. Curador del menor adulto emancipado. El menor adulto no sometido a patria potestad quedará bajo curaduría; el menor adulto, en todos los casos, tendrá derecho a proponer al Juez el nombre de su curador, incluso contradiciendo la voluntad del testador y el Juez deberá acogerlo a menos que existan razones para considerar inconveniente el curador propuesto, de las cuales se dejará constancia escrita. El curador del niño o niña seguirá ejerciendo su cargo al llegar estos a la adolescencia, salvo que el pupilo, en ejercicio de las facultades que se consagran en este artículo solicite su remoción y el Juez la encuentre procedente.

En cuanto al cuidado personal, el curador del menor adulto tendrá las mismas facultades y obligaciones que el curador del impúber y en estas se sujetará a las disposiciones del Código de la Infancia y la Adolescencia, pero no lo representará en aquellos actos para los cuales el menor adulto tiene plena capacidad.

Respecto de los actos jurídicos de administración patrimonial, el curador obrará del mismo modo que los consejeros, pero el menor adulto podrá conferir a su guardador poderes plenos para representarlo en todos sus actos jurídicos extrajudiciales.

La representación judicial del menor adulto corresponde al curador.

Cuando el menor adulto presente discapacidad mental absoluta, el curador actuará de la misma manera que el curador de una persona en dicha condición y estará obligado a solicitar la interdicción del pupilo a partir de la pubertad y en todo caso antes de llegar el pupilo a la mayoría de edad, so pena de responder por los eventuales perjuicios que se causen al pupilo o sus herederos.

Parágrafo. Los padres o el curador y el mismo menor adulto, podrán solicitar la designación de un consejero para el manejo de su peculio profesional y el Juez, de considerarlo procedente, decretará la inhabilitación sometiéndose a las reglas pertinentes.

Producida la inhabilitación, los padres o el curador hará las veces de consejero, a menos que el Juez, a solicitud del menor adulto, estime conveniente designar otro guardador que tendrá el carácter de administrador adjunto.

Artículo 55. Consejeros. A la persona con discapacidad mental relativa inhabilitado se le nombrará un consejero, persona natural, que lo guíe y asista y complemente su capacidad jurídica en los negocios objeto de la inhabilitación.

El consejero es único, pero podrá tener suplentes designados por el testador o por el Juez.

Artículo 56. Curadores y consejeros suplentes. Los curadores o consejeros suplentes serán sucesivos y reemplazarán al principal o al suplente antecesor en sus ausencias definitivas o temporales.

Para entrar en ejercicio del cargo no se requiere el cumplimiento de formalidad alguna, pero el suplente deberá comunicarlo de inmediato al Juez del proceso con indicación de las causas que motivaron su actuación.

Con todo, los suplentes podrán solicitar al Juez ordene la rendición de cuentas y entrega formal de los bienes del incapaz que administren y, en tal caso, se suspenderá la asunción del cargo hasta cumplida dicha diligencia, que deberá practicarse en un plazo no mayor de un (1) mes, contado a partir de la solicitud por parte del suplente.

Cuando sea necesario, el Juez podrá ordenar al suplente la asunción inmediata del cargo, a pesar de quedar pendiente la rendición de cuentas; pero en tal caso, dicho suplente no asumirá responsabilidad patrimonial y esta será de cuenta del curador que va a ser reemplazado, sin perjuicio de la responsabilidad individual del suplente por las acciones que le puedan ser atribuidas.

Parágrafo 1°. La comunicación deberá hacerse mediante correo certificado y se entenderá cumplida desde el día en que sea recibida en la oficina postal.

Parágrafo 2°. El curador o consejero que omita la comunicación o que asuma injustificadamente el cargo, responderá hasta de la culpa levísima en sus actuaciones respecto del pupilo.

Artículo 57. Administradores fiduciarios. Cuando el valor de los bienes productivos de la persona con discapacidad mental absoluta o menor de edad supere los quinientos (500) salarios mínimos legales mensuales o cuando sea inferior pero el Juez lo estime necesario, se dará la administración de los bienes a un administrador fiduciario.

Podrá adoptarse la misma medida para el manejo de bienes de la persona con discapacidad mental relativa, inhabilitada, cuando este, con el asentimiento de su consejero, lo solicite.

Los administradores serán sociedades fiduciarias legalmente autorizadas para funcionar en el país.

Parágrafo. Con todo, los familiares que por ley tienen el deber de promover la interdicción de la persona con discapacidad mental absoluta, constituidos en Consejo, podrán solicitar al Juez que los bienes productivos del mismo no sean entregados en fiducia, sino que queden bajo la responsabilidad administrativa del Curador.

Artículo 58. Bienes excluidos de la administración fiduciaria. Se excluyen de la administración fiduciaria los bienes personales, incluyendo la vivienda del pupilo y el menaje doméstico.

Artículo 59. Administradores adjuntos. Los bienes de un menor o mayor de edad con discapacidad mental absoluta, sometido a patria potestad, que no puedan ser administrados por los padres por las causas establecidas en el numeral 3 del artículo 291 y en el artículo 299 del Código Civil o de los Niños, Niñas y Adolescentes y con discapacidad que por expresa disposición del testador o donante no deban ser administrados por los respectivos padres o guardadores, serán dados en administración en las condiciones de la presente ley.

Es potestad del testador o donante designar la entidad fiduciaria que se encargará de la administración adjunta y el Juez no podrá apartarse de esa designación a menos que, de seguirse la voluntad del testador o donante, se pueda ocasionar grave perjuicio al incapaz.

Cuando por acto entre vivos o por causa de muerte se deje algo al que está por nacer, que no se le deba a título de legítima, con la condición de que no los administre la madre, se nombrará un administrador adjunto. Tendrá el mismo carácter quien sea designado para administrar los bienes dejados al nascituro, porque la madre se encuentre inhabilitada, a título de sanción, para ejercer la patria potestad o la administración de bienes sobre cualquier otro hijo o por haber atentado contra la vida del ser o seres que se encuentran en su vientre.

Parágrafo 1°. Si los bienes no exceden de la suma prevista en el artículo 59 de la presente ley o no se trate de bienes productivos que deban conservar su naturaleza, podrá designarse una persona natural para la administración adjunta siguiendo las reglas para la designación de curadores. El administrador adjunto seguirá administrando dichos bienes aun en el evento de que durante el ejercicio del cargo estos superen el mencionado valor, a menos que el Juez disponga lo contrario, con conocimiento de causa.

Parágrafo 2°. La designación de una persona natural como administrador adjunto se tendrá por no escrita cuando, al hacer el inventario, los bienes superen las cuantías previstas o el Juez considere que la complejidad de los negocios amerita que sean manejados por una fiduciaria.

Parágrafo 3°. El administrador persona natural tendrá las facultades de los curadores respecto de los bienes e intereses que administra y de igual manera queda sometido a todas aquellas limitaciones, incapacidades e incompatibilidades de los curadores.

Artículo 60. Guardadores y Consejeros Interinos. Cuando se retrasa por cualquier causa la asunción de una guarda por el designado o durante ella sobreviene un embarazo que por algún tiempo impida al guardador seguir ejerciéndola y no haya guardador suplente que pueda asumir la gestión, se dará por el Juez de Familia un Guardador Interino mientras dure el retardo o el impedimento.

Si al término de una guarda sometida a plazo o condición resolutorios, el guardador en ejercicio no tiene impedimento o excusa para continuar en el cargo, no se nombrará un guardador interino, sino que el guardador en ejercicio seguirá desempeñando la función hasta que el sucesor se posesione.

Artículo 61. Curadores especiales. Se da curador especial cuando se deba adelantar un asunto judicial o extrajudicial determinado y el interesado o afectado no pueda o no quiera comparecer o su representante legal se encuentre impedido de hacerlo.

Artículo 62. Otros representantes de los incapaces. Toda otra persona que obre en nombre o por cuenta de la persona con discapacidad mental o menor, será tomado como agente oficioso, pero responderá, en todo caso, hasta de la culpa leve.

Sección Segunda. Designación de guardadores

Artículo 63. Curadores testamentarios. Cualquiera de los padres podrá designar curadores y administradores, por testamento, para sus hijos niños, niñas y adolescentes o a la persona con discapacidad mental absoluta, aun para los hijos que están por nacer.

La designación testamentaria de curadores o administradores estará en suspenso mientras el incapaz se encuentre sometido a patria potestad, pero una vez deje de estar bajo potestad, adquirirá plena eficacia.

Parágrafo. Cuando cada padre en su testamento haya designado un curador distinto para su hijo menor o con discapacidad mental, tendrá prelación designación hecha en el acto testamentario otorgado en último lugar, sin perjuicio de que el Juez pueda, luego de la evaluación del caso, desechar esta designación para acoger la del otro padre y en tal caso podrá dejar al otro como suplente.

Artículo 64. Consejeros testamentarios. El padre o la madre que ejerzan como consejeros de sus hijos inhabilitados podrán nombrar por testamento la persona que haya de sucederles en la guarda.

Artículo 65. Designación de administradores adjuntos. Todo el que instituya, legue o done a una persona con discapacidad mental absoluta o a un menor bienes que no se le deba a título de legítima, podrá designar por testamento o por acto entre vivos, administrador adjunto para el manejo de tales bienes.

Artículo 66. Designaciones múltiples. El testador o donante podrá designar guardadores suplentes sin exceder de tres (3).

Cuando en un testamento se designen varios guardadores para ejercer una guarda y sin especificar su condición, se entenderá que el primero es el guardador principal y los demás suplentes en el orden de mención.

Mientras el patrimonio de varios pupilos permanezca indiviso, pero el testador hubiese asignado a cada uno de ellos un guardador distinto, ejercerá la guarda sobre dicho patrimonio el guardador designado para el efecto por el testador o, en defecto de tal designación, el primero de los guardadores mencionados y los demás serán sus suplentes en el orden de mención. Dividido el patrimonio, cada guardador entrará a ejercer su cargo de manera independiente.

El cuidado de la persona de cada pupilo corresponderá exclusivamente a su respectivo curador, aun durante la indivisión del patrimonio.

Artículo 67. Designaciones modalizadas. Las guardas testamentarias admiten condición suspensiva y resolutoria y señalamiento de día cierto en que principien o expiren.

Cuando el testador omita designar los guardadores sustitutos o sucesores a quienes corresponda ejercer la guarda cuando ocurra la condición o el plazo, entrarán a ejercer el cargo los suplentes o en su defecto se designarán guardadores legítimos o dativos conforme a las reglas que se mencionan enseguida.

Artículo 68. Guardas legítimas. Tiene lugar la guarda legítima cuando falta o expira la testamentaria.

Son llamados a la guarda legítima:

1. El Cónyuge no divorciado ni separado de cuerpos o de bienes y el compañero o compañera permanente.

2. Los consanguíneos del que tiene discapacidad mental absoluta, prefiriendo los próximos a los lejanos y los ascendientes a los descendientes.

Cuando existan varias personas aptas para ejercer la guarda en el mismo orden de prelación señalado en este artículo, el Juez, oídos los parientes, elegirá entre ellas la que le parezca más apropiada. También deberá oír a los parientes para separarse de dicho orden.

Si continuando el pupilaje cesare en su cargo el guardador legítimo, será reemplazado por otro de la misma especie.

Artículo 69. Guardas dativas. A falta de otra guarda, tiene lugar la dativa.

La guarda dativa podrá recaer en las personas que de conformidad con lo dispuesto en el artículo 67 del Código de la Infancia y la Adolescencia y las normas que lo complementen, modifiquen o adicionen, han cuidado del menor o persona con discapacidad u otros miembros de grupo generado por solidaridad familiar e incluso los parientes afines que estén calificados para el ejercicio de la guarda.

El Juez designará el guardador principal y los suplentes que estime necesarios, conforme a las reglas de designación de auxiliares de la justicia y oyendo a los parientes del pupilo si es del caso.

La designación hecha por el Juez podrá ser impugnada por cualquiera de los parientes que, de acuerdo con esta ley, tengan el deber de promover los procesos de interdicción de personas con discapacidad mental absoluta.

Los curadores especiales siempre son dativos.

Artículo 70. Selección de fiduciarias. A menos que el testador haya designado la fiduciaria, corresponderá al Juez seleccionarla.

Cuando el valor del patrimonio que haya de darse en administración a una fiduciaria exceda de mil (1.000) salarios mínimos legales mensuales, la selección de la fiduciaria se hará por licitación pública. El mismo procedimiento se utilizará cuando, a juicio del Juez, la complejidad de los asuntos lo amerite.

Corresponde al ICBF adelantar la licitación, ciñéndose a las reglas contractuales administrativas que le sean aplicables a la entidad.

Sección Tercera. Incapacidades y excusas

Artículo 71. Obligatoriedad del cargo. Los cargos de curador y consejero, así como el de administrador patrimonial persona natural, son obligatorios.

Artículo 72. Sanciones a los guardadores renuentes. El guardador que sin razón válida se abstenga de asumir el cargo, será sancionado con una multa de hasta veinte (20) salarios mínimos legales mensuales.

Los guardadores testamentarios o legítimos que se abstengan de asumir el cargo sin justa causa, serán indignos para heredar al niño, niña o adolescente y al sujeto con discapacidad mental, directamente o por vía de representación. Los guardadores dativos serán objeto de las sanciones establecidas en las disposiciones procesales para los auxiliares de la justicia que incumplen sus obligaciones.

Artículo 73. Incapacidades. Son incapaces de ejercer la guarda:

1. Las personas con discapacidad mental absoluta, los inhábiles y los niños, niñas y adolescentes.

2. Las personas que, a título de sanción, se encuentren inhabilitadas para celebrar contratos con la Nación o para ejercer cargos públicos.

3. Los fallidos, mientras no hayan satisfecho a sus acreedores, incluidas las sociedades fiduciarias en proceso de liquidación administrativa.

4. Los que carecen de domicilio en la Nación.

5. Los que no saben leer ni escribir, con excepción de los padres llamados a ejercer la guarda legítima.

6. Los de mala conducta notoria.

7. Los condenados a una pena privativa de la libertad por un término superior a un (1) año, aun en el caso de que el condenado reciba los beneficios de un subrogado penal o de extinción de la pena.

8. El que ha sido privado de la patria potestad y el que por sentencia judicial haya perdido la administración y usufructo de los bienes de cualquiera de sus hijos por dolo o culpa en el ejercicio de esta.

9. Los que por torcida y descuidada administración han sido removidos de una guarda anterior o en el juicio subsiguiente a esta han sido condenados por fraude o culpa grave a indemnizar al pupilo.

10. El padrastro o madrastra en relación con sus entenados, salvo cuando se trate de menores adultos o inhábiles negociales que consientan en ello.

11. El que dispute su estado civil al pupilo o aquel padre o madre que haya sido declarado tal en juicio contradictorio.

Artículo 74. Incapacidades temporales. El guardador que no pudo ejercer su cargo por incapacidad podrá, una vez recupere la capacidad, solicitar al Juez se le designe como guardador, si tiene prelación frente al que la ejerce.

El Juez, de encontrar que el ejercicio de la guarda es benéfico para el pupilo, podrá posesionarlo del cargo.

En este caso, el guardador que ejercía quedará como suplente y desplazará un nivel a los demás guardadores y en el caso de quedar más de tres (3) suplentes, el suplente en exceso queda relevado automáticamente de la guarda.

Artículo 75. Denuncia de las incapacidades y ejercicio de guardadores sustitutos. El guardador que se creyere incapaz de ejercer la guarda tendrá treinta (30) días, contados a partir de la fecha de la citación para manifestar ante el Juez su incapacidad.

Vencido el término, si el Juez no ha recibido respuesta o se ha determinado la incapacidad del guardador, llamará al suplente posesionado o designará otro guardador.

Sin perjuicio de las medidas que tome el Juez para la protección del pupilo, cualquier daño que se cause como consecuencia de la demora en aceptar será de cuenta del guardador citado.

Parágrafo. El Juez tomará las medidas requeridas para evitar que durante el plazo concedido al guardador para que manifieste su incapacidad, el pupilo quede desprotegido.

Artículo 76. Consecuencias de la actuación del guardador incapaz. Los guardadores incapaces que, a sabiendas, ejerzan el cargo, además de estar sujetos a todas las responsabilidades de su administración, perderán los emolumentos correspondientes al tiempo en que, conociendo la incapacidad, ejercieron el cargo.

Las causas ignoradas de incapacidad no vician los actos del guardador; pero sabidas por él, pondrán fin a la guarda.

Artículo 77. Incapacidades sobrevivientes. Las causas de incapacidad que sobrevengan durante el ejercicio de la guarda pondrán fin a ella.

Los actos realizados en representación de su pupilo por el curador a quien le sobreviniere discapacidad mental, seguirán las reglas sobre invalidez establecidas en el Código Civil, a menos que sean favorables al incapaz en las condiciones previstas en el artículo 51 de esta ley.

Artículo 78. Excusas. Podrán excusarse de ejercer la guarda:

1. Los empleados públicos en cualquier organismo o entidad oficial.

2. Las personas domiciliadas a considerable distancia del lugar donde deben ejercer la guarda.

3. Los que adolecen de una grave enfermedad habitual o han cumplido los sesenta y cinco (65) años.

Parágrafo 1°. Quienes por razones económicas o por excesiva carga laboral o de custodia de otros se consideren imposibilitados para ejercer a cabalidad la guarda, deberán exponerlo al Juez, probando las razones aducidas. El Juez aceptará o rechazará la excusa, según la conveniencia que reporte al pupilo.

Parágrafo 2°. El guardador que haya servido la guarda de un mismo pupilo durante más de diez (10) años, podrá pedir que se llame al suplente para que entre a ejercerla, pasando a ocupar la posición de suplente en el último lugar. Si no hubiese suplentes, podrá el guardador solicitar la designación de estos para así poder ejercitar la opción aquí consagrada.

Artículo 79. Alegación de las excusas. Quien se encuentre en una de las causales establecidas en el artículo precedente, deberá invocarla dentro de los mismos plazos establecidos para manifestar al Juez las incapacidades y si no lo hace, responderá en la misma forma que el guardador incapaz que omite esa mención.

Los motivos de excusa no prescriben por ninguna demora en alegarlas. En consecuencia, quien ejerciendo el cargo se encuentre en una causal podrá esgrimirla en cualquier momento, pero el Juez no aceptará el retiro del guardador hasta tanto se tomen las medidas para que el suplente u otro guardador asuma el cargo, luego de la aprobación de las cuentas.

La reasunción de la guarda por el guardador que se excusó se someterá a las reglas del artículo 76, en lo relacionado con la temporalidad de las incapacidades.

Artículo 80. Reglas comunes a las incapacidades y a las excusas. Mientras se decide sobre las incapacidades y excusas, el Juez tomará las providencias para evitar situaciones perjudiciales para los pupilos. En todo caso, el Instituto Colombiano de Bienestar Familiar se encargará temporalmente del cuidado personal del pupilo cuando no haya alguien más que pueda asumir satisfactoriamente esta función.

Si a pesar de las previsiones del Juez se produce algún daño al pupilo, el guardador o consejero será responsable, a menos que la causal de incapacidad o excusa invocada le sea aceptada y que el guardador no haya procedido con dolo o culpa grave.

Sección Cuarta. Diligencias y formalidades para proceder al ejercicio de la guarda

Artículo 81. Requisitos relacionados con el guardador. Para asumir el cargo de guardador se requiere:

1. La constitución y aprobación de la garantía por parte del guardador.
2. La posesión del guardador ante el Juez.

Artículo 82. [Derogado. Art. 267 L. 1753 de 2015]

Art. 267 L. 1753 de 2015: «*La presente ley rige a partir de su publicación y (...) se deroga expresamente (...) el artículo 82 de la Ley 1306 de 2009 (...)*».

Artículo 83. Montos mínimos. La garantía deberá contemplar la indemnización de perjuicios morales y materiales.

El valor de la garantía de perjuicios morales no podrá ser inferior a la quinta parte del máximo de indemnización por tales perjuicios prevista en las normas vigentes.

El valor de la garantía de perjuicios materiales no será inferior al veinte por ciento (20%) de los bienes a cargo del guardador.

Artículo 84. Guardadores exceptuados. A menos que el Juez disponga lo contrario, quedan exceptuados de otorgar caución:

1. El cónyuge, los ascendientes y descendientes.
2. Los guardadores interinos llamados por poco tiempo a servir el cargo.
3. Las sociedades fiduciarias, sin perjuicio de las disposiciones sobre apalancamiento financiero estatal que se mencionan adelante.
4. Los que se dan para un negocio en particular sin administración de bienes.

Artículo 85. Posesión. Los guardadores principales y sus suplentes se posesionarán de su cargo ante el Juez y se comprometerán a cumplir fielmente con sus deberes. El Juez procurará posesionarlos en una sola diligencia.

Artículo 86. Inventario. El inventario contendrá la relación detallada de cada uno de los bienes y derechos del interdicto o del niño, niña y adolescente. Dicho inventario será confeccionado dentro de los sesenta (60) días siguientes a la ejecutoria de la sentencia, por uno o más peritos contables, según se requiera, designados por el Juez de la lista de auxiliares de la justicia. En la responsabilidad y la confección del inventario seguirán las reglas establecidas para los administradores de los patrimonios en procesos concursales y los principios de contabilidad generalmente aceptados.

Parágrafo. El Presidente de la República reglamentará el modo de hacer el registro y la publicidad de los inventarios en un término similar al contemplado en el artículo 106 de esta ley. Mientras se produce dicha reglamentación, los inventarios se trasladarán a archivo digital, utilizando un programa que no permita la modificación de su texto y se conservarán con las suficientes seguridades por el Juez de Conocimiento, pero permitiendo la expedición y envío de la información a requerimiento de quien lo solicite justificadamente. En la transferencia e impresión de la información se utilizarán los protocolos de seguridad admitidos por las reglas del comercio electrónico.

Artículo 87. Recepción de los bienes inventariados. Efectuada la posesión, se entregarán los bienes al guardador conforme al inventario realizado de conformidad con el artículo 44 de la presente ley, en diligencia en la cual asistirá el Juez o un comisionado suyo y el perito que participó en la confección del mismo. El guardador podrá presentar las objeciones que estime convenientes al inventario dentro de los cinco (5) días siguientes a la recepción de los bienes, con las pruebas que sustenten su dicho y estas objeciones se resolverán mediante diligencia incidental. Aprobado el inventario, se suscribirá por el guardador y el Juez y una copia auténtica del mismo se depositará en la Oficina de Registro de Instrumentos públicos, para su conservación y la inscripción relativa a los bienes sujetos a registro.

Parágrafo. La ausencia del perito no impedirá la diligencia de entrega, pero lo hará responsable de los daños que aquella ocasione.

Sección Quinta. Representación y administración

Artículo 88. Representación de la persona con discapacidad mental absoluta y el menor. El curador representará al pupilo en todos los actos judiciales y extrajudiciales que le conciernan, con las excepciones de ley.

Las acciones civiles contra personas con discapacidad mental absoluta y menores deberán dirigirse contra el curador, para que lo represente en la litis. No será necesaria autorización del curador para proceder penalmente contra los pupilos, pero en todo caso el guardador deberá ser citado para que suministre los auxilios que se requieran para la defensa.

Artículo 89. Forma de la representación. El curador realizará todas las actuaciones que se requieran en representación del pupilo, debiendo expresar esta circunstancia en el documento en que conste el acto o contrato, so pena de que, omitida esta expresión, se repute ejecutado en representación del pupilo si le fuere útil y no de otro modo.

En los casos previstos en la ley, podrá el guardador sanear las actuaciones realizadas directamente por el pupilo.

Parágrafo. La representación de los impúberes y menores adultos será la prevista en este artículo. Con todo, el guardador del menor adulto podrá facultar al pupilo para realizar actuaciones directas y en tal caso, se aplicarán las reglas de que trata el artículo siguiente.

Artículo 90. Representación del inhábil. El consejero solo representa al inhábil cuando haya recibido de este último mandato general o especial.

Todo acto del pupilo comprendido dentro de las limitaciones del inhábil, deberá contar con la aquiescencia del guardador, proferida como autorización o mediante ratificación del acto ejecutado.

Las discrepancias que surjan entre el pupilo, el inhábil y el consejero, respecto a la celebración de un acto determinado, serán resueltas por el Juez o por un Tribunal de Arbitramento convocado conforme a las leyes procesales.

Artículo 91. Administración y gestión de los guardadores. Los guardadores personas naturales deberán administrar los bienes patrimoniales a su cargo, con el cuidado y calidad de gestión que se exige al buen padre de familia, buscando siempre que presten la mayor utilidad al pupilo.

Artículo 92. Actos prohibidos al curador. No será lícito al curador:

a) Dejar de aceptar actos gratuitos desinteresados en favor del pupilo.

b) Invertir en papeles al portador los dineros del pupilo. Los títulos al portador o a la orden que tenga el pupilo se liquidarán y se sustituirán por títulos nominativos.

c) Celebrar cualquier acto en el que tenga algún interés el mismo curador, su cónyuge, sus parientes hasta el cuarto grado de consanguinidad o segundo de afinidad o de cualquier manera dé lugar a conflicto de intereses entre guardador y pupilo.

Parágrafo. Los actos en los que el guardador, su cónyuge o sus parientes tengan interés, serán celebrados por un guardador suplente o especial designado por el Juez y, en todo caso, requerirán autorización judicial.

Artículo 93. Actos de curadores que requieren autorización. El curador deberá obtener autorización judicial para realizar los siguientes actos, en representación de su pupilo:

a) Las donaciones de bienes del pupilo, incluidos aquellos actos de renuncia al incremento del patrimonio del pupilo, con excepción de aquellos regalos moderados, autorizados por la costumbre, en ciertos días y casos y los dones manuales de poco valor.

b) Los actos onerosos de carácter conmutativo, de disposición o de enajenación de bienes o derechos de contenido patrimonial, divisiones de comunidades, transacciones y compromisos distintos de los del giro ordinario de los negocios, cuya cuantía supere los cincuenta (50) salarios mínimos legales mensuales.

c) Las operaciones de crédito distintas de las mencionadas en el literal a) del artículo siguiente y el otorgamiento de garantías o fianzas y constitución de derechos reales principales o accesorios sobre bienes del pupilo, en favor de terceros, que no corresponda al giro ordinario de los negocios, en cuantía superior a los cincuenta (50) salarios mínimos legales mensuales.

d) La enajenación de los bienes esenciales de una actividad empresarial cualquiera que sea su valor, salvo que se trate de la reposición de activos. Las operaciones de reposición de activos productivos deberán constar por escrito y los dineros provenientes de la enajenación no podrán ser destinados a otros fines sin autorización judicial.

e) El repudio de los actos gratuitos interesados o modales en favor del pupilo. Las herencias podrán ser aceptadas libremente, pero se presumirá de Derecho que han sido aceptadas con beneficio de inventario.

f) La imposición de obligaciones alimentarias y cualquier otra prestación de carácter solidario a favor de familiares o allegados. En ningún caso se destinarán bienes del pupilo a atender necesidades suntuarias de los beneficiarios.

Artículo 94. Otras reglas de administración. El manejo de los asuntos del pupilo se someterá a los siguientes criterios:

a) En el manejo de los negocios se seguirán parámetros de gestión aceptados corrientemente dentro de las actividades mercantiles. El Juez podrá exigir al guardador la presentación de planes y programas anuales de administración de los negocios.

b) El guardador, con autorización judicial, procederá a liquidar los activos improductivos o de excesiva complejidad en la administración para realizar con el producto de estos operaciones financieras ordinarias permitidas. Si con los recursos producto de la liquidación se pretende adquirir una empresa, se requerirá autorización judicial, previa la presentación y aprobación del estudio de factibilidad. El Juez podrá solicitar la revisión del estudio por peritos administradores cuando la cuantía de la inversión o su especialidad lo ameriten.

c) Los dineros ociosos del pupilo y en general los excedentes de liquidez se colocarán en depósitos a término de entidades financieras y papeles del Estado de renta fija que garanticen un rendimiento mínimo equivalente al interés promedio que reconocen las entidades financieras por los depósitos a mediano y largo plazo —DTF—. Las transacciones de esos papeles, antes de la época de su redención, se hará por intermedio de una entidad bancaria autorizada para negociar en bolsa y requerirá autorización judicial cuando supere el diez por ciento (10%) del total de los activos del pupilo.

En todo caso, los dineros que no se inviertan se manejarán a través de cuentas de entidades financieras que remuneren los depósitos.

d) Los intereses remuneratorios que se paguen a acreedores del pupilo, aún en las operaciones del giro ordinario de los negocios no podrá exceder el DTF más tres (3) puntos. En las operaciones activas de crédito del pupilo, no podrá pactarse una tasa de interés inferior al «DTF». El Juez podrá autorizar operaciones que contravengan esta disposición, previa solicitud, mediante providencia motivada.

e) La previsión de la capacidad económica futura del pupilo será la meta primordial de la administración y en consecuencia, las inversiones de los excedentes de recursos que se generen se someterán a las reglas administrativas previstas para la seguridad social en materia de pensiones.

Artículo 95. Administración fiduciaria. Los bienes de pupilos que deban ser entregados en administración fiduciaria constituirán un patrimonio autónomo sometido a las reglas del derecho comercial sobre fiducia mercantil.

El curador del pupilo o el mismo inhábil con el consentimiento de su consejero, celebrará los actos de enajenación y hará la tradición y entrega a la fiduciaria de los bienes con las formalidades establecidas por la ley; pero el Juez, de oficio o por solicitud de cualquiera de los que deben pedir la curaduría, podrá hacer tales actos, cuando el curador se demore y de ello puedan derivarse perjuicios al patrimonio del pupilo. Esta última regla no se aplicará en el caso de inhábiles.

El Juez podrá embargar y secuestrar los bienes del pupilo, mientras se resuelven las oposiciones a la tradición de los bienes por parte de terceros o del guardador. Resueltas las objeciones procederá a hacer la entrega a quien corresponda.

Artículo 96. Fondo de Protección. De la remuneración neta que reciba la sociedad fiduciaria por la administración de recursos de incapaces destinará el porcentaje que fije el Gobierno, pero no menos del veinte por ciento (20%) a la constitución de un Fondo de Reserva para Protección de Activos Fideicomitidos de Pupilos.

El Gobierno, previos los estudios actuariales de riesgo, establecerá el valor del Fondo y las inversiones que se pueden realizar con los recursos.

Artículo 97. El contrato de fideicomiso de bienes de pupilos. Además de las cláusulas obligatorias y usuales de los contratos de fiducia mercantil, los contratos deberán contener:

a) El nombre e identificación del pupilo o, en su defecto, sus herederos como únicos beneficiarios de la fiducia.

b) La relación detallada de los bienes fideicomitidos.

c) Las disposiciones particulares de administración, en especial las relacionadas con la conservación y mutación de la naturaleza o forma de los bienes o su enajenación, las autorizaciones sobre los recursos que se pueden manejar en un Fondo Fiduciario Ordinario y las previsiones sobre la forma de administrar determinados negocios.

d) El término o condición al cual se supedite la vigencia de la fiducia, forma de adicionar y prorrogar el contrato. La rehabilitación de la persona con discapacidad mental absoluta será causal de terminación de la fiducia y esta cláusula se presume incorporada al contrato. Cuando el constituyente sea un inhábil, esta causal deberá quedar expresa. La muerte del pupilo pondrá fin a la fiducia y los bienes deberán ser puestos a disposición del Juez de la sucesión.

e) La remuneración por la gestión, la forma de liquidarla y la época en que se devenga.

f) La liquidación y pago de rendimientos y la periodicidad de exhibición y rendición de cuentas. Cuando no se disponga lo contrario, se seguirán las reglas de las Juntas o Asambleas societarias en lo relacionado con plazos, exhibición de cuentas, etc.

g) La designación de las personas encargadas del control y la forma de ejercitarlo.

h) Las reglas sobre responsabilidad y garantía.

Parágrafo. El contrato deberá ser aprobado por el Juez.

Artículo 98. Control de la gestión. La gestión de la sociedad fiduciaria será controlada por el curador o por el inhábil con la aprobación de su consejero. Con todo, cuando la cuantía de los bienes fideicomitidos exceda de mil (1.000) salarios mínimos legales mensuales o la complejidad de la gestión lo amerite, se conformará un Consejo de Administración en el que participarán el curador —o el inhábil y su consejero— un delegado del Superintendente Financiero de Colombia y un delegado del Director del Instituto Colombiano de Bienestar Familiar. Cuando se trate de bienes fideicomitidos por un inhábil negocial, por la causal establecida en el inciso 2° del artículo 35 de la presente ley, también hará parte del Consejo un representante de los acreedores.

El Superintendente Financiero de Colombia y el Instituto Colombiano de Bienestar Familiar podrán contratar los servicios de personas expertas como delegados suyos, que actúen ante una o varias fiduciarias o para uno o varios fideicomisos determinados.

Sección Sexta. Remuneración por la gestión

Artículo 99. Décima. La remuneración de los guardadores será fijada por el Juez, en atención a las cargas de cuidado del pupilo y la administración de los bienes, pero en ningún caso excederá la décima de los frutos netos del patrimonio del pupilo. En todo caso, el guardador tendrá derecho a que se le reconozcan y abonen los gastos necesarios para el desempeño de la gestión.

El valor pagado a la fiduciaria se considera gasto de la gestión y no se contabiliza para la fijación de la décima.

Los guardadores suplentes tendrán la remuneración durante el tiempo en que ejerzan el cargo. En el evento de discrepancia con el principal u otro suplente sobre el término y condiciones del ejercicio del cargo, el Juez decidirá.

Parágrafo 1°. El Juez podrá reconocer remuneración al agente oficioso del pupilo cuando esta no deba asignarse a otro guardador.

Artículo 100. Forma y oportunidad de la remuneración. El guardador cobrará su remuneración en la medida que se realicen los frutos y si lo desea, podrá recibirlos en especie.

Respecto de los frutos pendientes al principiar y terminar la guarda, se sujetará la remuneración a las mismas reglas del usufructo.

Artículo 101. Reglas especiales sobre frutos. No se consideran frutos los recursos obtenidos de la venta de activos fijos o de productos que al ser retirados impliquen una disminución del valor del bien, salvo los productos de bosques, minas y canteras.

Artículo 102. Recompensas testamentarias. Cualquier asignación que el testador haga en favor del guardador designado, para compensarlo por la gestión, se entenderá devengada para el guardador desde el momento mismo en que se posesiona del cargo, siempre que ese valor pudiese estar comprendido dentro de la porción de que el testador podía disponer libremente, en caso contrario la asignación se tendrá por no escrita.

Con todo, tendrá que pagar dicho valor al pupilo, debidamente corregido en su poder adquisitivo, si resulta removido del cargo por actuaciones dolosas, culposas o por conductas personales inapropiadas que redunden en perjuicio del pupilo.

La muerte del guardador, las incapacidades sobrevinientes no imputables al mismo y las excusas sobrevinientes, no le harán perder la recompensa.

Parágrafo. El Juez, al fijar la remuneración, tendrá en cuenta el valor de la recompensa.

CAPÍTULO V. Cuenta y control de la gestión

Artículo 103. Exhibición de la cuenta. Al término de cada año calendario deberá realizar un balance y confeccionar un inventario de los bienes, el cual se exhibirá al Juez junto con los documentos de soporte, en audiencia en la que podrán participar las personas obligadas a pedir la curaduría y los acreedores del pupilo, dentro de los tres (3) meses calendario siguientes, para lo cual el curador solicitará al Juez la fijación de la fecha para la respectiva diligencia.

En el evento de que el curador no lo haga dentro del plazo previsto, el Juez citará al curador para la diligencia. El curador que sin justa causa se abstenga de exhibir cuentas y soportes, será removido del cargo y declarado indigno de ejercer otra guarda y perderá la remuneración, sin perjuicio de la responsabilidad civil o penal que le pueda caber por los daños causados al pupilo.

Parágrafo 1°. Quienes estén interesados en ser citados a participar en una audiencia de exhibición de cuentas, deberán informarlo al Juez, por escrito, a más tardar diez (10) días antes del cierre del año judicial, a efectos de que el Juez les comunique la fecha de la audiencia. El no solicitar oportunamente la convocatoria, releva al Juez de la carga de citar al interesado, pero no impide la participación de este último en la audiencia.

Parágrafo 2°. En el mismo auto en que el Juez fija fecha para la audiencia, podrá ordenar la práctica del examen médico anual a que se refiere el artículo 31 de esta ley, previniendo al médico o equipo perito para que entregue el dictamen a más tardar el día anterior al de la fecha de la diligencia.

Parágrafo 3°. La copia del acta de la audiencia, firmada por los participantes y el Juez, servirá además como la prueba de supervivencia de que trata el artículo 13 de la Ley 962 de 2005 o la norma que la sustituya o complemente.

Para efectos de los pagos de terceros al pupilo por intermedio de su guardador, especialmente los de seguridad social, la constancia especial de supervivencia tendrá una vigencia no inferior a tres (3) meses si la persona discapacitada está residenciada en Colombia o de seis (6) meses si se encuentra residenciada en el exterior.

Artículo 104. Informe de la guarda. Los curadores, simultáneamente con la exhibición de la cuenta, deberán rendir un informe sobre la situación personal del pupilo y del inhábil, con un recuento de los sucesos de importancia acaecidos mes por mes. El informe también se presentará al término de la gestión.

Los consejeros remitirán anualmente al Juez un informe de su gestión con un recuento de los sucesos de importancia.

El Juez podrá solicitar las aclaraciones y pruebas que estime convenientes.

Artículo 105. Rendición anticipada de cuentas. Cuando el Juez lo estime conveniente, de oficio o por solicitud de alguno de los interesados, solicitará la rendición anticipada de la cuenta.

Al término de la guarda, el curador deberá rendir cuentas a su sucesor o al pupilo mayor o rehabilitado y hacer entrega de los bienes.

La entrega de los bienes deberá hacerse dentro de los plazos fijados por el Juez.

Parágrafo. Ni el Juez ni el testador podrán relevar a ningún curador de la obligación de rendir cuentas.

Artículo 106. Cuenta de curadores principales y suplentes. Cuando durante un año calendario hayan ejercido el cargo varios guardadores, la cuenta será presentada por todos ellos, a menos que el principal decida presentarla bajo su responsabilidad.

Los guardadores que ejercieron el cargo durante un año dado, son responsables solidarios de los actos y hechos ocurridos en este, salvo que se pueda probar que uno de ellos fue el directo responsable o se haya recibido y entregado formalmente el cargo, de uno a otro. En tal caso, la responsabilidad será individual.

Las discrepancias de interpretación de la cuenta serán debatidas ante el Juez.

CAPÍTULO VI. Responsabilidad de los guardadores

Artículo 107. Responsabilidad de los guardadores. Salvo cuando en esta ley se disponga lo contrario, la responsabilidad de los guardadores es individual y se extiende hasta la culpa leve.

Se presume la actuación culposa del guardador por el hecho de que el pupilo se encuentre afectado o lesionado en su derechos fundamentales o no se encuentre recibiendo tratamiento o educación adecuada según sus posibilidades o se deterioren los bienes o disminuyan considerablemente los frutos o se aumente considerablemente el pasivo. El guardador que no desvanezca esta presunción dando explicación satisfactoria, será removido.

Artículo 108. [Derogado. Art. 626 C.G.P.]

Art. 626 C.G.P.: «*A partir de la entrada en vigencia de esta ley, en los términos del numeral 6 del artículo 627, queda derogado (...) artículos 40 a 45 y 108 de la Ley 1306 de 2009 (...)*».

Artículo 109. Intereses sobre saldos a entregar. Sobre cualquier suma de dinero que el guardador resulte adeudando al pupilo, este último reconocerá un interés no inferior al DTF, más tres (3) puntos.

Las sumas de dinero que el pupilo termine debiendo al guardador generarán intereses a la tasa máxima del DTF.

Los intereses empezarán a correr desde el día en que es aprobada la cuenta.

Parágrafo. La mora en la entrega de los demás bienes se indemnizará con una suma de dinero equivalente al DTF sobre el valor real de los bienes dejados de entregar oportunamente, por el tiempo en que duró dicha mora. Los créditos del pupilo gozarán del privilegio que señala la ley.

Artículo 110. Caducidad de la acción y prescripción de los derechos. Las acciones de responsabilidad por el ejercicio de la guarda del pupilo contra el curador, caducarán en cuatro (4) años, contados desde el día en que el pupilo haya salido del pupilaje. Este plazo corre frente a cualquiera de los sucesores del pupilo.

En el mismo plazo prescribirán los derechos del guardador frente al pupilo o de este frente al otro, originados en la guarda.

CAPÍTULO VII. Terminación de las guardas

Artículo 111. Terminación. Las guardas terminan definitivamente:
a) Por la muerte del pupilo.
b) Por adquirir el pupilo plena capacidad.
En relación con determinado guardador:
a) Por muerte del guardador.
b) Por incapacidad.

c) Por la remoción del cargo.

d) En el caso del guardador suplente o interino, por la asunción de las funciones por el principal o definitivo.

e) Por excusa aceptada con autorización judicial para abandonar el cargo.

f) Por fraude o culpa grave en el ejercicio del cargo.

g) Por no rendir oportunamente las cuentas o realizar los inventarios exigidos en esta ley o por ineptitud manifiesta.

h) Por conducta inapropiada que pueda resultar en daño personal al pupilo.

Parágrafo. Cuando un guardador legítimo o testamentario solicite le sea asignada la guarda que ejerce un curador dativo o de menor grado, el Juez hará la designación correspondiente y pondrá al solicitante en ejercicio del cargo, a menos que sea preferible mantener el guardador que está desempeñando el cargo y así lo disponga mediante auto debidamente motivado.

Artículo 112. Acción de remoción. La acción de remoción es popular y puede ser promovida incluso por el pupilo.

Si el Juez lo estima conveniente, mientras se adelanta el juicio, podrá disponer de las medidas cautelares sobre la persona y los bienes del pupilo, como llamar a un suplente, encargar un interino, ubicar al pupilo en hogares de Bienestar Familiar, embargar y secuestrar bienes, etc.

Artículo 113. Consecuencias. El guardador removido será condenado a restituir la remuneración y recompensa testamentaria al pupilo, al pago de los perjuicios y perseguido criminalmente si su conducta se encuentra tipificada.

Aquellas personas que hayan ejercido la guarda legítima del incapaz y sean convictos de dolo o culpa grave en la administración de los bienes del pupilo, quedarán incapacitados para sucederle como legitimario o como heredero abintestato.

Tendrán igual sanción los padres que por sentencia judicial hayan sido condenados a la pérdida de la administración de los bienes de sus hijos sometidos a patria potestad en los términos del artículo 299 de Código Civil y deberán restituir el usufructo que han devengado.

CAPÍTULO VIII. Administradores de bienes

Artículo 114. Clases. Para cuidar y administrar los bienes de los ausentes y de la herencia yacente se designarán administradores.

Para la designación de administradores personas naturales o sociedades fiduciarias, se seguirán las reglas sustanciales y procesales previstas para los demás guardadores.

Artículo 115. Reglas sobre la administración de bienes del ausente. La administración de bienes del ausente se someterá a las siguientes reglas especiales:

1. Acción: Podrán provocar el nombramiento de administrador los parientes obligados a promover la interdicción de la persona con discapacidad mental absoluta y el Defensor de Familia. También podrán provocarla los acreedores, para que se les responda por sus obligaciones. Para este último efecto, el deudor que se oculta se mirará como ausente.

2. Designación: El administrador será legítimo o en defecto dativo.

Cuando la cuantía de los bienes productivos supere las cuantías establecidas en el artículo 59 de esta ley o la complejidad de administración de estos lo amerite, el administrador será una sociedad fiduciaria. En todo caso, la tradición de los bienes del ausente la hará el Juez.

3. Administración: El administrador obrará como los demás guardadores que administran bienes, pero no le será lícito alterar la forma de estos, a menos que el Juez, con conocimiento de causa se lo autorice.

4. Búsqueda del ausente: Corresponderá a las autoridades y al administrador, persona natural, realizar todas las gestiones requeridas para dar con el paradero del ausente.

5. Terminación de la guarda: La guarda termina por el regreso del ausente, por su muerte real o presunta o por el hecho de hacerse cargo un procurador debidamente constituido y por la extinción total de los bienes. La vigencia de la fiducia estará condicionada a las mismas causales.

Artículo 116. Reglas sobre la administración de bienes de la herencia yacente. La administración de bienes de la herencia yacente se someterá a las siguientes reglas especiales:

1. Designación: El administrador será dativo. Cuando sea del caso se designará una sociedad fiduciaria.

2. Administración y liquidación patrimonial: El administrador tendrá las mismas facultades y limitaciones del administrador de bienes del ausente. Cumplido el plazo establecido en el numeral 4 del artículo 582 del Código de

Procedimiento Civil, el administrador procederá a la liquidación del patrimonio. Una vez pagados los acreedores del causante y descontados los gastos originados en ese proceso, así como la remuneración del curador, se entregará el saldo al Instituto de Bienestar Familiar.

3. Acción de petición de herencia: El Instituto se apropiará inmediatamente de los valores recibidos, pero constituirá una provisión por si resulta condenado a restituir lo recibido a un heredero de mejor derecho. La restitución se limitará al principal corregido en la devaluación por el tiempo transcurrido entre la fecha que recibió los dineros y la de la restitución.

4. Terminación de la guarda: La guarda termina por la aceptación de la herencia o por la entrega de los dineros producto de la liquidación al Instituto Colombiano de Bienestar Familiar y por la extinción total de los bienes.

Parágrafo. Cuando el difunto tenga herederos en el extranjero, el Cónsul de la Nación donde estos estén real o presuntamente domiciliados, podrá hacerse presente en el proceso, para que por su intermedio se notifique a los herederos, concediéndoles plazo para que se presenten a reclamar la herencia.

Artículo 117. Remuneración a los curadores de bienes. El Juez asignará la remuneración a los guardadores de conformidad con las reglas aplicables a los auxiliares de la justicia.

Artículo 118. Otras curadurías. Las curadurías especiales y ad litem se rigen por las reglas especiales y de procedimiento.

CAPÍTULO IX. Derogatorias y vigencia

Artículo 119. Derogatorias. Quedan derogados los artículos 261; 428 a 632 del Código Civil. Se modifican parcialmente el artículo 34 del Código Civil, los artículos 427, 447, 649, 655, 659, 660 del Código de Procedimiento Civil; el artículo 5° del Decreto 2272 de 1989 y las demás normas que sean contrarias a esta ley.

Artículo 120. Vigencia. La presente ley rige a partir de su promulgación.

Publíquese y cúmplase.

Dada en Bogotá, D. C., a 5 de junio de 2009.

LEY 1579 DE 2012
(octubre 01)
por la cual se expide el estatuto de registro de instrumentos públicos y se dictan otras disposiciones

El Congreso de Colombia

DECRETA:

CAPÍTULO I. Disposiciones generales

Artículo 1°. Naturaleza del registro. El registro de la propiedad inmueble es un servicio público prestado por el Estado por funcionarios denominados Registradores de Instrumentos Públicos, en la forma aquí establecida y para los fines y con los efectos consagrados en las leyes.

Artículo 2°. Objetivos. El registro de la propiedad inmueble tiene como objetivos básicos los siguientes:

a) Servir de medio de tradición del dominio de los bienes raíces y de los otros derechos reales constituidos en ellos de conformidad con el artículo 756 del Código Civil;

b) Dar publicidad a los instrumentos públicos que trasladen, transmitan, muden, graven, limiten, declaren, afecten, modifiquen o extingan derechos reales sobre los bienes raíces;

c) Revestir de mérito probatorio a todos los instrumentos públicos sujetos a inscripción.

Artículo 3°. Principios. Las reglas fundamentales que sirven de base al sistema registral son los principios de:

a) **Rogación.** Los asientos en el registro se practican a solicitud de parte interesada, del Notario, por orden de autoridad judicial o administrativa.

El Registrador de Instrumentos Públicos sólo podrá hacer inscripciones de oficio cuando la ley lo autorice;

b) **Especialidad.** A cada unidad inmobiliaria se le asignará una matrícula única, en la cual se consignará cronológicamente toda la historia jurídica del respectivo bien raíz;

c) **Prioridad o rango.** El acto registrable que primero se radique, tiene preferencia sobre cualquier otro que se radique con posterioridad, aunque el documento haya sido expedido con fecha anterior, salvo las excepciones consagradas en la ley;

d) **Legalidad.** Solo son registrables los títulos y documentos que reúnan los requisitos exigidos por las leyes para su inscripción;

e) **Legitimación.** Los asientos registrales gozan de presunción de veracidad y exactitud, mientras no se demuestre lo contrario;

f) **Tracto sucesivo.** Solo el titular inscrito tendrá la facultad de enajenar el dominio u otro derecho real sobre un inmueble salvo lo dispuesto para la llamada falsa tradición.

CAPÍTULO II. Actos, títulos y documentos sujetos a registro

Artículo 4°. Actos, títulos y documentos sujetos al registro. Están sujetos a registro:

a) Todo acto, contrato, decisión contenido en escritura pública, providencia judicial, administrativa o arbitral que implique constitución, declaración, aclaración, adjudicación, modificación, limitación, gravamen, medida cautelar, traslación o extinción del dominio u otro derecho real principal o accesorio sobre bienes inmuebles;

b) Las escrituras públicas, providencias judiciales, arbitrales o administrativas que dispongan la cancelación de las anteriores inscripciones y la caducidad administrativa en los casos de ley;

c) Los testamentos abiertos y cerrados, así como su revocatoria o reforma de conformidad con la ley.

Parágrafo 1°. Las actas de conciliación en las que se acuerde enajenar, limitar, gravar o desafectar derechos reales sobre inmuebles se cumplirá y perfeccionará por escritura pública debidamente registrada conforme a la solemnidad consagrada en el Código Civil Escritura Pública que será suscrita por el Conciliador y las partes conciliadoras y en la que se protocolizará la respectiva acta y los comprobantes fiscales para efecto del cobro de los derechos notariales y registrales.

Parágrafo 2°. El Gobierno Nacional reglamentará el Registro Central de Testamentos cuyo procedimiento e inscripciones corresponde a las Oficinas de Registro de Instrumentos Públicos.

Artículo 5°. Circunscripción territorial y competencia. El registro de los documentos públicos referidos a inmuebles se verificará en la oficina de registro de instrumentos públicos en cuyo círculo esté ubicado el bien inmueble así la radicación o solicitud de registro se haya efectuado por cualquiera de los medios establecidos en la presente ley.

CAPÍTULO III. Sistemas registrales

Artículo 6°. Unificación del sistema y los medios utilizados en el Registro de Instrumentos Públicos. La información de la historia jurídica de los inmuebles que se encuentran en los libros múltiples o sistema personal, en el folio de matrícula inmobiliaria documental, en medio magnético y en el sistema de información registral; los índices de propietarios y de inmuebles y los antecedentes registrales deben ser unificados utilizando medios magnéticos y digitales mediante el empleo de nuevas tecnologías y procedimientos de reconocido valor técnico para el manejo de la información que garantice la seguridad, celeridad y eficacia en el proceso de registro, en todo el territorio nacional a través de una base de datos centralizada, para ofrecer en línea los servicios que corresponde al registro de la propiedad inmueble.

Parágrafo 1°. La Superintendencia de Notariado y Registro podrá diseñar otros sistemas distintos a los enunciados de acuerdo al desarrollo tecnológico, cuando por razones del servicio se requiera.

Parágrafo 2°. A partir de la entrada en vigencia de la presente ley, la Superintendencia de Notariado y Registro tiene un término de cinco (5) años para la sistematización o digitalización de la información contenida en los libros del Antiguo Sistema de Registro.

CAPÍTULO IV. Elementos constitutivos del registro inmobiliario

Artículo 7°. Elementos constitutivos. El archivo de registro se compone de la matrícula inmobiliaria, los radicadores de documentos y certificados, los índices de inmuebles y propietarios, el archivo de documentos antecedentes, el libro de testamentos y el libro de actas de visita.

Artículo 8°. Matrícula inmobiliaria. Es un folio destinado a la inscripción de los actos, contratos y providencias relacionados en el artículo 4°, referente a un bien raíz, el cual se distinguirá con un código alfanumérico o complejo numeral indicativo del orden interno de cada oficina y de la sucesión en que se vaya sentando.

Además, señalará, con cifras distintivas, la oficina de registro, el departamento y el municipio, corregimiento o vereda de la ubicación del bien inmueble y el número único de identificación predial en los municipios que lo tengan o la cédula catastral en aquellos municipios donde no se haya implementado ese identificador.

Indicará también, si el inmueble es urbano o rural, designándolo por su número, nombre o dirección, respectivamente y describiéndolo por sus linderos, perímetro, cabida, datos del acto administrativo y plano donde estén contenidos los linderos, su actualización o modificación y demás elementos de identificación que puedan obtenerse.

En la matrícula inmobiliaria constará la naturaleza jurídica de cada uno de los actos sometidos a registro, así: tradición, gravámenes, limitaciones y afectaciones, medidas cautelares, tenencia, falsa tradición, cancelaciones y otros.

Parágrafo 1°. Solo se podrá omitir la transcripción de los linderos en el folio de matrícula inmobiliaria, para las unidades privadas derivadas de la inscripción del régimen de propiedad horizontal.

Parágrafo 2°. La inscripción de falsa tradición sólo procederá en los casos contemplados en el Código Civil y las leyes que así lo dispongan.

Parágrafo 3°. Para efectos de la calificación de los documentos, téngase en cuenta la siguiente descripción por naturaleza jurídica de los actos sujetos a registro:

01 Tradición: para inscribir los títulos que conlleven modos de adquisición, precisando el acto, contrato o providencia.

02 Gravámenes: para inscribir gravámenes: hipotecas, actos de movilización, decretos que concedan el beneficio de separación, valorizaciones, liquidación del efecto de plusvalía.

03 Limitaciones y Afectaciones: para la anotación de las limitaciones y afectaciones del dominio: usufructo, uso y habitación, servidumbres, condiciones, relaciones de vecindad, condominio, propiedad horizontal, patrimonio de familia inembargable, afectación a vivienda familiar, declaratorias de inminencia de desplazamiento o desplazamiento forzado.

04 Medidas Cautelares: para la anotación de medidas cautelares: embargos, demandas civiles, prohibiciones, valorizaciones que afecten la enajenabilidad, prohibiciones judiciales y administrativas.

05 Tenencia: para inscribir títulos de tenencia constituidos por escritura pública o decisión judicial: arrendamientos, comodatos, anticresis, leasing, derechos de retención.

06 Falsa Tradición: para la inscripción de títulos que conlleven la llamada falsa tradición, tales como la enajenación de cosa ajena o la transferencia de derecho incompleto o sin antecedente propio, de conformidad con el parágrafo 2° de este artículo.

07/08 Cancelaciones: para la inscripción de títulos, documentos o actos que conlleven la cancelación de las inscripciones contempladas en el literal b) del artículo 4° de esta ley.

09 Otros: para todos aquellos actos jurídicos que no se encuentran en la anterior codificación y que requieren de publicidad por afectar el derecho real de dominio.

Parágrafo 4°. Toda escritura pública, providencia judicial o acto administrativo deberá llevar anexo el formato de calificación debidamente diligenciado bajo la responsabilidad de quien emite el documento o título de conformidad con los actos o negocios jurídicos sujetos a registro. Corresponderá a la Superintendencia de Notariado y Registro asignar y definir los códigos de las operaciones registrales.

Artículo 9°. Radicadores. Se llevará en cada oficina de registro un radicador para la anotación sucesiva e ininterrumpida de los documentos allegados al registro y de las solicitudes de certificados sobre la situación jurídica de los inmuebles. Se llevarán, en forma separada para unos y otros, por medios sistematizados y tendrán vigencia anual, con notas de apertura y cierre suscritas por el respectivo Registrador.

Los radicadores se clasificarán en:

a) Radicador de documentos. En este se relacionarán a diario todos los títulos y documentos que se presenten directamente en la Oficina de Registro o que se reciban por medios electrónicos de las Notarías, Despachos Judiciales o Entidades Públicas con firma digital, en estricto orden de radicación, con indicación de la fecha y turno. El diario radicador contendrá como mínimo los siguientes datos:

Fecha y hora de recibo del documento; número de orden correspondiente a este dentro del año calendario, en forma continua; la naturaleza del título, con su distintivo y fecha; la mención de la oficina y lugar de origen y la mención del folio de matrícula en que el título haya sido registrado, o inadmitido, según el caso, todo con su respectiva fecha, nombre o código de identificación del funcionario que recibe;

b) Radicador de certificados. Es el registro consecutivo de las solicitudes de certificados sobre la situación jurídica de los inmuebles que se recepcionan a diario en las Oficinas de Registro, o ante estas por intermedio de entidades u organismos delegados para tal fin y que contiene, como mínimo, la fecha de radicación, turno, número de matrícula inmobiliaria y fecha y hora de expedición.

Artículo 10. Índices. Los índices se conformarán con la información sobre los inmuebles matriculados y los titulares del derecho inscrito, el cual se llevará en forma sistematizada.

Los índices de consulta de inmuebles rurales y urbanos deberán permitir la búsqueda por cada uno de los municipios, veredas o corregimientos que compongan el círculo registral, por cédula catastral, nombre, carrera, calle, avenida, diagonales y transversales, en el orden de la nomenclatura de cada una de tales vías, cuando se trate de bienes inmuebles.

Los índices de los titulares de derecho sobre bienes raíces inscritos en el registro se llevarán en forma sistematizada, y deberán permitir la búsqueda por nombre o documento de identidad o NIT.

Parágrafo 1°. La base de datos de las Oficinas de Registro no podrá ser alimentada con números diferentes a los que correspondan a los documentos de identidad de las personas naturales o jurídicas.

Parágrafo 2°. La información necesaria para la búsqueda de las consultas debe encontrarse debidamente consignada en el folio de matrícula correspondiente, cuyo número debe incluirse en los índices de inmuebles y de los titulares.

Artículo 11. Archivo de los documentos antecedentes. Los instrumentos públicos radicados para su inscripción se deberán mantener en medios físicos o documentales, magnéticos o tecnológicos para su seguridad y conservación.

Previa solicitud y pago de los derechos respectivos, salvo las exenciones consagradas en la ley, el Registrador expedirá copia de los documentos e instrumentos que reposan en el archivo de la Oficina. La expedición de copias de escrituras públicas corresponde a las Notarías.

Artículo 12. Actas de visitas. De cada una de las visitas practicadas por la Superintendencia de Notariado y Registro, en desarrollo de su función de inspección, vigilancia y control, se llevará un archivo especial de actas, las cuales se numerarán en forma consecutiva y anual.

CAPÍTULO V. Modo de hacer el registro

Artículo 13. Proceso de registro. El proceso de registro de un título o documento se compone de la radicación, la calificación, la inscripción y la constancia de haberse ejecutado esta.

Artículo 14. Radicación. Recibido el instrumento público por medios electrónicos y con firma digital de las Notarías, Despachos Judiciales o Entidades Públicas o en medio físico o documental presentado por el usuario, se procederá a su radicación en el Diario Radicador, con indicación de la fecha y hora de recibo, número de orden sucesivo anual, naturaleza del título, fecha, oficina y lugar de origen, así como el nombre o código del funcionario que recibe.

Las Notarías y autoridades que envíen vía electrónica los instrumentos, se les dará constancia escrita de recibido por el mismo medio y con las mismas seguridades.

A quien lo presente para su registro se le dará constancia escrita del recibo, fecha, hora y número de orden. Estas circunstancias se anotarán tanto en el documento electrónico que se le comunique a la Notaría o autoridad de origen o al interesado en el instrumento que se le devuelva, como en el ejemplar destinado al archivo de la Oficina de Registro.

Parágrafo 1°. Para radicar físicamente cualquier instrumento público que debe inscribirse en el registro, el interesado deberá aportar otro ejemplar original o una copia especial y autentica expedido por el Despacho de origen, destinado al archivo de la Oficina de Registro, sin el cual no podrá recibirse para su radicación.

Parágrafo 2°. En aquellas Oficias de Registro de Instrumentos Públicos donde se garantice el manejo de imágenes digitales con la debida seguridad jurídica de las mismas y/o que reciban los documentos sujetos a registro por medios electrónicos sea de Notarías, Despachos Judiciales y Entidades Públicas con firma digital, previa concertación de la integración a este servicio no será necesaria la presentación de otro ejemplar del instrumento para archivo, siempre y cuando se garantice la reproducción total y fiel del mismo que sirvió de base para hacer el registro.

Parágrafo 3°. Una vez radicado el instrumento y antes de su calificación, se procederá a verificar que los datos consignados en la radicación correspondan fielmente al mismo.

Artículo 15. Radicación de documento o título vía electrónica en las notarías, despachos judiciales o entidades estatales. Una vez otorgado un título o documento de los relacionados en el artículo 4°, el Notario, la autoridad judicial, administrativa o estatal competente, a petición de cualquiera de los interesados o de manera oficiosa, podrá radicarlo en el sistema de información de registro o sistema adoptado para tal fin, remitiendo vía electrónica a la oficina de registro la copia del documento o título digitalizado con firma digital, así como los soportes documentales del cumplimiento del pago de los impuestos y derechos establecidos en la ley y decretos reglamentarios.

Parágrafo 1°. El pago de los impuestos y derechos de registro se podrá efectuar a través de medios virtuales o electrónicos bajo condiciones de seguridad y confiabilidad, debidamente integrados al proceso de registro. La Superintendencia de Notariado y Registro, reglamentará el procedimiento y desarrollo tecnológico para la puesta en marcha de este servicio.

Parágrafo 2°. *Ningún acto notarial ni de registro podrá ser gravado con impuestos, tasas o contribuciones municipales o departamentales, con excepción del Impuesto de Registro autorizado por la Ley 223 de 1995 y las que lo modifiquen o adicionen.*

Exeq. C-260 de 2015.

Artículo 16. Calificación. Efectuado el reparto de los documentos se procederá a su análisis jurídico, examen y comprobación de que reúne las exigencias de ley para acceder al registro.

Parágrafo 1°. No procederá la inscripción de documentos que transfieran el dominio u otro derecho real, sino está plenamente identificado el inmueble por su número de matrícula inmobiliaria, nomenclatura o nombre, linderos, área en el Sistema Métrico Decimal y los intervinientes por su documento de identidad. En tratándose de segregaciones o de ventas parciales deberán identificarse el predio de mayor extensión así como el área restante, con excepción de las entidades públicas que manejan programas de titulación predial. También se verificará el pago de los emolumentos correspondientes por concepto de los derechos e impuesto de registro.

Parágrafo 2°. El registro del instrumento público del cual pudiere exigirse el cumplimiento de una obligación, solo se podrá cumplir con la primera copia de la escritura pública que presta mérito ejecutivo o con la copia sustitutiva de la misma en, caso de pérdida, expedida conforme a los lineamientos consagrados en el artículo 81 del Decreto-ley 960 de 1970, salvo que las normas procesales vigente concedan mérito ejecutivo a cualquier copia, con independencia de que fuese la primera o no.

Artículo 17. Registro parcial. El registro parcial consiste en inscribir uno o algunos de los actos de un título que contiene varios actos o contratos, así mismo cuando el objeto del acto o del contrato es una pluralidad de inmuebles y alguno de ellos está fuera del comercio, o existe algún impedimento de orden legal por el cual deba rechazarse la inscripción, procederá previa solicitud motivada por escrito de todos los intervinientes.

Para el registro parcial de las medidas cautelares el Registrador de Instrumentos Públicos procederá de conformidad con lo ordenado por el juez competente.

Artículo 18. Suspensión del trámite de registro a prevención. En los eventos en que al efectuarse la calificación de un documento proveniente de autoridad judicial o administrativa con funciones judiciales se encuentre que no se ajusta a derecho de acuerdo a la normatividad vigente, se suspenderá el trámite de registro y se informará al funcionario respectivo para que resuelva si acepta lo expresado por la oficina o se ratifica en su decisión. La suspensión del trámite se hará mediante acto administrativo motivado y por el término de treinta (30) días, a partir de la fecha de remisión de la comunicación, vencidos los cuales y sin haber tenido respuesta, se procederá a negar la inscripción con las justificaciones legales pertinentes. En el evento de recibir ratificación, se procederá a su registro dejando en la anotación la constancia pertinente.

Artículo 19. Suspensión temporal del trámite de registro. Si en escrito presentado por el titular de un derecho real o por su apoderado se advierte al Registrador sobre la existencia de una posible falsedad de un título o documento que se encuentre en proceso de registro, de tal forma que genera serios motivos de duda sobre su idoneidad, se procederá a suspender el trámite hasta por treinta (30) días y se le informará al interesado sobre la prohibición judicial contemplada en la presente ley. La suspensión se ordenará mediante acto administrativo motivado de cúmplase, contra lo cual no procederá recurso alguno, vencido el término sin que se hubiere radicado la prohibición judicial se reanudará el trámite del registro. Cualquier perjuicio que se causare con esta suspensión, será a cargo de quien la solicitó.

Artículo 20. Inscripción. Hecho el estudio sobre la pertinencia de la calificación del documento o título para su inscripción, se procederá a la anotación siguiendo con todo rigor el orden de radicación, con indicación de la naturaleza jurídica del acto a inscribir, distinguida con el número que al título le haya correspondido en el orden del Radicador y la indicación del año con sus dos cifras terminales. Posteriormente se anotará la fecha de la inscripción, la naturaleza del título, escritura, sentencia, oficio, resolución, entre otros, su número distintivo, si lo tuviere, su fecha, oficina de origen, y partes interesadas, todo en forma breve y clara, y en caracteres de fácil lectura y perdurables.

El funcionario calificador señalará las inscripciones a que dé lugar. Si el título fuere complejo o contuviere varios actos, contratos o modalidades que deban ser registradas, se ordenarán las distintas inscripciones en el lugar correspondiente.

Parágrafo 1°. La inscripción no convalida los actos o negocios jurídicos inscritos que sean nulos conforme a la ley. Sin embargo, los asientos registrales en que consten esos actos o negocios jurídicos solamente podrán ser anulados por decisión judicial debidamente ejecutoriada.

Parágrafo 2°. Se tendrá como fecha de inscripción, la correspondiente a la radicación del título, documento, providencia judicial o administrativa.

Artículo 21. Constancia de inscripción. Cumplida la inscripción, de ella se emitirá formato especial con expresión de la fecha de inscripción, el número de radicación, la matrícula inmobiliaria y la especificación jurídica de los actos inscritos con la firma del Registrador que se anexará, tanto en el ejemplar del documento que se devolverá al interesado, como en el destinado al archivo de la Oficina de Registro. Posteriormente, se anotará en los índices.

Artículo 22. Inadmisibilidad del registro. Si en la calificación del título o documento no se dan los presupuestos legales para ordenar su inscripción, se procederá a inadmitirlo, elaborando una nota devolutiva que señalará claramente los hechos y fundamentos de derecho que dieron origen a la devolución, informando los recursos que proceden conforme al Código de Procedimiento Administrativo y de lo Contencioso Administrativo, o de la norma que lo adicione o modifique. Se dejará copia del título devuelto junto con copia de la nota devolutiva con la constancia de notificación, con destino al archivo de la Oficina de Registro.

Artículo 23. Anotación, culminación trámite. Luego de efectuada la inscripción y puesta la constancia de ella en el título o documento objeto de registro, o inadmitida la inscripción, se procederá a dejar constancia en el libro radicador de la terminación del trámite de registro y se pondrá a disposición del usuario.

Parágrafo. Efectuadas las anotaciones en la forma indicada en el presente capítulo se considerará realizado para todos los efectos legales el registro de instrumentos públicos.

Artículo 24. Notificación de los actos de inscripción. Los actos de inscripción o registro se entenderán notificados el día en que se efectúe la correspondiente anotación. Si el acto de inscripción hubiere sido solicitado por Entidad o persona distinta de quien aparezca como titular del derecho, la inscripción deberá comunicarse a dicho titular por cualquier medio idóneo, dentro de los cinco (5) días siguientes a la correspondiente anotación.

El titular del derecho podrá autorizar a otra persona para que se notifique en su nombre, mediante escrito que no requerirá presentación personal. El autorizado solo estará facultado para recibir la notificación y, por lo tanto, cualquier manifestación que haga en relación con el acto administrativo se tendrá, de pleno derecho, por no realizada.

Parágrafo. Todos aquellos títulos o documentos referidos a inscripciones de medidas cautelares serán remitidos por el Registrador de Instrumentos Públicos al respectivo despacho judicial, bien sea con la constancia de inscripción o con la nota devolutiva, según el caso, dentro de los términos establecidos en el Código de Procedimiento Administrativo y de lo Contencioso Administrativo, o de la norma que lo adicione o modifique.

Artículo 25. Notificación de los actos administrativos de no inscripción. Los actos administrativos que niegan el registro de un documento se notificarán al titular del derecho de conformidad con lo establecido en el Código de Procedimiento Administrativo y de lo Contencioso Administrativo, o de la norma que lo adicione o modifique.

Artículo 26. Desistimiento. Una vez que ingrese un instrumento para su inscripción, el(los) titular(es) del respectivo derecho, de común acuerdo podrán solicitar por escrito el desistimiento del registro, el cual será concedido mediante acto administrativo de cúmplase, siempre y cuando el proceso de registro no haya superado la etapa de inscripción.

Artículo 27. Término del proceso de registro. El proceso de registro deberá cumplirse en el término máximo de cinco (5) días hábiles, a partir de su radicación, salvo los actos que vinculen más de diez unidades inmobiliarias, para lo cual se dispondrá de un plazo adicional de cinco (5) días hábiles.

Artículo 28. Oportunidad especial para el registro. La hipoteca y el patrimonio de familia solo podrán inscribirse en el registro inmobiliario dentro de los noventa (90) días hábiles siguientes a su otorgamiento.

Artículo 29. Título antecedente. Para que pueda ser inscrito en registro cualquier título, se deberá indicar la procedencia inmediata del dominio o del derecho real respectivo, mediante la cita del título antecedente, la matrícula inmobiliaria o los datos de su registro, si al inmueble no se le ha asignado matrícula por encontrarse inscrito en los libros del antiguo sistema. Sin este requisito no procederá la inscripción, a menos que ante el Registrador se demuestre la procedencia con el respectivo título inscrito.

Artículo 30. Restitución de turnos. Cuando el documento ha sido devuelto por error de la oficina de registro procede la restitución del turno o número de radicación, previa resolución motivada del respectivo Registrador. En este caso conservará el número de radicación inicialmente asignado al solicitar por primera vez la inscripción.

CAPÍTULO VI. Registro de medidas judiciales y administrativas

Artículo 31. Requisitos. Para la inscripción de autos de embargo, demandas civiles, prohibiciones, decretos de posesión efectiva, oferta de compra y, en general, de actos que versen sobre inmuebles determinados, la medida judicial o administrativa individualizará los bienes y las personas, citando con claridad y precisión el número de matrícula inmobiliaria o los datos del registro del predio. Al radicar una medida cautelar, el interesado simultáneamente solicitará con destino al juez el certificado sobre la situación jurídica del inmueble.

Artículo 32. Prohibición judicial. La autoridad judicial o administrativa con funciones judiciales competente podrá ordenar al Registrador que se abstenga de realizar inscripciones de actos que alteren o modifiquen la situación jurídica de un inmueble, mientras se resuelve el proceso respectivo.

Dicha solicitud se radicará y se inscribirá con prioridad a otras solicitudes que se encuentren en trámite, sobre el mismo folio de matrícula inmobiliaria siempre que no hayan superado la etapa de inscripción.

Artículo 33. Concurrencia de embargos. Además de los casos expresamente señalados en fa ley, concurrirá con otra inscripción de embargo, el correspondiente al decretado por Juez Penal o Fiscal en proceso que tenga su origen en hechos punibles por falsedad en los títulos de propiedad de inmuebles sometidos al registro, o de estafa u otro delito que haya tenido por objeto bienes de esa naturaleza y que pueda influir en la propiedad de los mismos. Una vez inscrito este, se informará los jueces respectivos de la existencia de tal concurrencia.

Inscrito un embargo de los señalados en el inciso anterior, no procederá la inscripción de ninguna otra medida cautelar, salvo que el derecho que se pretenda reconocer tenga su origen en hechos anteriores a la ocurrencia de la falsedad o estafa, caso en el cual podrán concurrir las dos medidas cautelares.

Artículo 34. Efectos del embargo. El Registrador no inscribirá título o documento que implique enajenación o hipoteca sobre bienes sujetos a registro, cuando en el folio de matrícula aparezca registrado un embargo, salvo que el juez lo autorice o el acreedor o acreedores consientan en ello de conformidad con lo dispuesto en el artículo 1521 del Código Civil, evento en el cual adicionalmente, el interesado presentará a la Oficina de Registro la certificación del Juzgado respectivo, referida a la inexistencia de embargo de remanentes.

Parágrafo. Salvo autorización expresa de la autoridad competente no es procedente inscribir actos que impliquen la apertura o cierre de folios de matrícula inmobiliaria cuando estén inscritos embargos, prohibiciones judiciales o actos administrativos que sacan el bien del comercio.

CAPÍTULO VII. Modernización y simplificación del servicio público registral

Artículo 35. Transversalidad del servicio registral. En procura de garantizar la seguridad y confiabilidad de la información, así como la plena formalidad de los actos sujetos a registro, el servicio público registral se entenderá inmerso dentro de una lógica transversal e interinstitucional. En concordancia con lo anterior, el servicio público registral deberá contemplar el establecimiento de interrelaciones eficaces con las Entidades intervinientes en el proceso de registro en las etapas previas y posteriores al mismo.

Artículo 36. Accesibilidad a servicios virtuales de registro. Los servicios electrónicos dispuestos para los trámites de registro son un derecho de los ciudadanos y se constituyen en un canal alterno a los esquemas presenciales en operación y deberán prestarse con fundamento en los principios, políticas y reglamentaciones adoptadas por la Superintendencia de Notariado y Registro. Las entidades involucradas tendrán la obligación de establecer mecanismos virtuales de información, asistencia, asesoría, radicación de expedientes y seguimiento al trámite que complementen los servicios presenciales. En todo caso, estos servicios serán de uso discrecional por el ciudadano, pudiendo en cualquier momento retomar el proceso presencial si este le resulta conveniente.

Artículo 37. Facilitación de las relaciones del ciudadano con el registro inmueble. El servicio público registral deberá prestarse dentro de criterios de máxima simplificación, diversificación de canales de atención y principios de celeridad en la gestión pública, pero sin poner en peligro los bienes y derechos que protege el Estado. En este propósito, la Superintendencia de Notariado y Registro deberá prever y poner en operación mecanismos de relacionamiento eficaces, soportados en las políticas de servicio al ciudadano y de Gobierno en Línea.

Artículo 38. Integración del Proceso de Registro. La gestión del registro de instrumentos públicos propenderá por la incorporación de criterios de transversalidad a lo largo de toda la cadena del trámite, generando esquemas de relacionamiento entre las diversas entidades para garantizar la seguridad, confiabilidad, accesibilidad y plena formalidad de las transacciones o actos que afectan el registro. En procura de este propósito, se deberán establecer mecanismos de integración e interoperabilidad soportados en las tecnologías de información vigentes entre entidades con participación directa o indirecta en los trámites asociados al registro inmobiliario.

Artículo 39. Aplicación de tecnologías de información en el servicio público registral. Para efectos de garantizar la interrelación efectiva y segura entre las diferentes entidades que participan en trámites asociados de manera directa o indirecta al servicio registral en el marco de las políticas y regulaciones de interoperabilidad y Gobierno en Línea en la Administración Pública, se deberán prever mecanismos que, debidamente soportados en las tecnologías vigentes, permitan la remisión de expedientes electrónicos, la realización de pagos virtuales e integrales de todo el proceso, la accesibilidad a la información del trámite, el cumplimiento de formalidades de presentación personal a través de medios virtuales, comunicaciones electrónicas, la individualización y pleno reconocimiento del peticionario, la unificación de canales de entrada del expediente, la diversificación de canales de atención y prestación del servicio, la interoperabilidad entre procesos notariales y registrales, el seguimiento electrónico del proceso y demás temas adicionales que contribuyan a la facilitación de la relación del ciudadano con el registro inmobiliario.

Artículo 40. Modelos de prestación del servicio. En cumplimiento del artículo anterior, la Superintendencia de Notariado y Registro en conjunto con las demás entidades que participan en el proceso, definirán los modelos de prestación eficiente, diversificada y simplificada del servicio público registral. Para estos efectos, se garantizará la interoperabilidad entre entidades a través de la aplicación de tecnologías de información.

A efectos de reconocer los diferenciales de condiciones tecnológicas y operativas existentes en las diferentes regiones del territorio nacional para dar cumplimiento al presente artículo, se preverá la gradualidad en la implementación de estos modelos, teniendo en cuenta la posibilidad de adopción de las tecnologías y procesos del caso por las entidades participantes en lo regional y local.

Artículo 41. Diversificación de canales de prestación de servicios. Las notarías, entidades estatales o judiciales legalmente facultadas podrán actuar como canales de recepción, tramitación y facilitación de medios electrónicos para la realización de los trámites virtuales asociados al registro, en aquellas actuaciones o actos de registro susceptibles de ello. Estos servicios deberán incorporar las condiciones de seguridad y trazabilidad de las operaciones que permitan la plena confiabilidad de los servicios ofrecidos.

CAPÍTULO VIII. Registre móvil

Artículo 42. Objetivo del registre móvil. Para lograr una mayor cobertura en la prestación del servicio registral y adelantar jornadas especiales del registro de instrumentos públicos, con prioridad para la población desplazada y campesina, la Superintendencia de Notariado y Registro contará con unidades móviles que permitan prestar el servicio público registral en zonas apartadas de la geografía nacional, y realizar registros de actos.

Artículo 43. Trámites ante las unidades de registre móvil. A través de las unidades de registro móvil, los funcionarios de la Superintendencia de Notariado y Registro estarán facultados para efectuar el trámite de recepción y radicación de los títulos o documentos sujetos a registro de conformidad con el artículo 4° de esta ley.

Para ello cumplirán con el procedimiento de radicación establecido en la presente ley, tal como si se adelantara ante el propio Registrador de Instrumentos Públicos del lugar donde se encuentre ubicado el inmueble, y remitirán a cargo de este, la respectiva documentación a efectos de que culmine el proceso de registro.

En las unidades de registro móviles se radicarán y expedirán certificados de tradición en línea cuando las Oficinas de Registro de Instrumentos Públicos estén debidamente conectadas. Cuando ello no fuere posible, se solicitarán a la correspondiente oficina de registro, que lo expedirá en forma preferente para ser remitido por correo certificado a la dirección que haya registrado, previo el pago de los gastos de envío por parte del interesado.

Artículo 44. Reglamentación del procedimiento. Para el cumplimiento de las jornadas de que trata este capítulo, la Superintendencia de Notariado y Registro reglamentará el procedimiento a seguir por parte de las unidades de registro móviles.

CAPÍTULO IX. Mérito Probatorio del Registro

Artículo 45. Adulteración de información o realización de actos fraudulentos. La adulteración de cualquier información referente al título de dominio presentado por parte del interesado, o la realización de actos fraudulentos orientados a la obtención de registros sobre propiedad, estarán sujetos a las previsiones contempladas en el parágrafo del artículo 32 de la Ley 387 de 1997 y del Código Penal o a las leyes que las modifiquen, adicionen o reformen, trámite que se llevará a cabo ante (a jurisdicción ordinaria.

Artículo 46. Mérito probatorio. Ninguno de los títulos o instrumentos sujetos a inscripción o registro tendrá mérito probatorio, si no ha sido inscrito o registrado en la respectiva Oficina, conforme a lo dispuesto en la presente ley, salvo en cuanto a los hechos para cuya demostración no se requiera legalmente la formalidad del registro.

Artículo 47. Oponibilidad. Por regla general, ningún título o instrumento sujeto a registro o inscripción surtirá efectos respecto de terceros, sino desde la fecha de su inscripción o registro.

CAPÍTULO X. Folio de Matrícula Inmobiliaria

Artículo 48. Apertura de folio de matrícula. El folio de matrícula se abrirá a solicitud de parte o de oficio por el Registrador, así:

A solicitud de parte cuando los interesados, presenten ante la correspondiente Oficina de Registro los títulos que amparan sus derechos sobre bienes raíces con las debidas notas del registro, y con base en ellos se expiden las certificaciones a que haya lugar, las cuales servirán de antecedente o medio probatorio para la iniciación de procesos ordinarios para clarificar la propiedad o saneamiento de la misma. Se abrirá el folio de matrícula respectivo si es procedente de conformidad con esta ley.

De oficio, cuando se traslada la tradición del Antiguo Sistema de Registro al Sistema Vigente de Registro.

Artículo 49. Finalidad del folio de matrícula. El modo de abrir y llevar la matrícula se ajustará a lo dispuesto en esta ley, de manera que aquella exhiba en todo momento el estado jurídico del respectivo bien.

Parágrafo. En aquellos casos en que el predio de que se trate se encuentre II ubicado en dos o mas círculos registrales, será competente para abrir y mantener el folio de matrícula que lo identifique, la oficina de registro donde se encuentre localizada la mayor parte del terreno y cuando el área del inmueble se encuentre en proporciones iguales, será el titular del derecho de dominio quien decida la Oficina de Registro, que mantendrá la matrícula inmobiliaria.

Artículo 50. Matrícula inmobiliaria y la cédula catastral. Cada folio de matrícula inmobiliaria corresponderá a una unidad catastral y a ella se referirán las inscripciones a que haya lugar. En consecuencia, cuando se divida materialmente un inmueble o se segregue de él una porción, o se realice en él una parcelación o urbanización, o se constituya en propiedad por pisos o departamentos, o se proceda al englobe de varios predios el Registrador dará aviso a la respectiva oficina catastral para que esta proceda a la formación de la ficha o cédula correspondiente a cada unidad. El incumplimiento de este deber constituye falta disciplinaria del Registrador.

Artículo 51. Apertura de matrícula en segregación o englobe. Siempre que el título implique fraccionamiento de un inmueble en varias secciones o englobamiento de varias de estas en una sola unidad, se procederá a la apertura de nuevos folios de matrícula, en los que se tomará nota de donde se derivan, y a su vez se procederá al traslado de los gravámenes, limitaciones y afectaciones vigentes de los folios de matrícula de mayor extensión.

Artículo 52. Apertura de matrícula en Registro de Propiedad Horizontal. Al constituirse una propiedad por pisos, departamentos, propiedad horizontal o condominio, se mantendrán el registro catastral y el folio de matrícula correspondiente al edificio en general, con las debidas anotaciones, para lo relativo a los bienes de uso común. Para las unidades privadas de dominio pleno resultantes de la constitución de propiedad por pisos u horizontal, se abrirán los correspondientes registros catastrales y folios de matrículas independientes, segregados del registro y del folio general, tanto para señalar su procedencia, como para indicar la cuota que a cada propietario individual corresponde en los bienes comunes. En el registro catastral y en el folio de matrícula general, como en los registros y folios individuales, se sentarán recíprocas notas de referencia.

Artículo 53. Reconstrucción de folios de matrícula. En caso de pérdida, destrucción o deterioro de los folios o índices, se procederá a su reconstrucción con base en el duplicado del mismo que se conserve en el archivo, o en su defecto, con fundamento en los documentos auténticos y anotaciones que se encuentren en la propia oficina o en poder de los interesados, previo el trámite de la actuación administrativa contemplada en el Código de Procedimiento Administrativo y de lo Contencioso Administrativo.

Los documentos o títulos originales de los que no se tenga copia auténtica expedida por quien lo guardaba, se tendrá como prueba supletoria del mismo la copia que expida el Registrador de Instrumentos Públicos con base en la que conserva en su archivo, siempre que la expedición sea decretada por autoridad competente.

Artículo 54. Unificación de folios de matrícula inmobiliaria. En virtud del principio de especialidad cuando a solicitud de parte o de oficio se encuentren dos o más folios de matrícula inmobiliaria asignados a un mismo inmueble, el Registrador procederá a su unificación de conformidad con la reglamentación que sobre el particular expida la Superintendencia de Notariado y Registro.

Artículo 55. Cierre de folios de matrícula. Siempre que se engloben varios predios o la venta de la parte restante de ellos o se cancelen por orden judicial o administrativa los títulos o documentos que la sustentan jurídicamente y no existan anotaciones vigentes, las matrículas inmobiliarias se cerrarán para el efecto o se hará una anotación que diga «Folio Cerrado».

CAPÍTULO XI. Apertura de Matrícula de Bienes Prescritos

Artículo 56. Matrícula de bienes adjudicados en proceso de prescripción adquisitiva del dominio. Previa solicitud del interesado, ejecutoriada la sentencia declarativa de pertenencia, el Registrador la inscribirá en el folio de matrícula correspondiente al bien de que se trate.

Si esta matrícula no estuviere abierta o la determinación del bien que apareciere en ella no coincidiere exactamente con la expresada en la sentencia, será abierta o renovada, según el caso, la respectiva matrícula, ajustándola por lo demás a las especificaciones establecidas en la presente ley, pero sin que sea necesario relacionar los títulos anteriores al fallo.

CAPÍTULO XII. Apertura Matrícula de Bienes Baldíos

Artículo 57. Apertura de matrícula inmobiliaria de bienes baldíos. Ejecutoriado el acto administrativo proferido por el Instituto Colombiano de Desarrollo Rural (Incoder), o quien haga sus veces, procederá la apertura de la matrícula inmobiliaria que identifique un predio baldío a nombre de la Nación-Incoder, o quien haga sus veces.

En el caso en que dichos bienes baldíos, se encuentren ubicados dentro de las áreas que conforman el Sistema de Parques Nacionales Naturales de Colombia, se procederá con fundamento en el acto administrativo proferido por el Ministerio de Ambiente y Desarrollo Sostenible o quien haga sus veces a la apertura de la matrícula inmobiliaria a nombre de la Nación-Parques Nacionales Naturales de Colombia. En este último caso, y atendiendo a las normas que regulan el derecho de dominio en dichas áreas protegidas, Parques Nacionales Naturales de Colombia deberá adelantar este trámite para todos los bienes ubicados al interior de estas áreas, dejando a salvo aquellos que cuenten con títulos constitutivos de derecho de dominio conforme a las leyes agrarias y que se encuentren debidamente inscritos en el registro inmobiliario.

En caso de que se encuentren debidamente registrados títulos constitutivos de derecho de dominio conforme a las leyes agrarias, dentro de las áreas del Sistema de Parques Nacionales Naturales, el Ministerio de Ambiente y Desarrollo Sostenible deberá solicitar la inscripción de la limitación de dominio en la matrícula inmobiliaria de cada predio.

Parágrafo. La apertura del folio de matrícula, así como las inscripciones a que haya lugar se harán de conformidad con la reglamentación que expida el Gobierno Nacional para tal fin.

Artículo 58. Prohibición de inscripciones. Una vez abierto el folio de matrícula solo procederá la inscripción de cualquier acto sujeto a registro, con la expresa autorización del Incoder o quien haga sus veces, o la cita de la ley que así lo autorice.

Parágrafo. Cuando se requiera la autorización del Incoder o quien haga sus veces, esta se deberá protocolizar en la respectiva escritura pública sin lo cual no procederá su inscripción.

CAPÍTULO XIII. Corrección de Errores y Actuaciones Administrativas

Artículo 59. Procedimiento para corregir errores. Los errores en que se haya incurrido en la calificación y/o inscripción, se corregirán de la siguiente manera:

Los errores aritméticos, ortográficos, de digitación o mecanográficos que se deduzcan de los antecedentes y que no afecten la naturaleza jurídica del acto, o el contenido esencial del mismo, podrán corregirse en cualquier tiempo sustituyendo la información errada por la correcta, o enmendando o borrando lo escrito y anotando lo correcto.

Los errores en que se haya incurrido al momento de la calificación y que se detecten antes de ser notificado el acto registral correspondiente, se corregirán en la forma indicada en el inciso anterior.

Los errores que modifiquen la situación jurídica del inmueble y que hubieren sido publicitados o que hayan surtido efectos entre las partes o ante terceros, solo podrán ser corregidos mediante actuación administrativa, cumpliendo con los requisitos y procedimientos establecidos en el Código de Procedimiento Administrativo y de lo Contencioso Administrativo, o de la norma que lo adicione o modifique y en esta ley.

Las constancias de inscripción que no hubieren sido suscritas, serán firmadas por quien desempeñe en la actualidad el cargo de Registrador, previa atestación de que se surtió correcta y completamente el proceso de trámite del documento o título que dio origen a aquella inscripción y autorización mediante acto administrativo expedido por la Superintendencia Delegada para el Registro. A la solicitud de autorización deberá anexarse certificación expedida por el Registrador de Instrumentos Públicos, en el sentido de que dicha inscripción cumplió con todos los requisitos.

De toda corrección que se efectúe en el folio de matrícula inmobiliaria, se debe dejar la correspondiente salvedad haciendo referencia a la anotación corregida, el tipo de corrección que se efectuó, el acto administrativo por el cual se ordenó, en el caso en que esta haya sido producto de una actuación administrativa.

Parágrafo. La Superintendencia de Notariado y Registro expedirá la reglamentación correspondiente para el trámite de las actuaciones administrativas de conformidad con las leyes vigentes.

Artículo 60. Recursos. Contra los actos de registro y los que niegan la inscripción proceden los recursos de reposición ante el Registrador de Instrumentos Públicos y el de apelación, para ante el Director del Registro o del funcionario que haga sus veces.

Cuando una inscripción se efectúe con violación de una norma que la prohíbe o es manifiestamente ilegal, en virtud que el error cometido en el registro no crea derecho, para proceder a su corrección previa actuación administrativa, no es necesario solicitar la autorización expresa y escrita de quien bajo esta circunstancia accedió al registro.

CAPÍTULO XIV. Cancelaciones en el Registro

Artículo 61. Definición. La cancelación de un asiento registral es el acto por el cual se deja sin efecto un registro o una inscripción.

Artículo 62. Procedencia de la cancelación. El Registrador procederá a cancelar un registro o inscripción cuando se le presente la prueba de la cancelación del respectivo título o acto, o la orden judicial o administrativa en tal sentido.

La cancelación de una inscripción se hará en el folio de matrícula haciendo referencia al acto, contrato o providencia que la ordena o respalda, indicando la anotación objeto de cancelación.

Artículo 63. Efectos de la cancelación. El registro o inscripción que hubiere sido cancelado carece de fuerza legal y no recuperará su eficacia sino en virtud de decisión judicial o administrativa en firme.

Artículo 64. Caducidad de inscripciones de las medidas cautelaras y contribuciones especiales. Las inscripciones de las medidas cautelares tienen una vigencia de diez (10) años contados a partir de su registro. Salvo que antes de su vencimiento la autoridad judicial o administrativa que la decretó solicite la renovación de la inscripción, con la cual tendrá una nueva vigencia de cinco (5) años, prorrogables por igual período hasta por dos veces.

Vencido el término de vigencia o sus prórrogas, la inscripción será cancelada por el registrador mediante acto administrativo debidamente motivado de cúmplase, contra el cual no procederá recurso alguno; siempre y cuando medie solicitud por escrito del respectivo titular(es) del derecho real de dominio o de quien demuestre un interés legítimo en el inmueble.

Parágrafo. El término de diez (10) años a que se refiere este artículo se empieza a contar a partir de la vigencia de esta ley, para las medidas cautelares registradas antes de la expedición del presente estatuto.

CAPÍTULO XV. Interrelación Registro Catastro

Artículo 65. Información Registro-Catastro. Las Oficinas de Registro de Instrumentos Públicos estarán obligadas a suministrar a las autoridades catastrales competentes, dentro de los diez (10) primeros días de cada mes a través de medios técnicos o electrónicos que ofrezcan seguridad y agilidad, los documentos o títulos relativos a las mutaciones y/o modificaciones de la descripción física de los bienes inmuebles, de las cuales toman nota las autoridades catastrales para efectos de las facultades a ellas asignadas.

Parágrafo. [Modificado. Art. 105 L. 1753 de 2015] Cuando las autoridades catastrales competentes, en desarrollo de la formación y/o actualización catastral rural y urbana bajo la metodología de intervención por barrido predial masivo con enfoque multipropósito, adviertan diferencias en los linderos y/o área de los predios entre la información levantada en terreno y la que reposa en sus bases de datos y/o registro público de la propiedad, procederán a rectificar dicha información siempre y cuando los titulares del derecho de dominio del predio y sus colindantes manifiesten pleno acuerdo respecto de los resultados de la corrección y esta no afecte derechos de terceros o colinde con bienes imprescriptibles o propiedad de entidades de derecho público, bienes de uso público, bienes fiscales, bienes fiscales adjudicables o baldíos o cuya posesión, ocupación o transferencia estén prohibidas o restringidas por normas constitucionales o legales.

En esos casos, no existiendo conflicto entre los titulares y una vez verificado por la correspondiente autoridad catastral que lo convenido por ellos se ajusta a la realidad física encontrada en terreno, el Registrador de Instrumentos Públicos rectificará conforme a ello la información de cabida y linderos de los inmuebles que repose en sus folios de matrícula inmobiliaria, sin que para ello se requiera de orden judicial.

El procedimiento para la corrección administrativa de linderos y área por acuerdo escrito entre las partes, así como los eventos en los que no sea aceptada, será objeto de reglamento por parte del Gobierno nacional.

Artículo 66. Números catastrales. Las autoridades catastrales informarán a las de Registro la asignación de los números catastrales correspondientes a los predios que generan una nueva ficha predial. Asimismo, cuando exista, enviarán el plano del respectivo inmueble con destino al archivo del registro.

Si el certificado catastral contiene los linderos del inmueble objeto de transferencia, constitución o limitación del derecho real de dominio, estos se identificarán en la escritura en la forma señalada en aquel. En caso de que los linderos descritos en la escritura no coincidan con los del certificado catastral expedido para tal fin de conformidad con la normatividad que lo regule o reglamente, el Registrador de Instrumentos Públicos, no la inscribirá.

En adelante en todos los folios de matrícula deberán consignarse los datos relativos a la descripción, cabida y linderos del predio de que se trate, los cuales se transcribirán en su totalidad a excepción de los inmuebles derivados del régimen de propiedad horizontal donde bastará la cita de la escritura pública que los contenga.

CAPÍTULO XVI. Certificados

Artículo 67. Contenido y formalidades. Las Oficinas de Registro expedirán certificados sobre la situación jurídica de los bienes inmuebles sometidos a registro, mediante la reproducción fiel y total de las inscripciones contenidas en el folio de matrícula inmobiliaria.

La solicitud de expedición del certificado deberá indicar el número de la matrícula inmobiliaria o los datos de registro del predio.

La certificación se efectuará reproduciendo totalmente la información contenida en el folio de matrícula por cualquier medio manual, magnético u otro de reconocido valor técnico. Los certificados serán firmados por el Registrador o su delegado, en forma manual, mecánica o por cualquier otro medio electrónico de reconocida validez y en ellos se indicará el número de turno, fecha y hora de su radicación, la cual será la misma de su expedición, de todo lo cual se dejará constancia en el respectivo folio de matrícula.

Parágrafo. En los eventos en que la matrícula inmobiliaria se encuentre sometida a un trámite de actuación administrativa o judicial o de cualquiera otra índole, se expedirá el certificado de tradición y libertad, con la correspondiente nota de esta situación.

Artículo 68. Término de expedición. Los certificados se expedirán siguiendo el orden de radicación y serán expedidos de forma inmediata en las oficinas sistematizadas; en las demás, en un plazo máximo de un (1) día.

Artículo 69. Certificados especiales. Las Oficinas de Registro de Instrumentos Públicos expedirán, a solicitud del interesado, los certificados para aportar a procesos de prescripción adquisitiva del dominio, clarificación de títulos u otros similares, así como los de ampliación de la historia registral por un período superior a los veinte (20) años, para lo cual contarán con un término máximo de cinco (5) días, una vez esté en pleno funcionamiento la base de datos registral.

Artículo 70. Certificados de complementación. Se entiende por certificado de complementación aquel que se expide por una oficina de registro para completar la tradición de un predio que se encuentra en los archivos de otra oficina de registro y de esta manera expedir el certificado de tradición y libertad solicitado por el interesado. Este fenómeno se da cuando se autoriza la creación de una nueva oficina de registro, segregada de otra o cuando el predio objeto de la certificación se encuentra ubicado en dos (2) círculos registrales.

Artículo 71. Competencia para expedir el certificado de complementación. Será competente para expedir el certificado de complementación a la tradición, la Oficina de Registro ubicada en el territorio donde se encuentre la mayor parte del predio de que se trate. En el evento de la segregación de oficinas es competente aquella en la cual reposan los antecedentes registrales del predio en cuestión.

Artículo 72. Vigencia del certificado. En virtud de que los certificados de tradición y libertad sobre la situación jurídica de los inmuebles, se expiden en tiempo real respecto de la fecha y hora de su solicitud, su vigencia se limita a una y otra.

CAPÍTULO XVII. Organización del Servicio Público Registral

Artículo 73. Regiones Registrales. De conformidad con lo establecido en el inciso final del artículo 131 de la Constitución Nacional, para el manejo administrativo, financiero, operativo y de personal de las Oficinas de Registro de Instrumentos Públicos, el territorio nacional se divide en cinco (5) regiones registrales, así:

a) Región Registral Caribe: Conformada por los departamentos de La Guajira, Cesar, Atlántico, Magdalena, Córdoba, San Andrés y Providencia, Sucre y Bolívar;

b) Región Registral Pacífica: Conformada por los departamentos de Chocó, Valle del Cauca, Cauca y Nariño;

c) Región Registral Orinoquia: Conformada por los departamentos de Meta, Arauca, Casanare, Vichada, Guainía, Guaviare, Vaupés, Amazonas, Caquetá y Putumayo;

d) Región Registral Central: Conformada por los departamentos de Cundinamarca, Huila, Tolima, Boyacá, Santander y Norte de Santander;

e) Región Registral Andina: Conformada por los departamentos de Antioquia, Risaralda, Caldas y Quindío.

Parágrafo 1°. En cada Región Registral habrá la distribución de Oficinas de Registro que la Superintendencia de Notariado y Registro determine.

Parágrafo 2°. Las Oficinas de Registro se clasificarán en principales y seccionales.

Parágrafo 3°. El Gobierno Nacional, a solicitud de la Superintendencia de Notariado y Registro, teniendo en cuenta las necesidades del servicio determinará la categoría a la que pertenecerá cada oficina de registro, así como el número de servidores de cada una y sus funciones, su categoría y asignación.

Artículo 74. Tarifas registrales. La Superintendencia de Notariado y Registro fijará las tarifas por concepto del ejercicio de la función registral, las cuales se ajustarán anualmente y no podrán exceder el Índice de Precios al Consumidor, previo estudio que contendrá los costos y criterio de conveniencia que demanda el servicio. Todos los dineros recibidos por este concepto pertenecen al tesoro nacional y serán administrados por la Superintendencia de Notariado y Registro.

CAPÍTULO XVIII. Registradores de Instrumentos Públicos

Artículo 75. Propiedad, encargo o provisionalidad. El nombramiento de los Registradores de Instrumentos Públicos en propiedad se hará mediante concurso de méritos.

En caso de vacancia, si no hay lista de elegibles vigente, podrá el nominador designar Registradores en encargo o en provisionalidad, mientras el organismo competente realiza el respectivo concurso. De igual modo se procederá cuando el concurso sea declarado desierto.

Parágrafo 1°. Para efectos de lo previsto en este artículo, ejercerá la función de nominador para los Registradores Principales, el Gobierno Nacional y para los Registradores Seccionales, el Superintendente de Notariado y Registro.

Parágrafo 2°. Corresponderá al Superintendente de Notariado y Registro la facultad de proveer temporalmente las vacancias del cargo de Registrador Principal de Instrumentos Públicos, mediante la figura de encargo, generadas por muerte, renuncia, permiso, vacaciones, licencias, incapacidades, comisiones de servicio, suspensión en el ejercicio del cargo, mientras el Gobierno provea dicho cargo.

Artículo 76. Requisitos generales. Para ser Registrador de instrumentos Públicos, se requiere ser nacional colombiano, ciudadano en ejercicio, abogado titulado y tener más de treinta (30) años de edad.

Artículo 77. Requisitos para ser registrador principal. Para ser Registrador Principal de Instrumentos Públicos se exigen, además de los requisitos generales, en forma alternativa:

Haber ejercido cargo público de dirección, manejo y control, por un término no menor de seis (6) años, o la judicatura o el profesorado universitario en derecho al menos por ocho (8) años, o la profesión con buen crédito por un término no menor de diez (10) años.

Artículo 78. Requisitos pare ser Registrador Seccional. Para ser Registrador Seccional de Instrumentos Públicos se exigen, además de los requisitos generales, los siguientes:

Haber ejercido cargo público de dirección, manejo y control por un término tres (3) años, o la judicatura o el profesorado universitario en derecho al menos por cuatro (4) años, o la profesión con buen crédito por un término no menor de cinco (5) años.

Artículo 79. Impedimentos. No podrán ser Registradores de Instrumentos Públicos, quienes se encuentren en las siguientes circunstancias:

a) Quienes se hallen en interdicción judicial;

b) Los ciegos y quienes padezcan cualquier afección física o mental que comprometa la capacidad necesaria para el debido desempeño del cargo;

c) Quienes se encuentren bajo medida de aseguramiento, aunque no sea privativa de la libertad, o quienes hayan sido llamados a juicio por infracción penal, mientras se define su responsabilidad por providencia en firme;

d) Quienes hayan sido condenados a pena de prisión, aunque esta sea domiciliaria;

e) Quienes se encuentren o hayan sido suspendidos en el ejercicio de la profesión de abogado o excluidos del ejercicio de la misma *o sancionados disciplinariamente*;

f) Quienes como funcionarios o empleados de la Rama Jurisdiccional o del Ministerio Público, y por falta disciplinaria, hayan sido destituidos o suspendidos por falta grave o gravísima, cualesquiera que hayan sido las faltas o las sanciones;

g) Quienes hayan sido destituidos de cualquier cargo público por faltas gravísimas, dolosas o realizadas con culpa gravísima o suspendidos en el ejercicio del cargo por falta grave, dolosa o gravísima culposa;

h) Las demás previstas en la ley.

Exeq. Cond. C-612 de 2013: «Declarar EXEQUIBLE, por los cargos analizados en la presente providencia, la expresión "o sancionados disciplinariamente", contenida en el literal e) del artículo 79 de la Ley 1579 de 2012, en el entendido que la inhabilidad no se extiende a quienes fueron sancionados con *censura o multa por faltas no graves cuando se impongan de manera autónoma, de conformidad con la Ley 1123 de 2006».*

Artículo 80. Inhabilidades. Para ningún nombramiento de Registrador de Instrumentos Públicos podrá postularse o designarse a persona que sea cónyuge o pariente dentro del cuarto grado de consanguinidad, segundo de afinidad o primero civil, de alguno de los funcionarios que intervienen en la postulación o nombramiento, o de los que hayan participado en la elección o nombramiento de ellos. Se exceptúan de lo previsto en este artículo los nombramientos efectuados en aplicación de las normas vigentes sobre ingreso por méritos.

Artículo 81. Incompatibilidades. No podrán ser designados en propiedad, provisionalidad o en encargo para una misma circunscripción territorial personas que sean entre sí cónyuges, compañeros permanentes o parientes dentro del cuarto grado de consanguinidad, segundo de afinidad o primero civil.

Artículo 82. Retiro forzoso y pensión de jubilación. No podrán ser nombrados Registradores de Instrumentos Públicos en propiedad, provisionalidad o en encargo, quienes se hallen en condiciones de retiro forzoso, y quienes estén devengando pensión de jubilación.

CAPÍTULO XIX. Provisión, Permanencia e Ingreso a la Carrera Registral

Artículo 83. Régimen Disciplinario. El régimen disciplinario, impedimentos, incompatibilidades, deberes, prohibiciones y responsabilidad aplicable a los Registradores de Instrumentos Públicos será el previsto en la Ley 734 de 2002, la que la modifique, derogue o adicione y demás normas concordantes.

Artículo 84. Edad de Retiro Forzoso. La edad de retiro forzoso de los Registradores de Instrumentos Públicos, será la edad de sesenta y cinco (65) años.

CAPÍTULO XX. Consejo Superior para la Carrera Registral y Concursos

Artículo 85. Consejo Superior de la Carrera Registral. Créase el Consejo Superior de la Carrera Registral como organismo rector de la Carrera Registral, el cual estará integrado por el Ministro de Justicia y del Derecho, quien lo presidirá; dos (2) delegados del Presidente de la República elegidos para un período de dos (2) años; el Presidente del Consejo de Estado o el Consejero Delegado; el Presidente de la Corte Suprema de Justicia o el Magistrado Delegado; el Procurador General de la Nación o su Delegado con las mismas calidades y dos (2) Registradores de Instrumentos Públicos de carrera, un principal y uno seccional, elegidos para un período de dos (2) años, con sus respectivos suplentes quienes asistirán en caso de ausencia de los principales. El Superintendente de Notariado y Registro, asistirá con voz pero sin voto.

Artículo 86. Sesiones. El Consejo Superior para la Carrera Registral se reunirá cada vez que fuere convocado por su Presidente. Sus decisiones se tomarán por mayoría absoluta de los miembros presentes y formarán quórum para deliberar y decidir la mitad más uno de sus integrantes.

Artículo 87. Secretaría Técnica. El Superintendente Delegado para el Registro de Instrumentos Públicos de la Superintendencia de Notariado y Registro desempeñará las funciones de Secretario Técnico del Consejo Superior para la Carrera Registral.

Artículo 88. Gastos de funcionamiento. Los gastos que demande el funcionamiento del Consejo Superior para la Carrera Registral y los concursos, se harán con cargo al presupuesto de la Superintendencia de Notariado y Registro, la cual le proporcionará además, los servicios técnicos y administrativos que requiera para su eficaz funcionamiento.

Artículo 89. Recursos. Contra las resoluciones del Consejo Superior para la Carrera Registral procederá únicamente el recurso de reposición.

CAPÍTULO XXI. Del Concurso para Ingreso al Servicio

Artículo 90. Concurso y lista de elegibles. El organismo rector de la carrera registral convocará, administrará y realizará directamente o a través de universidades legalmente establecidas, de carácter público o privado, los concursos de méritos para el ingreso a la carrera registral.

Los Registradores de Instrumentos Públicos serán nombrados por el Gobierno Nacional o por el Superintendente de Notariado y Registro, según sea el caso, de la lista de elegibles que le presente el organismo rector de la carrera registral, las cuales deberán publicarse en uno o varios diarios de amplia circulación nacional. La lista de elegibles se obtendrá de los resultados del concurso de méritos y tendrá una vigencia de dos años, a partir de dicha publicación.

Artículo 91. Valoración. Para la calificación de los concursos se valorará especialmente la experiencia de los candidatos en actividades o funciones relacionadas con el registro de instrumentos públicos, capacitación, estudios de posgrado y de especialización, particularmente los relacionados con el registro o ciencias afines.

Las pruebas e instrumentos de selección son, en su orden:

a) Los análisis de méritos y antecedentes;

b) La prueba de conocimientos;

c) La entrevista.

El concurso se calificará sobre cien (100) puntos, así:

La prueba de conocimientos, tendrá un valor de cincuenta (50) puntos, de los cien (100) del total del concurso. Los exámenes versarán sobre derecho notarial y registral, derecho civil, derecho penal, derecho comercial, inmobiliario, agrario y administrativo.

La experiencia valdrá hasta veinte (20) puntos: tres (3) puntos por cada año en el desempeño del cargo público de dirección, manejo y control; dos (2) puntos por cada año en el ejercicio de funciones registrales o notariales; un (1) punto por cada ano en el ejercicio de la profesión de abogado.

Especialización o posgrados diez (10) puntos.

La entrevista, hasta veinte (20) puntos y evaluará la personalidad, vocación de servicio y profesionalismo del aspirante.

Parágrafo 1°. Para efectos del presente artículo, se contabilizará la experiencia en el ejercicio de la profesión de abogado desde la fecha de obtención del respectivo título.

Parágrafo 2°. No podrá concursar para el cargo de Registrador de Instrumentos Públicos, quien haya sido condenado penalmente, sancionado disciplinaria o administrativamente por conductas lesivas al patrimonio del Estado o por faltas señaladas como graves o gravísimas, cualesquiera que hayan sido las faltas o las sanciones, de conformidad con el Código Disciplinario Único.

Parágrafo 3°. El contenido de la prueba de conocimientos y criterio jurídico variará de acuerdo con la clase de círculo registral (principal o seccional) para el que se concurse.

CAPÍTULO XXII. De la Responsabilidad de los Registradores de Instrumentos Públicos

Artículo 92. De la responsabilidad de los registradores. Los Registradores de Instrumentos Públicos son los responsables del funcionamiento técnico y administrativo de las respectivas Oficinas de Registro de Instrumentos Públicos.

Artículo 93. Responsabilidad en el proceso de registro. Los Registradores de Instrumentos Públicos serán responsables del proceso de registro y de la no inscripción, sin justa causa, de los instrumentos públicos sujetos a registro, sin perjuicio de la responsabilidad que pueda atribuirse a los funcionarios que intervienen en el proceso registral.

Artículo 94. Responsabilidad patrimonial. Los Registradores de Instrumentos Públicos responderán, en ejercicio de sus funciones, en materia patrimonial por los hechos, acciones y omisiones demandados ante la jurisdicción contenciosa administrativa cuando esta profiera condena en contra de la Entidad, mediante sentencia debidamente ejecutoriada y haya sido consecuencia de la conducta dolosa o gravemente culposa del referido Registrador.

Artículo 95. Impedimentos. Los registradores de instrumentos públicos no podrán autorizar sus propios actos o contratos ni aquellos en que tengan interés directo o figuren como otorgantes su cónyuge, compañero(a) permanente, o sus parientes dentro del cuarto grado de consanguinidad, segundo de afinidad o primero civil.

CAPÍTULO XXIII. Control de la Vigilancia Registral

Artículo 96. De la inspección, vigilancia y control. La prestación del servicio público registral, así como las demás funciones que en cumplimiento de la ley, decretos y reglamentos, deban prestar y desarrollar las oficinas de registro de instrumentos públicos estarán sujetas a la inspección, vigilancia y control de la Superintendencia de Notariado y Registro.

Artículo 97. Intervención de las Oficinas de Registro de Instrumentos Públicos. En cualquier momento, de manera oficiosa o a petición de las Entidades de control, judiciales o en virtud de las quejas recibidas de los ciudadanos, la Superintendencia de Notariado y Registro, previa visita y comprobación de los hechos por parte de la Superintendencia Delegada para el Registro, podrá intervenir las Oficinas de Registro de Instrumentos Públicos, para lo cual nombrará un Director de Intervención.

Parágrafo. Serán causales de intervención, entre otras, las siguientes:

Graves inconsistencias en el trámite del proceso registral o de expedición de certificados, tales como incorrecta liquidación de los derechos de registro, atraso en la calificación de documentos, cambio de anotaciones en los folios de matrícula sin los respectivos soportes, reutilización o anulación de turnos de radicación, alteración en las bases de datos que contienen los folios de matrícula inmobiliaria, indebido manejo del archivo que soporta las anotaciones, reimpresión o doble expedición de certificados de tradición sin pagar los derechos correspondientes.

También por inconsistencias en el campo administrativo en las órdenes de pago, en el trámite de compras.

Artículo 98. Clases de intervención. Dependiendo de la gravedad de los hechos denunciados o que de oficio dé lugar a la intervención, esta podrá ser:

a) Intervención de primer grado. El Director de Intervención verificará los hechos que dieron lugar a la intervención y procurará la solución de los mismos;

b) Intervención de segundo grado. Se presenta cuando en el acto administrativo que ordena la intervención se limitan las funciones del Registrador a la autorización de los actos que se inscriban o se rechacen, igualmente de los certificados de tradición que se expidan, de las actuaciones administrativas que se surtan y de otras certificaciones que deba expedir, bajo las directrices del Interventor en procura de solucionar los hechos que dieron lugar a la intervención tomando las decisiones administrativas y jurídicas a que haya lugar;

c) Intervención de tercer grado. Se presenta cuando, previo el proceso disciplinario iniciado con ocasión de los informes del Director de Intervención, se suspende provisionalmente de las funciones del cargo al Registrador de Instrumentos Públicos y bajo la orientación del Director de Intervención, se procura conjurar los hechos que dieron lugar a la intervención, tomando las decisiones administrativas y jurídicas a que haya lugar.

Parágrafo. En cualquiera de los grados de intervención de la Oficina de Registro, con el acto administrativo que decrete la intervención, se dará traslado a la Oficina de Control Disciplinario Interno de la Superintendencia de Notariado y Registro, para lo de su competencia.

Artículo 99. Acto administrativo de inicio de la intervención. El acto administrativo que ordene la intervención de la Oficina de Registro, deberá contener como mínimo:

a) Motivación de los hechos que dan lugar a la intervención;

b) Indicación del grado de intervención de la Oficina de Registro;

c) Designación del Director de Intervención;

d) Indicación del tiempo que será objeto de intervención la Oficina de Registro;

e) Ordenar la publicidad del acto administrativo en la Oficina de Registro intervenida y en el Diario Oficial y en la página web de la Superintendencia de Notariado y Registro

Artículo 100. Funciones del director de intervención. El Director de Intervención tendrá las siguientes funciones:

a) Tomar todas aquellas decisiones administrativas y jurídicas, así como establecer los procedimientos a que haya lugar, para conjurar los hechos que generaron la intervención;

b) Efectuar las respectivas comunicaciones a la Oficina de Control Disciplinario Interno, para lo de competencia;

c) Revocar los actos administrativos a que haya lugar de conformidad con lo establecido en el Código Contencioso Administrativo, o de la norma que lo adicione o modifique;

d) Guardar la información objeto de investigación, la cual será reservada;

e) Presentar a la Superintendencia Delegada para el Registro, informes semanales de su gestión de intervención y un informe final al culminar la misma;

f) Proceder a efectuar las denuncias penales pertinentes, en desarrollo de la intervención, cuando a ello haya lugar;

g) Las demás que se consideren necesarias para el buen funcionamiento de la Oficina de Registro intervenida.

Artículo 101. Acompañamiento. Cuando la Superintendencia de Notariado y Registro o el Director de Intervención lo considere necesario, podrá pedir el acompañamiento a los entes de control de carácter distrital, municipal o nacional desde el inicio del proceso de intervención hasta la culminación de este.

Artículo 102. Audiencia pública. El Director de Intervención podrá convocar a una audiencia pública de reclamaciones, mediante la fijación de aviso en la Oficina de Registro intervenida, en la cual las personas interesadas, podrán presentar los documentos que soporten su reclamación. El Director de Intervención dará trámite a las reclamaciones cuando haya lugar, para la solución de estas.

Artículo 103. Función de la Superintendencia de Notariado y Registro en la intervención. La Superintendencia de Notariado y Registro no coadministra ni es responsable de la función del Director de Intervención, solo tendrá el liderazgo sobre el proceso.

CAPÍTULO XXIV. Disposiciones Generales

Artículo 104. Vigencia y derogatorias. Esta ley rige a partir de su promulgación y deroga el Decreto-ley 1250 de 1970, Decreto número 1975 de 1970, Decreto número 2156 de 1970, Decreto número 2157 de 1970, y las demás disposiciones que le sean contrarias.

Publíquese y cúmplase.

Dada en Bogotá, D. C., a 1° de octubre de 2012.

LEY 1934 DE 2018
(agosto 2)
Por medio de la cual se reforma y adiciona el Código Civil

(*) Los artículos 1 al 19 de la Ley 1934 de 2018 se encuentran incorporados en el Código Civil en los artículos 1045, 1226, 1240, 1242, 1244, 1245, 1247-1249, 1251, 1254, 1256, 1257, 1261, 1263, 1264, 1275, 1277 y 1520. Para su consulta véase los citados artículos.

Artículo 20. Deróguense las siguientes disposiciones del Código Civil: los artículos 1243, 1252, 1253, 1259 y 1262.

Artículo 21. Cuando vaya a disponerse testamentariamente de predios rurales de extensión inferior a cuatro (4) Unidades Agrícolas Familiares (UAF), no será aplicable el régimen de legítimas.

Artículo 22. Esta ley entrará a regir a partir del 1 de enero del año siguiente de su expedición y no será aplicable a los testamentos que hayan sido depositados en notaría antes de la vigencia de la presente ley, los cuales seguirán regulados por la legislación anterior.

Publíquese y cúmplase.

Dada en Bogotá, D. C., a 2 de agosto de 2018.

ÍNDICE ANALÍTICO

Apuesta por Tirant Online Colombia, la base de datos jurídica innovadora del mercado

www.tirantonline.com

Suscríbete a nuestro servicio de base de datos jurídica y tendrás acceso a todos los documentos de Legislación, Doctrina, Jurisprudencia, Formularios, Esquemas, Consultas o Voces, y a muchas herramientas útiles para el jurista:

* Biblioteca Virtual
* Traductor jurídico
* Legislación internacional
* Tirant TV
* Personalización
* Jurisprudencia altas cortes y tribunales

* Revistas Jurídicas
* Gestión de despachos
* Biblioteca GPS
* Tirant Derechos Humanos
* Novedades
* Conceptos de Superintendencias y órganos de control

Comunícate en Bogotá 4660171

 atencionalcliente@tirantonline.com

 www.tirantonline.com